中华现代学术名著丛书

中国文化史

上册

陈登原 著

商務印書館
创于1897 The Commercial Press

2014年·北京

图书在版编目(CIP)数据

中国文化史/陈登原著.—北京:商务印书馆,2014
(中华现代学术名著丛书)
ISBN 978-7-100-10186-8

Ⅰ.①中… Ⅱ.①陈… Ⅲ.①文化史—中国
Ⅳ.①K203

中国版本图书馆CIP数据核字(2013)第175883号

本书据世界书局1947年版并参考其他版本校订排印

中华现代学术名著丛书
中国文化史
(上下册)
陈登原 著

商务印书馆出版
(北京王府井大街36号 邮政编码100710)
商务印书馆发行
北京瑞古冠中印刷厂印刷
ISBN 978-7-100-10186-8

2014年8月第1版 开本880×1240 1/32
2014年8月北京第1次印刷 印张31 插页1
定价:93.00元

陈 登 原

(1900—1975)

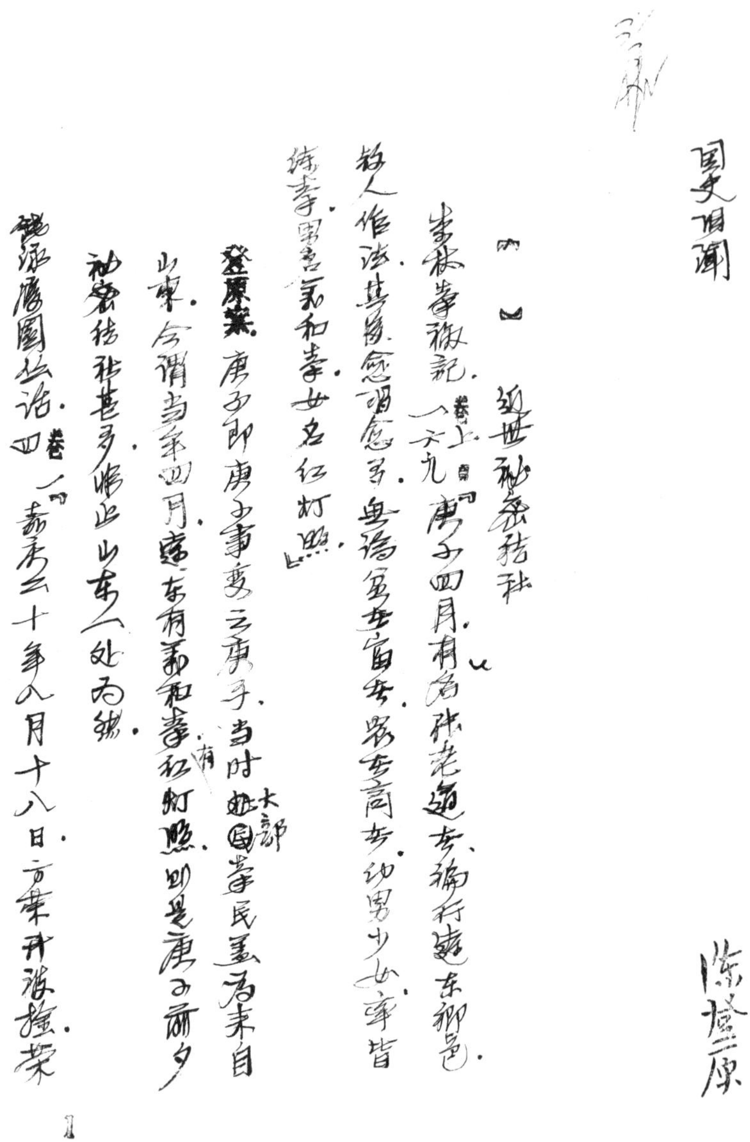
国史旧闻

陈登原

（一） 近世秘密结社

[illegible]记，卷上 一六九 「庚子四月，有名孙老道者，编行近东郡邑，教人作法，其法念咒，念毕，无论男女老少，幼男少女，皆练拳，男者名义和拳，女名红灯照」。

登原案：庚子即庚子事变之庚子。当时大部姓民义为来自山东，今谓当年四月，近东有义和拳，有红灯照，则是庚子前夕，秘密结社甚多，非止山东一处而然。

[illegible]丛话，卷四 一四 「嘉庆二十年八月十八日，方荣升被擒，

作者手迹

出版说明

百年前，张之洞尝劝学曰："世运之明晦，人才之盛衰，其表在政，其里在学。"是时，国势颓危，列强环伺，传统频遭质疑，西学新知亟亟而入。一时间，中西学并立，文史哲分家，经济、政治、社会等新学科勃兴，令国人乱花迷眼。然而，淆乱之中，自有元气淋漓之象。中华现代学术之转型正是完成于这一混沌时期，于切磋琢磨、交锋碰撞中不断前行，涌现了一大批学术名家与经典之作。而学术与思想之新变，亦带动了社会各领域的全面转型，为中华复兴奠定了坚实基础。

时至今日，中华现代学术已走过百余年，其间百家林立、论辩蜂起，沉浮消长瞬息万变，情势之复杂自不待言。温故而知新，述往事而思来者。"中华现代学术名著丛书"之编纂，其意正在于此，冀辨章学术，考镜源流，收纳各学科学派名家名作，以展现中华传统文化之新变，探求中华现代学术之根基。

"中华现代学术名著丛书"收录上自晚清下至20世纪80年代末中国大陆及港澳台地区、海外华人学者的原创学术名著（包括外文著作），以人文社会科学为主体兼及其他，涵盖文学、历史、哲学、政治、经济、法律和社会学等众多学科。

出版“中华现代学术名著丛书”，为本馆一大夙愿。自1897年始创起，本馆以“昌明教育，开启民智”为己任，有幸首刊了中华现代学术史上诸多开山之著、扛鼎之作；于中华现代学术之建立与变迁而言，既为参与者，也是见证者。作为对前人出版成绩与文化理念的承续，本馆倾力谋划，经学界通人擘画，并得国家出版基金支持，终以此丛书呈现于读者面前。唯望无论多少年，皆能傲立于书架，并希冀其能与“汉译世界学术名著丛书”共相辉映。如此宏愿，难免汲深绠短之忧，诚盼专家学者和广大读者共襄助之。

商务印书馆编辑部

2010年12月

凡　　例

一、“中华现代学术名著丛书”收录晚清以迄20世纪80年代末，为中华学人所著，成就斐然、泽被学林之学术著作。入选著作以名著为主，酌量选录名篇合集。

二、入选著作内容、编次一仍其旧，唯各书卷首冠以作者照片、手迹等。卷末附作者学术年表和题解文章，诚邀专家学者撰写而成，意在介绍作者学术成就，著作成书背景、学术价值及版本流变等情况。

三、入选著作率以原刊或作者修订、校阅本为底本，参校他本，正其讹误。前人引书，时有省略更改，倘不失原意，则不以原书文字改动引文；如确需校改，则出脚注说明版本依据，以“编者注”或“校者注”形式说明。

四、作者自有其文字风格，各时代均有其语言习惯，故不按现行用法、写法及表现手法改动原文；原书专名（人名、地名、术语）及译名与今不统一者，亦不作改动。如确系作者笔误、排印舛误、数据计算与外文拼写错误等，则予径改。

五、原书为直（横）排繁体者，除个别特殊情况，均改作横排简体。其中原书无标点或仅有简单断句者，一律改为新式标点，专名号从略。

六、除特殊情况外，原书篇后注移作脚注，双行夹注改为单行夹注。文献著录则从其原貌，稍加统一。

七、原书因年代久远而字迹模糊或纸页残缺者，据所缺字数用“□”表示；字数难以确定者，则用“（下缺）”表示。

上册目录

卷一　上古卷

卷二　中古卷

自　　叙

登原作《中国文化史》，既成其上古卷，爰拨余沈，略叙其意。

夫史事烦重，调度不易；自古已然，于今更甚。若夫端临著书，虽有"鬼已先知"之誉；而《通考》自叙，尚生"何所发明"之憾！今以萤末之光，妄烛前古；斯则其难一也。

温公作《通鉴》，一事用三四处纂成。积稿洛阳，盈于两屋。"到洛八年"，始了六代；修史分属，各尽专材。今以乡曲末学，无师友为之扶助；妄谈往昔，斯则其难二也。

欧阳修以一代文人，烧烛拥髻之余，勒成五代之史。而后贤之论其书也，犹谓其徒有笔墨驰骋之习，而无剪裁润色之功详邵晋涵《南江文钞》卷三《五代史记提要》，并恨其"取材未当"，"书法未审"，"掌故未备"。今以愚拙之材，欲于繁称博引之间，为体大思精之作，斯则其难三也。

虽然，属稿仅及乎一载，蓄志则实已有年：适得其下，而取法亦效于其上，仅象于犬，而立意固希于画虎。略区其意，亦可列而为三：一则曰，有所不取也；二则曰，有所必取也；三则曰，取之而必以其真也。

如近贤著史，动用《周礼》。燕石盈箱，赝鼎列座。计其工拙，何异抄胥？吾则耻而有所不取也（本书用《周礼》处，亦无非《考信录》"备览"之意，不依为定论云）。又如封建之制，近贤好缕述《王制》、《周礼》、《孟子》之异同。然周室爵禄之制，《孟子》既不得闻详，吾人自不妨稍略。而以纵的封建而言，则俞理初之解君子，师服之记本末。所谓阶级社会，其确存于古代，固可谓考前史而不谬，俟后圣而不惑。吾则信而必取之也。又如井田之制，本属行之一区一时之制；而商君之任治地，明系节制贵族，奖励平民之法。旧史舍此不道，殊为失实。吾则取之，而必以其真也。

此登原属稿时区区之意也。

登原自十五岁以前，备受祖父容卿公之爱，不欲远离其膝下。即以此故，经史之义、象算之书，胥大人日训督之。其后大人菲饮节食，资送之以求学于四方。略能自立，而祖父墓木已拱祖讳治裕，卒于民国二年，年六十。幸大人健在，教导不废。即草此书时，凡经传之所记，诗书之所载，卷页翻寻，纲领提挈，犹大人之教导是赖。——然则此书之为书也，如有所短，固自惭于不学。苟有所长，惟私感于祖德。适值大人六十悬弧之时，而吾书亦成，因以附记之云。

民国二十二年九月，余姚陈登原述

卷首　叙意

第一章　中国文化史之意义

一　国名诠释

今人恒言，动呼吾国为中华者，亦有年矣。

《小戴记·王制篇》："中国戎夷五方之民，皆有性也，不可推移。东方曰夷，被发文身，有不火食者矣；南方曰蛮，雕题交趾，有不火食者矣；西方曰戎，被发衣皮，有不粒食者矣；北方曰狄，衣羽毛穴居，有不粒食者矣。"《王制》虽为汉博士所叙录之经说，然亦见中之可贵，不如其东南西北之野拙焉。《左氏传》亦记仓葛之言："德以柔中国，刑以威四夷。"僖二十五言中国主德，而四夷主威者，亦以见中国之可贵；所谓贵中贱外是已。

《说文解字》："夏，中国之人也。从夊，从页，从臼。臼，两手；夊，两足也。"段注：中国之人，谓以别于北方狄，东方貉，南方蛮、闽，西方羌，西南僬侥，东方夷也。又《说文》"羌"字下："羌，西戎羊种也，从羊儿。南方蛮闽，从虫；北方狄，从犬；东方貉，从豸；西方羌，从羊；此六种也。西南僰人僬侥，从人；盖在坤地，颇有顺理之性。"《说文解字》卷四上《左传》闵公元年又言：

“戎狄豺狼，不可厌也；诸夏亲昵，不可弃也。”以此见古人贵中贱外，盖一贯之思想矣。

第所谓中国者，其范畴之大小，亦与中国文化之推播，同以时期而转演。故有训中国为国都所在者矣；训中国为文物之区者矣；训中国为居天下中，贵无能逾，高无能上者矣。

《诗》《民劳》诗注疏十七之四云：“民亦劳止，汔可小康。惠此中国，以绥四方。”又云：“民亦劳止，汔可小息。惠此京师，以绥四国。”毛氏《传》云：“中国，京师也。四方，诸夏也。”观两什之以京师中国，对举成文，则《毛传》谓中国即京师，未为谬也。

《公羊》隐公七年“不与夷狄之执中国”，何休注云：“因地不接京师，故以中国正之。中国者，礼义之国也。”《孟子》：“尧崩，三年之丧毕，舜避尧之子于南河之南。天下诸侯朝觐者，不之尧之子而之舜；讴歌者不讴歌尧之子而讴歌舜；夫然后之中国，践天子位焉。”凡此所谓中国，其义已大于国都，犹曰文物之区矣。

普通谓舜然后之中国践王子位，系舜回国都而自帝。但据俞理初《舜之中国义》《癸巳类稿》卷三云：“《孟子》：舜避尧之子于南河之南，禹避舜之子于阳城，益避禹之子于箕山之阴，天下归舜禹。故《孟子》、《史记·本纪》，皆言舜然后之中国，践天子位。‘然后之中国者’，《孟子》解避之之义。言先南河之南，在河外也。尧都平阳，舜都蒲坂，禹都安邑，中国，谓三河之内，自有所居。不干前天子之都。”案此说甚确，禹舜各有都，此云中国，当作文物之区解。

再进，则有训中国为居天下中，高贵无比者。《禹贡》言“中邦锡土姓”；而《史记·夏本纪》则改为“中国锡土姓”。而韩愈《原道》谓“孔子之作《春秋》也，诸侯用夷礼，则夷之。进于中国，则中国之”。是中国，作高贵无比训焉。《左》庄三十一年《传》：“凡诸侯有四夷之功，则献于王，王以警于夷。中国则否，诸侯不相遗俘。”所谓中国，亦别于夷狄而言。近世，章炳麟为《中华民国解》《太炎文别录》卷一云：“中国之名，别于四裔而为言。印度亦称摩伽陀为中国，日本亦称山阳为中国。此本非汉土所独有者。然日本、印度之言中国者，举中土以对边郡；汉土之言中国者，举领域以对异邦。”举中土以对边郡，犹诸汉以后人之言中国；举领域以对异邦，则汉以来人自矜自持之言已。

何也？中，固吾民族所斤斤自诩者。

《论语》：“尧曰‘咨尔舜，允执厥中。’”《中庸》言：“舜其大知也欤，执其两端，用其中于民。”又曰：“中也者，天下之大本也；和也者，天下之达道也。”又曰“君子中庸，小人反中庸。”又曰：“中庸其至已乎，民鲜能久矣！”而《大戴记·主言》：“昔者，舜左禹而右皋陶，不下席而天下治。夫政之不中，君之过也。政之既中，令之不行，职事者之罪也。”夫尧舜之时，何“中”可执？昔人尝以为疑。然自《论语》《中庸》已来，下讫宋元语录，无不以中为可贵者，则“中”之所以训炙吾民者，盖亦久矣。

朱子《中和说》云：“凡感之而通，触之而觉，盖有浑然全体，应物而不穷者。是乃天命流行，生生不息之机。夫岂别有一物，限于一时，拘于一地，而可以谓之中哉？”《宋元学案》卷四十八则朱子所以训中，乃生生不息，应物不穷；非限于一时，拘于一地之谓也。

第以己为“中”，自能以人为“外”；以“中”为贵，自能以“外”为贱。故各史外国传，于记载外族之语，率多荒唐之贬词。如《后汉书·南蛮传》谓南蛮为人狗混生之种，即其一征。轻视外族，安于故步，此则其弊一也。

又以中为贵，故历来名儒宿学，不喜为诡激一往之论，如曰矫枉过正；而喜为模棱两可之语，如曰哀而不伤。首鼠两端，人何适从？此则其弊二也。然则“中”字在近世中国之是非功过，秉笔之士，实难言之。

然就史以征“中”则如“中”字之在中国，固未尝无功足录。不为诡激之行，中也；不为功利立教，中也；不为兼并侵夺立训，中也。包罗万有，弃短取长，调和摄用，冶于洪炉，中也。无论精神方面，物质方面，来而不穷其极，化而不成其拘，吾民族之所以蔚然自存于人间世者，与中庸中和，固不得而绝缘焉。

刘咸著《人种学观点下之中华民族》云：“吾国人种，在体性方面非但不低劣，且优点甚多。在演化程序中，可占优越之地位。此事实昭示如此，非故作唯心之论，以安慰国人者，再细察前列事实，吾国人种中所呈现之显著特点，即多居中庸之数，不偏极端。吾国精神文明、物质文明，固多行中庸之道。经先圣之提倡，而深入人心。不图体性方面，亦显现中庸之道，斯可谓巧合者矣。非然者，则必因体性之中庸，而影响及精神文明上之中庸；因精神文明上之中庸，而影响及物质文明上之中庸。由统计学观之，中庸为数之中；可为全体平均之代表。生物界之中庸者，乃擅两端之长，而为群众之代表。吾国人之体性，经悠久之演化，汰劣留良，得此多数中庸之优点，不亦重可宝欤？”《国风》半月刊第八期是则言国人体性中庸，非仅在文化方面焉。

“中”字之义既如上述，至于“华”则亦含有民族自信之意义者。

于《文》，𠌶，草木华也。段玉裁云：“此与华音义皆同。”𦻏，荣也。段玉裁曰：“木谓之华，草谓之荣。引伸之，为《曲礼》‘削瓜为国君华之’之字，又为‘光华’、‘华夏’字。”《说文解字》卷六下是则以字义言之，华者，本可矜贵矣。《书》“蛮夷滑夏”，孔氏《正义》云：“夏者，训大也。中国有礼义文章光华之大。定十年《左传》云‘裔不谋夏，夷不乱华’，是中国为华夏也。”以华为礼义文章之大，而所以别于夷裔，盖亦矜持之意耳。

案《左》定十年《传》，孔子相定公，会齐侯于夹谷。“犁弥言于齐侯曰：‘孔丘知礼而无勇，若使莱人以兵劫鲁侯，必得志焉。’齐侯从之。孔丘以公退曰：‘士兵之！两君合好，而裔夷之俘，以兵乱之，非齐君所以命诸侯也。裔不谋夏，夷不乱华。’”是以莱人为裔夷，而以齐鲁为华，正以礼义文章光华自居焉。

章炳麟《中华民国解》《太炎文别录》卷一云：“神灵之胄，自西方来，以雍梁二州为根本。宓牺生成纪，神农产姜水，黄帝宅桥山，是皆雍州之地。高阳起于若水，高辛起于江木，舜居西城，禹生石纽，是皆梁州之地。观其帝王所产，而知民族奥区，斯为根极。雍州之地，东南至于华阴而止。梁州之地，东北至于华阳而止。就华山以定限，名其国土曰华。则缘起如此也。”考华山，为汉儒所熟用。以此山代表吾国，其说当始于汉，犹之，以汉名吾种族也。《孟子》言“挟泰山以超北海”，《论语》谓“曾谓泰山不如林放”；秦以前人，以泰山自重；至汉都洛阳，其儒缀说《中庸》，始言“载华岳而不重”。可知以华山为号，汉以前未有此事。则就华山以定限者，未如就日月光华之义，以定吾种族之名也。

《经传摭余》卷五云：“《中庸》，近人以为汉儒作。据‘载华岳’云云，子思胡不言载泰山？”青照堂丛书本叶庶山亦谓：“明明以长安之人，指长安之山，其为汉儒伪托无疑。”《秋雨庵随笔》卷上引故不取章说。

盖以“华”自诩，犹以“夏”自称，犹以“中”自勉。国于大地，必有与立。中也，华也，夏也，亦吾先民所啧啧自诩，斤斤自号，黾黾自勉，而为文化之胚胎者。至于或称我为秦，或称我为汉，或称我为唐，穷本溯源，要皆人之称我，而非我所自字。故略而不论也。

二 文化诠解

然则以中华两字而言，吾民族固含有矜持其文化之义矣。

章炳麟言：“说者曰：‘中国云者，以中外别地域之远近也。中华云者，以华夷别文化之高下也。’即此以言，则中华一名词，不仅非一地域之国名，亦且非一血统之种名，乃为一文化之族名。故《春秋》之义，无论同姓之鲁卫，异姓之齐宋，非种之楚越，中国可以退为夷狄，夷狄可以进为中国。专以礼教为标准，而无有亲疏之别，其后经数千年，混杂数千百人种，而其称中华如故；以是推之，华之所以为华，以文化言，可决知也！”《太炎文别录》卷一《中华民国解》盖就“中”就“华”，即知吾之文化，有其所以自诩及其所以自勉者也。

今考“文”之意义，盖有三解。就此三者以观，我国文化，果有可以自诩及自勉者耶？

文也者，犹曰“迹”也。《论语》《雍也篇》：“子曰：‘君子博学于文，约之以礼。’”孔氏《正义》：“君子若博学于先王之遗文，复用礼以自检约，则不违道也。”许慎《说文解字叙》云：“古者包牺氏王天下也，仰则观象于天，俯则观法于地。视鸟兽之文，与地之宜。”而《吕氏春秋》亦谓：“仓颉生而知书，写仿鸟迹，以造文章。”段注《说文解字》卷十五此皆以文为迹也。试问吾中华民族之遗迹，有可观法者乎？

文也者，犹曰表也。文，《说文》作彣。段玉裁云：“凡言文章，当作彣彰。作文章者省也。”从彡，“以毛饰画，而成文章”。曹丕《与吴质书》云：“以犬羊之质，服虎豹之文；无众星之明，假日月之光。”《魏志》二十一裴注《左传》宣十五年《正义》：“文者，物象之本。”不曰物之本，而曰物象之本者，犹曰虎豹之文，盖取其外象耳。试问吾中华民族之象型，有可称道者乎？

文也者，犹曰敏也。《诗・大明》云：“明明在下，赫赫在上。”《叙》曰：“文王有明德。”《论语・公冶长篇》：“子贡问曰：‘孔文子何以谓之文也？’子曰：‘敏而好学，不耻下问。是以谓之文也。’”

是则以文为明敏也。试问吾中华民族之明敏，果有足以当此“文”而不惭；立“文”垂制，焕乎著明耶？

《论语》《泰伯篇》载孔子赞尧，“焕乎其有文章”，孔氏《正义》：“焕，明也；言其立文垂制，又著明也。”又《子罕篇》：“子畏于匡，曰：‘文王既没，文不在兹乎？天之将丧斯文也，后死者不得与于斯文也；天之未丧斯文也，匡人其如予何？’”“颜渊喟然叹曰：……‘博我以文，约我以礼。’”此处“文”字，皆合于上述三解者。又《颜渊篇》称：“棘子成曰‘君子质而已矣，何以文为？’子贡曰：‘惜乎夫子之说，君子也，驷不及舌。文犹质也，质犹文也，虎豹之鞟，犹犬羊之鞟。’”则是以文为采饰，以质为本原，又具一义。

然文之意义，限于一平面上；至于“化”，则有“因袭其文”、“因时成化”之纵的意义矣。兹亦绎其三义，引伸于下。

一则曰：创化也。《易·系辞》云：“是以天生神物，圣人则之，天地变化，圣人效之。”所谓“圣人”，即系创制之智者。如曰：“古者庖牺氏之王天下也，仰则观象于天，俯则观法于地，观鸟兽之文，与地之宜，近取诸身，远取诸物，于是始作八卦，以通神明之德。”如曰：“上古穴居而野处，后世圣人，易之以宫室；上栋下宇，以待风雨。”由无而有，由隐而显，则化之意义一也。

二则曰：变化也。《论语》《为政第二》云：“子张问，‘十世可知也？’子曰：‘殷因于夏礼，所损益可知也。周因于殷礼，所损益可知也。其或继周者，虽百世可知也。’”《正义》曰：“此章明创制革命，因沿损益之礼。……子张问于孔子，夫国家文质礼变，若相承至于十世，世数既远，可得知其礼乎？夫子答以……虽多至百世，以其物类相召，世数相生，其变有常，故皆可豫知也。”然则孔子所知之“百世”即在损益成变，即所谓因穷生变。变则能通，而又能久，此则化之意义二也。

《易·系辞》亦谓：“神农氏没，尧舜氏作，通其变，使民不倦。神而化之。”孔氏《正义》云：“若黄帝已上，衣鸟兽之皮。其后人多兽少，事或穷乏，故以丝麻布帛，而制衣裳，是神而变化，使民得宜也。易穷则变，变则通，通则久者，言易道若穷，则须随时改变；所以须变者，变则开通得久长，故云通则久也。”《周易兼义》卷八此释变化之起，基于穷；变化之致，致于通。所谓因沿损益，便是此意。

三则曰：进化也。即以衣裳为例：《小戴记》《礼运》谓：“昔者未有麻丝，衣其羽皮，后圣有作，然后治其麻丝，以为布帛。”而《尚书》《禹贡》有丝、纻、絺之别，则蚕丝之制用甚早。然取野生之虫，育以为蚕，而又知抽之成丝，织之成帛，则吾先民之于丝也，所以展转改进，而后成其为用，允非一朝一夕之故。《淮南子》《泰族训》云：“茧之性为丝，然非得女工煮以热汤，而抽其统纪，则不能成丝。”知蚕，一也；知茧，二也：知抽其统纪，三也。……一丝之微，后人以为平凡无足道者。然其制用之进化，则犹有型迹可寻。此则化之意义三也。

又如衣，亦古今日常久用者。衣，于文作<衣古字>，象覆二人之形。是通言之也。御雨则有衰，于文作<衰古字>，从衣；象形中索草也。御寒则有裘，于文作𧘝，中象皮也《说文解字》卷八。因物境之有移，起制作之变化，此变而趋于进者也。即以衣裘言之："魏文侯见路人，反裘而负刍。曰：'臣爱其毛。'文侯曰：'里尽而毛无所恃。'明年，东阳上计，钱布十倍。文侯曰：'此无异夫路人反裘而负刍也。'"《新序·杂事》可见，古人虽衣裘，然外毛内鞹。及至后人，护鞹以布帛，乃至于外鞹内毛。一裘之微，其进步变化如是。

综上以观，则知所谓文化，乃系创造而变通，变通而进步，彰明昭著之美迹焉。由此以征文化发生之景相，则更有三迹可寻。

其一，所谓文化由于创造者，盖即文化由乎环境之说焉。《庄子》《逍遥游》："宋人资章甫而之越，越人断发文身，无所用之。"然则冠裳之起，盖乃由于气候。如可文身，如可断发，则无需于衣服冠裳之造制也。

案如衣，于文从覆二人之形，段注以无贵贱均用之，故从两人。近人柳诒徵引其友顾惕森说，谓："衣何以覆二人？义亦不可解。衣字之下半，当即北字。古代北方开化之人，知有冠服。南方则专治文身，故衣字象北方之人戴冠者。"《上古文化史》第七章案北作𠂎，从二人相背，与衣字同在人部《说文解字》卷八上。解衣字之从北，即文化由于环境说也。

其二，所谓文化由于变通者，言穷则思变，文化发生于困难之说焉。《易·系辞》谓："上古结绳而治，后世圣人，易之以书契，百官以治，万民以察。"是谓由结绳以趋文字之化，完全由于圣人之作为。然按清张庆祥《黎岐纪闻》页二谓:“生黎地不属官,亦各有主。间有卖买授受者,以竹片为券。盖黎内无文字,用竹批为三,计丘段价值,划文其上。两家及中人,各执之以为信,无敢欺者。近日狡黠辈,颇纷纷以诈伪生争矣。”由是以观,则求治求察,结绳削木,所以进而为文字者,殆有诈伪等之困难,有以驱策之焉。

《论语》十六《季氏》章:“生而知之者上也,学而知之者次也。困而学之,又其次也。”注云:“困,谓有所不通。”不通者,固所以求通者乎?此亦因变求通之意。

其三,穷则为变,变则能通,通则能久者,是谓文化随环境而创,随困难而变,而变也者,所以致通久:即谓进步之说焉。北宋徐积云:“欲求圣人之道,必于其变。盖尽中道者,圣人也;而中道不足以尽圣人。故必观于变,盖变则纵横反复,不主故常;而皆合道,非贤人之所能。”《宋元学案》卷一引仲车语录《易·系辞》亦言:“往者屈也;来者信也。曲信相感,而利生焉。尺蠖之曲,以求信也;龙蛇之蛰,以存身也。”斯皆释变化之期,期于通久;使文物进步,成为曲线形的进展焉。

三　史之解释

然则所谓中国文化者,盖指吾民族创变穷通之事。而所以记载此创变穷通之迹者,则舍史安归?

《说文》卷三下“史部”:“史,记事者也,从𠂇持中,中正也。”《礼》

《玉藻》云："动则左史书之，言则右史书之。"不云记言者，盖以记事包之。夫以"中正"而论，则所谓史者，诚有去取与舍，褒贬赋夺之义耶？以史为持中正者，虽为后起之义。要亦治文化史者所可准则者也。

王国维云："中正，无形之物德，非可手持。然则史所从之'中'，果何物乎？吴氏大澂曰：'史象手持简形。'然中与简形，殊不类。江氏永《周礼疑义举要》云：'凡官府簿书，谓之中，故诸官言治中，受中，小司寇，断庶民狱讼之中，皆谓簿书，犹今之案卷也。'……顾簿书何以云中，亦不得其说。案《周礼·太史职》，凡射事饰中舍算。……是'中'者，盛算之器也。……算，与简策本是一物，又皆为史之所执。则盛算之'中'，盖亦用以盛简。简之多者，自当编之为篇。若数在十简左右者，盛之于中，其用较便。"《观堂集林》卷六《释史》由是观之，则"史"字之起原，乃系手持盛简之器，初无所谓"中正"。以史为持正，虽舍删繁取要，博收约取，鉴别是非，审正美丑之意，顾其解乃起于汉人也。

考我国史官建置最早，故王国维云："史为掌书之官，自古为要职。殷商以前，其官之尊卑虽不可知，然大小官名及职事之名多由史出，则史之位尊地要，可知已。"《观堂集林》卷六《释史》今不问《周礼》五史，其职掌何如？然汉时郡国上计，犹先上太史。故葛洪谓司马迁之父"谈死，以世官复为太史公，位在丞相下。天下上计，先上太史公，副上丞相"。《西京杂记》卷六是亦古时史官职掌隆重之一征焉。

《西京杂记》虽未必为西汉实录，然考古代史官责重，则知洪语有所本。《史通·外篇》第一《史官建置》云："盖史之建官，其来尚矣。昔轩辕氏受命，仓颉沮诵，实居其职。至于三代，其数渐繁。案《周官》、《礼记》有太史、小史、内史、外史、左史、右史之名。太史，掌国之六典；小史，掌邦国之志；内史，掌书王命；外史掌书，使乎四方。左史记言，右史记事。《曲礼》曰'史载笔'，大事书之于策，小事简牍而已。《大戴礼》曰：'太子既冠，成人，则有司过之史。'《韩诗外传》云：'据法守职而不敢为非者，太史令也。'斯则史官之作，肇自黄帝，备于周室。名目既繁，职务咸异。"王国维《释史》云："太史与太宰，同掌天官，固当在卿位矣。……内史之官，虽在卿下，然其职之机要，除冢宰外，实为他卿所不及。"《观堂集林》卷六亦同葛洪意焉。

史官职掌隆重之外，又为文献所归。"案《吕氏春秋》曰：'夏太史终古，见桀昏乱，载其图法出奔商。商太史向挚，见纣迷乱，载其图法出奔周。晋太史屠黍，见晋之乱，亦以为法归周。'"《史通·外篇》第一《史官建置》是知史官所职，义有图法，不限于文字焉。《左传》昭公二年载："晋侯使韩宣子来聘，且告为政而来见，礼也。观书于太史氏，见《易象》与鲁《春秋》，曰：'《周礼》尽在鲁矣，吾乃今知周公之德，与周之所以王也。'"然则政制图书，又古史氏所掌录者焉。古史氏之居处，乃含有图书馆，博物馆之作用者矣。

文献依归之外，又为是非所判。《左传》崔杼弑其君，而齐之"太史书曰：'崔杼弑其君。'崔子杀之，其弟嗣书而死者二人。其弟又书，乃舍之。南史氏闻太史氏尽死，执简以往。闻既书矣，乃还"襄二十五年《传》。又谓赵盾出奔，赵穿杀晋灵公之后，"太史书曰'赵盾弑其君'，以示于朝。宣子赵盾曰：'不然。'对曰：'子为正卿，亡不越竟，反不讨贼，非子而谁？'宣子曰：'乌乎，我之怀矣，自贻伊戚，其我之谓矣。'孔子曰：'董狐，古之良史也，书法不隐；赵宣子，古之良大夫也，为法受恶。'"襄二十五年《传》夫以记载笔诛，不避权贵论之，则史之足以别善恶，资劝勉也，亦明矣。

是非判定以外，则又有剪裁润色也。《论语》《雍也篇》："子曰：'质胜文则野，文胜质则史。'"邢昺《疏》云："人若质多胜于文，则如野人之言鄙略也。文胜质则史者，言文多胜于质，则如史官焉。"然则所谓史者，固不仅据事直书；固不仅案事排比；如昔人所斥之断烂朝报矣。

　　《史通·内篇》二十二《叙事》云："昔夫子有云，文胜质则史；故知史之为务，必藉于文。自五经已来，三史而往，以文叙事，可得见焉。而今之所作，或异于是。其立言也，或虚加练饰，轻事雕彩；或体采赋颂，或词类诽优，文非文，史非史。"足见子玄论史，亦以剪裁润色之功为重。

夫以史为手持中正，则判断尚矣，即所谓史识焉。以史为职掌隆重，文献所归，则史学尚矣。以史为是非之所判，劝勉之所资，则史德尚矣。至于剪裁润色，勒成一家之言，则即昔人所谓史才。

昔袁山松撰《后汉书》谓"书之为难也有五，烦而不整，一难也。俗而不典，二难也。书不实录，三难也。赏罪不中，四难也。文不胜质，五难也。"《史通·内篇》二十八《模拟篇》引唐刘知幾又创为三难之论，谓学难，识难，才难。后人步武其说，大抵守"三难"之训，而清之章学诚，则又益以史德，列成"四难"——然则究吾民族创变穷通之迹，无

其学固不可。无其识，亦无以博收约取于其学也。无其才，不能以其所得，剪裁润色之也。至若无其德者，则成见之所囿，习俗之所拘，僻性之所褊，又乌能勒成一家之言，而不为桀骜狂妄之论耶？

钱大昕《潜研堂文集》卷二十八《跋柯维骐〈宋史新编〉》云："柯氏《宋史新编》，较之方山薛应旂《续通鉴》用功已深，义例亦有胜于旧史者。惜其见闻未广，有史才而无史学耳。后之有志于史者，既无龙门扶风之家学，又无李淑、宋敏求之藏书，又不得刘恕、范祖禹助其讨论，而欲以一人之精力，成一代之良史，岂不难哉？"是钱氏论史，偏于"史学"方面也。章学诚《文史通义》《内篇》三《史德》："才学识三者，得一不易，而兼三尤难。千古多文人，而少良史，职是故也。昔者刘子元，盖以是说谓足盖其理矣。"又云："非识无以断其义，非才无以善其文，非学无以陈其事。""刘氏之所谓才学识，犹未足以尽其理也。……能具史识者，必具史德。德者何谓？著书者之心术也。"意若谓博征史料(学)，施以抉择(识)，不拘于私己成见(德)，又能善为排比贯通(才)，有斯四者，则洵乎其为良史。若近儒著史，举汉宋经说，以为古有其事；则"识难"见矣。零碎叙述，章自为文，文自为意，则"才难"见矣。倚其顽老，厌恶新潮；如改良汉字之议，不为著录。文言合一之事，痛施诋斥，而不知求诸国史，固非无因而至者。全凭意气，何以服人？则"德难"见已。但以萤末之光，自照今古，即诩以为繁博，则"学"亦岂不"难"哉？有感于兹，"僭书其所见于此"用亭林讥朱子语。

第二章　中国文化史资料论

四　中国史料之纷繁

以“史官建置”之早而言，则知中国史史料，纷繁极已。

《公羊传》云：“公子益师卒。何以不日？远也。所见异辞，所闻异辞，所传闻异辞。”隐公元年则史料之撷取，固自古以为难已。

王世贞《四部稿》卷一四四《艺苑卮言一》云：“天地间无非史而已。三皇之世，若泯若没，五帝之世，若存若亡。噫，史其可以已耶。六经，史之言理者也。编年、本纪、志表、书、世家、列传，史之正文也。叙、记、碑、碣、铭、述，史之变文也。训、诰、命、册、诏、令、教、劄、上书、封事、疏、表、启、笺、弹事、奏记、檄、露布、移、驳、谕、尺牍，史之用也。论、辨、说、解、难、议，史之实也。颂、赞、铭、箴、哀、悲，史之华也。”是则言凡为记载，皆属于史矣。

王氏以“六经为史”之言，即章学诚六经皆史之权舆。章氏《文史通义》《内篇》一《易教上》云："六经，皆史也。古人不著书，古人未尝离事而言理。六经，皆先王之政典也。或曰：'《书》、《诗》、《礼》、《乐》、《春秋》，则既闻命矣。《易》以道阴阳，愿闻所以为政典，而与史同科之义焉？'曰：'……韩宣子之聘鲁也，观书于太史氏。见《易象》、《春秋》，以为周礼在鲁。《易象》亦称周礼，其为政教典章，切于民用，明矣。'"良以即就《易象》而言，古人风俗民情，亦必有流露其间者，此所以与史同科耳。

梁启超《历史研究法》一页云："中国历史可读耶？二十四史、两《通鉴》、九通、五纪事本末，乃至其他杂史、别史等，都计不下数万卷。幼童习焉，白首而不能殚。在昔犹苦之，况于百学待治之今日？"夫仅阅记载，汗牛充栋，已觉涉猎为难。虽彭光斗《芮处士传》谓芮城在明社将亡时，"于书靡所不读。尝有贾挟二十一史，截僻句挑之，城应声指卷页，无一错。贾不取直而去。"俞樾《荟蕞编》卷十引《云溪草堂文钞》而谢在杭述秦淮海语："每阅一事，必寻绎数过。掩卷茫然，辄复不省。故虽有勤苦之劳，而常废于善忘。"《文海披沙》卷一"秦淮海语"条即在明季，梨洲以一代学人，自言："忆余十九二十岁时，读二十一史，每日丹铅一本。迟明而起，鸡鸣而已，盖两年而毕。然付性鲁钝，一传未终，已迷其姓氏者，往往有之。"《南雷文约》卷四《补历代史表序》意者，芮乃自诩之虚，黄、秦则实言之是。朝抉夕披，含英咀华，人生有限，兹事不易，岂不闻有"一部十七史，何处说起"之语乎？

文天祥《文文山集》卷十五《系年录》"文山被执，见博罗丞相。文山曰：‘自古有兴有废，天祥今日，忠于宋以至此，幸早施行。’博罗曰：‘你道有兴有废，且道盘古到今，几帝几王？’文山曰：‘一部十七史，以何部说起？今非赴博学宏词科，不暇泛言。’”此虽有为而发，然足证史事之繁。

又如司马光《通鉴》，胡三省称：“（温公）遍阅旧史，旁采小说。摘抉幽隐，萃荟为书，劳矣。而修书分属；汉则刘攽，三国讫于南北朝，则刘恕，唐则范祖禹。各以其所长属之。皆天下选也。历十九年而成，则合十六代一千三百六十二年行事为一书，岂一人必思耳目之力哉？”《通鉴注叙》盖光为《通鉴》，“先为长编，后为考异。高似孙《纬略》载其《与宋敏求书》，称到洛八年，始了晋宋齐梁陈隋六代。唐文字尤多。依年月编次为草卷，以四丈为一卷，计不减六七百卷”。“光作《通鉴》，一事用三四出处纂成，用杂史诸书凡二百二十二家。李焘《巽岩集》亦称张新甫见洛阳有《资治通鉴》稿，盈两屋”《四库总目提要》卷四十五。则《通鉴》采撷史料之时，其繁重可知。

然以两屋之稿，勒成二百九十四卷之书，而成书以后，人犹厌其繁重。“温公尝语人曰：‘自吾为《资治通鉴》，人多欲求观。未终一纸，已欠伸思睡。能阅之终篇者，惟王胜之耳。’”《宋史》二八六《王益柔传》，益柔字胜之则温公于二百余家之书，为稿两屋，虽曰辅助有人，然亦艰辛可知。

又如《通典》、《通考》之类，稽列代之文物，为名家之巨著，于繁复之中，略寻头绪，计其苦辛，可得而言。即如马氏《通考》，端临虽言："窃伏自念业绍箕裘，家藏坟索。插架之收储，趋庭之问答，其于文献，盖庶几焉。"然终自愧："欲以末学陋识，操觚窜定其间。虽复穷老尽气，刿目铢心，亦何所发明？"故希夫后之君子，"略矜其仰屋之勤，俾免于覆车之愧"《文献通考自叙》。则于一生精力所萃者，虽鬼惊博雅，而已不自信欤！

阎若璩《潜邱劄记》卷六《咏马端临诗》自注："马端临之父延鸾，卒后为冥府，谓其乡人曰：'可怜吾儿读书，将来自有用处。'盖自元讫今，征古者必于《文献通考》。鬼固已先知之矣，异哉！"此亦足见端临致力之苦。

但举《通鉴》、《通考》、廿一史而言，犹为史料之已经搜别者。其未经搜别而有待于博取约收者，盖亦多矣。如金石图画之属是已。

试以金石为例，而陈说之。

朱一新《无邪堂答问》卷四云："石刻之有益于史者，惟年月地理官制诸端。须史学通贯，乃能及之。其中真赝错出，宜加审订，未可全据也。……翁覃溪言：金石可证史，不可证经，其说良是。"见《复初斋文集》是一新所言，于金石犹有微词。然郑君戒子之书，房乔元龄之辨；取资碑版，果足辨史；则金石未可恝置欤？

俞正燮《癸巳存稿》卷七郑君《戒子书》云："《后汉书·郑康成传》戒子益思书云：'吾家旧贫，不为父母兄弟所容。'元以后人，多持此语，谓康成非圣贤。今高密有金承安五年立唐万岁通天元年史承节所作碑文，云兼疏本传之文。载此书，则曰：‘吾家旧贫，为父母群弟所容。’是宋以前本如是。‘不’字，宋以后，字匠误多也。”

又如唐名相房元龄，《旧唐书》作“房乔字元龄”《旧唐书·元龄传》，《新唐书》一作“房元龄字乔”《新唐书·元龄传》，又作“房元龄字乔松”《新唐书·宰相世系表》，一书之内，歧异纷披，不必论新旧歧异焉。案赵绍祖《古墨斋金石跋》卷三引左春谷曰：“洪景卢谓余，记先公自燕还，有房碑一册，于志宁撰，乃元龄字乔松，本钦宗在东宫时所藏。”则《新书·世系表》所述不谬，此歧异所决，乃决于石刻者。

更以画像为例，而陈说之。

如弓足一事，关系中国妇女社会，为时至长，为祸至烈。《道山新闻》谓始于南唐李后主之窅娘，郎瑛《七修类稿》亦主此说。然至明人之庸妄者，则谓“缠足，胡元瑞以为起于唐，盛于宋元。杨用修初不得其说，后读汉《杂事秘辛》而方知汉世已有，至以疏陋自嗤。二公该洽，其辨订闺阁中事如是。余见一书，称缠足始于帝辛时，妲己妖狐，故缠其足，以避宫人也。此道最古，亦必有据”明何伟然《广快书》四十八引《戏瑕》。夫弓足琐细，记载难寻，明人横生异议，辄高托之远古。非援古画以折之，又何所置信乎？

俞正燮《癸巳类稿》卷十三《书旧唐书舆服志后》：“明人忽有异说，谓古亦弓足。……言孝山堂汉画，女人足前锐。今审石刻，男足亦前锐。前锐，乃侧画体。且画惟方履则见棱。妇人至晋始方履，汉画宜前锐也。古镜铸舞女像，足亦前锐。舞用利屣，屣前锐，非足锐也。”引画证史，实要言不烦也。

试以发掘为例,而陈说之。

近吴稚晖为张继译夏德《支那上古史》叙,谓求汉族上古之文明,当以发掘黄河流域两岸为准则。此言有意之发掘也。有意之发掘,其裨益史学,今固已肇其端。至于无意之发掘,其影响于史料者,汉许慎《说文解字叙》已谓“郡国亦往往于山川得鼎彝”《说文解字》卷十五,而《晋书·束皙传》亦谓太康三年,“汲郡人不准盗发魏襄王墓,或云安厘王墓。得竹书数十车,……铜剑一枚,长二尺五寸”《晋书》五十一,此为治古史者一大公案,虽属于无意的发掘,亦可征发掘与史料有关。

综言之,欲成其为信史,须有赖于广取。吾生有涯,而史事无涯;信手操觚,率尔论定,固戛戛乎其难哉?所以书此,亦自儆焉。

五 主料与副料

且于各种史料之中,非仅兼收并蓄,细大不捐;即可自命为良史也。又须分别主料副料矣。

主副之别,一则以来自别之,所谓直接者为主,间接者为副,是也。

如《史记·夏本纪》尝节取《禹贡》;《孔子世家》又节取《论语》语。然则就《史记》以论孔子,不如求诸《论语》之为得也。但迁之所述,固有直接史料存者。《西京杂记》称其“使乘传行天下,求古诸侯史记”卷六,《太史公自叙》《史记》卷一百三十亦谓“细史记金匮之书”,此谓迁之所作,前有所因,乃间接者。然如“适鲁,观夫子庙堂”《孔子世家》，“余尝过大梁，见所夷门；夷门者，城之东门也”《信陵君传》，此则迁所亲见者。“余闻之周生曰”《项羽本纪》，“余适淮阴，淮阴人数为余言”《淮阴侯传》，此则迁所亲闻者。“余从负薪，塞宣房，悲《瓠子》之诗，而作《河渠书》”，此则迁所亲历者——观乎此，而主副判矣。

> 即在史迁之后，如班氏《汉书·成帝纪》，谓：“臣之姑充后宫婕妤，父子昆弟充帷幄，数为臣言。”陈寿《蜀志》十二《谯周传》：“余尝为本郡中正，请定事讫，求休正家，往与周别。周语余曰……”则班、陈二氏，有时亦采直接史料焉。自二氏以后，则凭目接身验者，盖鲜矣。

二则以性质别之而定其主副：如韩愈《上大尹李实书》，谓“未见赤心事上，忧国如阁下者”。又谓其“条理镇服，宣布天子威德”《昌黎集》卷十五。而愈修《顺宗实录》，则斥“实陵砾公卿，勇于斩害”。一手两记，何去何从？故罗大经《鹤林玉露》卷八断为“书乃过情之誉，而史乃纪实之体”。衡其情地，主副自见也。

又如张信民《曹月川年谱》，记月川三岁时“气象端庄”，五岁时“问河图洛书”，六岁时；“知拜祖茔”，七岁时，“见云生，问云从何处起；见风起，问风从何处来；……凡六问，皆造化之所以然”。夫端庄之度，准则无由；涂乌黑白，宁有哲理？而风云雷电之问，常儿求知之欲，亦能逼之使然。不必谓理学大儒，自幼即异于人。——然而所以美词述载，殆以为人年谱，例则使然。

> 年谱之外，则如家乘、族牒、墓志碑碣之类，自古类多溢

美，非即当时实录。杜甫《八哀诗》，《李邕》一篇云："干谒满其门，碑版照四裔。"刘禹锡《祭韩愈文》："公鼎侯碑，志隧表阡；一字之价，辇金如山。"赵德麟《侯鲭录》卷六云："唐王仲舒为郎中，与马逢友善。每责逢，曰：'贫不可堪，何不寻碑志相救。'逢笑曰：'适见人家走马呼医，立可待也。'此虽戏言，当时风俗可见。"详顾亭林《日知录》卷十九"作文润笔"条然则读史者，固不可不知情地也。

三则以作者判之，则率直者为主，藻饰者为副也，平情者为主，意气者为副也。以前者言，则清高宗之经文纬武，《东华录》已竭文饰之能。而口舌流传，则"传伪高宗南巡时，见田间有稻秧，问为何草"《太炎文别录》一。则帝皇之不辨菽粟，非徒肉糜公蛀，流传人口。盖流传之臣，无所讳忌，反足取征。以后者言，则如朱子《名臣言行录》，且不取刘安世，无论《东轩笔录》之"用私喜怒，诬蔑前人"已。

《四库提要》卷五十七《名臣言行录》提要"刘安世气节凛然，争光日月。《尽言集》、《元城语录》今日尚传，当日不容不见。乃不登一字，则终非后人之所能喻"。盖"时代既近，恩怨犹存。其所甄别，自不及后世之公"卷五十七《琬琰集》提要。魏泰《东轩笔录》，《提要》《四库提要》卷一四〇称其诬蔑，盖以泰行迹不检疑之。余读《东轩笔录》颇惊其称章惇而诋范仲淹。然则以人废言，固不可；而聆其言而察其人，则亦不可谓非鉴定主副之准则焉。

四则以体例别之也。如正史体制，贵在综约，丛录别记，文有增多，此则其事一也。国史所记，牵延忌讳；野乘私史，反有实录。此则其事二也。社会琐细，不登史官，私家所记，爱憎由己；取舍凭心，此略彼详；此则其事三也。务要事增于旧，文不掩质，此则主副判矣。

以文有增多言之，则南宋高宗时，林勋出本政书，《宋史·林勋传》亦记其事《宋史》四二二，然以较罗大经《鹤林玉露》卷七则详略之主副自判。

以野乘私史言之，则如昭梿《啸亭杂录》卷二《金元史》言："自古稗史之多，无如两宋。然一代文献，赖兹以存。学者考其颠末，可以为正史之助。如金元两代，著述寥寥。金代尚有《归潜志》、《中州集》等书，史官赖以成编。元代，惟《辍耕录》一书。"案王士禛跋刘祈《归潜志》云："辽金立国规模，不甚相远。而金源人物文章之盛，独能颉颃宋元之间，非诸君子记述之功，何以至此？"知不足斋本附录页二近秉衡居士《荷香馆琐言》："元裕之好问《中州集》，大旨在以诗存人，即以存史。今《宋史·隐逸传》凡十二人，其薛继光等十二人全据是集中小传成文，无一语增损。刘祈《归潜志》《辨亡篇》论海陵多褒词，谓英锐有志，定官制律令，皆可观，将混一天下。人颇疑之。是集载贾谦益语，辨海陵实录所载淫恶，皆出虚构，百无一信。较祈所言，更详。修《金史》者，不据以末减海陵之罪，何也？"《人文》一卷十期是则私乘野史，有时可以为主料也。

明伍袁萃《贻安堂稿》金集《翼史篇》云："国有正史，足矣，又有野史，何也？缘秉笔者，或见闻之未广，或综核之未精，或有所比，而增饰；或有所讳，而窜削，将来何所折衷，是故有资于野史矣。野史者,正史之翼也。”此盖亦以体例判主副焉。

以社会琐细言之,则如木棉之植,宋、元史不载一字。仅《元史·世祖纪》有提举木棉之名。良以无所附丽故也。然“吉贝”之名,已见于宋方勺之《泊宅编》卷中页七,稗海本,再见于陶宗仪之《辍耕录》卷二十四“黄道婆”条则是杂记笔类,反得为主料矣。

原夫人事繁多,史册复重含英咀华,抉精拔萃,陆士衡所谓“倾群言之沥液,漱六艺之芳润”,“收百世之阙文,采千载之遗韵”陆机《文赋》;刘知幾所谓“上穷王道,下掞人伦,总括万殊,包吞千有”《史通·自叙》,——盖夫人而知其难也。

六 推理与校雠

主副之定,取舍之准,则又有推理之作用存焉。藻饰之文,异同之辨,则又有校雠之事随焉。盖所谓总括万殊,包罗千有,而又必去其赝伪,删其浮夸,即恒言所谓好古敏求。敏求云者,即推理与校雠是已。

校雠之学,非止限于句读之或异,波磔之出入,偏旁之不同。就其广义而言,则含有推敲辨证之意,非书胥是正点画之事而已。夏炯《乾隆诸君学术论》云:“据此校彼,改异为同,明知无用之辨,好为小慧之行,此抱经卢氏之学也。”盖前此诸君，徒以校雠为文字异同，失诸琐细；遂致如夏氏所讥矣。

披抉繁综，心贵持平。矜持依附，其失正同。务以核实为归，不期新奇，不泥古旧，此则推理之道也。如《大戴记》五十八《曾子天圆篇》言："天之所生上首，地之所生下首。上首之谓圆，下首之谓方，如诚天圆而地方，则是四角之不揜也。"孔氏广森《补注》，谓："地圆之理，古圣发之。"此言似属可听，然举古籍以夸西法，其谬一也。又如博爱平等，人性所有，而清季积学之徒，必谓墨子等于耶稣，是谓附会，此则其谬二也。凡此之类，可谓未尝推理，以情失之。

案朱一新《无邪堂答问》卷四言："阮文达注《大戴礼·天员篇》，颇有精义。而据西法以证地员，甚觉无谓。是朱氏不肯依附也。"但同书同卷又言："西人重学化学电学之类，近人以为皆出《墨子》，其说近之。则前后若二人矣。"陈次亮《庸言》《外编》卷下页四十七谓："摩西者，墨翟之转音也。出埃及者，避秦之事也。是知爱人如己，即尚同兼爱之心也。七日拜天，即《天志》法仪之论也。衣衾简略，即节用节葬之规也。盖墨氏见距于圣门，转徙迁流而入西域，其抱器长往者，遂挟中国之典章文物以俱行。"——此正矜持依阿，未肯平情推理之失。

盖平情度理，而知其不足资信者，史例甚多。如《吴志·陆凯传》载凯谏孙皓二十事，陈寿谓："博问吴人，多云：'不闻凯有此表。'又案其文，殊甚切直，恐非皓之所容忍也。"《吴志》十六案皓好矜持，亡国之后，进诗于武帝，犹有"昔与汝为邻，今与汝为臣，劝汝一杯酒，令汝寿万春”蔡絛《铁围山丛谈》卷三之语。岂有独踞帝产之时，而能从凯之切谏？陈寿推求旁事，引证其非。正据理校雠之良才焉。

又如《蜀志》卷五《诸葛亮传》载亮于刘备枉顾之时，“因屏人曰……”。后人谓孔明未出草庐，已有三分决策。夫“屏人”之言，非众共闻，陈寿何以知之？疑此中必有虚饰焉。《史通·外篇》十二《暗惑》中，作此类之辨正甚多。明人郎瑛《七修类稿》卷二十二《辨证纸鸢》云：“纸鸢，本五代汉隐帝与李业所造，为宫中之戏者见《李业传》，而《纪原》以韩信为陈豨造，以量未央宫之远近。又曰，侯景攻梁，台城内外断绝。羊保令小儿放纸鸢，藏诏于中，以达援军。二说无理焉。线之高下，岂可计地之远近。羊保又何必令小儿放之，而纸鸢之坠，又何必在于援军地耶？”此亦据情理而辨证者。

至于据事而知其不足取信者，则如昭君远嫁，文虽见于正史，《西京杂记》卷二则称其不肯贿画工毛延寿，遂为元帝所指，以聘匈奴。但汉时图画，技艺何如？阿堵传神，势难责备。此则其疑一也。元帝之时，匈奴已衰，果爱殊色，曷不“更人”？此则其疑二也。故欧阳修诗：“虽能杀画工，于事竟何益。耳目所及尚如此，万里安能制夷狄？”《明妃曲·和王介甫作》王介甫诗：“意态由来画不成，当时枉杀毛延寿。”《明妃曲》仅据本事，已足滋疑，读史贵乎细心，其若此之类乎？

又如《新唐书》《袁天纲传》及刘肃《大唐新语》卷十三均载天

纲相武士彟家，"则天时依男子服，乳母抱出，天纲大惊。曰：'此郎君神采奂澈，不可易知。'试令行，天纲曰：'龙睛凤颈，贵之极也。'转侧视之，当是汝为天子"。吴曾《能改斋漫录》云："此说失于不择；……孰谓男女不辨，而可以善相称乎？"《漫录》卷十此言至允。

至于据文而知其讹误者，则如"偷酒不拜"之语，两度见于《世说》；史公卒于武帝末年，而竟能知孝昭之谥法，平帝之年号。排比以观，乱杂自见；更无论登车揽辔，澄清天下，一事两记，传闻异"人"已也。

刘义庆《世说新语》卷一载"孔文举有两子，……小者床头盗酒，饮之。大儿谓曰：'何以不拜？'答曰：'偷，那得行礼？'"然同书同卷，又言"锺毓兄弟，小时值父昼寝，因共偷服药酒，其父时觉，且托寐以观之。毓拜而后饮，会饮而不拜。既而问毓，何以拜？毓曰：'酒以成礼，不敢不拜。'又问会，何以不拜？会曰：'偷本非礼，是以不拜。'"此同书而一事两记者。

张燧《千百年眼》卷五"史记多为后人窜乱"条云："太史公没于武帝末年，而《贾谊传》言贾嘉最好学，孝昭时列为九卿。《相如传》引扬雄，以为靡丽之赋，劝百讽一。《公孙宏传》平常元始中，诏赐宏子孙爵。"此一书而年月错舛者。

《后汉书》九十七《范滂传》："滂登车揽辔，慨然有澄清天下之志。"而《世说》卷一载："陈仲举言为士则，行为世范。登车揽辔，有澄清天下之志。"则是异书异说，以一事各隶之于一人者。

然于据物而知其伪者，则如万斯同书建文出亡："初，建文一朝无实录，野史因有逊国出亡之说。史馆纂修，互有同异。斯同决之曰：'紫禁城无水关，无可出之理。鬼门，亦无其地。'建文书法，由是乃定。"钱大昕《潜研堂文集·万季野传》斯同之断建文出奔，乃基于水关鬼门之有无。其正确与否，虽不可知；而据物校雠，固不得谓为非合史例也！

斯同断建文无出奔，语实不确。《明史·胡濙传》："惠帝之崩于火，或言遁去，诸旧臣多从者，帝疑之。（永乐）五年，遣濙颁御制诸书，遍行天下州郡乡邑，隐察建文帝安在。"《明史》一六九而郑晓《吾学篇》卷十一《建文逊国记》亦载建文曾出奔外甸，是建文出奔，非如斯同所言。然斯同据实迹以论史，终不失为方法之一。

刘知幾云："蜀相薨于渭滨，《晋书》称呕血而死。魏君崩于马圈，《齐史》云中矢而亡。……同说一事，而分为两家。盖言之者彼此有殊，故书之者是非无定。况古今路阻，视听壤隔。而谈者或以前为后，或以有为无。泾渭一乱，莫之能辨。而后来穿凿，喜出异同。及其纪事也，则尧有八眉，夔惟一足。马白乌角，救燕丹而免祸，犬吠鸡鸣，逐刘安以高蹈。此之乖滥，往往有旃。"《史通·内篇》十五《采撰篇》于此，知史料之分别鉴取，固自古以为艰而能辨与否，又读史者所当念兹在兹者也。

第三章　治中国文化史者的态度

七　因果的见解

治中国文化史者，于史料之鉴定去取，固如是其不易。然仅事鉴别，犹不得为良史。盖又须有见解也。若夫鉴往将所以思来，明古则所以药今，寻其因果乘除之理，则史非无用之学；知其盈昃进退之迹，则史乃弼教之具。盖所谓穷变通久者，固言人事不能有因而无果，或有果而无因焉。此则治史者之见解者一也。

如以学术文艺言之，《汉书·艺文志》辄谓先秦之学，渊源出于"王官"，如言"农家者流，盖出于司徒之官"。然学术不能无因而至，故《淮南子》《要略》言："秦国之俗，贪狼强力，寡义而趋利，可威以刑而不可化以善，可劝以赏而不可以励以名，故商鞅之法生焉。"后说以历史之事实，事出有因，较为合于历史的演变。与《汉志》所持见解，盖差胜矣。

又顾炎武《日知录》卷二十一《艺文》云："三百篇之不能不降而为楚词，楚词之不能不降而为汉魏，汉魏之不能不降而为六朝，六朝之不能不降而为唐也，势也。"所谓势者，即言人事变化，并非无因而至；而有不得不然之因果关系也。附记于此。

语有之，种瓜得瓜，种豆得豆，然文化史上之因果，非如瓜豆之种，转瞬而可见者也。史上之因果，非如培壅之功，显而易见者也。若以韵语表之，则曰绵延不绝，纷赜异常，正负别见，显隐多方。

曷言夫文化史上之因果，绵延而不绝也。“欲知前生因，今生受者是。欲知后世因，今生为者是。”此虽托辞于一人，于史又何独不然？前此之因，育今此之果。而今此之果，又为后此之因。是则绵延之义焉。今以焚书坑儒为例而说明之。《淮南·要略训》云：“六国诸侯，力征争权，故纵横修短生焉。”是纵横修短，因于力征争权也。朱彝尊云：“当周之衰，圣王不作，处士横议，孟氏以为邪说诬民，近于禽兽。更数十年历秦，必有甚于孟子所见者。又从人之徒，素以摈秦为快，所以诟厉之者，无不至。六国既灭，秦方以伤心之怨，隐忍未发。而诸儒复以事不师古，交讪其非。祸机一动，李斯上言，百家之说燔，而诗书亦与之俱烬矣。”《曝书亭集》卷五十九是焚书坑儒，因于纵横修短焉。至于因焚书以结果于古籍之散佚；因古籍之散佚，以结果于汉武之表章六经；因汉武之表章六经，以结果于思想之统一者，尤足见此因彼果，彼果此因，乃绵瓞不绝者。

曷言夫文化史之因果，纷赜异常也？今以国人之海洋事业为例，而阐明之。

孔子有言：“道不行，乘桴浮于海。”以道不行而浮海，则是圣人者，其于海也，实持两端中庸之论。然吾民族之浮海为家者，仍史不绝书。春秋之世，吴自海而入齐；汉武之世，浮渤海而击朝鲜；六朝之世，刘裕遣沈田子由海袭番禺。唐玄宗之世，亦转东南之粟，以赴辽东之营州，然则海军海运，其来固已久矣。

详顾炎武《日知录》卷二十九“海道行师”条，又“海运”条。

即在北宋，欧阳修为《有美堂记》，亦言：“海客贾舶，出没于烟波浩渺之中。”而南宋时，吴自牧《梦粱录》卷十二《江海船舰》亦谓：“海商之舰，大小不等，大者五千料，可载五六百人。中者二千料，至一千料，亦可载二三百人。余者，谓之钻风。大小八橹，或六橹。每船可载百余人。……海洋茫无畔岸，其势诚险。盖神龙怪蜃之所宅，风雨晦冥时，惟凭针盘而行。”则两宋间之海洋事业，盖尚繁盛。其后以元之强，二次海道行师，俱不得志于日本，于是明祖惩之，“片板不许下海”，列日本为不征之国，海洋事业之挫折，此殆其一也。

案明祖虽禁海，而其子成祖，遣郑和下西洋，顾起元《客座赘语》卷一“宝船厂”条言：“今城之西北，有宝船厂。永乐三年三月，命太监郑和等，行赏赐古里满剌诸国。通计官校旂军勇士士民买办书手，凡二万七千八百七十余员。各宝船共六十三号，大船长四十四丈四尺，阔一十八丈。中船长三十七丈，阔一十五丈。”则中国人不熟谙海事之羞，足以洗刷也。

明季以来，因倭寇而海禁益亟，谢在杭谓：“駔侩之徒，冒险射利，视海如陆，视日本如邻室。……故近来贩海之禁，甚善。”《五杂俎》卷四此海洋事业之挫折，二也。其至于清，则以台湾郑氏苦为明守，尚存胜国衣冠。故顺治之末，康熙之初，诏闽省沿海居民，内徙州里见康熙十七年闰三月《东华录》。此海之受挫跌者，三也。综观于此三者，然则中国海洋事业之所以不能急追西人，一因先圣立教，未尝重海，二以倭寇而有海禁，三以台湾郑氏而有海禁，……夷至于今，敌人之舰舶，所以周旋于我之门户，而莫之能御者，其故（因）岂一二端而已？

曷言夫文化史上之因果，正负别见也？夫种瓜而得瓜，种豆而得豆，此乃"正"之谓也，若夫忧患所以兴邦，此屈而有彼伸。其因如此，其果犹彼，则与上文所陈者盖有殊也。

例如海洋事业之不发达，固吾国民所当引为大戚者。清初如李塨《拟太平策》第六尚言："先复元人海运，选熟知海道者，各岛立标帜，设救船，建巡兵，使运道无患，且以靖海。"是海运当复，清初人未尝不思之。谢在杭言："运河之开，无风波之患，诚为良策；而因之遂废海运，亦非也。"《五杂俎》卷三然余毅中言："迩岁以来，横议突起。至于钩奇之士，则又欲舍旧而新是图，又有兴复海运之说焉。"顾祖禹《读史方舆纪要》一二九——执此而言，则海运之废，因于漕运之繁者，自亦有之。此屈则彼伸，其在于今，海运兴而漕运废矣。其间因果乘除之故，此进彼退，正负之数，犹可寻焉。

曷言夫文化史上之因果，隐显不常也？夫如上文所言，以秦之禁书为因，而以汉之缀逸为果，斯为人人易见之"显"。若夫机械之制，盛于中世；近古以来，反有湮没。推论因缘，事极难征。如以轮舟为例而陈述之。《南史》言祖冲之"造千里船，日行百里"《南史》七二，而《册府元龟》卷九〇八亦记："唐王皋为洪州观察使，多巧思，尝为战舰，挟以两轮，令踏之，溯风破浪，其疾若挂帆席"亦见《旧唐书》卷一百三十一、《新唐书》卷八十。《宋史·岳飞传》亦有"用轮激水，其行如飞"《宋史》二六五之语。《宋史·虞允文传》亦有所记。吴自牧《梦粱录》卷十二记西湖车船，亦有"但用车轮，脚踏而行，其速如飞"之语。然则用人力以为轮舟，吾国起源甚昔。中更湮没，此制不彰；推求其故，语近无考。岂曰无因而突废耶？殆以其所以湮没之因，隐晦难寻欤？

又如“记里鼓车”之制，唐杜佑《通典》“晋安帝义熙十三年四一七刘裕灭后，秦获此车”，而谓未详其所由《通典》六十四，《宋书》卷十八所载略同。《通鉴》卷一百十八谓：“裕收秦彝器浑仪土圭记里鼓指南车，送诣建康。”崔豹《古今注》，谓“大章车。所以识道理也。起于西京，亦曰记里车。车上有二层，皆有木人。行一里下层击鼓，行十里上层击镯”。胡三省注《通鉴》引《晋书·舆服志》云：“记里鼓车，制如指南。上有鼓车，行一里，人击鼓一槌。”《晋书》二五此车相沿至唐宪宗元和中，金公立尝修其制作法，上之宋江少虞《皇朝类苑》卷五十八及岳珂《愧郯录》卷十三北宋时，此车制为二层，驾士约十八人。仁宗天圣五年（一〇二七）内侍卢道隆，上其造法。徽宗大观元年，吴德仁又修改旧法。《宋史》卷一四九，又《愧郯录》十三元以后虽不言此车，然《图书集成·考工典》卷一七五有元杨维桢《记里鼓车赋》。则知此车之影迹犹存。及至明时则郎瑛《七修类稿》卷二十四“记里鼓”谓：“本朝尝以记里鼓试士，士多不知为何物者。知者，又不知始于何时，何人创焉。”——以如此奇伟之科学仪器，而与人力轮船，同亡绝于宋后，其因殊晦。得无宋明理学，均以玩物丧志为戒：高材绝技，不为世重；文墨之世，有所以隐没之者乎？赵翼《陔余丛考》卷十五亦有“记里鼓”条，然语焉不详，盖此车之制湮没久矣。

综上所言，则知因果之迹，史中常有。惟年祀湮久，厘溯无由。今欲举之，或陷于挂一漏万之病。然读史者，知因能生果，则必有以尊史；知果亦为因，则必有以自策。不然者，史宁断烂朝报，迂腐无用，专记往事之学哉？

八　进步的见解

然治文化史者，于因果之见解以外，尤须知有进步。种瓜得瓜，乃因果也！后世之瓜，有胜于前世所产，则进步也。《易》言创、变、穷、通，已于因果之中，寓有进步，而《考工记》言："知者创物，巧者述之。守之世，谓之工。"言述之者，即言字物之具，虽有赖乎前人之筚路蓝缕；而后人有作，继为改良，则亦文物开展之要事耳。

自来论史者，类以古胜于昔，昔胜于今为训。自先圣有河不出图，洛不出书，吾已矣夫之叹，因而后人之立言者，均惟古是贵，惟昔是矜。此实以古代为黄金时代之噩梦，有异夫史家之所谓文物进步者。以音乐言之，浮磬之制，何殊乎小儿之叩石？而必以为先王之制乐，水之精也。以兵器言，剑柄之短，兵器未进步也。而必谓"先王制兵，不欲杀人，本之以礼，行之以仁"。——此皆惟古是贵，惟今是贱，异乎吾所闻者也。

例如《禹贡》有"泗滨浮磬"一语，原其极，不过古人乐简，取浮石以为器。而顾氏《日知录》竟谓："先王之制乐也，具五行之气。夫水火，不可得而用也。故寓火于金，寓水于石。凫氏为钟，火之至也。泗滨浮磬，水之精也。用天地之情，以制器；是以五音备而八音谐矣。”详《禹贡锥指》卷六此言迂腐，吾夙昔虽服膺亭林，殊不欲为贤者讳也。

阮元《商周兵器说》《积古斋钟鼎彝器款识》卷一云：“戈之存于今者甚多。以今尺横度之，不过数寸。其柲长古尺六尺六寸，仅与中人之身等耳。古剑今存者，运肘度之，首与肘齐，末与指齐，亦甚短矣。先王之制兵，非不能长且大也。限之以制度，行之以礼，本之以仁，故甚短小也。”释古兵器，而曰仁曰礼，其当否人能辨之。其蔑视史中之进化原则，而曲解以是古非今，则亦人能辨之也。

夫太古湮远，记载不详。即有美迹，其流传于后者，亦当变而为简拙。《韩诗外传》言：“五帝之前无传人，非无贤人，久故也。五帝之中无传政，非无善政，久故也。虞夏有传政，不如殷周之察也。非无善政，久故也。夫传者久则愈略，近则愈详，略则举大，详则举细。”《韩诗外传》卷三此言原袭《荀子》《非相篇》。考《荀子》又言：“圣王有百，吾孰法焉？故曰文久而息，即族久而息。……欲观圣王之迹，则于其粲然者矣。后王是也。”《荀子·非相篇》然则以古之略，视今之详，古本简拙于今；不应视古愈于今，而蔑视文物之进步矣。此其一也。所谓以史文之详略，而知今之进步于古也。

苏子由《孟子解》页七—八，指海丛书云：“作法者，必始于粗，终于精，篆之不若隶也，简策之不若纸也，车之不若骑也，席之不若床也，俎豆之不若盘盂也，诸侯之不若郡县也，肉刑之不若徒流杖笞也，古之不为此，非不智也；势不及也。寝于泥涂者，置之于陆而安矣。自陆而后有稿秸，而后有莞簟，舍其不安，而获其所安，足矣。”始粗而终精，始不安而继乃安，以今之巧，视古之拙；以今之美，比古之陋；则文物之进步，于实物亦可见也，此其二也。盖以实物之进步。而知今之愈于昔也。

如得以医药而推论之，据《世本·作篇》所记：神农和药济人。而黄帝时巫彭作医；尧时有巫咸，初作医高邮茆泮林辑《世本》佚文。一事之作，记之三人。得无前已有创，后更改进，与时同进，其业益美备乎？古人所以有“医不三世，不服其药”之言，盖积前人之经验，为后人所取资造作。亦如积薪，后来往往居上；此其三也。此则以经验之累积，而知后世之愈于先昔焉。

崔应榴《吾亦庐稿》卷四云：“‘医不三世，不服其药。’吕氏曰：‘医三世，治人多，用物多，功已试而无疑，然后服之。此谨疾之道。’盖以父子孙相继为三世也。”据此，则医之所以三世而始有其功，殆以前有所承，则后能光大，亦积累推进之意。

如以牛耕为例，而推论之，亦可知积累推进之意矣。宋赵彦卫《云麓漫钞》卷一云：“牛之为用，见于经者，日肇牵车牛，曰服牛承马，惟用于车。《周官》‘牛人’亦不言耕也。自赵过为汉搜粟都尉，始教民代田，有牛耕之制。”又曰：“冉耕字伯牛，岂周晚已用牛耕？但未广及于天下。或云伯牛之字，后人所记苟如是，则牛之有功于农后矣。”赵氏谓伯牛之字，后人所记；未知何所据而云然。然江永据《国语》以言，亦谓牛耕不始于赵过者。江氏以外，亦谓牛耕在春秋时已有之也。

江永《群经补义》卷五《杂说》云：“有谓汉武帝时，赵过始教民牛耕，非也。观冉伯牛司牛马之名字。犁耕用牛久矣。

更有一切证《国语》窦犨对赵简子云:'宗庙之牺,为畎亩之勤。'谓贵者降而为贱,如宗庙牺牲,恐服勤于田也。岂非牛耕之谓乎?"然则《云麓漫钞》谓伯牛之字后人所增,固不尽然。

刘履恂《秋槎杂记》亦谓:"《赵策》'秦以牛田水通粮',鲍注以牛田为地名。吴氏《正注》:'牛耕积谷,水漕通粮。'或以为汉田始用牛耕,窃以为古用木耜,未用金耜。偶耕者,二人并耕,或一人一牛亦可。汉始专用牛耕也。字书,犁从牛。冉耕字伯牛,司马牛名犁,不可谓牛耕非古也(《山海经》叔均始作牛耕,郭传:'始用牛犁也。'《说文》,犁耕互训,段氏云:'人耕谓之耕,牛耕谓之犁')。于此可知春秋时已有牛耕。"

赵春沂《牛耕说》严杰《经义丛钞》卷十六引云:"耕牛之始,说者不一。《汉志》,搜粟都尉赵过为代田,始用牛犁;《后汉书》,王景迁庐江太守,百姓不知牛耕。景乃驱率吏民,教用犂耕,是牛耕始于汉之说也。《文选·藉田赋》:'总犗服于缥轭分,绀辕缀于黛耜。'注:'古耕以耒,而今以牛者,盖晋时创制,不沿于古也。'是牛耕始于晋之说也。"然则牛耕在西晋时,时人尚以为创制也。

赵翼《陔余丛考》卷十九"牛耕不始于赵过"条论赵过之牛耕,以为:"南北风俗不同,有用牛耕者,有不知用牛耕者。过第就其不知牛耕者,教之用牛,如后汉王景……任延,亦以牛耕教民。皆是开此一方农事之所未有,而其实非自景与延创也。赵过之以牛耕得名,盖亦本古法,有施之于不知牛耕之地。后世遂以为牛耕之始。"然则牛耕之法,所以传说纷纭者,正缘初仅用于一地,后广布于兆域。文物之随时传播,点滴成渠,而终于成为吾人日常生活所不可须臾离者,此则以应用范围之放大,而知今愈于昔焉。

然则，所谓进步者，以史文之详略，而知今之有进于古也。以实物之进步，而知今之有愈于古焉。以经验之累积，而知今之有愈于古焉。以范围之放大，而知今之有愈于古焉。

第当注意者，如无上古之略，则何来今世之详，如无过去之粗，则何来当今之精。无前人之经验以倚畀，则智昔无所因袭矣。《中庸》之言曰："今夫山，一卷石之多，及其广大，草木生之，禽兽居之，宝藏兴焉。"星星之火，可以燎原。点滴不止，将成江河；则充实其内容，放大其范围，亦所以成文化之开展者焉。

九　影响的见解

自作自受，用生因果；自推自挽，用成进步。然因果，显明者也；进步，必然者也。其有未尝明显，未必必然，声动于此，而响及于彼，虽事后追寻，理有固然，势有必至，略等因果。而当其演变之际，实无所谓直接驱使之者，而仅有间接熏炙之者，则即所谓影响已。

例如地理之因子，尝足以影响文化。《王制》所谓："广谷大川异制，民生其间者异俗。刚柔轻重迟速异齐，五味异和，器械异制，衣服异宜。"《小戴记》四此言甚明。今姑不缕言地理之影响于人文，但以衣服为例而陈明之，则知地理之影响，其关系文化至巨。

沈括《梦溪笔谈》卷一言："中国衣冠，自北齐以来，乃全用胡服，窄袖，绯绿短衣，长靿靴，有鞢韄带，皆胡服也。窄袖便于驰射，短衣长靿，皆便于涉草。余使北时，皆见之。"是谓胡服用于北齐。然案《史记》卷四十三《赵世家》，赵武灵王已欲胡服。公子成曰："臣闻中国者,盖聪明徇智之所居也,万物财用之所聚也,贤圣之所教也。仁义之所施也,诗书礼乐之所用也,异敏技能之所试也,远方之所观赴也,蛮夷之所义行也。今王舍此而袭远方之服,变古之教,易古之道,逆人之心,而佛学者,离中国,故臣愿王图之也。”揆公子成之意,则知以诗、书、礼、乐。中国宜当自尊以“自尊”为“因”,不宜有胡服也。

赵武灵王复之曰:“夫服者,所以便用也,礼者,所以便事也。圣人观乡而顺宜,因事而制礼。所以利其民而厚其国也。夫剪发文身,错臂左衽,瓯越之民也。黑齿雕题,却冠秫绌,大吴之国也。故礼服莫同,其便一也。乡异而用变,事异而用易,……儒者一师而俗异,中国同礼而教离,况于山谷之便乎?”然则赵王所以不遵其古,固由于“山谷之便”,固欲以“观乡而顺宜”。谓不受地理的影响得乎?

案自胡服入赵之后,则渐影响及于他处。王国维《观堂集林》卷二十二《胡服考》云:“胡服之入中国,始于赵武灵王。战国之季,他国又有效其服者。至汉而为近臣及武士之服。或服其服,或服其冠,或并服焉。汉末,军旅数起,服之者多。魏晋以后,至于江左,士庶服之,百官服之,天子亦服之。后魏之初,以为常服,及朝服。后虽复古衣冠,而此服不废。”又云:“此服通行于中国者,千有余年。而沈约乃谓袴褶之服,不详所起。沈括知其为胡服,而又以为始于北齐,后人亦无考其源流及制度者,故备著之。”然则地理之所以影响赵王,变服之所以影响后世,盖綦远已。

地理之影响而外，则又有受历史之影响者。

如以诸侯封建言之，自晋八王乱后，有国者率以此为惩。故有贵为帝子，而势仅及中人者。明之兴也，以胡元尚在塞外，故于重兵所在，统以诸王，此固有其因而生其果者。迨后，建文嗣位，以诸叔各拥重兵，颇思从事削夺。屠叔方《建文朝野汇编》卷一页十四称："帝为太孙时，定位东宫。以诸王尊属不逊，偶坐东阁门，召黄子澄问之曰：'诸叔各擅重兵，何以制之。'子澄以汉平七国事为对。上喜曰：'吾获此谋，无虑矣。'"《明史·黄子澄传》亦记此事则汉平七国之旧事，固足影响建文之行动也。后至燕王靖难兵起，有"辽人高巍，上书论时政。借汉为喻，以七国比诸藩。欲上弗行晁错削夺之策，而效主父偃推恩之谋。……少其人，小其地，则藩王之权，不削而自弱矣"。《朝野汇编》卷三则知主父偃众建诸侯而小其力之汉史，固亦萦明人之怀抱，而使建文之遇燕王，忽和忽战，以终至于败焉。

至于受思想之影响，而见于历史者，则其例尤多矣。

如吾国科学之不发达，今日固无庸为讳，然古圣昔贤不以新奇技巧为贵，则载籍具在。因之对于技巧之器，常加以轻蔑。如洪武二年十月，"司天监进呈元主所造水精刻漏，命碎之"。朱国桢《皇明大政纪》卷二此等反科学之事实，即受不以新奇技巧为贵之思想熏炙而致然者。

又如后魏孝文帝之推行均田，说者皆谓当时之土旷人稀，地不尽辟，使之而然，但当时南朝，非无旷土。如《南齐书》称徐孝嗣言："淮南旧田，触处极目。陂遏不修，鞠为茂草。平原陆地，弥望愈多。"《南齐书》四十四《孝嗣传》南朝并不均田，可知土旷不足解释北朝之均田也。均田之制，其所以反生于北朝者，则以均产之制，为先秦两汉间经师之主张；而北朝经学隆重，故田制受其影响耳。

案当时南朝人士，倾注清谈。北朝新造之国，反知重经礼儒。故孝文帝未行均田前，李安世已言："井税之兴，其来日久。田莱之数，制之以限。"《魏书》五十三《安世传》此其语，实受《孟子》、《周礼》之熏炙者。且孝文帝时，知尊经好古之经生，不仅一李安世。赵翼谓："北朝窃据偏安之国，亦知以经术为重。在上者既以此取士，士亦争务于此，以应上之求。故北朝经学，较南朝为盛。"《廿二史劄记》卷十五"北朝经学"条皮锡瑞谓："正始以后，人尚清谈。……魏儒学最隆，称北齐、周、隋，以至唐武德、贞观，流风不绝。故《魏书·儒林传》为盛。"《经学历史》三十九页可知北魏均田，与其改族姓，定礼乐，……乃同受儒学兴盛之影响者也。

又如南宋贾似道之行公田，立"派买""回买"之目，其时宋已垂亡。时有诗云："襄阳累载围孤城，豢养湖山不出征。不识咽喉形势地，公田枉自误苍生。"田汝成《西湖游览志余》卷五然案似道之悍然不顾，没收私人地主之田，固未尝不受两宋诸儒之思想熏炙。张横渠谓："治天下不由井地，终无由得平。周道，只是均平。"《宋元学案》卷十八引横渠语程明道亦告神宗，言治法十事。谓："富者田连阡陌，跨郡县，而莫之止，贫者日流离饿莩，而莫之恤倖，民猥多，衣食不足，而莫为之制。"《宋元学案》卷十四《明道学案下》即贾似道以前，在高宗南渡之日，尚有林勋其人，上《本政》三书，以均田为请罗大经《鹤林玉露》卷七。然则贾似道之所以推行"公田"，或宋人田制思想史而言，固绰承前人影响者矣。

案王夫之斥林勋云："言之娓娓，附古道以罔天下，或犹称道之不绝，垂至于贾似道而立限以夺民田为公田，行经界以尽地力，而增正赋。怨讟交起，宋社以墟，盖亦自此启之也。"《宋论》卷十此所谓"启之"，即吾所谓影响之也。

其受思想之影响而外，则又有受学艺之影响，而起变化于历史者。如今日国人之崇奉偶像，犹成为一时风气。而其更可笑者，即孔子亦且有像。孔子者，固曩日学子所斤斤护持，资以排斥佛老之学者也。其为孔子造像者，固拥戴孔子者。拥戴孔子之徒，而又为孔子造像，则圣门之内，已不禁而受佛教之影响；更无论两宋诸儒之言性言理，大受释道二家之熏炙矣。孙承泽引"邱濬曰：'塑像之设，中国无之。至佛教入中国，始有也。三代以前，祀神皆以主，无所谓像设也。彼异教用之，无足怪者。不知祀吾圣人者，何时而始？观李元瓘言：颜子立侧，则像在唐前，已有之矣。郡异县殊，不一其状。长短丰瘠，老少美恶，惟其工之巧拙。就令尽善，亦岂其生时盛德之容？其非神而明之，无声无臭之道也。'"《春明梦余录》卷二十一——然则唐宋以还，韩愈、傅奕以后，名为儒者，斤斤以斥佛为务而不知佛教之艺术，已影响及于儒家所崇奉之孔庙也。

施可斋《闽杂记》卷五《圣庙像祀》云："圣庙像祀，不知始自何时。朱子《礼殿塑像记》曰：'闻成都府学尚有汉时礼殿，各像乃文翁琢石所为者。似汉时已有之。然郡县皆立学，始于北宋崇宁大观间。其先天下郡县，不必皆立学，学亦不必像祀。且文翁礼殿像，乃琢石所为，亦与后世塑像不同。《新唐书·礼志》开元八年三月，国子司业李元瓘，奏颜子配像宜坐。

闵子骞等虽立像庙堂，不参享祀；请以颜子等十哲为十像，悉令从祀。曾子大孝，亦塑像于十哲之次。……似其时已像祀。然疑所请，只国子学。郡县学皆像祀，或亦始于崇宁大观间。'故朱子作白鹿书院礼殿，初欲临祭设奠。后从钱子说，亦设塑像也。自此相仍，至明嘉靖九年，张璁请正孔子祀典五事，其二曰不宜像祀。诏从之。遂易圣像以木主，四配十哲皆同。国朝康熙十七年，御史又以为言。则嘉靖旧制，久亦不尽遵矣。康熙以来，则天下郡县学，无不改用木主者。"——据上，可知在宋明理学称盛之时，有孔殿乃至如梵宇寺观，良由宋元以来，儒教已受释道影响。《黄氏日抄》已言："周程既灭，学者谈虚。借周程之说，逞佛老之私。向也以异端而谈禅，世犹知禅学自为禅学。及以儒者而谈禅，世因误认禅学亦为儒学。"《宋元学案》八十六引全祖望《题真西山集》云："近临川李侍堂穆堂，讥其沉溺于二氏之学，……此岂有闻于圣人之道者？愚尝考其本末，而知西山之过负重名，尚不止于此。两宋诸儒，门庭径路，半出入于佛老。"《宋元学案》卷八十一袁枚《答某学士书》亦谓："至宋而儒与释搀杂不可分，……盖晋宋之崇释氏，不过造塔庙，施功德，其迹粗，其事显。略有识者，俱能辨其非。宋则不然。大抵贤人君子，皆先入释教中，明心见性。"《小仓山房尺牍》卷四——然则宋以来之儒者，已受佛教之影响；而佛教之影响，且侵入于至尊无上之圣庙；宋明人尚斤斤以真孔子自持，可为一笑！

其于学艺之外，而又能影响历史者，则有如社会风俗，亦能影响历史。例如以妇女地位言之，古代妇女，本可从政。俞正燮《癸已类稿》卷一《大象传后义》云："案《泰传》：'后以财成天地之道，辅相天地之宜以左右民。'《复传》：'先王以至日闭关，商旅不行，后不省方。''《汉书》，安息钱文为王面，幕为夫人面，大月氏钱同。是后以财成天地之道，辅相天地之宜之事也。'"然后世女权日落，此固由于政治的夫权的隆重，经济的女力的衰薄，一若中国妇女，在史上初无地位者矣。然政治之因，经济之因以外，社会风俗，固有以影响妇女之地位者。如"杨铁厓词章奇丽，被文妖之目"纪昀《槐西杂志》一，而《辍耕录》载其"耽好声色，每于筵间见歌儿舞女，有缠足纤小者，则脱其鞋，载盏以行酒，谓之金莲杯"卷二十三"金莲杯"条。此文人之侮辱妇女也，然则妇女地位之低落，固有由于社会风气之影响者。

影响者，本有不足捉摸之义，地理之影响也，历史之影响也，思想之影响也，学艺之影响也，社会之影响也，虽备一二可知之例，固无以免于挂一漏万之讥。虽然，豹窥一斑，鼎尝一脔，读史者，知人事之变演，并非由于一端，则亦庶几乎于兹数例而知之尔。

第四章　何为治中国文化史

一〇　中国文化在世界之地位

虽然，治中国文化史者，在应有见解，态度，以董理缤纷之史料之前，尤须首先反躬自省，吾曷为乎而治中国文化史也。

于今国力陵夷，声势迫蹙。怀百岁忧者，常有故国文物，日薄崦嵫之感。语有之，讳疾者死，吾又何敢斤斤以中国文化自傲哉？于斯时也，能避免于劣等民族之讥，固已幸矣。

友人卢于道曾有《拟神经研究所议》《时代公论》第十一号中云："我们不是自己常骄傲，说我们是四千年的古文明国么？四千年前，已有那么些大发明家，发明指南针，发明缫丝，发明日历，发明医药。二千余年，哲士辈出，思想优越。那时节，红发碧眼儿，虽已过了(Neanderthal)的野蛮时代，却仍在石器时代中过活，这不是我中华人种脑袋的优秀么？今日呢？……我们今日不要谈政治家之卑视中华人种了。冷头脑寻出真理之科学家，亦已论中国人或支那蛮(China-man)为劣等民族了。所以新进的家国，如美国宪法上规定，中国人不得为美国国民。美国女子嫁给中国人者，即失其国籍。其他世界上的乐土，如加拿大、如澳洲，无不严禁华人入口。这种耻辱，凡游历欧美者，莫不身受目击。我们中国人，是劣等民族么？德人(Kurz)研究中国人脑，他说中国人似由(Orang)进化而来，为劣种脑子。他因此怀疑，以前中国的纸、印刷等发明，不是中国人所能够的。香港大学解剖学教授(Shell Shear)，研究中国人的脑子，他说中国人脑子，更近猿类。这些是由他们研究所得而下的结论，是真的么？"——于道好学深思，远学异国，所感受者至苦。爰书于此，亦以资邦人君子之警惕尔。

吾民族处于今日之世界，非力自振作，奋发其为世界雄，恐无以免于劣等民族之讥，此固然矣。然故家乔木，终有令人可以式仰者。则亦非妄自尊大之言也。请述中国文化，在世界之地位，缕析言之。

一则曰开创之早也。中国历年之久，如《春秋元命苞》云："天地开辟，至《春秋》获麟之岁，凡二百七十六万岁。"然此就得曰荒唐不经之言也。《后汉书》卷八十九《张衡传》以纬书为汉世虚伪之徒所造云，然"即以今日所传，确有可稽者言之：据《书经·尧典》则应托始于西元前二千四百年；据龟甲古文，则作于西元前一千二百年；据《诗经》，则作于西元前一千一百年；至共和纪元以后，则逐年事实，皆有可考，是为西元前八百四十一年"。非如"并世诸国，若英若法若俄，大抵兴于梁唐已后。即日本号称万世一系，然彼国隋唐以前之历史，大都出于臆造，不足征信"柳诒徵《中国文化史·绪论》。——此即以中国文化之年祀久远，而估定其在世界上之地位焉。

《诗·小星》云:“嘒彼小星,惟参与昴。”参在西洋之(Orion)星座中,昴即(Taurns)之一部分,与邻近之一团小星,名(Pleiades)者,二者皆黄道二十八宫的一宿。郭沫若《与宗白华论中德文化书》云:“回顾我们几千年前,做人妾媵的女子,竟能借以抒情写实;我们不能不深自惭愧么?”此所谓深自惭愧者,即含有自为赞许之意在。知前人之迈往,痛后来之无继;然不能以后人无状,抹倒前人之功绩焉。

二则曰演员之多也。案吾国人口,动称四万万。自《周礼》有司民之会,孔子有负版之式,两汉之“口算”,唐代之“团貌”,明清之黄册,——吾先民之注意于人口调查,为时甚久。自清初并丁入粮,而所谓十年编审之例,遂以寝废。然《清史稿·地理志》载宣统三年各省编户,户六千二百九十一万三千八百三十一,口三万五千三百二十万七千七百八十。而内外蒙古、青海、西藏,犹不与焉。有土斯有民,泱泱大国之风,固非世界列国所得蔑视者乎?

张其昀《中华民族志》第五页谓中国人口约当全世界总人口四分之一,此说未尝夸大于此,可征中国与世界,关系綦切之一例。

三则曰:地域之广也。“世界大国,有总计其所统辖之面积,广大于中国者。然若英之合五洲属地,华离庞杂,合称大国者,固与中国之整齐联属,纯然为一片土地者,不同。即以美洲之合众国,较之中国,其形势亦复不侔。合众国之东西道里,已逊于我;其南北之距离，则尤不逮（中国东至西，凡六十度五十五分。美国东至西，凡五十九度三十七分。中国南至北，三十八度三十六分，美国南至北，凡二十四度二十六分）。南北距离既远，气候因以迥殊。”柳著《文化史·绪论》然则以地域而论，有泱泱大国之风，亦非吾人所能妄自菲薄者也。

夫史者，所以综述人类之活动；所谓人类活动者，固必有赖于时也、地也、人也。观于中国史之时也、地也、人也，其博综华贵乃尔，则中国之所以自厕于世界，与夫世界之所以衡量中国者，又岂一人一时所能横加掩没者哉？且念夫尼罗夕照，非复昔日之斜晖；恒河芳草，不似过去之菲绿。则世界古国，能屹然不坠，与地中海文明，为珠璧之交映者，舍中国其谁哉？固非私阿所好，囿一曲之言欤！

> 《新闻报》民国二十年二月二十七日载：“最近荷国雷登大学汉学研究院成立，时汉学教授戴闻达（译音）氏，曾详述中国文化，有不可扑灭历史。与西方文化，实有相互关系。西人不应以地中海文化，故步自封。对远东数千年文化结晶之汉学，当加以研究。并希望将来能派若干青年学生来中国，与学术家切磋，以资深造。”此固不足为吾喜，然足为吾之激勉也。

虽然，片斤自持于过日之繁荣，以傲于人而欺于己；一若现实之委靡不振，均无当于轻重者，此与故家中落，空诩旧日窖金之库，有何所异！但必主于贵人贱己，抹杀吾数千年之文化于不谈者，则亦蹈数典忘祖之讥。式敬乔木，固感旧者所必然，而张大其门户，亦后起者所必须磨砺以赴之者耳。

以中国今日之学艺论，固不足与世界列国竞矣。然雕板之创，首在吾国。北宋庆历中，布衣毕昇且有活字版之发明沈括《梦溪笔谈》卷十八，而阳历之滥觞《补笔谈》卷二，捕鼠之巧机《梦溪笔谈》卷七，前史所记，不可厚诬。然则以学艺言之，中国固世界列国中之旧家乔木也。以中国今日之武事论，固不足与世界列国竞矣，然火器之兴，首推中国。南北宋间，已用之于行陈详赵翼《陔余丛考》卷三十"火炮火枪"条。即在近时，德京柏林曾开军器展览会，其中所罗列之火炮，亦以吾国所制者为最早民国十一年一月《中华新报》。而唐苏鹗《杜阳杂编》又载：飞龙卫士韩志和"善雕木，作鸾鹤鸦雀之状。鸣啄动静，与真无异。以关戾置于腹内，发之则凌云奋飞。高三丈至三百步外，方始却下"《杜阳杂编》卷中。此亦近世飞机之初祖也。然则以武事言之，中国固世界列国中之旧家乔木也。又如，以中国迩日之政治而论，固不足与世界列国竞矣。然稽之于古，匪特《孟子》"民为贵"之说，最脍炙于人口；即《尚书》亦有"天聪明自吾民聪明"，"天明畏自吾民明畏"之语《书注疏》四。《论语》卷十六《季氏篇》："天下有道，则庶人不议。"孔氏《正义》："议，谓谤讪，言天下有道，则上酌民言，以为政教。所行皆是，则庶人无所非毁谤议也。""吾民明畏"、"上酌民言"，然则以政治言之，中国固世界列国中之旧家乔木也。

诸如此类，事不备举，综言之中国之在世界，固犹王谢之在江南。如有感于畴昔，冀有策于将来，则岂徒中国受其利哉？世界亦图赖之已。

一一　中国文化在亚东之地位

吾人如不昌言中国文化在世界之地位，而卑之无甚高论者，则仅就中国文化在亚东之地位，当恍然有悟于治中国文化史之必要也。

中国文化在亚洲之地位，印度之外，殊无与相颉颃者。在印度文化传播之广，固未尝不如中国；而其性质单纯，仅限于佛教，与佛教有关之学艺而已。殊未足与中国文化之在亚洲，相提并论也。

中国文化传播之广，其在亚洲，东如朝鲜日本，南如印度支那，均吾文化之所衣被者。周商之交，箕子已封于朝鲜。秦汉之际，徐市亦往于日本。隋唐以降，史迹尤繁。如昆仑奴鬼奴之来华服役，知华人国力，常泛溢于太平洋印度洋之上也。元明嗣兴，据马哥孛罗《游记》所述，异域殊方之国，率皆服属于元，而自居于属下者。又如郑和之下西洋，其踪迹实至非洲东岸。观《明史·郑和传》所记，固可想见其仿佛焉。

宋朱彧《萍洲可谈》页八，说库本云："广中富人，多畜鬼奴。绝有力，可负数百斤。言语嗜欲不通。性惇不逃徙，亦谓之野人。色黑如墨，唇红齿白，发卷而黄，有牝牡，生海外诸山中，食生物。采得时，以火食饲之，累日洞泄，谓之换肠。缘此或病死，若不死，即可畜。久畜能晓人言，而自不能言。有一种近海入水，眼不眨，谓之昆仑奴。"于此可征中国民族，唐宋间在亚洲海上之活跃，初不待"三保太监下西洋，为一代盛事”焉。

至于中国文化在亚洲之地位。区分其性质而言，则亦可分为下列四者。

一则曰居于祖先之地位也。

例如东邻日本，今日强横，蔑以加矣。然案彼国所用文字，不外我国之偏旁波磔，刺取《急就篇》、《千字文》而成者，此则人所共知者也。“明初尝欲征倭国，彼使哈哩嘛，奉表乞降。上问：‘倭国风俗如何？’哈哩嘛以诗答曰：‘国比中原国，人如上古人。衣冠唐制度，礼乐汉君臣。银瓮培新酒，金刀脍细鳞。年年三二月，桃李一般春。’”杨家麟《胜国文征》卷一《倭国风俗诗》，申报馆聚珍版丛书本是则日本风俗，导源我国，我固日本文化之祖国也。

二则曰居于傅保之地位也。

唐王定保《摭言》卷一云：“贞观五年，太宗数幸国学，遂增筑学舍一千二百间，增置学生凡三千二百六十员。无何，高丽百济新罗高昌吐蕃诸国酋长，亦遣子孙请入。国学之内，八千余人，立学之盛，亘古未有。”王西庄记日本尚文云：“《旧唐·日本传》，日本国者，倭国之别种，以在日边，故以日本为名。……长安三年，其大臣朝臣真人来贡方物。……真人好读经史，解属文。容止温雅，则天宴之于麟德殿，授司膳卿，放还本国。开元初，又遣使来朝。因请儒士授经，诏四门助教赵元默，就鸿胪寺教之。乃遗元默阔幅布，以为束修之礼，题曰‘白龟元年调布’。所得锡赉，尽市文籍，泛海而还。其偏使朝臣仲满，慕中国之风，因留不去，改姓名为朝衡，历仕左补阙。仪王友衡，留京师五十年，好书籍，放归，逗留不去。……《新唐书·张荐传》，祖鷟，早惠绝伦。新罗日本使至，必出金宝购其文。又《文艺》中《萧颖士传》，倭国遣使入朝，自陈国人愿得萧夫子为师。观此三条，日本之尚文可见。”《十七史商榷》卷九十二是日本之于唐，意将有所求诲益也。唐与日本之外，凡中国之训益外国者，其例多有，容可自矜：中国者，亚洲诸族之总傅保也。

胡仔《苕溪渔隐丛话》卷十九引《今是堂手录》云：“日本使者过海，有诗曰：‘水鸟浮还没，山云断复连。’时贾岛佯为梢人，即联其下云：‘桌穿波底月，船压水中天。’使者嘉叹久之，自此遂不敢言诗。”此言日本，诗人受唐诗人训炙也。

王世贞《弇州史料》前集卷九云：“洪武三年，高丽生入试者三人。惟金涛登三甲第五，授东昌府安邱县丞，余皆不第。三人俱以不通华言，请归本国。诏厚给道里费，遣舟送之。涛寻为其国相。”是明与高丽，固犹严师之与弱徒也。

清姚元之《竹叶亭杂记》卷五云：“琉球国遣官生入监读书，自康熙二十二年部议准行。无年限，每逢册封之年，请与使臣回京面奏。其来也，率以四人，以四年而归。归其国，则授四品官。嘉庆七年，其子弟来，吴兰雪时以博士教之，颇聪颖。十四年己巳，还国过山东。蒋别驾第护送之。其子弟有赠蒋诗者，有‘诗草即今传海国，笔花何止属江郎’，工秀可诵。”是清与琉球，固有师生关系者。

近读《斯文杂志》十四编第五号载盐谷温《大满洲国肇建志喜诗》云：“兵火纷纷二十年，马蹄蹂躏旧山川。莺花无限春回日，鼓腹重开尧舜天。”考斯文学会，固日人之以尊孔为榜标者。盐谷温旧亦受业于叶德辉者，今以受洗于中国之人，在推崇中国之会，作效拟中国之诗，而以之吟哦兴诵于剥蚀中国之土地，不亦重可慨欤！特书于此，亦“夫差尔忘越王”之意也。

三则曰居于介绍之地位也。

例如中国之得佛教，固有间接求法，与直接求法二事。曰间接者，即非直接求诸印度，而由西域展转传得者。曰直接者，则如玄奘之直向印度求法是也。其在东邻日本，则所崇信之佛教，初乃由中国介绍而得。李肇《国史补》云：“佛法自西土，海东未之有也。天宝末，扬州僧鉴真，始往倭国，大演释教；经黑海蛇山，其徒号过海和尚。”《国史补》卷上而罗大经《鹤林玉露》卷四亦云：“余少年时，于钟陵解后见日本国一僧，名安晓者，自言离其国已十年。欲尽记一部藏经，乃归。念诵甚苦，不舍昼夜。每有遗忘，即叩头佛前，祈佛阴相。”然则佛教之至日本，固经中国之介绍传授者。

四则曰居于改善之地位也。

所谓改善者，即言吸收亚东各处之文化，而又以创造之意，略为修改，使之完善。如以佛教言之，佛教原自印度，而梁王忏则中国所创为者也。钱希白云：“忏之始，本自南齐竟陵王因，夜梦往东方普光王如来，所听彼如来说法。后因述忏悔之言，觉后即宾席梁武、王融、谢朓、沈约，共言其事。王因就乃述成《竟陵集》二十篇，忏悔一篇。后梁武得位，思忏六根罪孽，即将忏悔一篇，召真观法师慧式，广演其文，述引诸经，而为之。”《南部新书》卷庚则佛教仪式，固有经吾族采用，而改进者矣。

如以日常用具言之。则昭梿《论秦腔》云：“自隋时以龟兹乐入于燕曲，致使古音湮没，而番乐横行。故琵琶乐器，为今乐之祖；盖其四弦，能统摄二十八调也。”《啸亭杂录》卷八是则琵琶之制，初非属于吾国；自经吾采用改进，而竟于为“国乐”之一部矣。又如折扇之用，据明人郎瑛云："折扇自成化初高丽贡至，朝命效制，以答。后书格言，以赐群臣，民遂效而为之。……不知北宋已有之矣。东坡云'高丽白桧扇，屏之广尺余，合之只二指'，正谓此也。"《七修续稿》卷六然则因高丽之旧，而效制折扇；因效制折扇，而书格言，以资观玩警惕，如今世之用折扇者，尤可见改善之痕迹也。

又案《七修续稿》卷六《记眼镜》云："少尝同贵人有眼镜，老年看书，小字观大，虏人得而制之，以遗中国，为世宝也。……后与霍都司子骐言，霍送予一枚，质如白琉璃，大可如钱，红骨镶成，两片若圆灯翦然。可开合而折叠。问所从来，则曰：'旧任甘肃，夷人贡至而得者。'"然则眼镜之制，固亦自外族传入，而我国施以改进者也。

如以文学言之，则宋词元曲之名，由来已久。读史者咸知词乃中国之文，而曲则为昔时外族之遗。然《菩萨蛮》之小令，尚导源于女蛮国人《通鉴》贞元八年注，至于曲则王世贞所谓："三百篇亡而后有骚赋，骚赋难入乐，而后有古乐府，古乐府不入乐，而后以唐绝句为乐府。绝句少宛委，而后有词；词不快北耳，而后有北曲。北曲不谐南耳，而后有南曲。"《四部稿》一五一《艺苑卮言》一盖"曲者词之变，自金元入中国，所用胡乐，嘈急凄紧缓急之间，词不能按，乃更为新声以媚之……大江以北，渐染胡语；时时采入，而沈约四声，遂缺其一；东南之士，未尽顾曲之周郎，逢掖之间，又希辨挝之王应。稍稍复变新体，号为南曲。"《四部稿》卷一五一近王季烈《螾庐曲谈》卷二亦谓："北曲牌名，虽与词同。句法彼此各异，可见北曲为金元异域之乐，与词不相袭；南曲则折衷于南词北曲之间，以调和南北之音。”——综上所言，知北曲为异域之乐，而南曲起时较晏，固已经吾族之改张者矣。

然则中国文化在亚东之位置，岂特占域甚广而已。盖为亚洲文化之祖先也。岂特为祖先而已，盖尝有所启迪异族，煦育外国也。岂特启迪煦育而已，盖尝有得之于彼，施之于此，而尽介绍之职责者。又岂特介绍而已，中国向日并不力拒外来文物之传入；独于传入之外来文物，亦多施以改革，使尽善美。——明于上述，数千年来蔚然挺然而成为亚洲之故国者，其故有在；非私阿所好者，故加揄扬之言也。

然则，以中国文化在世界之地位而言，以中国文化在亚洲之地位而言，“曷为乎而治中国文化史哉”？此不难有解答矣。

卷一　上古卷

第一章　古代史上之难题

一　所谓古代

以有所特创而言，以有所改进而言，以有所影响而言，则不得不推求中国古代文化之实在。第既推求古代文化，自当先明：何者谓之古代也？

所谓推求古代之事，历来学者，有以为甚关重要者矣；有以谓非愚即诬者矣。无有以古为不足信矣；有以古为足取法者矣。《邶风》、《大雅》毛传云："古，故也。按故者，凡事之所以然；而所以然，皆备于故。故曰，古，故也。"以古为所以然之由来，"是古而非今"，即以古为甚关重要也。

《小戴记》三十一《中庸》称孔子言，文武之政，布在方策。而《论语》《八佾篇》述孔子好古敏求之勇，至于入太庙，每事问。足征儒家之训，先古后今。如孟子言必称尧舜，尤为重古之表示。仅有荀子，持法后王之说。《非相篇》云："欲观圣王之迹，则于其粲然者矣，后王是矣。"但荀所谓法后王，非屏古不论，如流俗所揣测于荀子者。钱大昕《十驾斋养新录》卷十八"法后王”条云：“荀卿法后王之说，王伯厚深诋之。愚以为，王氏似未达荀子之意也。孔子曰：吾学《周礼》，今用之，吾从周。孟荀生于衰周之季，闵战国之暴，欲以王道救之。孟言先王，与荀言后王，皆谓周王。非谓三代不足法也。”朱一新《无邪堂答问》卷四“……《荀子》语意甚明，奚烦穿凿？刘端临《补注》：‘后王，指文武而言。’是杨注以为近时之王者，误。”案《荀子》称尧舜、舜禹至多，非仅称许文武别详余所著《荀子哲学》页九一至九七，此不备列。然则荀子固亦托古者，以古为足重者也。特为辨录于此。

然亦有以古为不足置信者。《列子》引杨朱之言：“太古之事灭矣，孰志之哉？三王之世，若存若亡；五帝之事，若觉若梦。”《列子·杨朱篇》而世传“王荆公初参知政事，下视庙堂，如无人。一日，争新法，怒目诸公曰：‘君辈坐不读书耳。’赵清献同参政事，独折之曰：‘君言失矣。如皋夔稷契之时，有何书可读？’荆公默然”。邵博《河南邵氏闻见后录》卷二十是则言古更有古，非假古可以服人。意亦以古为不足尽信也。

案《说文解字》卷三上云：“古，故也。从十口，识前言者也。”段玉裁云：“识前言者，口也；至于十口，则展转因袭，是为自古在昔。”以展转因袭训古，足见以古字本义而言，原有不可尽信处。

疑古与信古，非特今日思想界如斯，前乎此亦未尝不然。自韩非有“非愚即诬”之语，而李斯之斥博士淳于越，亦言：“三代之事，何足法也?”此疑古轻古者也。然南宋张载,生丁非古之世;而谓“为治不法三代,终苟道也”。《宋元学案》卷十八《横渠学案》此信古尊古者也。

张端义《贵耳集》卷上又载张栻“自桂帅还朝,以平日所著之书,并奏议讲解百余册,装璜以进。方铺陈殿陛间,有小黄门忽问左司:‘甚文字?许多?’南轩斥之曰:‘教官家治国平天下。’小黄门答云:‘孔夫子道,一言可以兴邦!’孝宗闻此言,亦笑。”此处极铺张信古、轻古者之两大壁垒。

虽然,语有之,后之视今,就今之视昔。然则所谓古者,势也。于今而以三四千年前为古,焉知三四千年后之不以今为古也?泉流滚滚,瞬息万变,顺叙推进良无已时。断流而分上下,断代而分今古;断流而分清浊之别,断时而生古是今非之论;似均非事势所许者。

故断代与不断代之别,后世史家,多所论列。司马迁作《史记》,上起黄帝,下讫太初,杂糅为一,未分今古。知马迁之未尝以古今而定低节也。至班氏《汉书》始含断代为史之意。略古而详今班氏之今即西汉一代也。刘知幾盛称之,以为“究西都之首末,穷刘氏之废兴。包举一代,撰成一书。言皆精练,事甚赅密。故学者寻讨,易于为功”《史通·内篇》卷十八《六家》。考知幾所以称固,正以学者寻讨,易于为功。若以顺叙推进,前因后革之义测度,则妄分今古,不以史实联成一线,诚有如郑樵所非者矣。

郑樵云:“司马氏世司典籍,工于制作,故能上稽仲尼之

> 意，会《诗》、《书》、《左传》、《国语》、《世本》、《战国策》、《楚汉春秋》之言，通黄帝、尧、舜至于秦、汉之世，勒成一书。……班固非其人，遂失会通之旨。司马氏之门户，由此衰矣。是致周秦不相因，古今成间隔。……孔子曰：'殷因于夏礼，所损益可知也。周因于殷礼，所损益可知也。'自班固以断代为史，无复相因之义。虽有仲尼之圣，亦莫知其损益。"《通志·总叙》盖以相因而言，则何时为今，何时为古，殊无显著之鸿沟可判。知班氏断代之为人訾议，知划分中国史为上古中古者，更有不妥处。何则？汉、唐、元、明，确系易制改元，起讫明显；而后人犹以为非。至如上古中古之划分，全凭作者一人之见地，当更无以服人。

盖由相因而言，则史上当无所谓古今，而更无所谓划代。相因云云，盖言史实如泉流滚滚，不能截取划分也。

然不得已而划断截分者，诚欲如刘知幾言："学者寻讨，易于为功。"出水而言，泉流滚滚，固不能截取其一点以定清浊，而在山者清，出山者浊，大致自有差异。由人而言，如时叙虽变换，"我"固未尝更易，不得谓今吾故吾，有所界别。然苟取三十年前我所留影，以较诸三十年后我所留者，则肥瘠之异同，荣枯之得失，"今吾"非"故吾"矣。中国史固未尝可断为今古也，然取其大要，而觇其文化用具之不同，思想学术之歧异，政治经济之变迁，人种社会之移易，勉定其各异，而判定其古今；亦"学者寻讨，易于为功"者欤！

所谓上古者，吾定为自有史至秦初。

此时期中，一切在草创中。以文化用具言，则文字在草创也；以思想学术言，则儒道百家，在竞萌焉；以政治经济言，则多头之封建制度，自开创而崩溃；私有财产之色彩，自浅薄而浓厚。以民族社会言，则汉族在发扬，姓氏在创立也。——凡兹数者，均可视为上古史上之特征。

所谓中古者，吾定为自秦初至五季。

此时期中，言文化用具，则文房四宝，胥以时兴。言思想学术，则百家虽息，归诸一尊，而佛教传华以后，思想界学术界均受其波撼。以政治经济言，则政权归于一尊，富力集于少数。虽有东晋鲍敬言无君之论，虽有北魏孝文帝均田之制，亦无由挽狂澜于既倒。以民族社会言，则五胡乱华，异种杂糅。阀阅隆重，世族翱翔。以思想学术言，则佛学隆重，儒教低头——此亦荦荦大者。

所谓近古者，吾定为自宋初至明季。

此时期中，印刷术之发明，最足为历史生色。发扬文化之工具，非前此可比。其在思想学术，则两宋理学，讫于元明，不过儒释道三者之杂和。言政治，则君王之专断有加。言经济，则均田不能而为均税，世业口分之制隳，而为两税。至于民族社会问题，亦有契丹、女真、蒙古之加入中华民族集团。征服者与被征服者之荣枯顿殊如明初江浙间之"惰民"，男子与女子之地位顿殊——此为其昭昭大者。

所谓近代者，吾定为自明季至清季。

此时期中，以文化工具言，虽云西洋较新之印刷术，其来华已在此期之末，然就学术思想言，则除反理学之清学而外，基督教教徒挟其新奇之器，人所未知；传其本土之教，后来居上。固不能不谓为此期中之特征也。至于在民族社会史上，则有满洲之入主，则有女性地位之更落；在政治经济史上，则君权益隆重也，贫富益不齐也。积弊相沿，外力侵之。侵之，能勿溃乎？

所谓近世者，盖指自清季以至于今。

此时期，虽尚简短；然变化不可谓不剧。一切政治思想社会经济，无不受外力而改弦易辙。改君主而为共和也，定男女之平权也，节制资本与平均地权也，——诸如此类，胥足表示中国之在转动中也。

如此分期，未必有当于愚者之一得，庸敢侈言为“学者寻讨，易于为功”乎？长江之水，起于涓滴；燎原之火，基自星星。匪特强加区分，有所未便，即专就上古而言，涓滴之来，自星星之先导，原多人所未解者。而敢以更博综之史实，曲为部别，以自诩其一得之见哉？

二　古代已来之中国民族

言历史之分期，如江河之不易区断，然江河尚有原也，江河尚有所止也。而中国历史之起源，中国历史之底止，则殆无人能置答者。无人，何以有史？今但问中国人种之来自，而知中国文化之起源之不易解也。

中国人之来自，畴昔诸儒，有持西来之论。丁谦《中国人种从来考》云：“法人扎克伯里著《支那太古文明西元论》，引据亚洲西方古史，证中西事物法制之多同。而彼间，亦实有民族东迁之事。于是中东学者，翕然赞同，初无异词。且搜采古书，以证明其说。如刘氏光汉之《华夏篇》、《思故国篇》，黄氏节之《立国篇》，章氏太炎之《种姓编》，蒋氏观云之《中国人种考》，及日本人所著之《兴国史谭》等。虽各有主张，要无不以人种西来之说为可信，兹不具述。

略揭其大要如下：依西亚古史，中国人种，为丢那尼安族。其族分二派，一思米尔，一阿加逖，皆起于亚洲中境。思米尔人，先入美索波达米亚境，建立加勒底国，阿加逖人，后至沙蛟山麓，建都城于苏萨，称霭南国。其王廊特奈亨台兼并加勒底诸部，既乃率其族人，迁入中华，谓即黄帝。……考黄帝事迹，中国古史，记载颇详。……至其他逸事，如登昆仑见西王母。归而平治天下，但有由东而西，无一由西而东之说……按西史，谓徙中国者，为巴克民族。巴克乃盘古转音，中国人谓盘古氏开辟天地，未免失实；而盘古氏之为中国始迁祖，则固碻有可考矣。"——丁氏云云，虽不信黄帝之自西而东；犹执盘古之洵为东迁之祖。夫西来径道，山高碛广；古人简朴，何以堪此？得无仅据一名一地之声似，而轻断邃古之事迹耶？

案盘古，或有以为乃国名者，详叶氏《过庭录》卷三：或有以为当训盘互，即当训元气者，俞樾之说是也。《后汉书·南蛮传》又有盘瓠，含吴将军首之神话。要之，盘古非确实可信之人名；丁氏执盘古为即巴克，且信为确有可考，殊失轻信。

中国史书上，虽有"昆仑有黄帝之宫"字样，然不足据此以证古代之中西交通。有人谓中西交通，在洪水时期以前，本无问题。如陈次亮《庸书》外编卷上"西书"条，光绪二十二年刊，谓西人之学，皆来自中国："若夫政令之严整，务农殖货，专重富强，轨里连率，日图兼并，则《管子》之霸形也。教法之混同，传道拜天，日忘祖考，摩顶放踵。以餂途人，则墨氏之兼爱也。昆仑有黄帝之宫焉，度当日万国来同，本无中国。兼洪水之说，中外记载略同。可知昏垫怀襄，彼此人民，遂相隔绝。"此以昆仑之官，证东学之西去；正与证华族之西来者，同于为清代末年，调停中西差异之附会者耳。

章炳麟《太炎文初录》卷一《征信论》云："汉人自西域来者，说近情实。远之可傅身毒、大夏，而近之犹在氐羌之世。以为三苗乃神州旧人，汉族攘其地有之，益失实状。汉族虽自西方来，传记所及，不及安息、条支沙碛之地。今人复因以傅会，此为陈平秘记之流。"揆此，则太炎亦不信汉人之来自小亚细亚也。

民族西来说以外，则又有谓中国民族为南来者，章鸿钊《汉族起源近说》言："美国人类学协会远东部主任威廉士氏（Edward T. Williams）尝著一论，讨论中国民族之起源，中引 Dr. Wieger 所记：汉族之发祥地，在印度震旦半岛。其理由亦有四。（甲）汉族纪元三千年前所创造之象形文字，中多热带植物之形。（乙）中国今日南部蛮民所用文字，有与汉族古代象形文字相类似者。（丙）中国语言，南方诸省，较为简纯；愈北则愈繁杂。（丁）中国语言重音调，印度震旦半岛之语言亦然。凡此皆明汉族起源热带，而与印度震旦半岛为尤近。"——然此说，亦无足置信。

今日中国可考之象形文字，其行用时期，当不出纪元前一千二百年间。是时，汉族实已繁殖于扬子江流域；与南方民族，交通频繁。热带动植，自所常见。况象形文字中，描绘温带动植物为尤多。如牛羊等字，皆然。可见汉族在草昧时代，必以畜牧为业。若热带人民固不知畜牧者也。乙丙二说，亦不尽然。盖中国语言，虽南纯于北；然若汉族起于北方，次第南下；则先往者必居最南之地，而语言亦自较纯粹也。至印度震旦之语言，南方蛮民之文字，虽时复与汉族相同，亦可谓汉族先行者之所留遗耳。征之史实，自南迁北，扞格殊多。不得以一二语言为据，即定民族之南来为可信也。

以今论之，中华民族，庞大纷杂，年祀湮远，初无由细分其来自。且自发掘进步以还，中国已成为曾产“原人”之地，而不必为西来南来，捉影捕风之说矣。

曷言夫中华民族，为中国文化之“演员”者，其纷杂乃至于无由细分其来自也。

满、蒙、回、藏之加入中华民族集团，其事迹斑斑可考。而所谓汉族者，于今视之，初无纯血种人。昔冉闵之灭胡羯也，“死者二十余万。……于时高鼻多须，至有滥死者半”《晋书》一〇七。是五胡乱华之际，有高鼻多须者，混入吾之民族集团矣。《北史》卷九十七《于阗传》：“自高昌以西，诸国人等深目高鼻。唯此一国，貌不甚胡，颇类华夏。”是五胡乱华时，高鼻深目者，与华夏乃相间而居也。——然则就体魄面庞言之，中华民族之非纯血也，久矣。

此所谓高鼻多须，深目高鼻，不必深文周内，即断为西洋人一流人。然亦足见中华民族之复杂，其自甚久。即屏体魄面庞于不论，但就姓氏而论，亦足明中国人种之非纯血也。

俞正燮《百家姓书后》云：“《南史·王僧儒传》云：‘刘湛为选曹，始撰百家以助铨叙。’《旧唐书·高士廉传》云：‘作《氏族志》，二百九十三姓，千六百五十一家，为九等。’《李义府传》言：‘士廉氏族，勒为百卷。’宋沈括《笔谈》云：‘唐时氏族，大率高下分五等，通有百家，皆谓之士族。此外，则为庶姓。’……明时官书有《千家姓》；《明文衡》载吴沈《进千家姓表》云：‘约为韵语，凡得姓一千九百六十八，名曰《千家姓》。洪武十四年五月朔日，翰林编修吴沈、典籍刘仲质、吴伯宗等进。’其书今不行。宋时有韵语村书，称《百家姓》。言百家者，取其名美。或曰，吴越时书也。宋陆游《秋日郊居》诗云：‘儿童冬学闹比邻，据案愚儒却自珍。授罢村书闭门睡，终年不着面看人。’自注云：‘……所读杂字、《百家姓》之类谓之村书。’”——然则别姓氏以明血统，自六朝已后，下及于明，有志者未尝不殷殷垂意焉！

以上见俞正燮《癸巳类稿》卷七。案姓氏之别，详顾炎武《日知录》卷二十三“姓”条。又《日知录》“姓氏书”条顾氏谓谱牒起于《世本》，则辨明血统之工具，其起源乃更早于俞氏所称也。

然民族血统之不易寻，不易依姓氏以取准，则与姓氏书之起源，相并而来。《晋书·石苞传》：“曾孙璞，没于寇。石勒以与璞同姓，引璞为宗室，特加优宠。”是石氏非纯血矣。北魏孝文帝，其人则固胡也。而改姓为元，臣下翕然从风。然则五胡乱华之际，异种之冒称汉人者，固亦多矣。顾炎武言：“《章邱志》言：‘洪武初，翰林编修吴沈奉旨撰《千家姓》，得姓千九百六十八，而此邑如术，如偶，尚未之录。今访之术姓，有三四百个，自云：‘金丞相术虎高琪之后。’……以此，知单姓之改，并在明初。而今代山东民族，其出于金元之裔者，多矣。’”《日知录》卷二十三然则辽、金、元猾夏之后，其混而入于汉族者亦多。

洪武九年闰九月，淮南府海州儒学正曾秉正言："臣见近来蒙古、色目人，多改为汉姓，与华人无异。有求仕入官者，有为富商大贾者。非吾族类，其心必异。宜令复姓，庶可辨识。"然永乐三年，卒赐把都帖木儿为吴允诚，"自此遂以为例。而华宗上姓，与旃裘之种相乱"《日知录》二十三。考曾氏所以致叹于异种乱华者，求诸《明律》，适得其反。《明律》卷六"蒙古色目人婚姻条"云："凡蒙古、色目人与中国人为婚姻，不许本类自相嫁娶；违者杖八十。男女入官为奴。注：'胡元入主中国，其种类散处天下者，难以遽绝，故凡蒙古、色目人，所与中国之人，相嫁娶为婚姻。……不许蒙古、色目之自相嫁娶。'"是则国家虽忌异族，而未尝不思为融会贯通者也。

汉金日磾，本匈奴休屠王太子；唐王世充，本西域胡人。异族之人，自汉以来，混入华夏者何限。故谓中华民族，庞大纷杂，无由细分其来自，宁有语病？必一一探求其源，洵不可也。

近在民国十一二年间，澳洲古生物家（Dr. O. Zdansky）在北平房山县属周口店，掘得化石甚多。赍至瑞典整理，得前臼齿及臼齿各一。定为较爪哇猿人更古之齿，十五年冬，瑞典太子来华，安特生氏于欢迎席上，宣布此齿为北京齿（Peking Tooth），而称生此齿者为北京人（Peking man）。民国十七年间，北平地质调查所杨钟健、裴文中二人，又在周口店得猿人化石牙齿数枚，不完整之牙床两个，破碎头骨数块。翌年，裴君又续有所发现，于是人类最古之北京猿人，遂为科学界所公认《科学》十四卷八期裴文中《中国猿人化石之发见》。由此观之，中国未必非产生人类之地；而产生以后，又复庞大纷杂,无由细分其来自。则西来南来之说,就文字以证明民族来自者,当无以免于捕风捉影之嘲也。

比见《时事新报》二十三年七月二十六日云:"英国学者伍特沃德,在地质学大会,发表论文。谓人类之起源,在于非洲。因在非洲较古之地质构造内,已发见人类遗骸,及曾有人类生存之证据。其地质之构成,远古于'北京人'所发见之地。"此乃新说,爰志于此。

三　古代史中之时与地

原夫史之造成,即系人类在空间上,经过某一时间之创作变演。言中国古代史中之"人",无以决定其原始颇令人联想于古代史中之时间与空间,亦复难于论定。言古史中之"人",则近于恍惚;而言古代史上之时地,则每近于"荒谬"。荒者,盖言夸大而不经;谬者,即言是非之舛误。

言古史之时间,而或近于荒大者,则如《春秋元命苞》云:"天地开辟,至《春秋》获麟之岁,凡二百七十六万岁。"此即《续汉书·律历志》所本。虽以较西洋人言古史,天地造于纪元前四千四年者,臆造之精粗有殊,然不得不谓之诞妄也。

《广雅》卷九上云:"天地辟设,人皇以来,至鲁哀公十有四年,积二百七十六万岁,分为十纪。"王念孙《广雅疏证》云:"《续汉书·律历志》引蔡邕《议》云:《元命苞》、《乾凿度》皆以为开辟至获麟二百七十六万岁。《文选·鲁灵光殿赋注》，及《春秋命历序》云：皇伯、皇仲、皇叔、皇季、皇少，五姓同期，同驾龙，号曰五龙。”此说也，宋盛如梓《庶斋老学丛谈》卷上页十五，知不足斋本已斥其非：“《路史》泰皇氏注，《春秋命历》云：‘自开辟至获麟，二百二十七万六千岁，分为十纪。《乾凿度》及《春秋元命苞》皆云二百七十六万七千岁，《广雅》因之，均为诞妄。’”然而《皇极经世书》言天地开辟之数，据刘勋《隐居通议》卷二十八所引：“天地一开一闭，谓之一元。总计十二万九千六百年。开自癸巳至戊戌而后闭，开之时凡二百四十星，计八万六千四百年。闭自戊戌至癸巳而后开，闭之时凡一百二十星，计四万三千二百年。自夏禹八年过午，至今犹属午之中上。必待满足一万八百年，然后过未。自开辟至今，约三万八千年，自今以往，犹须经过四万八千四百年。”虽其所云长短，与《纬书》所述者迥异。然均之为臆想之谈耳。

言古史之时间，而实近于谬误者，则如《文王世子》《礼记》六言：“文王九十七乃终，武王九十三而终。成王幼，不能涖阼，周公相，践阼而治。”夫七十生子，庸得名之非迟？而果如此计，武王之死，成王当年已弱冠；而犹谓之幼耶？无怪夫《群经识小》所谓：“成王践阼，书曰冲人。晋、应、韩皆成王之弟，岂武王诸子，皆生于八十后乎？”《新义录》卷十一

李冶《敬斋古今黈》云：“后稷、挚、尧、契四人，同为帝喾高辛氏之子。契则十三叶而得汤，稷则十四叶而得文王。然夏之世，历四五百年；而商之世，又历五六百年。计千余年，而文

王始生。若以代数较之，文王之于汤，但不及一叶耳。是则殷之先一何夭，周之先一何寿乎？此为其可疑者，意前志必有脱误。”《古今黈》卷三此所举例，洪迈《容斋随笔》卷一《史记世次》亦以为疑，较成王之年代，更难问矣。

又如舜之南巡，《檀弓》谓：“舜崩于苍梧之野，盖二妃未之从也。”刘知幾根据此说，遂有“二妃不从，远旷生离”之语。一若舜与皇英，以少年而新婚别者。考舜崩之时，垂年已百。又何必远游？“司马公诗云：‘虞舜在倦勤，荐禹为天子，岂有复南巡，迢迢渡湘水？’张文潜诗曰：‘重瞳涉方时，二妃盖老人；安肯泣路傍，洒泪泣丛筠。’”《困学纪闻》卷十二然则以年龄而论，固不必有二妃与舜之离别欤？

又如《左传》言蔡哀侯绳息妫于楚子，楚子因灭息，虏息妫归，三年不言，生堵敖与成王焉。其后寡居之间，自守甚严。子元虽蛊惑之，不动也。此记载，骤视之，似无甚误，然一考其年代，则矛盾立见。孙文玉言：“古者女子二十有家，息妫过蔡，在(鲁)庄(公)十年。虽甚少，亦当十六七岁。至三十年，子元伐郑，归而处王宫，息妫年逾四旬矣。子元虽甚荒淫何致蛊此老妇？又考《史记》成王弑兄堵敖，在鲁庄二十二年。距楚文致息妫时，亦仅十一二年。成王为弟，尚不及十年；岂能行篡弑之事？然则生堵敖及成王之说，亦未见确？”《新义录》卷七十九此亦由年代以辨史实者也。

言古史之时间，既不免于夸大谬误，言古史之地理者，又何独不然。

自邹衍有大九州之说《史记·邹衍传》，苏东坡因之，亦有大九州之论朱少章《曲洧旧闻》卷五，第五页。而纬书如《春秋命历序》云："神农始立地形，甄度四海，远近山川林薮所至，东西九十万里，南北八十三万里。"此见《开元占经·地占篇》所引。《广雅·释地》卷九下又谓："帝尧所治九州地，二千四百三十万八千二十四顷。其垦者九百一十万八千二十四顷。夏禹所治四海内地，东西二万八千里，南北二万六千里。出水者八千里，受者八千里。"此见于《山海经》《中山经》、《管子》《地数篇》、《吕览》《有始览》、《淮南子》《地形训》者也。

此说夸诞已极，今日之中国，南北固不及八十三万里，东西更不及九十万里。谓三代时之中国，草昧未启，而能庞大至斯乎？无怪乎为《容斋随笔》所讥诽也。

洪迈《容斋随笔》卷五《周世中国地》云："成周之世，中国之地最狭。以今地理考之，吴、越、楚、蜀、闽，皆为蛮。淮南为群舒，秦为戎，河北、真定、中山之境，乃鲜虞、肥鼓国。河东之境，有赤狄、里氏、留吁、铎辰、潞国。洛阳为王城，而有杨拒、泉皋、蛮氏、陆浑、伊雒之戎。京东有莱、牟、介、莒，皆夷也。杞都雍丘，今汴之属邑，亦用夷礼。邾近于鲁，亦曰夷。其中国者，独晋、卫、齐、鲁、宋、郑、陈、许而已。通不过数十州，盖于天下，特五分之一耳。"案洪氏此说，宋永亨《搜采异闻录》卷一，第三叶，稗海本已言之。且征之古昔，楚之称王，自曰："吾蛮夷也。"《史记·楚世家》司马错谓："蜀，西僻之国；而戎翟之伦。敝民劳众，不足以成名。得其地，不足以为利。"燕昭王之告张仪，亦云："寡人蛮夷僻处，虽大男子，裁有如婴儿言，不足以采正计。"均见《史记·张仪传》此可见楚、燕、蜀等国自居化外，更可知古代中国文化所及衣被之地，断不能如《广雅》所云之旷大也。

古史地理，除浮夸不足信外，则又有谬误迷惑者。

如太原者，今人所熟知者也。《诗》称："薄伐猃狁，至于太原。""其以为令太原阳曲县者，始于朱子。"独顾炎武以为"当即今之平凉，而后魏立为原州。计周人之御猃狁必在泾原之间"。因以决定周宣王之"薄伐"，实不能克平戎祸。"宣王之世，其患如汉之安帝也；幽王之世，其患如晋之怀帝也。戎之所由来，非一日之故；而三川之震，檿弧之谣，皆适会其时者也"《日知录》卷三"太原"条。吾人读史，初以宣王中兴，未几而幽王亡国，平王东迁；引以为惑。今知太原之胜，非能长驱横虏；不过略为挡驾。则如史实演变，积渐而至，初非突然者也。然则以太原为今之太原，而衡量周时形势者，盖陷于地理上的谬误矣。

所谓迷惑者，即言古代地理，学者所记，聚讼纷纷，未易资启人之裁决也。

如伯夷、叔齐饿死于首阳山，此首阳山，果何在乎？顾炎武《天下郡国利病书》卷五十五引杨恩《首阳山辨》云："首阳山在中古以前，一山耳。自孔子称伯夷、叔齐饿于首阳之下，其名遂与五岳争高。后世好奇之士，争欲私之。《说文》以为在辽西，刘延之以为在偃师，马融以为在蒲坂，《方舆胜览》以为在陇西。曹大家注《通幽赋》，亦云在陇西。《庄子》云'北至岐山，西至首阳'，故《索隐》以为在岐山之西。寰宇中，遂有五首阳。后来不知何时，断以河东蒲坂者为是。即其地，祠而祀之。至今相因以为此夷齐饿处也。"而实则蒲坂为周地，固夷、齐之所不愿居者。

杨氏谓:“夷、齐既以耻食周粟而去,亦必远引其心始安。蒲坂去丰镐不四百里,固周之畿内地也。避周而愿居畿内?不食其地之粟,又食其地之薇乎?”又谓:“今蒲坂首阳,薇所不产;每致祭,则取于别所。后来好事者移植,亦复不多。”然则首阳山之所在,迷惑人者久矣。

又如禹会诸侯于涂山,执玉帛者万国。读史者或以为在会稽(《史记》),或以为在濠州(《左传》杜注),或以为在渝州(《后汉书·郡国志》注),或以为在当涂(《汉书·地理志》注)。说者因谓禹之治水不止一处,“会稽诸侯”固当不限一地详孙文玉《新义录》卷七,聚讼纷纷,此又难以断定者也。

综而言之,言中国古代史者,时也地也,两者皆不易决定。更无论人之来自,无以稽核其实也。稽核云云,此真治古代史者所难者也。南粤而有盘古墓,人可知其诞妄;会稽之有禹陵,事亦可疑。我侪将尽信书乎?抑当存古史难读之见,而思为推敲辨证乎?

四　事物创制之寻讨

古代史上之“人”也,“时”也,“地”也,其不易研求,既声述如上;至于古代史上之事物创制,其可信之限度,与可知之实在,正如古史上之“人”、“时”、“地”三者。

夷考各民族之古史,无不荒谈创造。《道书》言:“天地初辟,一日鸡,二日狗,三日猪,四日羊,五日牛,六日马,七日为人。”犹太旧教言:“上帝一日造天,二日造地,三日造海洋,四日造植物,五日造动物，六日造人。”波斯古传说言：“五十日成天，六十五日成水，七十五日成地，又三十日成草木，八十五日成鸟兽，七十五日成人。”寻追万物之来源，要为初民所同于不解。因以形成荒唐之神话，犹诸中国史上之侈言盘古也。

案六经中，并无盘古字样，盘古之名当起于秦汉以后。孔子《论语》及《孟子》七篇仅言尧舜《孟子·滕文公篇》有“有为神农之言者许行”，亦奚落之词，非孟子所信，至《元史·祭祀志》竟记：“至元十五年四月，修会川县盘古祠祀。”则后来传说，言之凿凿，一若真有其人矣。《元丰九域志》载广陵有盘古冢，《始兴县志》谓县南十三里有盘古墓，河北《青县志》亦言有盘古冢，皆土人附会之说，且为后起者也。《后汉书·南蛮传》载高辛氏时，募得犬戎吴将军头者，妻以少女。其所畜狗名盘瓠者，果衔其首至。帝遂妻以女，生六男六女，为南蛮之祖。说者因谓盘古为南蛮神话，非干中土。但将军之号起于周末，疑此传说亦起于周衰之时，不关上古焉。

中国载籍，言盘古之创造者，如《述异记》则称：“昔盘古氏之死也，头为四岳，目为日月，脂膏为江海，毛发为草木。"《五运历年记》云：“元气濛鸿，萌芽滋始，遂分天地，肇立乾坤，启阴感阳，分布元气，乃孕中和，是为人也。首生盘古。垂死化身；气成风云，声为雷霆，左眼为日，右眼为月，四肢五体，为四极五岳；血液为江河，筋脉为地里，肌肉为田土，发髭为星辰，皮毛为草木，齿骨为金石，精髓为球玉，汗流为雨泽，身之诸虫，因风所感，化为黎甿。”此皆以盘古为创物者求之于史，固极荒唐，然准之以原始人群，对于古史之揣度，则知东西各国人不相远也。何也？盖同谓宇宙之生成，万物之建设，乃有造物主者在焉。

案俞樾释盘古云："盘古者，元气之名，犹盘互也。《汉书·谷永传》，百官盘互；师古注：盘互，盘结而交互也。亦作磐互。《刘向传》，宗教磐互是也。古与互同部字。《史记·封禅书》'秋涸冻'，《索隐》引小颜曰：'涸读与冱同。'涸从固声，即从古声，而与冱同读。此盘古所以为盘互也。旁薄即盘互，旁盘双声，薄互叠韵耳。"陈汉章《上古史》页七引此以盘古为旁薄之音转，即以为元气之谓；未免强词夺理；然其旨不可厚非。

考俞宁世《可仪堂文集》云："有人自云八百岁，能知天地之数，处士邵雍闻之，昧旦而往，日晡，始见。谓之曰：吾知子来，欲问混沌之说耳？夫天地之混沌，未可言既也。吾试与子言今日之事，夫一念初萌，万象未动，非盘古乎？明而求衣，晨而求食；非黄农乎？于是内省德业，外习《诗》、《书》，非唐虞三代之时乎？人事益多，物感渐炽：往来杂而爱恶生，此时也，即汉唐以来数千年之事也。"此以盘古为混沌时之象征，以不解解之，胜诸等传说，远矣！

良以古人对于开辟，苦无见解可得。故不期然而造为神话，文饰其事，而故实其人。故《五运历年记》谓造人者为盘古氏，而《御览》卷七十八又三六〇引《风俗通》："天地初开，未有人。女娲抟黄土为人，力不暇给，乃引絙于泥中，以为人。故富贵者，黄土人也，贫贱者，絙人也。"案女娲之名，司马贞以为"男子为帝"，《风俗通》以为伏羲妹，李冗《独异志》则称女娲兄妹为夫妇，雌雄之辨，人多异词，而敢断定其造人乎？意者，古人不知人所由来，勉求其解；则或尊盘古，或推女娲；必欲求一创物者，则所得之创物者，乃为神而非人矣。

崔豹《古今注》卷下："程雅问董仲舒曰：'三王，三才也；五常，五帝也。三王，三明也；五帝，五岳也。'"亦以开辟时期之圣哲，作为抽象之神明，而非具实之人物。

姑不问宇宙之开辟，即论一器一物之制作，古史亦不能确指其人，而仅能虚指其人。《世本》所载"古者观落叶，因以为舟"，《淮南子》言"古者见核木浮，而知为舟"，《拾遗记》言"舟楫之造，为乘桴之变"。然则一器一物之作，一由于环境的引诱，一由于经验之累进，初非有一定之智者圣者，突然能制作也。

《考工记》云："知者创物，巧者述之。守之世，谓之工；百工之事，皆圣人之作也。烁金以为刃，凝土以为器；作车以行陆，作舟以行水，皆圣人之所作者也。"夫知者之创，仅由于环境之引诱，安在而必为圣人？巧者所述，乃由于经验之累进，又何与于奇知与殊能？必欲指某也作某，某也造某，则某也某也，自非有神人之能力不可也。

例如构巢之事，南宋周去非犹及见之："深广之民，结栅以居。上设茅屋，下豢牛豖，上编竹为栈，不施椅、桌、床榻，惟有一牛皮为裀席。寝食于斯，牛豖之秽，升闻于栈罅之间，不可向迩。彼皆习惯，莫之闻也。考其所以然，盖地多虎狼，不如是，则人畜皆不得安，乃上古巢居之意欤！"《岭外代答》卷四然则巢居之事，原由于地多虎狼。《庄子·盗跖篇》云："古者禽兽多而人民少，民皆巢居以避之。尽拾橡栗，暮栖木上，故命之曰有巢氏之民。”是知“有巢氏”者，正初民生活之一时期；不必如后世所记之过于神而明之也。

有巢之创，为穴居野处之进步，正如火之发见应用，为茹毛饮血之进步。然《礼记·礼运》则谓：“昔者未有火化，食草木之实，鸟兽之肉，饮其血，茹其毛。后圣有作，然后修火之利。”《韩非子》云：“上古之世，民食果蓏蜯蛤，腥臊恶臭，而伤害肠胃，民多疾病。有圣人作，钻燧取火，以化腥臊；而民悦之，使王天下，号曰燧人氏。”《五蠹篇》谯周《古史考》云：“太古之初，人吮露精，食草木实，穴居野处。山居则食禽兽，衣其羽皮，饮血茹毛。近水则食鱼鳖螺蛤，未有火化，腥臊多害胃肠。于是有圣人造作，钻木取火，教人熟食。始有燔炙，裹而烧之曰炮。民人大说，号曰燧人。”曰“后圣有作”，曰“有圣人作”，曰“有圣人造作”，明火之造作，由于圣人。正如巢之造作，亦谓由于圣人。言圣人者。言制造之非出于常人也。而不知器物之作，由于环境之需要，由于经验之推进，固非一圣人所能为力者。

《易·系辞》称：“古者庖牺氏之王天下也，仰则观象于天，俯则观法于地，观鸟兽之文，与地之宜，近取诸身，远取诸物，于是始作八卦，以通人民之德。”是言八卦乃由于神明之德也。又云：“上古穴居而野处，后世圣人易之以宫室，上栋下宇，以待风雨。”又云：“古之葬者，厚衣之以薪，葬之中野。不封不树，丧期无数。后世圣人易之以棺椁。”又云：“上古结绳而治，后世圣人易之以书契。”此又言宫室棺椁书契，乃由于后世圣人之“圣”也。夫圣人何以独圣于上古？上古之圣人，何以在君主中为独多？后世之君主，何以独多肉糜公蛙？此皆令人可疑者也。

平心论之，器物之创制，当有修共复合之四大景相，非仅一人之创始而已。一人肇始，众人继之；知者创首，巧者述之，即我所谓修也。如《世本》称："神农作琴，长三尺六寸六分，上有五弦，曰宫商角徵羽，文王增二弦。"意者，瑟本简朴，后加改进，推陈出新，事非一节；求其创制之主名，自属难寻。

所谓共者，即言甲制器于乙地，丙造物于丁方，初无沟通之机缘，同为利用而阜生。如黄帝之时，据《世本·作篇》所载，羲和占日，后益占岁，容成造历，此乃谓留意于自然之景象者，初非限于一人。亦非谓一时间内，仅有一人制作。盖有无意而为合作，闭户造车，及其成也，乃皆可用也。

所谓复者，盖谓初已有所制作，中更失传，而后有人举之于已废之后。则如《世本》言"神农和药济人"，而黄帝之时，又有"巫彭作医"，尧之时又有"巫咸初作医"。意者，神农黄帝之医术，匪久而失传（古无文字记载以助记忆，则其失传也，自不如后世之难），故及巫咸之世，而犹云"始作医"耶？

至于甲造其一，乙造其二，二者相和，而为美器；是则吾所谓"合"也，章炳麟曰："《作篇》曰：'夷牟作矢，挥作弓。'一器相倚以行，而作之者二人。余读《胡非子》云：'一人曰：吾弓良，无所用矢！一人曰：吾矢善，无所用弓。羿闻之，曰：非弓何以往矢，非矢何以中的？令合弓矢而教之。'登原案：《胡非子》已佚，此据《御览》卷三四七以此知古之初作弓者，以土丸注发；古之初作矢者，以徒手纵送；两者不合，器终不利。……故輓近视以为一器一事者，皆数者相待以成。古者或不能给其相得，而匮乏已甚；虽一人之巧，什伯于倕无益。"《检论》卷二《尊史》此即梁任公所谓"共业"者,殆近是乎?

综言之,初民以宇宙创造,为神圣之力;以器物制作,为贤智之功。前者,固不足令人置信,后者,亦万无此事。必知修、共、复、合之理,则始足明古人之制作器物也。章炳麟云:"夫古器纯朴,后制丽则,故有名物大同,形物革良者,一也若古自有笛,汉丘仲亦作笛,京房乃备五音是也。礼极而褫,乐极而崩,遗器坠失,光复旧物者,二也(若前汉衮冕已亡,明帝始作)。此既冠带,彼犹毛薪,则其闭户创造,眇与他会者三也今时床几,由来久矣;而席地之仪,犹在日本。古之九州,亦若神州东国,进化异时,谅无多怪者也。三者非始作,然皆可以作者称之。"《检论》二《尊史篇》盖犹修共复合之义焉。

第二章　洪水时期与中国文化

五　洪水之传说

古代史之范畴,古代史中之人种时关地域,以及最初之事物创制,既如是其不易决定,有如上述。而所谓事物创制者,古史所记,往往列诸洪水时期之前后。以此知洪水时期,固亦不可问也。何也,所谓洪水者,固初民传说之一焉。

洪水传说,非吾民所独有,如伽勒底古史称洪水前凡八十六王,历三万四千八十年,多以天神治人事,洪水将作,有薛素陀罗者,梦神告之曰:“某月十五日,洪水忽至;上帝将生杀世人。”又《旧约》希伯来《创世记》:“上帝谓亚当后人那亚曰:‘予欲起洪水,荡灭全世界。爱汝一人,使保生命。宜造大船,携汝妇及子女,尽入船中。’那亚乃刳木为方舟,以沥青涂其内外,载亲戚及各生物之族类,牝牡各一,既而霪雨,昼夜不息。自正月至三月,洪水遍地。人民及各生物,覆溺垂尽。历百二十日乃消。七月十七日,那亚方舟止于阿腊山巅。”印度《肥大司此士经》:“印度之初,有大魔窃去肥大司书。大神卫世努,降世为鱼。告一人名马努者曰:‘洪水将降,人物将灭;海有方舟一,可偕友人并物种登舟!’从之,而洪水至。”回教《可兰经》:“创造天地,万物一主,名阿丹。千余载后,洪水泛滥,人民漂没。三月而洪水退,有大圣努海,受命治水,使其徒众,分往四方。”又云南猓猓古书:“古有宇宙干燥时代,其后洪水时代,有兄弟四人,三男一女。各思避水,长男乘铁箱,次男乘铜箱,三男与季女,同乘木箱,后惟木箱不没,而人类遂存。”——准此,则东西民族,原各有洪水传说,《可兰经》所谓大圣努海,受命治水,又与中国史所载略同也。

平情论之,中国上古之文明,大抵偏于北部;其北部之水利,则黄河之小决与改道是也。如以小决而言,则只举清代乾隆一朝,江南黄河之决口,计有七年、十年、十五年、十八年、十九年、三十一年、三十八年、三十九年、四十五年、四十六年、五十一年,凡十一次,而河南黄河之决口,则有十六年、二十六年、四十五年(两处)、四十六年(两处)、四十九年、五十二年,凡七次详姚元之《竹叶亭杂记》卷二页十六。至于大决而为改道,胡渭谓:“中国之水,莫大于河。……河自禹告成之后,下讫元明,凡五大变。而暂决复塞者,不与焉。一、周定王五年,河徙自宿胥口,东行漯川,至长寿津,与漯别行,而东北合漳水,至章武入海。二、王莽始建国三年,河决魏郡,泛清河平原济南,至千乘入海。三、唐仁宗时,商胡决,河分为二派。北流合永济渠至乾宁军入海;东流合马颊河至无棣县入海。二流迭为开闭,《宋史·河渠志》所载是也。四、金章宗明昌五年,河决阳武故堤,灌封丘而东注梁山泺,分为二派。一由北清河入海,一由南清河入淮是也。五、元世祖至元中,河徙出阳武县南,新乡之流绝，二十六年，会通河成，北流渐微，及明弘治中，筑断黄陵冈支渠，遂以一淮受全河之水是也。”《禹贡锥指·叙略》然渭不及见咸丰五年之河又北徙，且以堙塞淮之口也。合前后而论之，大改道盖六度也。

故黄河者，殆为中国治水利之本。雍正八年四月上谕：“古称黄河之神，上通云汉，光启图书。《礼》曰：‘三王之祭川也，皆先河而后海。’惟神泽润万国，福庇兆民。自古及今，功用昭著。……本朝顺治三年，封黄河神为显祐通济金龙四大王之神，康熙三十九年，加封为显祐通济昭灵效顺金龙四大王之神。”雍正《东华录》八此等崇奉黄河之举措，颇能令人联想于司马迁所称“禹抑鸿水，十三年过家不入，……然河菑衍溢，害中国也尤甚；唯是为务，故导河！……”《史记》二十九《河渠书》以是而知黄河之病我中国，深也。

考黄河自青海发源之后，“载之高地”用《河渠书》语，龙门、孟津以下折入平地，其行渐缓；其行渐缓，其泥渐积；其泥渐积，河床渐高；河床渐高，决口渐易。是以《天下郡国利病书》，谓明英宗“正统初，黄河泛滥，每水一斗，其泥数升。汇而丘者，十余里，运舟不通”。卷三十一又引嘉靖十五年，李如圭论黄河云：“今之论黄河者，惟论其浵漫之势，又以其迁徙不常，而谓之神水。殊不知黄河之水，泥沙相半；流之急，则沙泥并行，流之缓，则泥沙并积而停积，则淤之渐矣。淤之既久，则河高而不能行。水性就下，必于其地势之下者而趋焉。趋之既久，则岸面虽若坚固，水行地下，岸之根基，已浸灌陈散，而不可支矣。及遇大雨至连旬不晴，河水泛涨，浵漫浩荡，以不可支之岸基，而遇此莫能御之水势；顷刻崩溃，一泻千里，遂成河决，无足怪也。”卷三十一此均古人言黄河之所以作祟者。不知此作祟之理，则以黄河为神秘莫测矣。

李白诗:“黄河之水天上来,奔流到海不复回。”盖古人不深知河,故有此神秘之说法。即如以河源而论,汉张骞虽云“曾穷河源”,然无明确之叙述。杨慎《升庵集》:“武帝因按古图书,名河所出山曰昆仑。班固以为骞未尝见昆仑,唐薛元鼎使吐蕃,自陇西成纪出塞,二千里,得源于闷磨黎山,……故蔡氏《尚书禹贡传》兼取二说。而归是于薛。然皆非耳目闻见之实论。元至元十七年,命都实佩金虎符,往来河源。自河州四阅月,始抵其处……元有天下,薄海内外,皆置驿使,通道绝域,如行中国。都实又以河源事特往。所诣多乡导指授,其所记载,始有证据。”《郡国利病书》卷五十五引是谓国人之明知河源,已在元代。王端履《重论文斋笔录》卷四云:“乾隆四十七年,高宗命兵部侍郎大理寺卿陆锡熊等编撰《河源纪略》三十六卷,千古异同,一朝论定。”此则论河源之确定,定于清时也。

知河源之不易寻觅,可推想古人不易了解黄河泛滥之故。故《淮南子》《本经训》云:“舜之时,共工振滔洪水,以薄空桑。龙门未开,吕梁未发。江淮通流,民皆上邱陵,赴树木。禹疏三江五湖,辟伊阙,导缠涧,洪水漏,九州干。”言洪水为共工所振滔,正缘不知河患何来故也。

其实,以黄河而有洪水,为北方之大菑,初乃自然生成。后史言禹之治水,得无过于文饰其功,故禹凿龙门,则朱子疑之。“《朱子语录》云:‘今人说禹治水,始于壶口,凿龙门,某未敢深信。方河水汹涌,其势迅激;纵使凿就龙门,而下流水未分杀,必且溃决四出。’”《禹贡锥指》卷二是朱子以禹凿龙门为乌有也。且河流广大,施功非细，纵使竭禹之力，亦未必能成。夏德《支那太古文明史》谓："夫古代支那之大纪念物，即万里长城，虽以非常之劳而作成，其长亦不过三百力格。然此巨大之建设，实亘非常之岁月。其初，秦赵燕等诸国，业已陆续建造。至秦始皇帝，不过修缮而增设之耳。且以此等泥土筑造之城，比之绵延一千二百乃至一千五百力格之大河，修筑堤防，开浚水道之事，犹为容易之业。然其难且如此，则禹之治水需多大之劳苦与岁月乎？彼禹之修改支那之大河，几与修正微弱之小川之水道无异；则此等具有怪力之禹，殆非人间之人！"朱子盖从地势而疑之，夏德盖从工事而疑之，要之，均嫌禹治洪水之迹，或有文饰过甚焉。

案禹凿龙门，为治水一大掌故，语见《淮南子·修务训》：严杰《经义丛钞》卷十七有《禹凿龙门考》。至于禹之治水工程，则详《禹贡》及《史记·河渠书》。禹之治水工程，依《禹贡》所载，导江，导淮，初不限于一河。即以黄河论之，自龙门而下，长约二千里。禹之施功，尚已艰难无比；而况重之以江淮耶？

窃尝论之，盖有二者；可以解释禹之治水也。

禹虽治水，而禹以前，亦有治水者矣。《礼记·祭法》："昔共工氏之霸九州也，其子曰后土。能平九州，故祀以为社。"是共工氏之子，其平水土也，民尝念之。《尚书·洪范》云："我闻在昔，鲧堙洪水，汩陈其五行。"是鲧堙洪水，箕子亦尝闻之。可知禹以前有治水者，治水者不限于一禹。

禹虽治水，而治水之时，非禹一手一足之烈也。《淮南子》谓："禹之时，天下大水，禹身执累垂，以为民先。"《要略训》胡渭谓："禹平水土，非一手足之为烈。当时佐禹者必众。……《周语》'太子晋言共工之从孙四岳，能为禹股肱心膂，以养物异人。'韦昭云：'共工从孙，为四岳之官，掌帅诸侯，功禹治水。'是四岳亦禹之佐也。《殷本纪》载《汤诰》之言曰：'古禹皋陶，久劳于外，四渎既修，万民乃有居。'是皋陶亦禹之佐也。《吕刑》曰：'乃命三后，恤功于民。伯夷降典，折民惟刑。禹平水土，主名山川，稷降播种，农殖嘉谷。'是伯夷亦禹之佐也。……不然，禹虽栉风沐雨，胼手胝足，亦何济之有？"《禹贡锥指》卷二综上所记，可知禹同时有治水者；治水者不限于一禹！

意者河肆其暴，人尽其力，先民与水患决斗，非止一人一时一地；而古史简略，禹乃独尸其功，以至为人所疑欤！古往今来，集某项事业之大成者，非必出于一手。正如一将之成名，基于千万之枯骨；吾于禹之治水，亦云然也。

至于吾先民在洪水时期之建树，即对于历史之影响，则亦有下列二者：

其一，因有水患而巧器渐作。如《史记·夏本纪》言："禹之治水，陆行乘车，水行乘船，山行乘檋，泥行乘橇。"《慎子》曰："为橇者，患泥之涂也。"泥涂为患，而橇斯作，正如《世本》谓鲧造城郭，为障堙水患而作。可知吾先民经此浩劫，多难兴邦。

其二，因有水患，而治水者之足迹浸广，因有水患，而土壤之调查亦起。是以《禹贡》之载九州，"厥土"、"厥丝"……，诸多论列。因治水故而利用土地之知识，更进一层，亦因祸得福，所谓文化生于困难焉。

若夫后人思所以报功，则孔子有"禹吾无闲然"之叹，而刘定公亦谓："美哉禹功，明德远矣，微禹吾其鱼乎？"《左》昭元年后人不免于惊奇，则又有鲧化黄龙之说，《左传》昭七年记子产语韩宣子曰：“昔尧殛鲧于羽山，其神化为黄龙，以入于羽渊，实为夏郊，三代祀之。”此类者，可勿论也！

六　君权与人权

关于禹之治水，既阐述如上，至于禹之行迹，所以为后世滋疑者，则非限于治水一事；盖以其尝为政治上之领袖焉。而邃古之时，政治上之领袖，往往与神不分。换言之，一方为酋长，而一方亦为牧师，掌政掌祭，一身共之，揆其始末，殆非始于禹而限于禹。

《左传》襄二十六年，卫献公与宁喜言曰：“苟反，政由宁氏，祭则寡人。”亦可见为国君者，如其不得政权，要亦得神权以自娱耳。而《楚语》卷下：“王曰：‘祀不可以已乎。’观射父曰：‘祀，所以昭孝息民，抚国家，定百姓者也。不可以已，……上所以教民虔也，下所以昭事上也。’”亦言君权者之利用神权。

《梁书》卷五十四：“毗骞国去扶南八千里，王之身长丈二，头长三尺，自古来不死。莫知其年，南方号曰长颈王。王常楼居，不血食。其子孙生死如常人，惟王不死。亦能作天竺书。”是毗骞国之王，神人无殊也。其在近世，如西藏之活佛换生，昭梿《啸亭杂录》所谓：“西藏喇嘛，自宗卡巴兴扬黄教，其徒达赖喇嘛、班禅额尔德尼率言永远转生，以嗣其教。行之日久，其徒众稍有道行，为人推许者，亦必踵其转生之说，以至'呼毕尔罕'多似牛毛。蒙古王公有利其寺之财产者，乃请托达赖喇嘛，指其子侄为的胤。互相承授。纯皇帝习知其弊，因其陋习已久，难以遽革。因命置金丹巴瓶，设于吉祥天母前。遇有'呼毕尔罕'圆寂时，即拣其岁所生子之聪慧者数人，书名于签。令达赖喇嘛会同驻藏大臣封名掣之，贿请之弊始绝，时谓之活佛掣签云。"《啸亭杂录》卷二是则西藏之王，神人无殊也。

昔西洋中世时政教不分，教皇之权可以生杀予夺列国之国主；揆其起原，当由初民之畏神。而一二杰出之野心家，欲形成其统治，不得不借助于神，以便其自欺欺人之企图。求诸中国史，所谓篝火狐鸣、拔剑斩蛇等等，正如天命玄鸟，降而生商，非徒以煽惑人心，且以征帝皇之出，神灵协助焉。汉以下犹然，而况汉以前乎？

《史记·陈涉世家》谓陈胜、吴广将起事前，"乃行卜，卜者知其指意，曰：'足下事皆成，有功；然足下卜之鬼乎？'陈胜、吴广喜念鬼。曰：'此教我先威众耳。'乃丹书帛曰'陈胜王'，置人所罾鱼腹中。卒买鱼烹食，得鱼腹中书，固以怪之矣。又间令吴广之次近所旁丛祠中，夜篝火，狐鸣呼曰：'大楚兴，陈胜王。'"《史记》四八史迁写到此处，神采奕然，是于陈胜之假托神权，深致不满。然《高祖纪》又记龙负刘媪斩蛇当道之事，无怪乎孙文玉《新义录》言："汉高祖斩蛇之事，不过阴托诡词。即陈胜、吴广，罾鱼狐鸣之故智也。"卷十三岂史迁为所欺乎！其在东汉光武帝本以力征而开王业，然初起之时，则假借于李通之图谶《后汉书》五十八《通传》，成功之时则桓谭言谶非经，帝即大怒，而斥"以非圣无法"《后汉书》五十七《谭传》。又尝与公孙述辩论符命，谓："天下神器，不可力争。"《后汉书》四十三《公孙述传》足见光武之利用神权。

刘备微时，"舍东南角篱上，有桑树生，高五丈余。"先主自言："吾必当乘此羽葆盖。"《蜀志》卷二六代时，沈约《符瑞志》叙谓："体睿穷几，含灵独秀，谓之圣人。"《宋书》二十七而刘裕初生，"有神光照室，其夕甘露，降于墓树。"《宋书》二十七此正如隋文帝幼时，"忽见头上角生，遍体鳞起。皇妣大惊，堕皇祖于地"《隋书》卷一也。

他如刘鼎卿《隋唐嘉话》卷上谓："隋文帝梦洪水没城，意恶之。乃移都大兴，术者云：'洪水，即唐高祖之名也。'"而史世良善相，相高祖"必为人主"《旧唐书》卷一。王世充亦拜受道士柏法嗣之《孔子闭房记》《旧唐书》五十四，卢格言宋太祖之生，有赤光之符。客游汉东，有紫云黑龙之符祝允明《罪知录》卷二引。则唐宋之君，其自诩奉天承运，固亦假托于神。

《元史》卷一言：太祖十世祖母寡居，梦白光化为金色神，来榻而娠。而明太祖兜鍪中，置蛇五条，"火光腾空而去，诸将自是畏服。"徐祯卿《翦胜野闻》卷一泗州杨家墩墩下地，为太祖祖熙祖所葬。其地则"以枯枝栽之，十日必生叶"者。而太祖幼时，为人牧牛；烹牛而食，插牛尾于地："诳主者曰：'陷地裂去也。'主者拽尾，转入地中，真以为陷。"其后为僧，"扫梵宇，以帚击伽蓝像，令缩足起，待吾扫，即缩起。佛前烛鼠伤，责伽蓝不管。书其背曰：'发去三千里。'其晚，僧梦伽蓝辞行曰：'当世主遣发三千里矣。'明早僧视伽蓝背有字，追问之。太祖曰：'戏耳，今释之。'晚，又梦伽蓝来谢。"以上见王文禄《龙兴慈记》页一至四其在于清，则佛库伦以神雀含朱果而孕，即爱新觉罗氏之祖《东华录》卷一。——此又元、明、清三代假神权以取皇权者也。

以今论之，知汉以下之皇权者，尚须利用神权，则汉以前之有政治野心者，更可想知。大约鳌述，可分为三。

其一，则言古帝王之降生，与众不同。

《大戴记》六十三《帝系篇》谓："鬼方氏之妹，谓之女隤氏。产六子，孕而不粥。三年，启其左胁，六人出焉。"干宝曰："先儒学士，多疑此事。谯允南作《古史考》，以为作者妄记，废而不论。然案六子之世，子孙有国。……天将兴之，必有尤物乎。若夫前志所传，修己背坼而生禹，简狄胸剖而生契，历代久远，莫足相证。"据孔广森《补注》引此即简狄吞卵，姜嫄践迹一流；以降生之特殊，而令人置信于地位之特殊。此皇权之所以与神权混合者，一也。

启胁而出六子，此即《诗》所谓"不坼不副，无灾无害"，详赵翼《陔余丛考》卷二"坼副"条。至于简狄吞卵而生契，《毛传》以为元鸟降时，简狄适从高辛，故娠。姜嫄践武而生稷，《毛传》亦以为姜嫄适从高辛，故娠。自《史记》有吞乙鸟卵，践巨人迹之说，后之说经者皆宗之。洪容斋力斥其妄，以为不如《毛传》之可信："夫适野而见巨迹，人将走避之不暇，岂欲故履其迹，以求不可知之祯祥？飞鸟堕卵，知为何物；而遽取吞之？以古揆今，人情一也。"《容斋随笔》卷七"姜嫄简狄"条此说虽是；然于古者帝王之利用神权，未道及也。赵翼则力为《史记》辩，谓"帝王之生，亦自有不可常理论者"，因列举乌孙王子之有狼来乳伊，有乌衔肉翔其旁《汉书·张骞传》；夜郎之初，有女子浣溪，得竹节，中有号声，剖之乃男儿也，长为夜郎王《后汉书·夜郎传》。鲜卑大人檀石槐之母，吞雹而生石槐；索离国王，本国王侍婢，吞气大如鸡卵所娠。《北史》载高句丽王之先，其母以日影相逐而娠。后魏之先，偶于天女，蒙古之先，以光明照腹而娠。高昌王本树瘿所裂，而生者。"据此则吞卵践迹，或亦事之所有也。"《陔余丛考》卷二实则容斋所记，为皇权发达神权销沉后之怀疑论调。瓯北所集，乃神权皇权，相互为用时之初民传说。在史上虽确无其事，而在政治进化史上，则确有其传说者也。

其二则谓古帝王之容止，与众不同。如《通鉴外纪》称："伏羲人身蛇首，神农人身牛首。"《春秋元命苞》称："神农母安登生子，人面龙颜；始为天子。"《列子·黄帝篇》称："女娲为蛇身。"要之，征古之受命者，其形态已与众人不同。洪适《辨汉武梁祠画像》云："《帝王世纪》称上古圣人，牛首蛇身之类。亦犹世之言相者，有龟脊虎掌犀形鹤形之比。俗儒作图谱，遂真为异类之状。"言帝王之有特"相"，其说差愈于《帝王世纪》，然亦古人王神不分之所遗也。

奚止古帝王之形态不同而已。《宋书》卷二十七称刘裕"少时诞节嗜酒，自京都还，息于逆旅。逆旅妪曰：'室内有酒，自入取之。'帝入室，饮于盎侧，醉卧地。司徒王谧，有门生居在丹徒，亦至此逆旅。逆旅妪曰：'刘郎在室内，可入告饮酒。'此门生入室，惊出谓妪曰：'室内那得此异物。'妪遽入之，见帝之觉矣。妪密问向何所见。门生曰：'见有一物，五采如蛟龙。'"此亦人面龙颜之传说，加以变化者焉。

其三，则言古帝王之聪明，与众不同。

《大戴记》六十二《五帝德》言黄帝“生而神灵，弱而能言，幼而慧齐，长而敦敏，成而聪明”；帝颛顼“洪渊以有谋，疏通而知事，动静如物，大小之神，日月所照，莫不砥砺”；高辛“生而神灵，自言其名，聪以知远，明以察微”；帝尧“其仁如天，其知如神，就之如日，望之如云”；帝舜“睿明通知，为天下王”。《易·系辞》称：“伏羲仰则观象于天，俯则观象于地，观鸟兽之文，与地之宜。近取诸身，远取诸物。于是始作八卦，以通神明之德，以类万物之情。”——所谓古圣王之圣德，类皆与众不同。聪明才知，即所以自厕其身于神灵首出者。

凡《大戴记·五帝德》所述五帝之聪明才知，司马迁《五帝本纪》论记略同。司马贞《史记索隐》以为史迁从《大戴》云云，此说不具论。但古人以古帝王为聪明非常，则读《史记》而知其益信！

民国二十二年四月二十四日《大公报》昆明通讯云：“邱北县苗人，极多，性素凶悍，十年之前，曾两次产生草皇帝。聚众筑城，所幸均经官兵击溃。近该县所属地方，有一项姓（苗人）妇，产生一子。据传称，三日即能言语。今已三岁，煮米一升，能敷数百人之食。并能飞檐走壁，且谓此草皇品貌极好。”此即今日民间之“五帝德”也。

约言之，古帝王降生之神秘，容貌之非常，聪明之逾恒，皆可使古帝王之人格，与神相混。项峻《始学篇》谓：“天地立，有天皇十三头，号曰天灵，治万八千岁。地皇十一头，兴与熊耳龙门山，治八千岁。人皇九头，兄弟各三百岁。”然则古所谓帝皇，即演义所谓“头领”、“头目”而已。安在其必仁圣如天哉？《尔雅》：“林、蒸，君也。”然则古之酋长，多拥山穴以自固；其范围甚狭，安在而必其人之仁圣如天哉？良以桀酋首出，非饰词无以动听；非假神无以威众。后之史人，取千年以前之传闻，记篝火狐鸣为实录，以致古之帝王，率含神之意味，即此故也。

《东莱集》卷十八《孟子说》云：“‘禹恶旨酒，坐以待旦’，大抵惟识圣人者，方能说得圣人分明。若不识圣人者，皆不于平常处看圣人。惟《孟子》看得圣人破，故以日用平常事言圣人。且如扬子不见圣人，故臆度圣人，乃曰圣人聪明渊懿，冠于群伦。却抱大言语包罗，意欲说得圣人着。”盖祖谦亦以说古帝之神圣为疑也。

七　生活与生活型式

但原初时代，君权之所以利用神权者，固亦由当时一般民众，知识草昧，故一二出类拔萃之徒，得以用其才智，跃而居上（即自鸣其诞生之奇、气质之奇，在后世为妖言惑众者，在古时亦不失为才智人之所为也）。才智，为当时草昧生活所需要；而才智之徒，所以得造成政治型式而自为酋长者，盖以其才其智，能适应于一般人之生活。而一般人之生活，亦为才智之所利用，而驯之另成一种型式焉。

政治固生活型式之一种，然政治固有由于生活者。

《庄子·盗跖篇》:“古者禽兽多而人民少,民皆巢居以避之。昼拾橡栗,暮栖木上,故名之有巢氏之民。”是明以有巢为生活型式之一。然而《韩非子》《五蠹篇》则言:“上古之世,人民少而禽兽众,人民不胜禽兽虫蛇,有圣人作,构木为巢,以避群害,而民说之,使王天下。号曰有巢氏。”则是言初民生活单纯,偶有一人为生活型式之改进,则人致其爱戴,而酋长斯立换言之,酋长之来自,乃由一般人之生活所造成者。

又如火之发见,亦为初民生活变化之一端。《小戴记》《礼运篇》谓:“昔者未有火化,食草木之实,鸟兽之肉。饮其血,茹其毛。后圣。有作,然后修火之利。”《戴记》所谓后圣者,《韩非子》《五蠹篇》则谓:“上古之世,民食果蓏蜯蛤,腥臊恶臭,而伤害肠胃,民多疾病。有圣人作,钻燧取火,以化腥臊。而民悦之,使王天下,号曰燧人氏。”《风俗通》谓遂天之意,故曰遂人。谯周《古史考》亦谓:“太古之初,人吮露精,食草木实。穴居野处,山居则食鸟兽,衣其羽皮,饮血茹毛。近水则食鱼鳖螺蛤,未有火化,腥臊多害肠胃。于是有圣人造作,钻木出火,教人熟食。始有燔炙,民人大悦,号曰燧人。”——统各家之说而观之,知政治型式中之所以有燧人,盖由于生活变化,而“民悦之”焉。

食德报功,民致其敬,如工厂中之工徒敬礼技术较优之工人,初无神秘之足言。但火之应用,在古史中自属大事。宋敏求云:“《周礼》以四时变国火,春取榆柳之火,夏取枣杏之火,夏季取桑柘之火,秋取柞楢之火,冬取槐檀之火。而唐时惟清明取榆柳火,以赐近臣戚里。本朝(宋)因之,惟赐辅臣、戚里、节察三司使、知开封府、枢密直阁事。中使皆得厚赐,非常赐例也。”《春明退朝录》卷中夫于宋时，而敬视“取火”如斯，则初民之敬火何如？初民对于火之发明者，崇礼何如？胥可知已。

考宋濂《钻燧说》云：“宋子闲居，见家人夏季改火，不用桑柘。取赤樕二尺，中折之，剜成小孔。侧开以小隙，一劀圆大与孔齐，稍锐其刃端。上端截竹三寸，冒之，下端寘孔内，以细绹缠之。别藉卉毛于隙下，左手执竹，右手引绹，急旋转之，二樕相轧，磨空木成尘，烟辄起，尘自隙流卉毛上，候其烟蓬勃，以虚掌覆空郁之，则火炎炎生矣。”然则，钻木发火，在明时尚有用者，无怪乎初民之对于火之发明，崇礼有加！

政治生活以外，宗教亦生活型式之一；然宗教之型式，亦有来自生活者。

《礼·礼运》云：“礼之初，始诸饮食，其燔黍捭豚，汙尊而杯饮，蒉桴而土鼓；犹若可以致其敬于鬼神。”谓礼“始诸饮食”，言礼为生活之型式，而型式起于生活本身也。至于酋尊诸字，酋本绎酒之义，尊则酒器之名。引伸之，则为酋长尊长，皆有敬礼之意。又如祭字，殷墟文字作“。”商承祚云：“此字变形至夥，然皆像持酒肉于示前之形。像肉，持之，点形不一，皆象酒也。”《殷墟文字类编》第一盖由农家作苦，酿有斗酒，佳醴初试，或先进其所尊，或供养于亡者，则尊敬之型式，固起于农家之生活者也。

初民之宗教型式，无非尊敬寅畏。言尊敬之来自，已如上述，至于寅畏，盖亦自生活而来。“宰我问于孔子曰：‘昔者予闻诸荣伊，言黄帝三百年。请问黄帝者，人耶？抑非人耶？何以至于三百年乎?'孔子告以:'劳心力耳目,节用水火财物,生而民得其利百年,死而民畏其神百年,亡而民用其教百年。'"《五帝德》不啻言黄帝之为民所畏,由于民得其利也。

宗教生活以外,家庭亦生活型式之一,然家庭之来自,固亦来自生活者。

《白虎通》谓:"古之时未有三纲六纪,但知其母,不知其父。"此言古无室家也。今案家字本义,从宀从豕。意者,必有室下覆豕之生活,而后有家之型式可言。如饥即求食,饱即弃余之时,人竞逐于野;何家之可言哉?又如族字本义,乃所以标众矢之所集。后更引伸而为亲族之谊。得无同事畋猎之时,因血统之相近,而有集矢合作之事,而为族之起原欤?集矢合作,生活也;由集矢合作而成族,则为一定之型式矣。

《礼运》又言:"故玄酒在室,醴酒在户,粢醍在堂,澄酒在下,陈其牺牲,备其鼎俎,列其琴瑟,管磬钟鼓,修其祝嘏,以除上神,与其先祖,以正君臣,以笃父子,以睦兄弟,以齐上下,夫妇有所,是谓承天之祜。"然则祖孙父子兄弟夫妇之义,乃起于玄酒及牺牲也。

清张庆祥《黎岐纪闻》页三云:"黎人以牛之有无多寡,计贫富。大抵有十头者,即为殷实。有养至数十头,及数百头者,黎内谓之大家当。"征此,则家之型式,固由于畜牧生活也。

家庭生活以外,如社会亦生活型式之一。然社会之来自,固亦来自生活者。

如相见而道无它，社会交际之一也。而无它则由于无蛇。《淮南子》《氾形训》云：“古者民泽居覆穴，冬则不胜霜雪雾露，夏则不胜暑蛰蟁蝱。”《说文·它部》注：“上古草居，患它，故相问无它乎？”是握手劳苦，初由于多虻野宿之生活也。又如相见而道“无恙”，亦为社会上人与人相与之仪节。然据《风俗通》佚文，“上古之时，草居露宿；恙，噬人虫也。善食人心，人每患苦之，故相问曰：‘无恙乎？’”则殷勤照拂，初由于草居露宿之生活也。

社会生活之外，礼节亦生活型式之一；而所谓礼节，固亦来自生活。

《礼运》谓：“礼之初，始诸饮食。”已见礼俗之与生活有关。推而论之，则丧葬云云，固亦由生活而来。《吴越春秋》《勾践外传》称楚人陈音曰：“弩生于弓，弓生于弹，弹起古之孝子。古者人民朴质，饥食鸟兽，渴饮雾露，死则裹以白茅，投于中野。孝子不忍见父母为禽兽所食，故作弹以守之，绝鸟兽之害。”然则庐墓之守，古人所称以为大孝者，乃起于弹害保尸之生活也。《孟子·滕文公》上篇云：“盖上世尝有不葬其亲者，其亲死，则举而委之于壑。他日过之，狐狸食之，蝇蚋姑嘬之，其颡有泚，睨而不视。夫泚也，非为人泚，中心达于面目，盖归反虆梩而掩之。”然则掩埋之葬，乃起于鸟兽噬尸之生活也。

又如吊，今亦为礼俗之一。然《说文解字》则谓：“吊，问终也。古之葬者厚衣之以薪，从人，持弓，会驱禽。”是吊之型式，乃起于从人持弓，以驱禽之生活耳。

即如艺术之来源，固亦由于生活。

《淮南子》《本经训》云:“凡人之性,心和欲得则乐。乐斯动,动斯蹈,蹈斯动,动斯歌。”是言乐之起源,由于“心和欲得”之生活。《击壤》之歌曰:“日出而作,日入而息,凿井而饮,耕田而食。”则所谓心和欲得,固由于饮食既足后之生活也。《毛诗正义》云:“原夫乐之所起,发于人之性情。性情之生,斯乃自然而有。故婴儿孩子,则怀嬉戏抃跃之心。玄鹤苍鸾,亦合歌舞节奏之应。”言发于人之性情,而性情之愉快恣睢。则受生活之牵掣者。然则谓乐乃由于饮食既足,可也。

案王灼《碧鸡漫志》卷二亦谓歌曲之作,自有生以来有之。第所谓有生,乃指衣食既足之后。不然者,人方救死之不暇,而暇为曼声度曲,阿堵传神哉?

综言之,政治之型式,盖由于生活所需要也。宗教之型式,亦由于生活之趋逼也。家庭之型式,亦由于畜牧。社交之型式,则由于互助。而礼乐之来自,固亦来自生活。刘献庭云:“余观世之小人,未有不好唱歌看戏者,此性天中之《诗》与《乐》也。未有不爱看小说听说书者,此性天中之《书》与《春秋》也。未有不信占卜祀鬼神者,此性天中之《易》与《礼》也。圣人六经之教,原本人情。”《广阳杂记》卷二此言六经之型成,由于爱唱歌等等之生活;固亦主张高尚之典型,乃由于原始之生活者。第此唱歌听歌,为性天中之所必有;有不期然而自然者,则读史者或有不慊之辞。须知唱歌听歌,当有饱食暖衣之生活为之基;非突然无所凭藉而生者。此则论文化者所不可不知者也。

八　结绳图画与文字

夫洪水时期之前后，其最足为人称道者，岂非由结绳图画，而渐进为幼稚之文字型式乎？结绳何以结？图画何以画？则又与当时之生活有关者也。述之如下。

结绳之制，始于何时，《说文叙》谓："神农氏结绳而治。"《易·系辞》言："上古结绳而治。"又言：庖牺氏"作结绳而为网罟"。然结绳之事，真相何如？《周易正义》引郑玄注云："事大，大结其绳；事小，小结其绳。"小结大结，仅表大小；康成云云，亦凭臆见。然则结绳之事，无可考也。然结绳所以便记忆，欲记忆之便利，正由于生活之渐复者，则诸书所记，犹足征信焉。

实在记结绳之法者，据予所知，首当推李心传。心传《建炎以来朝野杂记》乙集卷二十云："（鞑靼）无城池屋宇，但为毡帐。择便利水草而居焉。无耕织，制皮为裘，以牛羊为粮，人皆狡狯。坚忍嗜杀，不知岁月。以青草一度为一岁，亦无文字。每调发军马，即结草为约。使人传达，急于星火。或刻木为契，上刻数划；各收其半。遇发军，以木器合同为验。"按此，则所谓结绳者，盖由于"水草之便"，故"结草为约，犹是起于生活也"。严如煜《苗疆风俗考》云："苗民不知文字……，性善记，惧有忘，则结于绳。为契券，刻木以为信，太古之意犹存。"然亦不言如何结也？

若林胜邦《涉史余录》述法国白尔低猷氏之人类学尝记秘

鲁之"克伊普"法曰:"秘鲁国土人,不知文字。惟以'克伊普'为记号。'克伊普'者,即以条索织组而成,于其各节各标,表示备忘之法也。凡人民之统计,土地之界域,各种族及兵卒之标号,以及刑法、宗教之仪仗,无不用'克伊普',且各异其种类。……大抵以色彩示意,赤色为军事,及兵卒;黄色为黄金,白色为银,及和睦,绿色为谷物。其记数以绳索之节数为符号,如单结双结二结等,即所以示其单数複数及十百千万等之数也。又其记载家畜之法,以一大绳为轴,附以小绳若干;其第一绳为牡牛,第二绳为牝牛,三为犊,四为羊。其头数年龄,悉以结节表之。"又曰:"琉球所行之结绳,分指事及会意两种。凡物品交换租税赋纳用以记数者,为指事类。使役人夫防护田园,用以示意者,则为会意类。其材料多用藤蔓草茎或木叶等,今其民尚有用此法者。"此所述较详,然中国古代结绳是否如此,仍难问也。

结绳而外,则又有图画,盖亦所以便俗利民者。

《说文叙》云:"古者庖牺氏之王天下也,仰则观象于天,俯则观法于地。观鸟兽之文,与地之宜。近取诸身,远取诸物,于是始作易八卦,以垂宪象。"是则,许慎以八卦为取诸身,取诸物之宪象;即云八卦之原始形式,乃图画也。张彦远《历代名画记》云:"史皇,黄帝之臣也,始善图画,划制垂法,体象天地,功垂造化。"是亦以图画为文化工具之一焉。案原初之文字,当与图画相近,固无容疑。《说文叙》所谓:"黄帝之史仓颉,见鸟兽蹏迒之迹,知分理之可相别义也,初造书契。"则仓颉所以取材而为书契者,因鸟兽之迹,犹与图画相距不远已。

图画而外，则又有所谓刻契也。

《释名》："契，刻也。刻识其数也。"《北魏书·帝纪叙》："不为文字刻木，纪契而已。"《隋书·突厥传》："突厥无文字，刻木为契。"张庆祥《黎岐纪闻》页三云："生黎地不属官，亦各有主。间有典卖授受者，以竹片为券，盖黎内无文字。"陆次云《峒溪纤志》云："木契者，削木为符，以志事也。苗人虽有文字，不能皆习。故每有事刻木，记之以为约信之验。"是刻契之制，盖信乎有之。

三者之中，以何一为起原最早，颇为史家所聚讼。案刻契须用金属，图画须用垩汁，结绳则但用草索；以工具言之，似最早为结绳；次图画；次刻契也。然就表见之能力而言，则图画较为具体，结绳较为抽象。似图画当在结绳之前。吴敬恒《三十五年来之音符运动》云："结绳而后，仰观俯察，以及细辨鸟兽蹄迒之迹，这便像小学生先把点画曲折，熟知于胸中，然后预备写字。最初的试造，先画出一画与两断，成功了一个八卦，代表天、地、风、雷、水、火、山、泽，这是何等概括而伟大！不愧庖牺氏一个圣人。从而有人，依了太阳作了一圈，依了半月作了半圈，……从而有人，又大胆算一画为平面，于一画之上，加一小画，硬算做上。于一画之下，加一小画硬算做下。"《最近三十五年来之中国教育》页四十二是吴氏以结绳为在图画之前，而以文字为在图画之后也。文字在图画之后，固无疑义。然《说文叙》记"庖牺画八卦"而"神农氏则结绳而治"，又以结绳为在图画之后也。

吾不云乎？文化常因困难而生。结绳之累，契削之艰，图画之繁，似均不便于用。故逐渐改革，文字斯作。“约定俗成”用荀子语，符号斯立。及文字之创也，而文化史上又另开一天地矣。

《说文叙》分字为六种，一曰象形，日月是也；二曰指事，上下是也；三曰形声，江河是也；四曰会意，武信是也；五曰假借，令长是也；六曰转注，考老是也。《叙》称：“仓颉之初作书，盖依类象形，故谓之文。其后形势相益，即谓之字。”是隐言六书之来，非齐驱并驾，盖先有象形，而后有形声相益也。

《史记》二十八《封禅书》：“管仲曰，古者封泰山禅梁父者七十二家，而夷吾所记者，十有二焉。”然则文字演化，有为仲所不识者。由此，可知文字之归纳而为六类，乃后起之事；非原始造字者，即能分门别类，有其法而后创为者也。

即是创字之人，有人以为黄帝之史仓颉，有人以为古帝另有仓颉，前者即《说文叙》之说，而后者则《吕览·君守篇》称“仓颉作书”，《勿躬篇》又称“始皇作图”，明古帝别有仓颉，造字者非黄帝之史也。然则，仓颉有二矣。卫恒《四体书势》云：“昔在黄帝，创始造物。有沮诵仓颉者，始作书契，以代结绳，盖二人皆黄帝史也。”《说文》卷十五段注引王侃《衡言》卷一云：“仓颉沮诵，同制字，圣宫独礼仓颉而不知有沮诵，此亦古人有幸不幸之一证也。”然则仓颉造字之外，而又有沮诵矣。《荀子·解蔽篇》：“好书者众矣，而仓颉独传者，壹也。”然则造字者，仓颉之外，又不止沮诵一人矣。

由是观之，书契之作，以时论，则不限于一时，故先有象形之字，而后有指事等等。以人论，则亦非一人之力，仓颉之外，又有仓颉。仓颉之外，又有沮诵；沮诵之外又有众人。吴敬恒曰：“这种人是否庖牺时代之古帝仓颉，或是黄帝时代之仓颉沮诵，现在可以不必凿说，我可以大胆断言的：就是造字决非一个人造成。今日留于《说文》的九千几百字，自然非出于一人，亦非出于一时。就是许多初文，如象形四五百，指事三四十，载在《说文》者，亦必经过若干人，绵亘数千年。或者始自庖牺时代之仓颉，以至于黄帝时代之仓颉、沮诵，至于刻龟铸金，而后粗粗完备。"《三十五年来之音符运动》经过若干人，绵亘数千年，明文化之非一蹴而几，征创制之有修、共、复、合，亦可谓考前史而不谬，俟后圣而不惑者矣。

前人不守此义，故仓颉造字之神话，同于女娲补天，盘古造物。世所艳称，仓颉造书契，天雨粟鬼夜哭，是也。卢文弨《抱经堂文集》卷十五《汉仓颉庙碑跋》云："是碑已全损，惟'仓颉天生德于大圣四目灵光'数字可识。"冯孟颛君语予，宁波范氏天一阁所藏《列代帝王名臣图》，其中仓颉之象，正是四目。可知必以仓颉为造字者。则必以伊为神为圣，所以自汉以后，即象仓额以四目焉。

余诵刘献庭《广阳杂记》，记"高丽书以牛为鱼，以鱼为牛，无足长尾，宜为鱼也。读矮为射，读射为矮，谓委宜矢为射，而寸身宜为矮也。高丽人号称能读书，而不能究六书之原委，杜撰若此，固夷狄也"《广阳杂记》卷一。案鱼字非从四足，《说文》所谓"象形，鱼尾与燕尾相似"卷十一下。牛字"象角头三封尾之形"《说文》二上，用知字之所起，起于象形，迨后来有所更易，则其造端混淆，而不为人所察；奚止高丽人为然。

又尝诵周去非《岭外代答记》："广西，俗字甚多。如袤音矮，言矮则不长也。奀音稳，言大坐则稳也。奀音勓，言瘦弱也。歪音终，言死也。孬音腊，言不能举足也。仦音嬭，言小儿也。奀，徒架切，言姊也。闩音还，言门横关也。砉音磡，言岩厓也。氽音泅，言人在水上也。氼音魅，言没，人在水下也。”《代答记》卷四“俗字”条是知止戈为武，人言为信，皆后起之字意。先知有止，先知有戈，而后能造武字；先知有人，先知有言，而后能造信字。犹如知“人”知“小”，而“仦”字斯作；知“女”知“大”，而“奀”字斯作；亦足以明六书之非起于一时。而《荀子》所谓“好书者众矣”，所谓“约定俗成谓之名”，盖卓乎其为至理名言也。

九　古代无一统及尧舜禅让

以文字之由渐而成，知古代之政治组织，当亦逐渐完密，非一蹴而即有根深蒂固之政府者。

酋为昔酒，尊为酒器，政治组织之起，初由于生活，上文已有述及。由此推之，则古代政治组织，其初亦当简略。《曲礼》所谓“问国君之富，数地以对山泽之所出”，此犹见古之所谓国君者，其势力犹不雄厚；故可。“数地以对”。《说文》“卧”字云：“伏也。从人臣，取其伏也。”《说文解字》八上可知统治之义，原起于强者凌弱之日常生活，其起因固极细末也。然则以当日酋长之势力而言，古代政治组织之草昧可知。

章炳麟《神权时代天子居山说》云：“古之王者，以神道设教。草昧之世，神人未分。而天子为代天子宫，因高就丘，为其近于穹苍。是故封泰山禅梁父，后代以为旷典，然上古视之至恒也。《山海经》云：‘鼓钟之上，帝台之所以觞百神也。’又曰：‘帝尧台，帝喾台，帝丹朱台，帝舜台，台四方在昆仑西北。西王母之山，有轩辕之台；系昆之山，有共工之台。’盖人君恒居山上，虽宫室既备，犹必放而为之。有时且直营冈阜，以为中都。《说文》云：‘京，人所为绝高丘也。’《诗》称公刘‘乃涉南冈，乃觏于京’。其后则《春秋》以天子所居为京师，亦仿佛其名而为之耳。《尔雅·释诂》曰：‘林、蒸，君也。’林为山林，蒸即林蒸。是天子在山林中明甚。后代此制既绝，而古语流传，其迹尚在。故秦汉谓天子所居曰禁中，禁从林声，禁者林也。……又寻《尚书》，有‘纳于大麓’之文。古文家太史公说曰：‘尧使舜入山林以泽。’此读麓为本字，所谓林属于山为麓也。今文家欧阳、夏侯说云：昔尧试于大麓者，‘领录天子事，如今尚书令也’。……即实言之，则天子居山，三公居麓，麓在山外，所以卫山也。”《太炎文录》卷一然则以古代酋长居处所在而言，知当时政治组织之草昧也。

《左氏传》引郯子云：“昔者黄帝氏以云纪，故为云师而云名。炎帝氏以火纪，故为火师而火名。共工氏以水纪，故为水师而水名。太皞氏以龙纪，故为龙师而龙名。我高祖少皞挚之立也，凤鸟适至。故纪于鸟，为鸟师而鸟名。凤鸟氏，历正也；玄鸟氏，司分者也。伯赵氏，司至者也。青鸟氏，司启者也。丹鸟氏，司闭者也。祝鸠氏，司徒也。雎鸠氏，司马也。鸤鸠氏，司空也。五雉为五工正，利器用，正度量，夷民者也。九扈为九农正，使民无淫者也。自颛顼以来，不能纪远，乃纪于近，为民师而命以民事。”《左传》昭公十七年然则以当日职官之名义幼稚言，知古时政治组织之草昧也。

宋陈随隐云：“传曰：‘因生赐姓，胙土命氏。’及字谥官邑六者而已。今推广为十七类，一曰以国为氏，鲁、卫、齐、宋之类是也。……二曰以邑为氏，原以周邑而得字，申以楚邑而得氏。”《随隐漫录》卷四页二，稗海本刘师培《氏族原始论》《国粹学报》第四期云：“古之所谓部落者，不称国而称氏。古《孝经纬》有言，古之所谓氏者，氏即国也，吾即此语而推阐之，知古帝所标之氏，指国言，非指号言。如盘古氏，即盘古国也。……陶唐为帝尧之国，故称陶唐氏；有虞为帝舜之国，故称有虞氏。……足证古代之所谓氏者，犹言国也。无国则无氏。《左传》曰胙之土而命之氏，此氏字最古之义。是古时之氏，大抵从土得名，无土则无氏矣。”于此，可知后世之所谓氏族，其起原顾乃源于古代之国家（部落）“国”之与“家”，在古时不甚可分，以“家”、“国”不分而言，又可征古时政治组织之草昧也。

《史记》三十一《鲁世家》：“鲁公伯禽之初，受封之鲁，三年而后报政周公。周公曰：‘何迟也？’伯禽曰：‘变其俗，革其礼；丧三年，然后除之。故迟！’太公亦封于齐，五月而报政周公，周公曰：‘何疾也？’曰：‘吾简其君臣，礼从其俗为也。’及后闻伯禽报政迟，乃叹曰：‘乌乎，鲁后世其北面事齐矣。夫政不简不易，民不有近。平易近民，民必归之。’”以礼从其俗言之，又可征古时政治组织之草昧也。

在此政治组织之时，而古史所记，乃有唐虞禅让之事。

让国之事，其载于《尚书》者，“帝曰：‘格汝舜，……三载，汝陟帝位。’舜让于德，弗嗣。……二十有八载，帝乃殂落。月正元日，舜格于文祖”《尧典》。其载于《孟子》者：“舜相尧，二十有八载，尧崩，三年之丧毕。舜避尧之子于南河之南，天下诸侯朝觐者，不之尧之子而之舜，讼狱者不之尧之子而之舜，讴歌者不讴歌尧之子而讴歌舜。夫然后之中国，践天子位焉。”“昔者舜荐禹于天，十有七年舜崩。三年之丧毕，禹避舜之子于阳城。天下之民从之者，若尧崩之后，不从尧之子而从舜也。”《孟子·万章上》《史记》亦谓：“尧知子丹朱之不肖，不足授天下，于是乃权授舜。授舜，则天下及其利，而丹朱病。授丹朱则天下病，而丹朱得其利。尧曰：‘终不以天下之病，而利一人。’乃卒授舜以天下。舜子商均亦不肖，舜乃豫荐禹于天。”《史记·五帝本纪》如此循环禅让，得无在人情之外乎？

《后汉书·李固传》：“昔尧殂之后，舜仰慕三年。坐则见尧于墙，食则睹尧于羹。”阎百诗质之，以为“此即舜居尧丧之事，《注疏》皆未之及”《潜邱劄记》卷二。《风俗通》《正始篇》引《孟子》语：“尧舜不胜其美，桀纣不胜其恶。”见墙见羹，此真不胜其美矣。《南史》《王敬则传》载王敬则“逼宋顺帝禅位于齐，引令出宫。顺帝不肯，敬则曰：‘官家先取司马家，亦如是！’”尧之禅舜如是，而舜之禅禹“亦如是”，盖所以引人滋疑者，正在“亦如是”中。《史通》《史官建置》云：“生则厚诬当时，死则致惑来代。而书之谱传，借为美谈。载之碑碣，增其壮观。昔魏文帝有言：‘舜禹之事，吾知之矣。’此其效欤？”盖《魏志·文帝纪》注引《魏春秋》，谓文帝受汉献禅后，“登坛礼毕，顾谓群臣曰：‘舜禹之事，吾知之矣。’”足见曹丕亦以人情而疑尧舜之禅让也。

考古史记敝屣尊荣者，太伯、仲雍以父爱弟，而让弟季历《史记·吴世家》；伯夷、叔齐以父爱叔齐，而相率俱避《史记·伯夷传》。然此犹得委为父子之情，兄弟之谊也。晋侯执曹伯而诸侯将见子臧于王而立之，子臧逃奔宋《左传》成公十五年。阖庐使专诸刺吴王僚而致国于季子，“季子曰：‘父子兄弟相杀终身无已也。’去之延陵，终身不入吴国”《左》襄二十九年。然此犹得委为大国之胁，祸乱之逼也。董悦《七国考》卷四，守山阁丛书引薛氏《孟子章句》云：“燕哙作禅台，禅于子之之后昭王复登禅台，让于乐毅。毅以死自誓，不敢受。其禅台，一名尧舜台。”然此，犹得委为报功班禄，托古行赏也。曷为乎？而仅以其子之不肖，遽弃国君之养乎？诚无怪夫刘知幾之疑之也。

> 《史通·疑古篇》云：“《汲冢书》云：‘舜放尧于平阳。’而书云某地有城，以囚尧为号。识者凭斯异说，颇以禅授为疑。据《山海经》谓放勋之子为帝丹朱，而列君于帝者，得无舜虽废尧，仍立尧子；俄又夺其帝者乎？”又云：“《虞书·舜典》云‘五十载，陟方乃死’，注云：‘死苍梧之野，因葬焉。’案苍梧者，地总百粤，山连五岭，人风婐划，地气歊瘴。百金之子，犹惮经履其途；万乘之君，而堪迎幸其国。兼复二妃不从。怨旷生离；万里无依，孤魂溘尽。让王高蹈，岂其若此？”又云：“《汲冢书》云：‘舜放尧于平阳，益为启所诛。’又曰：‘太甲杀伊尹。’凡此诸事，语异正经。……舜之放尧，无事别说，足见其情。益与伊尹并戮，并与正书，犹无其证。推而论之，如启之诛益，仍可覆也。何者，舜废尧而立丹朱，禹黜舜而立商均，益手握机衡，事同舜禹，而欲因循故事，坐膺天禄。其事不成，自贻伊咎。观夫近古篡夺，桓独不全，马乃反正。若启之诛益，亦犹晋之杀玄者乎？舜禹相代，事业俱成。惟益覆车，伏辜夏后。亦犹桓效曹马而独致元兴之祸者乎？”此则因后世奸雄，假借禅让，疑古人亦以禅让饰其争夺也。

《蜀志·谯周传》云:“尧舜以子不善,知天有授,而求授人。子虽不肖,祸尚未萌。而迎授与人。”《蜀志》十二是谯周以尧之禅舜,为避祸之不得已,此犹何伟然《广快书》卷三十九引何心隐言:“天地一杀机,而尧不能杀舜,舜不能杀禹,故以天下让。汤武能杀桀纣,故得天下。”以禅让为见逼也,王世贞云:“太白诗有云‘禹尧幽囚舜野死’,按《续述征记》小城阳城,在阳城西南半里许。俗云囚尧城。《括地志》云:‘故尧城在濮州鄄城县东北十五里。’《竹书》云:‘昔尧末德衰,为舜所囚也。’又有偃朱故城,在县西北十五里。《竹书》云,舜囚尧复偃丹朱,使不得与父相见也。又《述异记》,朝歌有狱台,相传为禹逼舜之宫。《韩非子》云:‘舜逼尧,禹逼舜。’盖自昔有此等议论矣。”《弇州山人四部稿》卷一百五十九是古人原有舜逼尧、禹逼舜之论也。

前引司马光诗,已见本书十四节。案《韩非子》《外储说》云:“尧欲传天下于舜,鲧谏曰:‘不祥哉,孰以天下而传之于匹夫乎?’尧不听,举兵而诛杀鲧于羽山之郊。共工又谏曰:‘孰以天下而传之于匹夫乎?’尧不听,又举兵而诛共工于幽州之都。”《吕览》《行论篇》亦谓:“尧以天下让舜,鲧为诸侯,怒于尧,……于是殛之于羽山。”然则先秦诸子,固亦视尧舜禅让为可疑,非仅由刘知幾始也。

顾亭林《天下郡国利病书》言:“鄄城东北五里,有尧城。《竹书纪年》以为尧之末年德衰,为舜所囚在此。《演义》,囚尧城在相之汤阴。又濮阳有偃朱城,在鄄城西北十五里。《竹书》谓舜已囚尧,偃塞丹朱在此。使不得见。苏鹗谓是丹朱休沐之所,非塞之。

而《山海经》：‘放勋之子，为帝丹朱。’故刘知幾疑舜已废尧，仍立其子。俄又夺之。而又谓《任昉记》：‘朝歌有狱基，为禹囚虞舜之宫。’要之，谓让国为虚语，荒甚矣。”卷四十《山东六》亭林又谓：“此皆战国人所造之说。”又谓：“《诗》、《书》不载，千世之远，其安能信之？”同见《日知录》二十二“尧冢灵台”条然仅以战国人所造而抹倒陈说，固亦无以免于武断之讥。

> 杨慎《升庵集》卷四十四《汲冢文诬》云：“《汲冢璅语》，其文极古。然多信而不信，如谓舜囚尧，太甲杀伊尹；又谓伊尹与桀妃末喜交，其诬若此。小人造言，不起自战国之世，伊尹在相位日，被其黜戮者为之也。然则何以知之？曰：‘其文不类战国！’”

平心论之，尧舜之禅让，非毫无可能性者。

黄宗羲云：“有生之初，人各自私也，人各自利也。天下有公利而莫或兴之，有公害而莫或除之。有人者出，不以一己之利为利，而使天下受其利。不以一己之害为害，而使天下释其害。此一人之勤劳，必千万于天下之人。夫以千万倍之勤劳，而己又不享其利，必非天下之人情所欲居也。故古之人君，量而不欲入者，许由、务光是也。入而又去之者，尧舜是也。初不欲入而不得去者，禹是也。”《明夷待访录·原君》此盖谓古代为君，本甚刻苦；既无所谓尊荣，自无所谓敝屣。

梨洲盖但由君权君利着想也。由余观之，古代无一统，所谓尧舜，亦不过部落之长。政治组织，方在草昧；为酋长者，非如后世之乘舆警跸，威仪俨然。禅让之事，有如今世之“乡长辞选”，中世之中正辞征；事有可能，无庸疑怪。若以后世万乘之君，穷淫极欲之主视尧舜，则非徒不合于古史政治之实，抑亦疑其曷为舍淫欲而去之也。

即如近世，村长民选；县长官委。然前者则往往有避不应选者，后者则不少残民以逞，而驱之不去者。良以范围大小，权利厚薄，大相径庭，如以汉祖、唐宗而视尧、舜，则禅让之事，确乎可疑。若以古代政治领域之小而言，酋长权利之薄而言，则禅让自无足疑。

一〇　女性中心与男系社会

政治组织之初本散漫，亦犹社会家庭之初本简陋也。

盖家庭及社会之起，其初由于女子，而非由于男子。良由男子逐水草，事狩猎，未能安息于家。而女子则以哺乳鞠育，出乎天性。非不欲徙迁也，势自不能。《白虎通》云："古之时，未有三纲六纪。民人但知其母不知其父，能覆前而不能覆后。卧之詓詓，起之吁吁。饥即求食，饱即弃余。于是伏羲仰观象于天，俯察法于地，因夫妇，正五行，始定人道。"知有母而不知有父者，即以母能养育其子；而父则徙迁不定，故不为其子所"知"也。

《晋书》卷四十九《阮籍传》："有司言有子杀母者，籍曰：'嘻，杀父犹可，至杀母乎？'坐者怪其失言。帝曰：'杀父，天下之极恶，而以为可乎？'籍曰：'禽兽知有母，而不知父，杀父，禽兽之类也。杀母，禽兽之不若！'众乃悦服。"吾谓初民略愈禽兽，事理至明。邵博《河南邵氏闻见后录》卷五言："《说文》云：'姓，人所生也。古之神圣之人，其母感天而生，故从女。'又古姓姚、妫、姬、姜之属，皆从女。其义甚异，典籍难考云。"实则其义并无甚异？不过初民知有母，而不知有父耳。

以母为重而以父为轻，则如《长发》之诗曰："有娀方将，帝立子生商。"据《史记·殷本纪》："殷契，母曰简狄。有娀氏之女，为帝喾次妃。三人行浴，见元鸟，随其卵，简狄取吞之，因孕生契。"契为殷人之先，然殷人祭有娀，而不祭帝喾也。《生民》之诗曰："厥初生民，时维姜嫄；生民如何，克禋克祀，以弗无子，履帝武敏歆。攸介攸止，载震载宿，载生载育，时惟后稷。"案《史记》："姜原为帝喾元妃，姜原出野，履钜人迹，心忻然说，欲践之。践之而身动如孕者。居期，而生子。"后稷为周人之先，然周人颂姜原而不颂帝喾也，此皆古者重女之确证也。

刘师培《氏族原始论》："《说文》'姓'字下云：'古之神圣，母感天而生子，故曰天子。'余案古史之言太昊也，祇言其母感臣迹而生，不言其父何人。神农以降，古史虽详其父母，亦必言其母感天而生。如《帝王世纪》言神农母任姒，以龙首感生神农；黄帝母附宝，以电火感生黄帝。而纬书之言少昊、高阳、高辛、尧、禹也，皆言其母感大气而生。余如契母感元鸟而生契，稷母感钜人而生稷，皆载在《诗经》。盖以其父不明，故托为感天不明之说，以示神奇。"纬书所记，虽不可尽信；然《诗》为记诵上古人情风俗之信史，吾人仅征于《诗》，可知古者重女也。

俞理初《大象传后义》《癸巳类稿》卷一云："案《泰传》，后以财成天地之道，辅相天地之宜，以左右民。《复传》先王以至日闭关，商旅不行，后不省方。《姤传》，后以施命诰四方，是三者不言诸侯也。《说文》云：'后，继体君也，施令以告四方者，君后也。'《复传》：先王后连文，故《说文》之言如此。然不能通之《泰》、《姤》，……此三言后，则实为周之王后也。《周官·内宰职》云：'凡建国，佐后立市……'《汉书》：'安息钱文为王面，幕为夫人面。'大月氏钱同，是后以财成天地之道，辅相天地之宜之事也。……《后汉·鲁恭传》云：'君以夏至日施命，令止四方行者，以助微阴。'……是后不省方之义也。……'内小臣掌王后之命，后有好事于四方，有好令于卿大夫，则使往，'……是后以使命诰四方之义也。"此言古代女子，在政治上亦有地位，虽其所依据者，为敷会女主之书之《周礼》，未可据为定论，但谓古人之并不看轻女性，则正于此见其端末也。

彭崧毓《渔舟续谈》卷三记夷俗云："云南初本夷地，至今，犹有稚髻裸体之名。其俗，男壮则出赘，女长则招婿，皆从妇姓。或有以家产涉讼者，官欲为立嗣，而曾不能得其一姓之人。""官"盖近世男系社会中所出，以男系社会之人，无以了解古代之女系社会，故"不能得其一姓之人"也。此亦原始时期，女权甚盛之证。

但古时重女，并非轻男；此与后世之重男轻女绝殊。

刘师培言："上古婚礼未备，以女子为一国所共有。故民知母不知父。且当时之民，非惟以女子为一国所共有也。且有劫夺妇女之风，凡战胜他族，必系累妇女以备嫔嫱。故取女，必于异部。而妇女亦与奴婢相同。其始也，盛行一妇多夫之制；及男权日昌，使女子终身事一夫。故一妻多夫之制革，而一夫多妻之制仍属盛行。伏羲之世，虑劫掠之易于造乱，乃创为俪皮之礼，定夫妇之道，俪皮之仪，即卖买妇女之俗也。故视妇女为财产之一，后世婚姻，行'纳采'、'纳吉'、'问名'、'纳征'、'请期'、'亲迎'六礼。纳采纳吉，皆奠雁；而纳征则用玄纁束帛。所以沿卖买妇女之俗也。而亲迎必以昏者，则古代劫掠妇女，必乘妇家之不备；且使之不知为谁何。故必以昏时。"《中国历史教科书》

刘氏所言，盖谓古时男子，凭其武勇，虽不能抚儿育女，成家立业，然亦环境使之然，非社会之轻视男子也。大抵男子地位之所以隆重，当由于农业既兴；女子地位之所以隆重，则由于家事操作，故《说文》言："男，丈夫也。从田、力，言男子力于田也。""妇从女，持帚，洒扫也。"洒扫为家务之象，力田为农事之征。但在农业未兴之前，力田之功未著；而穴居野处，亲子之爱，相濡相煦，家庭情爱反存于母子之间，则知有母而不知有父，亦无庸致怪者矣。

即以姓氏之别言之，知古代原为母系社会也。

"女生曰姓"《左》昭四年《传》《释文》，姓本自女而来。"天子建朝，因生以赐姓"《左》隐八年，似姓自男而有。然《左传》定四年，有公孙姓，而《公》、《谷》皆作公孙生，知"姓""生"一也。至于"氏"，据《日知录》云："《礼记 · 大传 · 正义》：'诸侯赐卿大夫以氏。若同姓,公之子曰公子,公子之子曰公孙,公孙之子,其亲已远,不得上连于公,故以王父字为氏。……若异姓,则以父祖官及所食之邑为氏。以官为氏者,则司马、司城是也;以邑为氏,韩、赵、魏是也。'"《日知录》二十三所谓由其父祖而来,明言氏之出于父系也。

《顾亭林文集》《原姓》云:"男子称氏,女子称姓,氏一再传而可变,姓千万年而不变,最贵者国君,国君无氏,不称氏。践土之盟,其载书曰:'晋重、鲁申、卫武……,'考之于《传》,二百五十五年之间,有男子而称姓者乎?无有也。女子则称姓。古者男女异长,在室也称姓冠之以序,叔隗、季隗之类是也。已嫁也,于国君,则称姓冠之以国,江芊、息妫之类是也。于大夫,则称姓冠之以大夫之氏,赵姬、蒲姜之类是也。……伍员属其子于齐为王孙氏,智果列其族于太史为辅氏,……是故氏也者,所以为男别也;姓也者,所以为女防也。"此言先姓后氏之事甚明详《亭林文集》卷一。

故所谓"同姓不婚",其发源,亦由于女系之社会;由于母的关系,而非由于父的关系。故鲁昭公娶于吴为同姓,谓之吴孟子。良由吴之男子,其氏虽变;而吴之女子,其姓不变。鲁为姬姓,而吴亦姬姓,故不得谓之"吴姬",而仅谓之吴孟子也。《左传》襄公二十五年谓:"齐棠公之妻,东郭偃之姊也。东郭偃臣崔武子,棠公死,偃御武子以吊焉。见棠姜而美之。使偃取之。偃曰:'男方辨姓,今君出自丁,臣出自桓,不可!'"足见偃也杼也,棠姜也,以男系而言,皆齐侯之遗裔。然而或为东郭,或为崔,氏已变矣。第女子不变姓,仍有其"姜"。然偃氏东郭,杼亦氏崔,故氏虽有异,而忘其女系之同源矣。

换言之,即同母者不得为婚,同祖母者不得为婚,同高祖母者不得为婚……,鲁姬姓,其最远之祖母姓姬。吴姬姓,其最远之祖母亦姬姓。昭公娶于吴,《春秋》讥之犹之今之民法,表姊妹兄弟不得为婚,第古人犹推之远耳。《论语》《述而》云:"陈司败问昭公知礼乎?孔子曰:'知礼。'……曰:'吾闻君子不党,君子亦党乎?君取于吴为同姓,谓之吴孟子。'"注云:"鲁吴与姬姓。同姓不婚,而君娶之。当称吴姬谓是同姓,故讳之。"此犹如崔杼虽氏崔,而其出自姜,故不能取棠姜也。可知所谓姓者,由女系而来;所谓氏者,由父系而来。如舜娶尧之女,以男系社会言之,则为同氏而婚;以女系社会言之,则未必为同姓而婚也。何也?《国语》称黄帝二十五子,其同姓者,仅二人;犹言同母者仅二人。此二人同姓,其后裔不得互相婚配;若其余二十三人之后裔,则在父系为亲族,在母系为戚眷,犹后世之中表反可互相婚配也。执此而论,齐桓公姊妹不嫁,非异事也。

后世废姓用氏,其始约始于秦汉之交。《国策》甘茂曰:"昔者曾子居费,费人有与曾子同名而杀人。"可知当时庶人,并不称氏,仅称名焉。至史公作《史记》,"《本纪》于秦始皇则曰姓赵氏,于汉高祖则曰姓刘氏。"亭林谓:"自秦以后之人,以氏为姓,以姓称男,而周制亡,而族类乱。"《日知录》二十三盖大致不谬。

废姓用氏,以姓称男,正表男系之见重于世,而女系之为世所轻。陈随隐云:"传曰因生赐姓,胙土命氏;及字、谥、官、邑,六者而已。今推广为十七类:一曰以国为氏,……鲁、卫、齐、宋之类是也。

二曰以邑为氏，原以周邑而得氏，申以楚邑而得氏……三曰以乡为氏，四曰以亭为氏，……五曰以地为氏，居傅岩者为傅氏，徙稽山者为稽氏。……六曰以姓为氏，……七曰以字为氏，八曰以名为氏，如公孙夏、王子狐之后为夏氏、狐氏。……九曰以次为氏，如伯、仲、叔、季之类是也。十曰以族为氏，族近于次者，氏之别也。孟氏、仲氏，别兄弟也。丁氏、癸氏，别先后也。……十一曰以官为氏，太史、太师、司马、司空之类是也。十二曰以爵为字，皇、王、公、侯是也。十三曰以谥为氏，庄氏出于楚庄王，康氏出于卫康公。……十四曰以吉德为氏，如赵衰人爱之如冬日，后为冬氏。……十五曰以凶德为氏，英布被黥，为黥氏。……十六曰以夏为氏，夏后氏遭有穷之难，后婚方娠，逃出自窦，而生少康，子孙以窦为氏。……十七曰以技为氏，巫觋之后为巫氏，以及卜氏匠氏。”《随隐漫录》卷四页二所谓以国为氏，以官为氏，以事为氏，以技为氏，……可征以政治故，以经济故，以职业故，男子之地位日隆，故驯至于废姓用氏，同氏不婚，而同姓反可婚；同姓可婚，而犹谓之同姓不婚也。

盖今之“同姓不婚”，揆诸古代，当曰“同氏不婚”。

第三章　周前文化

一　农业文明之表见

男子地位之加高与稳固，自当在农业既启之后，故《说文》训男为力田，训里为安居。力田，则以生活而见男子地位之加高；安居，则以生活而见男子地位之稳固。男子在田劳苦，归而斗酒自劳；既不如狩猎时代之奔徙无定，又不如游牧时期之付养育之责于女子。则知有母而不知有父者，匪久即知有父；且匪久而知父之地位，高于母矣。

且不仅氏族之关系，确定于农事既建之后，即其他各种文明之表见，固亦有基于农事者。

农业之起，古史群以为起于神农，《白虎通》所谓："因天之时，分地之利；创耕耜，教民耕作，神而化之，使民宜之；故谓之神农氏。"又谓："古之人民，皆食禽兽肉。至神农，人民众多，禽兽不足。"《太白阴经》所谓："太古之时，人食禽兽肉。坐其皮，后代之人寖多，时禽兽寡少，见食不足。于是神农教以植谷，导以纺织。"要皆傅会之谈耳。更不必论神农牛首人身之说矣。

《通鉴外记》记神农为牛首人身，《春秋玄命苞》又记神农之母安登，生子人面龙颜。《礼含文嘉》则谓神农就田作耒耜，天应以嘉谷。可言："神农生一岁而能言，二岁而能行，三载而知稼穑之事。"此皆古人不知创物之理，而加以傅会者尔。

《新语·道基篇》、《管子·地员篇》，则言："民人食肉饮血，衣皮毛，至于神农，以为行虫走兽，难以养生。乃求可食之物，尝百草之实，察酸苦之味，教民食五谷。"此言农业由养生而生，苏洵《嘉祐文集》《易论》则云："生民之初，不耕而食，其民逸。……而圣人者，使之耕而复食，率天下而劳之，夺其乐而易以所苦，而天下之民，亦遂肯弃逸而即劳，遵蹈其法制者礼则使然也。"此言农事由礼而生，尤觉本末倒置也。

然由农业之影响文化言之，则假定真有发明农业之一人者，固无怪于我先民之致其神奇崇拜也。何也，留存于今之各种之文明表识，固由农业既启而来者。

如室家之制，《说文》卷七下谓："家，尻也，从宀，豭声。"段玉裁注："窃谓此篆本义，乃豖之尻也。引伸假借，以为人之尻字之假借，多如此。牢，牛之居也，引申以为所以拘罪之牢；庸有异乎？"然则所谓家尻，由于畜豖；而畜豖，亦农事之一也。又如"里"字本义，"有田有土而后可居"。然则所谓乡里之雏型，固亦始于有田；有田，则农事之本也。——以上，证家族社会之由于农业者。

又如酋尊本义："酋，绎酒也，（即昔酒）从酉，水半见于上。礼有大酋，掌酒官也。""尊，酒器，从酋，手以奉之。"则知政治组织之雏型，起于昔酒之奉，敬其尊长。《淮南子》《主术训》云："神农之治天下也，月省时考，岁终献功，以时尝谷，祀于明堂。"然则尊卑之

叙，乃由于岁时献农功也。

其见于经济者，则如私产之起，当亦盛于农产既兴。故疆者界也，象田畴曲折之形。足征私有田产，起于农人。非如游牧人之逐水草而徙，贵货而不贵土焉。

《说文》："畺，比田也。疆界也，从田，≡≡其界画也。"考初民之知农业者，大抵能知私有其土地。宋范成大《桂海虞衡志》第三三页记邕州之羁縻州洞云："其田计口给民，不得典卖。惟自开荒者由己，谓之祖业口分田。"清张庆祥《黎岐纪闻》页二云："生黎地不属官，亦各有主。间有卖买授受者，以竹片为券。盖黎内无文字，用竹批为三。计邱段价值，画文其上。两家及中人，各执之以为信。"然则《通典》卷一所言："昔者黄帝始经土设井，以塞争端。立步制亩，以防不足。使人家为井，井开四道；而分八宅，凿井其中。一则不泄地气，二则无费一家，三则同风俗，四则齐巧拙，五则通财货，六则存亡更守，七则出入相同，八则嫁娶相媒，九则有无相贷，十则疾病相救。是以情性可得而亲，生产可得而均。均则欺陵之路塞，亲则斗讼之心弭。"十全之美，固未必然；而塞欺陵弭斗讼，则可见农业社会，与私有田产，固相因而至焉。

其见于天文算象者，《白虎通》训岁为遂，以日一周天万物毕成，为一遂。可知岁之长短，原由于农产之周而复见。正如月圆月昃，因以成月；则麦生麦熟，未尝不可以成岁尔。罗大经《鹤林玉露》卷四，复有言之。

《艺文类聚》、《初学记》、《太平御览》均引皇甫谧《帝王世纪》云：尧时，“有草夹阶而生，随月生死。每月朔日，生一荚。至月半，则生十五荚。至十六日后，日落一荚，至月晦而尽。若月小，则余一荚，厌而不落。”此草为何草，固不可得而知；然岁月之长度，由于植物之荣枯而定，此亦一例也。

考《尚书·尧典》，已有二分二至之定（赵翼《陔余丛考》卷三十四谓《尧典》只有二分二至，二十四气全者，首在《淮南·天文训》及《汉书·律历志》、《逸周书·时训解》，虽有“周公辨二十四气，以顺天时，作《时训解》”之语，其书晚出，未足为训云云）。惟“至不繁冬夏，分不繁春秋”万斯大《学礼质疑》卷一，可见其历甚简，而此简单之历，由《尧典》“敬授人时”而观，固不得谓与农事无关。

《陔余丛考》卷三十四《二十四节气名》云：“二十四节气名，其全，见于《淮南子·天文训》及《汉书·律历志》。三代以上，《尧典》但有二分二至。其余多不经见。惟《汲冢周书·时训解》，始有二十四节名。其叙云：‘周公辨二十四气之应，以顺天时，作《时训解》。’则其名盖定于周公。今按《楚语》，楚范无宇曰：‘处暑之既至’，韦昭注曰：‘七月节也。’《管子》亦有清明、大暑、小暑、始寒、大寒之语。”夫“至”、“分”既起于《尧典》之“敬授人时”，所谓敬授人时者，“人时谓耕获之候，凡民事早晚之所关也。”“授时以耕获为首务，而民事所包甚广。《考灵曜》云：‘昏中可以种谷，火中可以种黍，虚中可以种麦，昴中可以收敛。’盖举一以例其余耳。”盛百二《尚书释天》卷二可知，所谓授时，原由农业起焉。

《夏小正》云:"正月启蛰,田鼠出。二月往耰,来降燕。三月摄桑,妾子始蚕,祈麦实,五谷之先。四月取荼,五月乃瓜。六月煮桃,七月灌荼。八月剥瓜,九月菊荣,而树麦。"时叙推易,农物变换,固亦见月令与有农事有关。然则历象之起,谓之起于农业,可也。

其见于科学者,则如算数之起,固亦起于农产。故《孙子算经》云:"度之所起,起于忽,欲知其忽,蚕吐丝为忽,十忽为一丝。称之所起,起于黍,十黍为一絫,十絫为一铢。量之所起,起于粟,六粟为一圭,十圭为一撮。"《算经》卷上其他如《夏小正》释良蜩之具五采,言雀入于海为蛤,——此等幼稚之科学知识,固亦起于农人农余之观察也。

可如"干"、"枝"之起,因亦起于农产物。如甲象阳气萌动,乙象草木冤曲而出,丙象万物炳然,丁象万物丁实,辛象万物成熟,以上关于天干。子象阳气动万物滋,卯象万物冒地而出,辰象电雷振民农时,午象万物冒地而出,酉谓黍成可以制酒。以上关于地枝《说文解字》卷四下,亦记数之所起也。

其见于礼俗者,则如《论语》,记:"宰我问三年之丧,期已久矣。旧谷既没,新谷既升,钻燧改火,期可已矣。"卷十七此言丧祭之礼,系之农时。《礼·礼运》云:"夫礼之初,始诸饮食。其燔黍捭豚,汙尊而杯饮,犹可致其敬于鬼神。"是祭祀之初由于黍豚既得也。《曲礼》谓:"天子以牺牛,诸侯以肥牛,大夫以索牛,士以羊豕。"牛豕与羊,在广义言之,固亦农家之所产也。《孟子》谓:"饱食暖衣,逸居而无教，则近于禽兽。圣人有忧之，使契为司徒，教以人伦。父子有亲，君臣有义，夫妇有别，长幼有序，朋友有信。”《管子》谓衣食足而知荣辱，仓廪实而知礼节。——可知信义荣辱，原起于饱食暖衣之后也。

由此观之，家庭之制也，政治之起也，私产之爱护也，岁月长度之确定也，科学知识之初启也，礼教风俗之建树也，未必因农事而始创，然必以农事而确定、滋大、坚实。然则古史所以与神农以神怪之崇仰者，非无以也，非无以也。

> 神农人格之建树，大约当在战国时，故《孟子》记为神农之言者许行。而班书《食货志》，引神农之教，有“汤池十仞，带甲百万，而无粟，不能守也”。神农之时，有何“带甲”？无非战国攻战之际，视粟甚重。因以视农业之初发明者，非有神明之力不可。夫嘉谷由于野草，家犬由于狡狼，栽培陶冶，岂一人一地一时之事？故《荀子·解蔽篇》，有“好稼者众矣，而后稷独传者”之语。明农事进步，乃竭群智，策群力，积群功，以为之者；其意甚是。——然观于农事之影响文明也如斯，后人食德，而无处报功；遂使神农、后稷尸居“功人”之位，势则然矣，无足怪也！

一二　夏商间的文明

中国农业文明之初盛，当起于夏。顾炎武《日知录》言：“夫子之称禹也，曰尽力乎沟洫。而禹自言，亦曰‘浚畎浍距川’。古圣人有天下之大事，而不遗其小如此。”《孟子》以“禹平水土”与后稷“教民稼穑”并举，盖均以农业进步在禹治水之效。

然夏时之文明，史料至贫乏也。观夫《史记》撰次，虽起原于黄帝。而于《夏本纪》则云：“《禹本纪》、《山海经》所有怪物，予不敢言之。”则史迁固亦不敢尽信书也。

其时之事，故老流传，十口不殊者，则有家庭中伦理之已经建树。《孝经》《开宗明义》谓：“先王有至德要道。”《释文》引郑氏说云：“禹，三王之先者。”则是论次孝道，始于禹也。《礼记》《祭法》云：“有虞氏祖颛顼而宗尧，夏后氏祖颛顼而宗禹。”然则有虞氏尚宗异姓之尧，而夏后氏则始以父配天矣。此所谓孝，非必即指顺从亲意，或立身行道，扬名于后世；然以此象征家庭中亲子关系之渐切，则固确凿可信者。

《史记》《夏本纪》载禹治水之后，自言：“予辛壬娶涂山，癸甲生启，予不子。以故能成水土功。”曰“予不子”者，知洪水滔天，无室家可理也。及至水土既平，则又有敦叙九族，众明高翼之语，明室家之爱，盛于水土既定后也，启之既立，讨伐有扈，又有“用命赏于祖，不用命戮于社”《史记》之誓，凡此，见夏时之重父，至矣。

孔子云：“禹吾无闲然矣，卑宫室而尽力乎沟洫；菲饮食而致敬于鬼神。”所谓致敬，当系致敬于逝者。何也，墨子之教，最敬则禹，而《汉志》谓：“墨家者流，出于清庙之守；宗祀严父，是以右鬼。”可见右鬼与祀父有关也。

然家庭组织，虽渐稳定，而政治组织未稳定也。

禹之传子，无非亲子之爱之一种表示。非真如后世之国有长君，勋戚协辅；新诏一颁而四方贴然听命也。观夫启之伐有扈，其起衅之由，不过“有扈氏威侮五行，怠弃三正。天用剿绝其命，今予惟共行天之罚”。明有扈之与启，非有主属关系；其誓师之标的，无非“左不攻于左，右不攻于右，女不共命；御非其马之政，女不共命”，岂王师之行天讨，而战兢其若斯？盖亦地丑德齐，拔刀相斫；故胁其部落，如此谆谆！即致得胜，亦不过如春秋之世，晋之胜齐。

窃尝论之，周人代商，商人伐夏，一隅之变，无关全局。然周之史家，必欲以周为重，则必引商自重；欲引商自重，则夏亦不可轻也。犹诸陈寿以魏为正统，为非为司马氏地步；第后史迹详，故寿虽宗魏，而吴蜀之自主仍显若亦如古史之简略，则吴蜀能不流传为魏之叛臣逆子乎？

《淮南子》《齐俗训》云：“有扈氏为义而亡。”高诱注：“有扈，夏启之素兄，以尧舜举贤，禹独与子，故伐启！”而《吕览》《先己篇》则谓：“夏后伯启今本作“相”，此据《御览》改与有扈战于甘泽而不胜。六卿请复之，夏后伯启曰：‘不可。吾地不浅，吾民不寡，战而不胜，是吾德薄而教不善也。’于是处不重席，食不二味。琴瑟不张，钟鼓不修。子女不饬，亲亲长长，尊贤使能，期年而有扈氏服。”由地不浅、民不寡、战不胜三语观之，则启与有扈，势均力敌，无非两个酋长火并。传启为“讨逆”者固谬；即传有扈为伐罪者，亦不足凭信也。

故在有扈战后，有如武观之乱，则谓启之五子作乱也。然《史记》不载，惟见于《墨子》《非乐上》、《周书》《尝麦解》。有如帝相失国，少康中兴，则谓有穷后羿寒浞之代相诛灭也，而《史记》亦不载。惟见于《左传》魏绛之引《夏训》襄四年《传》。意者，斫伐相寻，初非一次；群酋角逐，初非一时；故史迁亦淡然忘之耳。——此可以证夏时之政治势力，并不集中于一隅。夏后氏之子孙称王，而其他亦有称王者在也。夏后氏之子孙虽称王，而大权未尝在一人之掌握也。

《尚书大传》云：古者"诸侯得专征者，邻国有臣弑其君，孽伐其宗者，虽弗请于天子，而征之可也。"足见古时酋长之随意斫伐，古人原亦信之。

王国维《殷卜辞中所见先公先王考》："商于虞夏时，已称王。《诗·商颂》'玄王桓拨'，毛传曰：'玄王，契也。'《国语》：'玄王勤商，十有四世而兴。'《荀子·成相篇》：'契玄王，生昭明。'是契之称玄王，旧矣。《书·汤誓》于汤伐桀誓师时称王，文王亦受命称王。盖夏殷诸侯之强大者，皆有王号。本与君公之称，无甚悬隔。又天子之于诸侯，君臣之分，亦未全定。天泽之辨，盖严于周公制礼之后；即宗周之世，边裔大国，尚有称王者。盖仍夏殷夷俗，不能遽以僭窃论矣。"此即《公羊》注文"天子与诸侯，俱南面而治，有不纯臣之义"也。

又考《书》之《洪范》，据箕子自云，固天所以锡禹者。《洪范》言："凡厥庶民，极之敷言，是训是行，以近天子之光。"又言："汝则有大疑，谋及乃心，谋及卿士，谋及庶人，谋及卜筮。"皆足征夏商之际，国君之统地尚小，故可谋及庶人，家咨户询！国君之势力尚稚，故肯谋及庶人，询于蒭荛！政治之运用，尚与宗教不甚相离，故又谋及卜筮也。

《史记》记夏后氏之诸君，如太康之盘游失国，孔甲之好事鬼神，皆当时政治领袖，尚在草昧情态之征，游牧之习气尚存，畏鬼之恐怖不改。故《洪范》谓："汝则从，龟从，筮从，卿士逆，庶民逆，吉。"明神权、王权两者合并，则高于一切也。至于"庶民从，龟从，筮从，汝则逆，卿士逆，吉"者，则可征王权在利用神权以外，不能自由运用；而部落狭小，民意亦必须尊重。所谓"天视自我民视，天听自我民听"是也。

以政治言之，酋长之自尊，部落之公意，宗教之敬畏，三者正混合而莫相上下。正如由经济言之，畜牧与农事，亦相与俱在也。以前者言，则汤之伐桀也，一则曰："余畏上帝，不敢不正。"再则曰："尔尚辅予一人，致天之罚，予其大赉汝。尔无不信，朕不食言。"胁之以天威，诱之以大赉，自称曰"予一人"，而后汤与桀之争斗，始可取胜乎？

桀、纣者，古史中似为两个亡国之君，然案《史记》："帝桀之时，自孔甲以来，而诸侯多叛夏。"则桀之所以失其领袖酋长之地位者，初非漫然无因。即纣之亡国，亦传之者，过甚其恶。《列子·杨朱篇》云："天下之善，归之尧、舜；天下之恶，归之桀、纣。"《论语》《子张十九》引"子贡曰：'纣之不善，不如是之甚也。是以君子恶居下流，天下之恶皆归焉。'"《淮南子》《谬称训》亦谓："桀纣之谤，千载之积毁。"《论衡》《语增》云："传书家增其实也。"此亦可觇桀纣为世积毁之故。且桀之与汤，无非两个酋长，初无君臣统属之系，如后世所比拟者。彼此斫伐，得失成败，亦事之常。自后世君臣大义之说显，欲以汤、武为是，则自不能不文饰桀、纣之恶，殊不知就当时之政治而论，纣即有恶，不过造虐一方，与商人也何与？《讷庵笔谈》谓：“桀、纣暴虐，止行于畿内；四方诸侯之国，彼不能暴虐也。”崔述《夏考信录》卷二引可谓一言破的矣，故崔述于《商考信录》亦云：“夏自太康失道，已非禹之旧矣。况至于桀，善政尚有复存者乎？且汤之事，与禹不同，汤承先世之业，崛起一方；自相土、上甲微以来，必有良法美政，宜于民而不当变者。”《考信录提要》卷下要之，皆言桀之于汤，初无君臣关系也，《四部稿》卷一五九引“《竹书纪年》云：‘桀弃其元妃于洛，曰妹喜氏，以与伊尹交，遂以夏亡。’则妹喜以弃而亡国，非以嬖而亡国也”。又引《国语》曰：“妹喜比伊尹，妲己比胶鬲。”盖初无主属之关系，故纵横捭阖，无所不为耳。

所谓畜牧与农事之相与俱重，盖亦有说。

《尚书叙》云：“自契至于成汤八迁。”此等迁移，当有“行国”之性质。即如汤之用伊尹也，世盛传“伊尹以割烹要汤”《孟子·万章篇》，“上古有汤，至圣也。伊尹，至智也。至智说至圣，然且七十说而不受身执鼎俎，为庖宰，昵近习亲，汤乃仅知其贤而用之”《韩非子·难言篇》。后《史记》伊尹为善宰烹之庖人，十口不殊！可知伊尹之习于牲畜焉。

汤用伊尹，以其善庖，亦见《庄子·庚桑楚篇》、《墨子·尚贤中》、《吕览·本味篇》、《史记·殷本纪》、《文子·自然篇》，《本味篇》载伊尹说汤曰：“夫三群之虫，水居者腥，肉玃者臊，草食者膻，凡味之本，水最为始。五味三材九沸九变，火为之纪。灭腥去臊除膻，无失其理。”诚如《吕览》言，则伊尹真不愧为庖烹专家矣。

即以伊尹之传说，为战国时人所托造，而伊尹之割烹，不能指为商人畜牧之证者，然案王国维“王亥”《殷卜辞中所见先公先王考》云：“观其祭日，其牲则五牛、三十牛、四十牛，乃至三百牛，乃祭礼之最隆者，必为商之先王先公无疑。”《观堂集林》卷九用牛何多？必以畜牧得之。

但殷人农业，自亦有其相当之历史。《孟子》《滕文公下》篇云：“汤居亳，与葛为邻。葛伯放而不祀，汤使人问之曰：‘何为不祀’曰：‘无以供牺牲也。’汤使遗之牛羊，葛伯食之。又不以祀，汤又使人问之曰：‘何为不祀？’曰：‘无以供粢盛也。’汤使亳众，往为之耕，老弱馈食，葛伯率其民，要其有酒食黍稻者，夺之。不授者，杀之。”然则汤固已能耕食，黍稻；非专以割烹自悦，牺牲献祖者矣。观其部落间相斫之起衅之由，而知之也。

商虽建都于河南，能夺桀之大酋之位置，而自汤至纣亡之五六百年间，亦犹禹至桀之四五百年间，文物简陋，旧史不详；所谓色尚白，为重屋，封爵三等，要亦不可深稽者。其尚可推见者，则有下列。

一则曰多迁徙。《史记》谓“自契至汤八迁”，而自汤以后，诸王亦不常厥居，“汤至盘庚有五迁，且盘庚后，更有迁者。然亦惟殷之所都，在河南北，屡受河患，故屡迁。——《盘庚》三篇，其隐言河决，曰‘无尽刘’，曰‘天降大虐’，曰‘罔知天之断命’；其明言河决，则曰‘恐沉于众’，曰‘惟胥以沉’。”详毛奇龄《经问》卷八是知殷之居处，范围甚狭；故所迁但在河之南北，而终无以离河而远之焉。

殷之迁徙，若必指为游牧行国，则不可。以其阅时颇长，然后移徙；非如行国之年年逐水草者。

二则曰“先鬼”。葛伯不祀之罪，即先鬼之表征。罗振玉《殷商贞卜文字考》云：“光绪己亥，闻河南之汤阴发见古龟甲兽骨，其上皆有刻辞。翌年传至江南，予一见诧为奇宝。又自估人之来自中州者，博观龟甲兽骨数千枚，选其尤殊者七百；并询知发见之地，乃在安阳西五里之小屯，而非汤阴。其地为武乙之墟。又于刻辞中得殷帝王名谥十余，乃恍然悟此卜辞者实为殷室王朝之遗物。其文字虽简略，然可正史家之违失，考小学之源流，求古代之卜法。”盖亦惟商人之崇神先鬼，故卜辞得以蔚为大宗，传流至今。

非仅龟甲古文多述祭卜，即《商颂》五篇，如《烈祖》之诗曰：“丰年穰穰，来假来享。”备见其收获之后，祭其祖先，歌以慰先灵也。

三则曰好田猎。殷墟文字中，所言次数之多，言祭而外，又推言猎。如曰“逐鹿获”，“贞其射鹿获”，而《史记》又载“武乙猎于河渭之间，暴雷，武乙震死”。《孟子》言“汤之囿七十里”。《淮南子》《泰族训》亦言：“汤之初作囿也，以供宗庙牺解之具。”意者如满洲之合围，“派吃跳神肉”，并田猎祭祀之旧习，而成其特殊风俗乎？

昭梿《啸亭续录》卷一谓大内于元旦及仲春秋朔日，行大祭。藩王贝勒，六卿，均得钦派吃肉：“上自用御刀，割析。诸臣皆自脔割，导国俗也。”则祭与田猎固有关者。

异日武王伐纣，声诛其罪："今殷王受，惟妇人言是用。自弃其先祖肆祀不答，昏弃其家国，遗其王父母弟不用。乃维四方之多罪逋逃，是崇是长，是信是使，俾暴虐于百姓，以奸宄于商邑。"据《史记》必以其废祀为罪者，犹如汤之责葛伯；因殷人之"先鬼"，故蹈其瑕而攻其隙尔。

一三　古田制与古兵制

知夏商三代之政治与社会，可知其时尚无健全之经济组织。

而古书盛传，则盛传夏贡、殷助、周彻之田制。《孟子》《滕文公上》所谓："夏后氏五十而贡，殷人七十而助，周人百亩而彻，其实皆什一也。龙子曰：'治地莫善于助，莫不善于贡。贡者，校数岁之中以为常，乐岁粒米狼戾，多取之而不为虐，则寡取之。凶年粪其田而不足，则必取盈焉。……恶在其为民父母也？'夫世禄，滕固行之矣。《诗》云：'雨我公田，遂及我私。'由此观之，虽周亦助也。"言井田至此认真也。

此一系之说法，如《谷梁传》宣十五年言："古者三百步为里，名曰井田。"何休注《公羊》宣十五年亦谓："井田之法，以分之。一夫一妇，受田百亩，以养父母妻子。公田十亩，即所谓什一而税也。"

而伪《周官》又谓："乃经土地，而井牧其田野。九夫为井，四井为邑。”《小司徒职》文又谓：“凡治野，夫间有遂，遂上有径。十夫有沟，沟上有畛。百夫有洫，洫上有涂。千夫有浍，浍上有道。万夫有川，川上有路。以达于畿。”曰九夫，则似有井而无公田。曰十夫，则是有沟洫而不画井。郑康成以为：“周制，畿内用夏之贡法；税夫无公田。邦国用殷之助法，制公田不税夫。”一书之内而有两制，康成调和折衷，意亦良苦。而其实不过臆说尔。

夫以人情论之，“古者八家同井，同养公田。此亦宜于古，而不宜于今。今若用此法，必致八家各顾其私，互相观望。公田竟至荒芜不治！”《东华录》三十七引清高宗语然则《孟子》所谓“方里而井，井九百亩，其中为公田，八家皆私百亩。同养公田，公事毕，然后敢治私事”者，古今人当不相远，何以知其能尔？

又以工事言之，如实行井田之制，则“百里之间，为浍者一，为洫者百，为沟者万”。工事繁重可知。昔宋张横渠“有志于三代之法，以为仁政必自经界始。经界不正，即贫富不均。教养无法。虽欲言治，牵架而已。与学者将买田一方，画为数井，以推明先王之道，未就而卒”《宋元学案》卷十七《横渠学案上》。数井尚不能就，况举中国而尽井之乎？笃古力行者，犹不能就，况在初民之智识幼稚乎？

又以地形地势论之，亦不能必井田之可以通行无阻。《礼》谓：“广谷大川，异制；民生其间者异俗。”《王制》《商君书》《徕民篇》亦谓：“地方百里者，山陵处什一，薮泽处什一，部邑蹊道处什一，恶田处什一，良田处什四。”宋盛如梓《庶斋老学丛谈》云：“前辈谓井田之法，如画棋局。则丘陵原隰，必之可行。遂谓井田不可行于后世。襄公二十五年，楚蒍掩为司马，子木使庀赋，掩书土田。有曰：‘度山林，鸠薮泽，町原防，井衍沃。’东莱先生曰：‘原防之间，其地不得方正如井田；则别为小顷町。至衍沃，平美土地，则用井田之法。

先王之制，曷尝概之以棋局之画哉？'"卷上页十一可知豆腐干块式之棋局之画，昔人固有所讥议焉。

考《夏小正》虽有"初服于公田"之语，然《管子》亦有："正月令农，始作服于公田。农耕及雪释。耕始焉，芸卒焉。"《乘马篇》揆其语气，似以政府所有者为公田，私人所有者为私田。陈澧言："古者君授民田，其君若今之业主，其民若今之佃户。"《东塾读书记》卷七人民既耕已垦之田，复尽力于酋长之田，是谓初服于公田；竟不必硬派公田为中百亩之公田欤！

即执《孟子》之言而研索之。如《孟子》言，夏则五十，而取其五亩之入以为贡，殷则七十，而藉其八分之七十之力以为助；又安得曰"其实皆什一也"？行贡法时，实种五十，而输赋五亩；行助法时，实种一百十亩，而输赋十亩；赋率不同，又安得谓其实皆什一也？

行助法时，民有私田百亩，而公田百亩之中据《韩诗外传》卷四，八家于公田中，家取二亩半以为庐舍，共二十亩，八家分耕八十亩。是人耕百十亩而出赋仅十亩，是谓什一取一。

顾亭林云："周之疆理，犹古之遗法也。……夫井田之制，其间为川为路者一，为浍为道者九，为洫为涂者百，为沟为畛者千，若使夏必五十，殷必七十，周必百，则是一王之兴，必将改畛涂，变沟洫，移道路以就之。为此烦扰而无益于民之事也？岂其然乎？盖三代取民之异，在乎贡助彻而不在乎五十、七十、百亩。其五十、七十、百亩，特丈尺之不同，而田未尝易也，故曰'其实皆什一也'。"《日知录》卷七然同是一块田，何必更名亩数？故崔述痛驳之云："夫王者兴利除弊，制礼作乐，……岂尚不足新天下之耳目？而必取民之井疆变易之。"又云："若然,则商周之授田,与夏无异。仍其名焉,可已。何必改之,使若多者,是率天下之人而教之伪也?”《皇朝三大典考·三代经界通考》然则《孟子》“其实皆什一也”,固不易令人得解者。

又,《孟子》原曰:“《诗》云‘雨我公田,遂及我私’,由此观之,虽周亦助也。”孟子何必由“《诗》”而“观”? 无怪夫李觏《盱江集》卷十九《平土书二十》评《孟子》云:“由此观之,‘虽周亦助也’,则疑之之词也。……夫如是,则《诗》、《春秋》、《论语》、《孟子》皆不知周公之制有公田。后儒解之者,非也!”又无怪夫胡适云:“他又引《诗》来说‘虽周亦助也’。这可知道,孟子实不知道周代之制度是什么。不过从一句诗里,推想到一种公田制。这证据,已很薄弱了。他不能知道周代的制度,偏要高谈一千多年前的助制,这不是韩非所谓非愚即诬吗?”《井田制度之研究》页二十可知《孟子》之井田记,其证据脆薄如此。更无论《周礼》之伪为传说矣。

周人授田,均言夫田百亩,一见于何休所传,《公羊》宣十五年注一见于韩婴所传《韩诗外传》卷四。又见于《孟子》所述。而《周官·大司徒》,言“不易之地家百亩,一易之地家二百亩,再易之地家三百亩。”以美恶别多少,不为笨板之规定,显见为后起之传说。而《遂人》职文,则言“上地夫一廛,田百亩,莱五十亩。余夫亦如之。中地夫一廛,田百亩,莱百亩,余夫亦如之。下地夫一廛,田百亩,莱二百亩,余夫亦如之。”《遂人》上地有莱五十亩之附加,而《大司徒》则无之。显见授田亩数,作伪者未能通齐划一焉。

又《周礼·小司徒》:“井牧其田野,九夫为井。”而《遂人》

则谓："夫间有遂，遂上有径。十夫有沟，沟上有洫。"从九与从十，又为显然异趋之制度。后儒虽有种种曲解，亦未能为之辨明。

然则井田之制，至多亦仅能行于一时，行于一地。非通之一代一国而皆然者。恽敬《三代因革论》云："是故贡、助、彻三者，圣人皆先自国都行之。推之而至于诸侯之可行者，而亦行之。其不可者，待之。其可更者，更之。不可更，且不必更者，仍之，如是而已。……是故五十而贡，夏禹治田之法，而其时黄帝之井田在焉，《夏小正》曰'初服于公田'，是也；七十而助，成汤治田之法，而其时公刘之彻行焉，《诗》曰'彻田为粮'是也；百亩而彻，文王治田之法，而其时汤之助法存焉，《公羊传》曰'古者什一而藉'是也。"《大云山房文稿初集》卷一恽氏以后，异时崔述亦言："是故夏之五十而贡，夏之圻内，夫受田五十亩，而行贡法也。诸侯之国，不必皆五十而贡也。殷之七十而助，殷之圻内，夫受田七十亩而行助法也；诸侯之国，不必皆七十而助也。周之百亩而彻，周之圻内，夫受田百亩。诸侯之国，不必皆百亩而彻也。《诗》曰：'彻田为粮，豳居允荒。'公刘当夏商之时，乃不行贡助而行彻。是夏商之贡助，不必尽行于天下之明验也。……然则殷之先世，亦必本行助法，故汤因之。非夏时诸侯皆用贡，至汤而尽变易天下之沟洫，以为助也。"《三代经界通考》此皆言贡助等法，不过一部分推行之制。与上古时期之政治组织，较为吻合；非如侈谈井田者之浮夸无当焉。

盖古代无整齐划一通行"天下"之制度，实基于当时政治的，与社会的环境。田制如是，兵制亦然。且也，其时之兵，固皆农也；其时之农，固皆兵也。故《公羊》宣十五年何注谓："吏民春夏山田，秋冬入保城郭。”异日管仲之作内政以寄军令，商君之为户籍而相伍，犹可见古者兵农不分之确征焉。

《汉书》二十三《刑法志》云：“殷周以兵定天下矣，天下既定，戢藏干戈，教以文德。而犹立司马之官，设六军之众，因井田而制军赋。……有税有赋，以税足食，赋以足兵。故四井为邑，四邑为邱。丘十六井也，有戎马一匹，牛三头。四丘为甸，甸六十四井也，有戎马四匹，兵车一乘，牛十二头，甲士三人，卒七十二人郑氏曰：‘甲士在车上也。’……一同百里，提封万井。除山川沈斥城池邑园囿术路三千六百井，定出赋六千四百井。戎马四百匹，兵车百乘，此卿大夫采地之大者也。是谓百乘之家。一封三百十六里，提封十万井，定出赋六万四千井，戎马四千匹，兵车千乘，此诸侯之大者也。是谓千乘之国。天子畿方千里，提封百万井，定出赋六十四万井，戎马四万匹，兵车万乘，是谓万乘之主。皆于农隙以讲事焉！”此即文饰田制与兵制之关系，而言之过于整齐者。

故汤之伐桀也，有“格尔众庶，悉听朕言”之誓。而武王之伐纣也，师尚父亦言：“总尔众庶，与尔舟楫。”武王亦麾曰：“西土之人！”以上均据《史记》即下至春秋之世，晋楚治兵，“晋侯登有莘之墟，以观师曰：‘少长有礼，其可用也。’遂伐其木，以益其兵。”《左》僖二十八年战国之世，信陵君夺晋鄙军以救赵，“下令军中曰：‘父子俱在军中，父归。兄弟俱在军中，兄归。独子无兄弟，归养。’”《史记》七十七《信陵君传》亦可见兵出于农，临时征集，故曰“格尔众庶”，曰“西土之人”，曰“少长有礼”，曰“父子俱在”也。

春秋时，管子之作内政以寄军令，疑亦将原有的兵农不分之事实，略为次叙而已。《通考》卷一四九载其内政军令之法云："五家为轨，轨为之长，十轨为里，里有司；四里有连，连为之长。十连为乡，乡有良人焉。"(以上民政)"以为军令：五家为轨，故五人为伍，轨长帅之。十轨为里，故五十人为小戎，里有司帅之。四里为连，故五百人为卒，连长帅之。十连为乡，故二千人为旅，乡良人率之。五乡一帅，故万人为一军，五乡之帅帅之。"(以上军政)良以古者兵农不分，故军治与民治，亦不分也。又如晋、楚等国，其执政者，亦往往掌中军。故蒍贾之哂子玉："子玉刚而无礼，不可以治民。过三百乘，其不能以入矣。苟入而贺，何后之有?"左僖二十七年上文明明言"治民"，下文忽言"治军"，盖由古者兵民不分，故民治与军治，亦未可分耳。

一四　封建制度

谓井田仅能通行于一时一地，谓古时兵农不分，意即言古。时无强有力之中央政府，足以推行某某之制于"天下"。而治民之官，与治兵之官不分，亦足见小区域上之"地方官"，其权威不可轻视。——斯二者，皆封建制度所表显者。

考古史之言封建制度者，《孟子》《万章下》篇载北宫锜问爵禄之制，孟子曰："公侯皆方百里，伯七十里；子男五十里。不能五十里者，不达于天子，附于诸侯，曰附庸。"而《礼记》《王制》则谓："凡四海之内九州，州方千里。州建百里之国三十，七十里之国六十，五十里之国百有二十。凡二百一十国。名山大川，不以封。其自以为附庸闲田。八州，州二百一十国。”而《周官》《大司徒职》则谓：“诸公之地，方五百里，其食者半。诸侯之地，方四百里，其食者参之一。诸伯之地，方三百里，其食者参之一。诸子之地，方二百里，其食者四之一。诸男之地，方百里，其食者五之一。”如《孟子》、《王制》之说，即所谓列爵惟五，分土惟三。如《周官》之说，则爵五而土亦五矣。

案此三家之封建论，实则均不甚可靠，《周礼》本不足信。《王制》为汉儒叙录之书。而《孟子》原文，则：“北宫锜问曰：‘周室班爵禄也，如之何？’孟子曰：‘其详不可得闻也，诸侯恶其害己也，而皆去其籍。然而轲也，尝闻其略也。’”《万章下》篇则《孟子》所述之“爵五土三”，似亦传闻而已。

于此传说中，吾人首须问者，封国之制，是否可以整齐划一？过于后世之定省县之界？《周礼》与《孟子》之得失，其真实究为如何？

以前者言，封国之不能整齐划一，如《王制》所谓“凡九州千七百七十三国”也！

许宗彦《鉴止水斋集》谓：“夫文王率商之叛国以事纣，武王观兵孟津，诸侯会者八百，此皆二代之所建。至于纣时，其地之广狭，固未必悉仍其初封。文武抚而有之，要与之相安而已，岂得而尽易其疆界哉？武王克商，封国七十有一，所可限以分土之制者，惟此。而所其封，取之所灭国与隙地，地或狗牙相错，赢不足之数，不能不迁就焉。……后世郡县大小，率以形势为差等，不能以里数之多寡定限；大郡县若干里，小郡县若干里也。”卷一《读周礼后记》此言殊警辟，盖斥五十、七十、百里之决非事实也，约言之，则谓古者无一统，而地理难分割；故封建不能行！

以后者言，《孟子》、《周礼》之或异，唐仲友以《孟子》之“公百里”，举其食封言之；《周礼》之“公方五百”，包其附庸言之。故如鲁之境内，原有颛臾，《论语》十六《季氏》载：“季氏将伐颛臾，冉有、季路见于孔子曰：‘季氏将有事于颛臾。’孔子曰：‘求，无乃尔是过欤？夫颛臾，昔者先王以为东蒙主，且在邦域之中矣，是社稷之臣也。’”孔氏注云：“颛臾为附庸，在其域中。”此一解也。恽子居以五十、七十、百里之所以化为百里、二百、三百者，乃由于后此之兼并滋大，则又一解矣。

《大云山房文稿初集》卷一《三代因革论二》云：“古者洪荒之世，自民初归而各立之君。其时政刑未备，羁縻所及，大者百里而已。杀于百里者，则七十、五十里焉。圣人准之，以差封国之土。是故百里、七十、五十者，圣人之中制也。国立矣，不能无争；争矣，不能无所并。黄帝之时万国，成汤之时三千余国，武王之时，一千七百七十二国。盖所并者，几十之七八焉。若是，则保无有百里而为五百、四百里者乎？七十、五十里，而为三百、二百、百里者乎？”伊盖以后来兼并，释《孟子》、《周礼》之异同焉。

平情以论，割据式的封建，固古时部落状态使然。清世宗谓：“古者疆域未开，声教未通；各君其国，各子其民，有圣人首出庶物，而群然向化，虽不欲封建，而封建之势已定。”《大义觉迷录》卷一斯言也，正不得以人废言。刘献廷“因读吏谓宗夏曰：‘古之诸侯，即今之土司也。后之儒者，以汉、唐、宋之眼目，看夏、商、周之大训，宜其言之愈多而愈不合也。’”《广阳杂记》卷四此零碎割据之态，后则以互相兼并而滋大。《左传》引栾贞子曰：“汉阳诸姬，楚实尽之。”僖二十八年谓楚之成大国也，此语可谓实得其情。顾祖禹《读史方舆纪要》卷一云：“传称禹会诸侯于涂山，执玉帛者万国。成汤受命，其存者三千余国。武王观兵，有千八百国。东迁之初，尚存千二百国。迨获麟之末，二百四十二年，诸侯更相吞灭，其见于《春秋》经传者，凡百有余国。而会盟征伐，彰彰可纪者，约十四君鲁、卫、齐、晋、宋、郑、陈、蔡、曹、许、秦、楚、吴、越。”亦可见多数之部落，渐次混同，而成为少数之国。初不能以五百、百里限之！

《史记》谓“黄帝置左右二监，监于万国”《五帝本纪》，此万国者，似为黄帝所建。

然柳宗元《河东集》卷一《封建论》云：“封建非圣人意也。生人之初，与万物皆生，草木榛榛，鹿豕狉狉。……争而不已，必就其能断曲直者而听命焉。……由是君长刑政生焉。故近者聚而为群，群之分，其争必大；大而后有兵有德。又有大者，众群之长，又就而听命焉，以安其属。”案柳氏此说，《吕览》《恃君》已言之矣：“凡人之性爪牙不足以自守卫，肌肤不足以捍寒暑。犹且裁万物，制禽兽，服狡虫，寒暑燥湿，不能害，不唯先有其备，而以群聚之耶？利之出于群也，君遂立也。”盖亦谓政治之立，立自斗争，袁枚于柳氏《封建论》，深表不满《小仓山房文集》二十三《书柳子封建论后》，乃深信古有一统之病也。

故封建之制，固有封之建之，斑斑可考者：如富辰所谓："周公吊二叔之不咸，故封建亲戚，以藩屏周。"《左》僖二十四年如魏献子所谓："昔武王克商，光有天下。其兄弟之国，十有五人。姬姓之国，四十人，皆举亲也。"昭二十八如子鱼所谓："昔武王克商，成王定之，选建明德，以藩屏周。"《左》定四年由此观之，要不得以封建为无也。然亦有仍旧羁縻，如后世之于土司者，《吕览》所谓："周之所封，四百余；服国，八百余。"《观世篇》是已亦有消灭旧部落者，北宫文子言："《周书》数文王之德曰：'大国畏其力，小国畏其德。'"《左》僖三十一年畏德，即羁縻之谓；畏力，即兼并之谓。约言之，封建制度者，建树自己的羽翼，羁縻原有之部落，消灭异己的酋长，如此而已。而又安得谓百里、七十，或五百、四百哉？

梁启超《中国政治思想史》六八页云："后儒多言封建，为唐虞以来所有，非也。夏殷以前，所谓诸侯，皆邃古自然发生之部落。非天子之所能建之，能废之。真正封建，自周公始。武王克殷，广封先王之后，不过承认旧部落而已。及周公吊二叔之不咸，乃众建亲贤，以屏藩周。"梁氏云云，盖指新建羁縻二种而言之。

《日知录》卷七《文王以百里》云："汤以七十里，文王以百里，孟子为此言，以证王之不待大尔。其实，文王之国，不止百里，周自王季伐诸戎，疆土日大。大王自岐迁丰，其国已跨三四百里之地。伐崇伐密，自河以西，举属之周。至于武王而西及梁益，东临上党，无非周地。纣之所有，不过河内殷墟。其从之者。亦但东方诸国而已。"然则在原始的部落状态下，固有兼并之事。初不待由百余而为十二诸侯，由十二诸侯而为七国，由七国而为一秦。中间演进，始有待于兼并也。顾栋高《春秋大事表》《列国都邑表叙》云“三代之诸侯，皆以次相授”，此乃言羁縻；“别为建置者，不过百余国耳”，此乃言新建；“得其道则为汤武之征伐，失其道则为秦齐之兼并”，此乃就兼并而言。——言简而意赅矣。

以上所述之封建制度，盖由中国史上常用之术语而言之。犹之马端临所称述者。吾尝谓所谓封建制度，当分纵横二方面。由地域之割据言之，即所谓列爵封土等等。所谓横也，至若纵也者，则指宝塔式的封建，其人数愈少者，其位置愈高；其人数愈多者，其位置愈低；其涵义，有似乎西史中的封建制矣。

请举数例以明之。

其一，古之君臣，非如后世之君臣，其权力之相去，实不过一间。

《论语》《季氏》章载孔子曰：“天下有道，则礼乐征伐，自天子出。天下无道，则礼乐征伐，自诸侯出。自诸侯出，盖十世希不失矣；自大夫出，五世希不失矣；陪臣执国命，三世希不失矣。天下有道，则政不在大夫。天下有道，则庶人不议。”又曰：“禄之去公室，五世矣；政逮于大夫，四世矣。”考孔子所以以权威下移为叹，正注目上有天子，中有诸侯公室，下有大夫之三层割据，盖政权、军权均层层分割也。

古贵族不仅与国君平分政权，亦有军权在握：如季氏将有事于颛臾，即一征。又晋楚城濮战前，楚子本不欲战，以子玉力请："王怒，少与之师。唯西广东宫，与若敖之六卒实从之。"事详《左传》僖二八年杜氏注："若敖，指子玉之祖。"然则子玉之家，固有兵，而不属楚王之命者也。

其二，当时国君固为贵族，而上级官吏，亦为贵族，平民得参政者，下级吏胥之属耳。俞正燮云："周时乡大夫比于乡，考其德行道艺而兴贤者，出使长之，用为伍长也。兴能者，入使治之，用为乡吏也。……其用之，止此。《王制》推而广之，升诸司马曰进士焉，止矣。诸侯贡士于王，以为士也，止矣。太古至春秋，君所任者，与共开国之人，长其子孙也。上士、中士、下士、府吏、胥徒，取诸乡与贤能；大夫以上，皆世族，不在选举也。"《癸巳类稿》卷三《乡兴贤能论》征此，可知上有特权阶级，而平民为数至多，其地位乃至低者。

其三，当时社会，似有阶级存在。所谓"君子"、"小人"之别是已。

故颍考叔为颍谷封人，对郑伯则言"小人有母"《左》隐公元年《传》。而申叔时之告楚庄王，亦自谦为"吾侪小人"《左》宣十一年《传》。叔时之对楚庄王也，又曰"教之礼使知上下之则"，"明等级以导之礼"《楚语上》。阴饴甥之语秦伯，亦言"小心耻失其君而悼丧其亲，……君子爱其君而知其罪"僖十五年。知武子则谓"君子劳心，小人劳力"《左》襄九年。君子则谓"世之治也，君子尚能而让其下，小人农力以事其上"《左》襄十三。曰"悼丧其亲"者，知所谓小人者，乃指秦晋战后，士卒之家属也，犹言平民也。

《癸巳类稿》卷三《君子子解》云："《丧服传》曰：'君子子者，贵人之子也。'……传以君子为贵人之子，言君子，贵人也。……传以君子为贵人者，周人语也。《左传》哀七年云：'曹人或梦众君子立于社宫。'贵人状也。《国语》阳人不服晋，晋侯围之。仓葛呼曰：'此谁非王之姻亲其俘之也。'晋侯闻之，曰：'此君子之言也。'乃出其民。以王之姻亲，终不能为晋民，故出之。亦以'君子'为贵人也。"胡适《哲学史大纲》谓："君子本义，为君之子，乃是阶级社会中贵族一部分的通称。君子，指士以上的上等社会；小人指士以下的小百姓。"页一一四此与《孟子》士之子恒为士同义。

其四，古者贵族之势至不可侮。故伯有为鬼，子产以其"从政三世"，"取精用宏"，"其族又大"而释其为厉之宜《左》昭七年，故"晋献文子成室，晋大夫发焉。张老曰：'美哉轮焉，美哉奂焉。歌于斯，哭于斯，聚国族于斯。'文子（赵武）曰：'武也，得歌于斯，哭于斯，聚国族于斯，是全要领以从先大夫于九京也。'北面再拜稽首"《礼记》三《檀弓上》。而宋"昭公欲去群公子，乐豫曰：'不可！公族，公室之枝叶也。若去之，则本根无所比荫矣。葛藟犹能庇其本根，故君子以为比；况国君乎？'"《左传》文公七年国君犹花，而护持之者，则以公族为枝叶；明公族在政治上之重要也。

又如晋文公由流亡返国，"及河，子犯以璧授公子曰：'臣负羁绁，从君于天下；臣之罪甚多矣。臣犹知之；而况君乎？请由此亡。'公子曰：'所不与舅氏同心者，有如白水。'"《左》僖二十四年然则文公固承认子犯之当分占政权也。

《孟子·梁惠王下篇》记："孟子见齐宣王曰：'所谓故国者，非谓有乔木之谓也。有世臣之谓也。王无亲臣矣。'"是孟子虽主张选贤与能，然亦不能看轻世臣在政治上之地位也。

此种宝塔式的封建，令特权在少数人之手，人数愈少，权利愈大。上下相治，事同割据。故楚无宇云：“天有十日，人有十等。下所以事上，上所以共神也，故王臣公，公臣大夫，大夫臣士，士臣皂，皂臣舆，舆臣隶，隶臣僚，僚臣仆，仆臣台。”《左》昭七年秩叙俨然，上下相制；贵族享有特权，小臣等于仆妾，故石碏既以“贱妨贵少陵长为六逆”。《左》隐四年而师服亦曰：“吾闻国家之立也，本大而末小，是以能固。故天子建国，诸侯立家，卿置侧室，大夫有贰宗，士有隶子弟庶人工商各有分亲，皆有等衰。”桓公二年本大末小，皆有等衰，宝塔式的封建，固信而有征者。

孙文玉《新义录》卷五十八云：“东坡《刑赏忠厚之至论》称‘皋陶曰杀之三，尧曰宥之三’，欧公问所出典，曰：‘想当然耳。’东坡暗用戴《记》，而一时忘对也。按《文王世子》，公族有罪，公曰宥之。有司曰，在辟。公又曰，宥之。有司又曰，在辟。三宥不对，走出。公使人追之曰，虽然，必宥之！”此与通常所谓刑不上大夫者，均指古人对于贵族地位优越之认可焉。

章炳麟《专制时代宰相用奴说》《太炎文录》卷一云：“仆射者，贱官之名也。《礼记·檀弓》言，君疾，仆人师扶右，射人师扶左。此近臣最微末者。……侍中者，又贱官之名也。汉初侍中，非奉唾壶，即执虎子。至东汉，则侍中比二千石，元魏以降，益隆著。唐时以侍中为真宰相矣。”此言君臣之关系，由于阶级社会其后，君之权力，型式发展；而臣子，仆妾之名不改；亦可征古代政治，与其宝塔式的封建有关。

第四章　封建制度之崩溃

一五　封建制未隳前之各方面

然纵的封建，与横的封建，春秋之后，固渐显崩颓之象。关于后者，属于列国间之相互兼并；关于前者，则为贵族的各种特殊权利之破颓。即贵族之“垄断”之渐次消灭也。

盖在周之中叶，为贵族者，居阶级之上层者，固垄断学术者也。

例如晋侯使韩宣子聘于鲁，“观书于太史氏，见《易象》与鲁《春秋》，曰：‘周礼尽在鲁矣。吾乃今知周公之德，与周之所以王也。’”《左》昭二年《传》然则中秘之书，非以“大使”之尊，例难得阅，而鲁之典籍，盖秘于公室者。又如“孔子入太庙，每事问，或曰：‘孰谓鄹人之子知礼乎？入太庙，每事问！’子闻之，曰：‘是礼也。’”《论语》三《八佾》其在曾子，亦云：“君子所贵乎道者三，动容貌，斯远暴慢矣；正颜色，斯近信矣；出辞气，斯远鄙倍矣；笾豆之事，则有司存。”《论语》八《泰伯》此盖明言在下位者，例不必问国家典制掌故；而自有主司董理。此与孔子之“入太庙每事问”，同可见贵族之垄断学。术。《正义》以“执笾豆行礼之事，则有所主者存焉，此乃事之小者，无庸亲之”为训，陋矣。

或人呼孔子为鄹人之子，显有斥孔子为鄙野之意。曾子自谦于不治笾豆，当系不肯越俎代谋。非然者，孔予之学，原重习礼；孔子在卫，"灵公问兵陈，孔子曰：'俎豆之事，则尝闻之；军旅之事，未之学也。'"《史记》四十七《孔子世家》以此知曾子之语，固有为言之，非不愿习俎豆也。

岂但垄断学术而已，则又有怙宠害能，为政治上之威福自擅。即贤如孔子，"与下大夫言，侃侃如也；与上大夫言，訚訚如也"《论语》十《乡党》。亦不免于两副面孔之讥。"子疾病，子路使门人为臣。病闲，曰：'久矣哉，由之行诈也。无臣而为有臣，吾谁欺，欺天乎？'"《论语》九《子罕》盖子路，为增饰孔子之威势，故使门人为臣；此与孔子所谓"以吾从大夫之后，未尝步行"者，其意正同。具见已加入贵族行列者，不得不稍稍采用贵族之自尊自重焉。

孔子一生，实受贵族之压迫，以至于老不见用。其在齐也，景公将以之尼溪田封孔子，而晏婴不可，《论语》《公冶长》称："晏平仲善与人交，久而敬之。"孔子称晏如此，而晏竟不汲引。"齐大夫欲害孔子，孔子乃行"。其后，在鲁为司寇，未几而去。虽鲁有季桓子遗命，令召孔子。而桓子三子季康子，卒以公子鱼一言而罢。即其在楚，亦扼于令尹子西。足见贵族之妒害，其力如此。异时孔子卒，鲁哀公诔之"以不慭遗一老"，子贡即以"生不能用，死而诔之"非之以上均详《史记》四十七《孔子世家》；然哀公所以不能用孔子，岂仅伊一人之过；正有公子鱼一流人作祟耳。《左传》定公四年载郑子太叔语晋赵简子有

“无始乱，无怙富，无恃宠，无违同”……诸语，而异日，商君之于秦，赵武灵之变胡服，史率以见扼公族为言，可知贵族之怙宠势作威福，其来自远已。

贵族岂止怙宠害能而已，而又垄断教育也。

古之所谓八岁入小学，十五入大学者，盖全指王及贵族之子弟而言。《公羊》僖十年何注所谓：“诸侯之子，八岁受之少傅，教之以小学。十五受之太傅，教之以大学。”然则诸侯国之王子，有小学大学之教也。《礼》《内则篇》云：“十年出就外傅，朝夕学幼仪，请肄简谅。十有三年，学乐诵诗舞勺。成童，舞象学射御。”此则言国子之教也。且如伪《周礼》所言，“周人以乡三物教万民而宾兴之”，然则万民固有受教育之机会欤？而下文忽言“其德六，知、仁、圣、美、中、和；其行六，孝、友、姻、睦、任、恤；其艺六，礼、乐、射、御、书、数”，则是由其教科言之，六德以培丰度，六行以驭上下，六艺以饰华奂，要之，为统治者所需要之教育而已。于平民无与；平民学之，亦无所致用也。

记古平民有受教育之机会者，惟《小戴记》卷四《王制》言：“命乡论秀士，升之司徒曰选士；司徒论选士之秀者，而升之学，曰俊士。……乐正崇四术，立四教，顺先王诗书礼乐以造士。春秋教以礼乐，冬夏教以诗书，王太子王子，群后之太子，卿大夫元士之适子，国之俊选皆造焉。”是国之俊选，亦得与于乐正之教。——然窃疑无此事也！

第一，古代教育，甚重尊卑之叙如前清考试时，屠夫及贱民之子弟同考者不齿其人《大戴礼》所谓：“帝入东学，上亲而贵仁；则亲疏有叙，而恩相及矣。帝入南学，上齿而贵信，则长幼有差，而民不诬矣。帝入西学，上贤而贵德，则圣智在位，而功不匮矣。帝入北学，上贵而尊爵，则贵贱有等，而下不逾矣。”《保傅篇》今假定《大戴记》为汉传经说，非周人实录。然至少可见汉人之以周人为注意于亲疏有叙，长幼有差，圣智在位，贵贱有等者也。凡民之俊秀，何得与太子王子共学乎？

第二，俊秀如孔子，当无问题。然孔子之语哀公：“丘也小人，不足以知礼。”《哀公问》二十七而《史记》言：“孔子之所严事，于周则老子；于卫蘧伯玉，于齐晏平仲，于楚老莱子，于郑子产，于鲁孟公绰。”《史记》六十七《仲尼弟子列传》除老子为周室典藏之史以外，蘧伯玉、晏平仲……其人皆贵族也。足见孔子并不曾受真正之国家教育，仅于私人友朋中，间接得到知识也。

贵族岂止垄断教育而已，盖又垄断经济财货也。

《左》襄十年郑四富族夺民之田，其后“郑饥，民病。子皮以子展之命，饩国人粟，户一钟”襄十九年。子皮、子展，郑之贤者，而积谷如此，可以见当时风气。故晏婴使于晋，遇叔向，“叔向曰：‘齐其何如。’”晏子曰：“此季世也，吾勿知齐其为陈氏矣。公弃其民，而归于陈氏。齐旧四量，豆、区、釜、钟，四升为豆，各有其四，以登于釜。釜十则钟。陈氏三量，皆登一焉。以家量贷，而以公量收之。民参其力，二入于公，而衣食其一。公聚朽蠹，而三老冻馁。”……叔向曰：“然、虽吾公室，今亦季世也。……庶民罢敝，而宫室滋侈。道殣相望，而女富溢尤。政在家门，民无所依。”《左》昭三年《传》是以见公族操纵经济权衡之利害，在社会国家，均为大蠹，故如令尹子文之逃禄，鲁公仪子之拔葵，当时已如雏凤出群，时人叹为清德莫及；

而孔子流食四方，自平民视之，亦无以逃于“不勤”之讥。

《汉书》九十九《王莽传》注：“今尹子文自毁其家，以抒楚国之难，仕而逃禄，朝不及夕。公仪子鲁国相公仪休也。拔其园葵，不夺园夫之利。”仲尼亦指斥臧文仲之“妾织蒲，”以为“不仁”《左传》文公三年。《汉书》五十六《董仲舒传》：“故受禄之家，食禄而已，不与民争利。……故公仪子相鲁，之其家，见织帛，怒而出其妻。食于舍而茹葵，愠而拔其葵。曰：吾已食禄，又夺园夫女红利乎？……及至周室之衰，其卿大夫缓于义而急于利。亡推让之风，而有争田之讼，故诗人疾而刺之曰：‘节彼南山，惟石岩岩。’……”盖古人已知贵族专利之过，如子路与孔子共行，“子路从而后，遇丈人，以杖荷蓧。子路问曰：‘子见夫子乎？’丈人曰：‘四体不勤，五谷不分，孰为夫子？’植其杖而芸。子路拱而立，止子路宿，杀鸡为黍而食之，见其二子焉。明日，子路行以告，子曰：‘隐者也，使子路反见之。至，则行矣。’”《微子第十八》则是社会上之不劳而获者，时人已多所非议焉！

凡贵族之垄断学术，威福教育，经济财货等，胥可视为宝塔式的封建之现象。然而此宝塔式者，在春秋之季，固已渐渐崩溃。

宝塔之第一层，为周天子；周天子自成康以降，势已不竞。幽、厉、平王以后，则有齐晋之勤王，则有楚子之问鼎；要之皆显周室之日卑。

其第二层，为列国国主。然国主之权，固下移于大夫，如秦晋崤战以后，晋得秦之三帅。而晋襄公以母文嬴之语释之。“先轸朝，问秦囚。公曰：‘夫人请之，吾舍之矣。’先轸怒曰：‘武夫力而拘诸原，妇人暂而免诸国，堕军实而长寇仇，亡无日矣。’不顾而唾”《左》僖三十三年《传》！此可见晋国大臣之威权倾主也。鲁有三桓，“陈成子弑(齐)简公，孔子沐浴而朝，告于哀公曰：‘陈恒弑其君，请讨之。’公曰：‘告夫三子！’孔子曰：‘以吾从大夫之后，不敢不告也。’君曰：‘告夫三子者。’之三子告，不可。孔子曰：‘以吾从大夫之后，不敢不告也。’”《论语·宪问》此可见鲁大臣之威权倾主也。“崔子弑齐君，陈文子有马十乘，弃而违之，至于他邦。则曰：‘犹吾大夫崔子也。’违之，之一邦，则又曰：‘犹吾大夫崔子也。’”《论语》五《公冶长》然则列国之中，均有崔子其人。

其第三层，为列国卿大夫，即春秋时期事实上之执政人，而亦见胁于陪臣，见制于家奴。即如以鲁而论，则季氏之宰公山弗扰以费畔，召而孔子欲往。以晋而言，则赵简子之邑宰“佛肸以中牟畔，召孔子，孔子欲往”。《论语·阳货》可见陪臣家臣，亦起而与卿士大夫为难也。

周天子最先没落，列国国君，亦先后被篡夺于大夫，则在上之三层，不啻混而为一。然旧日陪臣，新为大夫者，仍介于旧时大夫，今时国君之间，则宝塔式的封建，泯而未灭。因之，以旧大夫而为国君者，欲制服旧陪臣而为新大夫者，自非借助于平民之杰出者不可。故战国之初，有布衣而为卿相者；其人率皆，能匡佐新国君旧时大夫，以制裁新大夫旧时陪臣者也。语在下文。

司马光《资治通鉴》已能看破宝塔式封建崩溃之景象，故《通鉴》之起，始于“威烈王二十三年，初命晋大夫魏斯赵籍韩虔为诸侯”。光于此下断云：“臣闻天子之职，莫大于礼。……

夫以四海之广，兆民之众，受制于一人，虽有绝伦之力，高世之智，莫不奔走而服役者，岂非以礼为之纪纲哉？是故天子统三公，三公率诸侯，诸侯制卿大夫，卿大夫治士庶人。贵以临贱，贱以承贵，上之使下，犹心腹之运手足；下之事上，犹手足之卫心腹，支叶之庇本根。然后上下相保，而国家治安。”战国之时，诸侯之不能制卿大夫，正“贵以临贱，贱以承贵”之不能行也，故《孟子·梁惠王篇》：“万乘之国，弑其君者，必千乘之家；千乘之国，弑其君者，必百乘之家。万取千焉，千取百焉，不为不多矣。”亦谓宝塔式的封建之不可久。

一六　政治上之兼并

所谓战国者，固指横的封建上，兼弱攻昧，强食弱肉之一种趋势。此趋势，亦非始于威烈王之二十三年。汤之伐葛，文王伐密，“大国畏其力，小国畏其德”，足征文王之时，固尝有以力服人者。第割据式的封建，彼此并吞，后来为烈；而史家所记，亦后详于前。故一若兼并之起，起于春秋、战国之间，而不知其实非也。

柳宗元《封建论》云：“生人之初，……假物者必争。必就其能断曲直者，而听命焉。故近者聚而为群，群之分，其争必大。夫而后有大德者，众群之长，又就而听命也。”《柳河东集》卷一此语，原袭《荀子·王制篇》。“其争必大”一语，正所以解释战国时之兵争，所以猛烈于春秋之时。而春秋时之兵争，所以猛烈于春秋前之兵争。非谓春秋前毫无兵争，至春秋而周室既衰，群诸侯遂相斫伐焉！

《韩非》《难二篇》谓"文王侵孟"，《吕氏春秋》《具备篇》亦谓"武王尝穷于毕、程"，则"周虽旧邦，其命维新"，其意亦可知也已。《孟子》称周公相武王，灭国者五十。又称周公膺戎狄，惩荆楚。然则读《诗》之《破斧》、《周书》之《作雒解》，知周室兼并弱小之甚。

《汉书·地理志》云："昔者黄帝，旁行天下，方制万里。画野分州，得百里之地万区。周爵五等，而土三等。盖千八百国。而太昊黄帝之后，唐虞侯伯犹存。周室既衰，转相吞灭。数百年间，列国耗尽。至春秋时尚有数十国。五伯迭兴，总其盟会。陵夷至于战国，天下分而为七。合从连衡，经数十年，秦乃并兼四海，分天下为郡县，荡灭前圣之苗裔，靡有孑遗者矣。"此言可征，由万而为千八百，而为数十，而为七国，正以明政治上之兼并，往古已然，非始于春秋、战国时焉。

案子服景伯言："禹会诸侯于涂山，执玉帛者万国。今其存者，无数十焉。惟大不事小，小不事大也。"《左》昭二十八年亦言国数之少，由于兼并也。

春秋之初，周天子名为共主，实则徒拥虚名。

故郑祭足帅师取温之麦，又取成周之禾，周、郑交质，而卒于周、郑交恶《左》隐三年。有识者，亦不过谓："君子结二国之信，行之以礼，又焉用质？"是明认周、郑为交战团体，非如后世之君臣互斗，正如晋、卫治兵，故曰"二国"也。

案周室地位之隆重,初由于儒家之抬高,及霸者之利用。

以前者言,孔子作《春秋》,高抬尊王之义。如襄王之奔,原见逐于太叔。而《春秋》必书之:“天王出居于郑!”僖二十四年晋文公践土之盟,晋实召王与会,而《春秋》讳之曰:“天王狩于河阳。”僖二十八年此皆儒者故意提高天王之位置,以期于“正名分”之政治主张也。案富辰之言曰:“昔周公吊二叔之不咸,故封建亲戚,以藩屏周。……其怀柔天下也,犹惧有外侮。扞御侮者,莫如亲亲,故以亲屏周。”僖二十四年然则周初之衰弱痿痺,而天王之所以为天王,可知也已。

春秋之时,抱有政治野心者,偏爱利用周室。如秦穆公之享公子重耳也。“公赋《六月》《六月》,《诗·小雅》,道尹吉甫佐宣王征伐,赵衰曰:‘重耳拜赐。’公子降拜,稽首。公降一级而辞焉。衰曰:‘君称所以佐天子者命重耳,重耳敢不拜。’”《左》僖二十三年是晋文之霸也,蓄意于利用周室,在奔徙时已然!异日“狐偃言于晋侯曰:‘求诸侯莫如勤王。’”僖二十五年即此之谓也。然襄王与晋侯以阳、樊、温、原之田,而“阳樊不服”,原亦以围始下同上。则周天子之命令,固不足及其甸内;晋侯勤王,非尊崇之。殆以便其私图,有所假借耳。

自五霸治兵,往往以兵戎相见,而究其主要之工作,则为削微去弱而已。

齐桓公以继绝存殁为言,而当其盛时,“楚斗谷于菟灭弦。弦子奔黄。于时江黄道柏,方睦于齐。弦子恃之,而不事楚,又不设备,故亡。”《左》僖五年而晋献公亦假道于虞以伐虢《左》僖二年。然则葵丘之会，所谓“凡我同盟之人，既盟之后，言归于好”，正所以解决各大国间，对外兼并之关系，而非谓停止兼弱并昧也。

葵丘之会，与者为鲁、齐、宋、卫、郑、许、曹七国。周天子之代表，“宰孔先归，遇晋侯，曰：‘可无会也。齐侯不务德，而务远略。故北伐山戎，南伐楚，西为此会也。东略之不知，西则否矣。其在乱乎！’”征此，可知齐侯之所谓兴亡继绝者，不过建设傀儡政府；无怪当时之“义士以为薄德”也。

第春秋之世，列国之国数，虽在减少，而中国文明所披及之地，则亦随武力而扩大。故“子贡曰：‘管仲非仁者与？桓公杀公子纠，不能死，又相之。’子曰：‘管仲相桓公，霸诸侯，一匡天下，民到于今受其赐；微管仲，吾其被发左衽矣。’”《论语》十四《宪问》此齐之外攘也。“晋无终子嘉父，使孟乐如晋，因魏庄子，纳虎豹之皮以请和诸戎。晋侯欲伐之，魏庄子曰：‘……和戎有五利焉：戎狄荐居，贵货而易土，土可贾焉，一也。’”《左》襄四年此晋之外攘也。而秦穆公并国二十，遂霸西戎《史记》八十七《李斯传》，则秦之外攘也。“楚大饥，戎伐其西南，……庸人率群蛮以叛楚，麇人率百濮聚于选，将伐楚。乃出师旬有五日，百濮乃罢。群蛮从楚子盟，遂灭庸。”《左》文十六年《传》则楚之外攘也。

以疆土言，则为开拓；以国数言，则为减少，此横的封建所以崩溃之象。然国土愈大，国数愈少，则兵凶战危之局，更以促进政治上之兼弱攻昧。且晋分为三，姜化为田，旧时大夫，今时国主。政权渐集于一尊，宠禄不徧于世族，而兼弱攻昧之动力更强，此春秋之所以异于战国焉！

史公《秦楚之际月表》曰："秦起襄公，章于文、缪。献、孝之后，稍以蚕食六国。百有余载至始皇，乃能并冠带之伦。盖一统若是之难也。"然始皇之混一六国，原有六国秦亦在内之混一弱小，为之前导，故横的封建破焉。《韩非子》《有度篇》谓"荆庄王并国十六"，《吕览》《直谏篇》谓"楚庄王并国三十九"，《说苑》《正谏篇》谓"荆文王并国三十"，《荀子·仲尼篇》谓"齐桓公并国三十五"，《韩非子》《有度篇》谓"齐桓公并国三十"，又《十过篇》谓"秦穆益国十二"，可征秦之灭列国，有列国之兼弱攻昧，为之前驱。

至于纵的封建的寖颓，亦始于春秋之世。盖以兼并之故，则不得不于平民中，选用真材；而排斥无用的阀族，语详第二二节中。

战国之初，兼并之行为，所以摧毁横的封建者，其势益亟而兼并之行为，则影响于下列三者。

其一，则曰以兼并故而军事繁也。

昔栾武子之称楚国云："楚自克庸以来，其君无日不讨军实而申儆之。"《左》宣十二年《传》此实针对春秋时兼并之需要。其在战国时，则军事益烈矣。"齐宣王出猎于社山，父老相与劳王。王曰：'赐父老田不租，赐父老无徭役。'闾邱先生不拜，曰：'春秋冬夏，振之以时，无烦扰百姓，臣可稍得以富也。"《说苑·善说》此所谓"烦扰百姓"者，大都即指兵役。如长平之战，秦将白起，坑赵卒至四十万。王翦之伐楚也，"非六十万人不可"《史记》七十三。而所谓战者，又皆《孟子》所谓"无义战"《尽心篇》也。

近人陈汉章《上古史》卷下页四十七“都计春秋二百四十二年中:秦晋用兵十八,晋楚用兵二十二,吴楚用兵二十四,吴越用兵十,齐鲁用兵三十五,鲁邾用兵二十五,鲁莒用兵十二,齐楚用兵三,宋齐用兵三,宋楚用兵四,宋郑用兵五十二,齐晋用兵三,吴齐用兵二。又计战国二百四十八年中:魏赵用兵四十八,魏韩四十九,魏秦七,魏楚二,魏伐宋郑中山各二,伐翟燕齐各一。韩秦用兵二十一,韩伐齐郑各三,伐宋二,救鲁一。赵秦用兵二十,伐燕一。燕伐齐赵各一,齐伐魏九,伐鲁燕各三,伐赵莒各一。楚救郑伐郑各二,攻鲁三,伐燕齐秦各一,秦伐楚九,伐燕伐齐各三,伐蜀三。五国伐秦二,三国击秦二,五国击秦一,四国击楚一,三国伐楚二,三国救赵一,六国敌秦无。”则是,二四二年中,大小战二一三次;而二四八年中,大小战二二二次也。

二则曰以兼并故,而取民亟也。

盖什一而税,为古人取税于民之理想标准,逾此者无以免于横征暴敛之议也。而春秋之世,鲁哀公已曰“二,吾犹不足”。至战国之时,《淮南子》《览冥训》云:“晚周之时,七国异族,诸侯制治,各殊习俗。纵横间之,举兵而相角。攻城滥杀,覆高危安,掘坟墓,扬人骸。……质壮轻足者为甲卒,千里之外,家老羸弱,悽怆于内;厮徒马圉,軵车奉饷。道路辽远,霜雪亟集。短褐不完,人羸车弊。泥涂至膝,相携于道。奋首于路,自枕格而死。”高诱注曰:“格,搒也。收民赋役不毕者搒之于格上不得下,枕格而死。”《孟子》亦谓:“有布缕之征,粟米之征。力役之征;君子用其一,缓其二。用其二,而民有殍,用其三，而父子离。”《尽心上》荀子亦谓：“成侯嗣公，聚敛计数之君也，聚敛者亡。”《荀子 · 王制》此皆足见为战争故，故取民不免无艺焉。

三则曰以兼并故，而需人材急焉。

春秋之时，为国者已重于得人。故齐桓公之初得国也，鲍叔荐管夷吾，“桓公曰：夫管夷吾，射寡人中钩，是以滨于死。”“鲍叔对曰：夫为其君动也。”乃请之于鲁，“比至，三衅三沐之。桓公亲逆之于郊，而与之坐问焉。”《国语》六《齐语》即如鲁阳货亦“谓孔子曰：‘来，予与尔言。曰：‘怀其宝而迷其邦，可谓仁乎？’曰：‘不可。’‘好从事而亟失时，可谓知乎？’曰：‘不可。’‘日月逝矣，岁不吾与’。孔子曰：‘诺，吾将仕矣。’”《论语》十七《阳货》执此可言，则阳货亦知爱才，而况列国之君？其在战国之初，则商君之用于秦；其在战国之季，则李斯之用于秦。《荀子》所谓“好士者强，不好者弱”《荀子 · 议兵篇》。所谓“得师者王，得友者伯，自疑者存，自为谋而莫已若者亡”《尧问篇》，盖已一时风气所趋者矣。

综言之，兼弱并昧，所以促横的封建之崩溃，此其始，非始于先秦！盖导源于太古，而古史所记莫详；盖盛行于春秋，而其时“群初大，祸初烈”。盖激进于战国，则七雄并峙，地丑德齐，攻城以战，流血盈野，然而生民之祸亟矣！

以军事亟而有政治之改革，以取民亟而有经济的变动，以人才重而促世家卿族，纵的封建的中层阶级之崩溃，自春秋前七二二年至前四八一年至战国前四〇三年至前二二一年五百年间之大变革，正为秦之抬高君权，罢侯置县，下一个准备。而上古史，亦变为中古史矣。

一七　因时世而起之文物进步

自春秋至战国五百年间，诸侯以力战而滋大，以滋大而作战更力；则所以促横的封建之崩溃。平民以多事而显其才，以显其才而益至多事，因以促纵的封建的崩溃。然而，变革尚不止此。

> 试读《史记》《张仪传》知张仪能用事于秦，首以苏秦之逼迫，继以自己之表白。后者即张仪以遭时多事而显其才；前者则苏秦欲显其才，而益至多事，交相为因果，而春秋以来，贵族之凭藉族阀者，微矣。

其变革之见于内政者，则为申明约束，盖即军法之起源。昔汤之伐桀，武士之伐纣，虽亦申儆其众。然其致，不过“用命赏，不用命戮，尔其如熊如罴”而已。而此五百年中，则管仲之内政，商君之变法，司马穰苴之兵法部伍，均前后兴焉。管仲之作内政以寄军令也，“制国，五家为轨，轨为之长。十轨有里，里有司。四里为连，连为之长。十连为乡，乡有良人焉以上民政。以为军令：五家为轨，故五人为伍，轨长帅之。十轨为里，故五十人为小戎，里有司帅之。四里为连，故二百人为卒，连长帅之。十连为乡，故二千人为旅，乡良人帅之。五乡一帅，故万人为一军，五乡之师帅之”。充其所至，盖于农即兵也之原始组织，审时度宜，使“人与人相畴；家与家相畴，世同居，少同游，故夜战声相闻，足以不乖。昼战目相视，足以相识。其欢忻足以相死，居同乐，行同和，死同哀，是故守则同固，战则同强”《国语》六《齐语》。盖修明内政，而其目的，则仍在“方行于天下”用《齐语》语也。

今存《管子》虽不足以代表管仲所亲著者，然《霸言篇》言争天下者必先争人！《权修篇》谓“有人不治，奚待于家？有家不治，奚待于乡？有乡不治，奚待于国？有国不治，奚待于天下？”《小匡篇》与《立政篇》所陈内政，亦与《齐语》大致不殊。以此，知管仲实主张修明内政，以应付外难者也。

管仲以外，其修明内政者，则如郑之子产，亦使“都鄙有章，上下有服，田有封洫，庐井有伍”《左》襄三十年。而楚之鹖冠子亦谓：“郡大夫退修其属县，啬夫退修其乡，乡师退修其扁，扁长退修其里，里有司退修其伍，伍长退修其家。”以使民“化立俗成，少同侪，长同友，游敖同品，祭祀同福。……安平相驯，军旅相保。夜战则足以相信，昼战则足以相配”《王铁篇》。亦是令民有组织以便战也。嗣后，则有秦之商君“令民为什伍而相收司连坐，不告奸者，腰斩告奸与斩敌首同赏”《史记》六十八《商君传》，盖亦欲修明内政，以应时艰耳。

《秦本纪》于献公十年，已记“初为籍户相伍”。商君相秦，在孝公时。可知户籍之法，原系世变所推；非商君所能首创者也。

然申明约束，非止户籍版伍而已。即如申不害，“故郑之贱臣，学术以干韩昭侯。昭侯用为相，内修政教，外应诸侯。终申子之力，国治兵强，诸侯无敢侵韩者”《史记》六十三《不害传》。

可知凡足以外应诸侯之政教，均须先自内修之。《通鉴》卷一记周烈王六年："齐威王召即墨大夫，语之曰：'子之居即墨也，毁言日至。然吾使人视即墨，田野辟，人民给官无事，东方以宁。是子不事吾左右以求助也。'封之万家。召阿大夫，语之曰：'自子守阿，誉言日至。吾使人视阿，田野不辟，人民贫馁。昔日赵攻鄄，子不救，卫取薛陵，子不知。是子厚币事吾左右以求知也。'是日，烹阿大夫。……于是群臣耸惧。……齐国大治，强于天下。"观"东方以宁"、"卫取薛陵"二语，知兼弱攻昧之所以影响于内政之修明者，奚止版籍一端而已！

内政修明，间接所以便利兼并；而军政，则直接以致用于兼并者也。

管仲之定内政，原以富国强兵；而商鞅之修内政，则尤在乎使民之勇于公战，怯于私斗。所谓"有军功者，各以率受上爵；为私斗者，各以轻重被刑"，"宗室非有军功，不得为属籍"《史记》六十八，知商君之安内以攘外，原由当时之时势逼成。即如司马穰苴，亦以"齐师败绩"，故齐景公用之。穰苴自言："将受命之日，则忘其家；临军约束，则忘其亲；援枹鼓之急，则忘其身。"如此严厉之军令，亦正以"敌国深侵，邦内骚动，士卒暴露于境，君寝不安席，食不甘味"耳《史记》六十四。然则军事之进步，岂不由于各诸侯之相互兼并哉？

军政，所以发动兼并者。而粮食，则所以资军者也。因而，重农积谷之事生矣。

战国时人引神农之教，谓"汤池十仞，带甲百万，无粟则不能守"《汉书·食货志》。盖足食足兵，乃兼并期中所俱需者。观夫栾武子之称楚国曰："楚自克庸以来，其君无日不讨军实而申儆之。……训之以若敖，蚡冒筚路蓝缕，以启山林。”《左》宣十二年《传》杜注：“二君勤俭以启土。”足见春秋时人，重农贵粟之说法，以较诸战国人，其语未尖锐也。

至战国时期，则积谷之事甚显。岂止《商君传》所谓“致粟帛多者复其身”而已。

此等积谷之现象，如魏文侯有“御廪”，公子成父以为当藏于境内《说苑·杂言》。梁惠王则“河内凶则移其民于河东，移其粟于河内；河东凶，亦然”《孟子·梁惠王》。齐饥，齐宣王亦尝“发棠邑之仓，以振贫民”同上《尽心》。苏秦说齐，亦曰：“齐粟如丘山。”说楚威王、赵肃侯、燕文侯，皆曰“粟支十年”《史记·苏秦传》。春申君为楚造二仓，西仓名曰均输，东仓周一里八步《越绝书》外传。即韩地险恶山居，亦有敖仓于广武山《太平御览》卷一九〇。秦转输天下，其中“藏粟甚多”《史记·郦生传》。成都郭外，亦有秦时旧仓《后汉书·公孙述传》。仓储之兴，胥积谷之表征；而常平之制，实滥觞于此时。

《孟子》：“狗彘食人食而不知检。”实即言丰年时，不知聚粟之非。即如李悝尽地力之教，其结果亦不过“大熟籴三舍一，中熟籴二，小熟籴一。小饥发小熟之所敛，中饥发中熟之所敛，大饥发大熟之所敛”《汉书》二十四《食货志》。盖犹是积粟之政耳。

即非战如墨子者，亦言：“凡五谷者，民之所仰也。君之所以为养也。故民无仰，则君无餐，民无食，则不可事。故食不可不务也。地不可不力也，用不可不节也。”《七患第五》重粟为时代要求，于此可见。

又如商君之相秦，申饬纪纲是一事，抑制豪族是一事，教民勇于作战，又是一事。而重农贵粟，亦为其作为中之一事。今存《商君书》，一则言“舍农游食，而以言相商也，此弱国贫民之教也”《农战篇》，再则言“訾粟而税，则上一而民平”《垦令篇》。《史记》《商君传》亦言：“大小僇力，本业耕织，致粟帛多者，复其身。事末利及怠而贫者，举以为属孥。”则是《商君书》容或不可信，而商君重粟，信而可征也。

重农积谷，所以预备兼并者也；而异器之创制，生活工具之改进，亦间接以利兼并者。以前者言，则有如海军骑射，以后者言，则如改深衣为胡服。非由军事而创生，即始创以利军事。海军即海道行师，《日知录》谓：“海道行师，古人盖屡行之矣。吴徐承率舟师，自海入齐，此苏州下海至山东之路。越王勾践命范蠡、舌庸，率师沿海泝淮，以绝吴路，此见《国语》十九《吴语》此浙东下海至淮上之路。”《日知录》卷二十九“海师”条然则，吾民族浮海为家之生活，因列国兼并而滋生也。

骑者亦为兼并之利而设，“《诗》云：‘古公亶父，来朝走马。’古者马以驾车，不可言走。曰走者，单骑之称。古公之国，邻于戎翟，其习尚有相同者。然则骑射之法，不始于赵武灵王也。《左传》昭公二十五年‘左师展将以公来马而归’，《正义》曰：‘古者服牛乘马。马以驾车，不单骑也。至六国之时始有单骑。苏秦所云车千乘，骑万匹，是也。’《曲礼》云：‘前有军骑。’《礼记》，汉世书耳；经典中无‘骑’字也”。“春秋之世，戎狄之杂居于中夏者，大抵皆在山谷之间，兵车之所不至。齐桓、晋文，仅攘而却之。不能深入其地者，用车故也。……骑射，所以便山谷也。胡服，所以便骑射也。”《日知录》卷二十九《骑》然则，骑之使用，亦由于军事而然者。

胡服者，其影响，汉以后胥感受之详第九节。然考其起源，则亦由于兼弱攻昧之环境，逼之而然。《史记》四十三《赵世家》记赵武灵王之欲胡服也，盖欲“开于胡翟之乡”，故“胡服骑射以教百姓”，诚以“虽驱世以笑我，而胡地中山吾必有之”，故虽有公子成之坚持反对，而武灵王语之曰：“今叔之所言者，俗也。我所言者，所以制俗也。吾国东有河薄洛之水，与齐中山同之，无舟楫之用。自常山以至代上党，东有燕东胡之境，而西有楼烦秦韩之边。”虽有赵文等之劝阻，而武灵王告之曰：“齐民与俗流，贤者与变俱故谚曰：以书驭马者，不尽马之情；以古治今者，不达事之变。循法之功，不足以高世。法古之学，不足以制今。子不及也！”可知所谓胡服云云，固因时世之“今”而起之文物也。

即文字之变易，故亦与当时世变有关。

自文字初创以后，其变化固逐渐而演。然春秋、战国之间，其变亦烈。许慎《说文解字叙》曰：“周宣王太史籀，箸大篆十五篇，与古文或异。至孔子书《六经》，左丘明述《春秋传》，皆以古文，厥意可得而说。其后诸侯力政，不统于王；恶礼乐之害己，而皆去其典籍。分为七国，田畴异亩，连涂异轨，律令异法，衣冠异制，言语异声，文字异形。”《说文解字》十五上所谓言语异声者，则同是笔也，而“楚谓之聿，吴人谓之不律，燕谓之弗，秦谓之笔”。郭璞云：“蜀人呼笔为不律也，语之变转。”《尔雅疏》卷五所谓文字异形者，则战国时秦用籀文，六国用古文，盖以“六艺之书行于齐鲁，发及赵魏，而罕流布于秦。其书，皆以东方文字书之。汉人以其用以书六艺，谓之古文。而秦人所罢之文，与所焚之书，皆此种文字；是六国文字，即古文也。……故古文籀文者，即战国东西二土文字之异名。而秦居宗周故地，其文字犹有丰镐之遗”王国维《观堂集林》卷七。然则文字之纷歧，犹当时列国交峙之形势为之也。

至于阀阅之没落，平民之崛起，法律型式之固定，富商豪族之更迭，与兼并之时世，胥有间接的或直接的关系，语详于下。即如国疆开展，亦由于兼并之时世也。

一八 因时世而起之国疆开展

自春秋至于战国之季，五百年间，内政军令，重农积谷，胡服骑射，海道行师，——因时世而起。然当时之时世，对内之兼并，所以促封建制之崩溃；然对外，则亦有兼弱攻昧之事实，以使吾民族之国疆开展者。非如后世之仅知“内则同室操戈”，而不顾于“外则疆埸日蹙”者。

盖自周初以至战国，未华化之民族即所谓蛮夷，非仅杂居边塞，抑且荐处腹心。魏绛所谓“戎狄荐居”《左》襄四年者，盖非止限于晋国也。

即如周室之孱弱，而穆王亦“征犬戎”，“得四白狼四白鹿以归”《周语上》。周襄王之四年，王子带亦召扬、拒、泉、皋、伊雒之戎，同伐京师，晋齐秦共平之，而“楚子伐陆浑之戎遂至于雒，观兵于周疆，问鼎之大小轻重”《左》宣三年《传》。——则是赫赫宗周，固在未华化民族之胁制下也。

《左传》僖二十二年云：“初平王之东迁也，辛有适伊川，见被发而祭于野者，曰：‘不及百年，此其戎乎！其礼先亡矣。’秋，秦晋迁陆浑之戎于伊川。”伊川逼近周京，而犹有戎，可知未开化民族之潜处者，多矣。

昔孔子尝“欲居九夷”，而墨子亦谓吴王夫差“东而攻越，九夷之国，莫不宾”《非攻中》。《说苑》亦谓：“越王勾践与吴战，大败之，兼有九夷。”《说苑·君道篇》《淮南子》亦谓：“越王勾践霸天下，泗上十二诸侯皆率九夷以朝。”《泰族训》从“泗上”两字觇之，知九夷，即《诗》《大雅》所谓淮夷。而吴、楚、越国，致力于绥靖此夷者，较之其争霸中原，事功绝殊，——此东方也。

《小雅·采芑》为宣王南征之诗，说诗者以“蠢尔蛮荆，大邦为仇”为指斥楚国之词。然求诸《史记》《十二诸侯年表》及《楚世家》知宣王之世，楚实未与周敌。则所谓蛮荆者，当系楚国内之未开化民族。犹诸匡王二年，“楚大饥，戎伐其西南，至于阜山，师于大林。又伐其东南，至于阳丘，以侵訾枝。庸人率群蛮以叛楚，麇人率百濮聚于选，将伐楚，……楚人谋徙于阪高”。后以蔿贾之言，倾国一战，而卒灭庸《左》文十六年《传》，盖荆山、江汉之间，未华化者多焉——此中部也。

《荀子·强国篇》“秦西有巴戎”，而司马错言伐蜀之利：“欲富国者，务广其利；欲强兵者，务富其民。……夫蜀西僻之国，而戎翟之长也。以秦攻之，譬如使豺狼逐群羊。得其地，足以广国。取其地，足以富民。缮民不伤众，而彼已服焉。拔一国而天下不以为暴，利尽四海，而天下不以为贪，是我一举而名实。附焉。”惠王从其言，“秦益以强，富厚轻诸侯”《史记》七十《张仪传》。则是秦在东向以兼并六国，同时亦南向以入巴蜀焉，此南方也。

《史记·李斯传》载斯《谏逐客书》云：穆公“并国二十，遂霸西戎”。秦所谓西戎,在今时疆界方面,亦偏于南。

自穆王征犬戎后,“后二百有余年,申侯与犬戎,共杀周幽王于骊山之下”《史记·匈奴传》。春秋之世,齐桓公北伐山戎,而晋无终子嘉父亦纳虎豹之皮,以和诸戎《左》襄四年。其后,戎子驹支语晋范宣子曰:“昔秦人负恃其众,贪于土地,逐我诸戎。惠公蠲其大德,谓我诸戎,是四岳之裔胄也。毋是翦弃,赐我南鄙之田,狐狸所居,豺狼所嗥。我诸戎除剪其荆棘,驱其狐狸豺狼,以为先君不侵不畔之臣,至于今不贰。”《左》襄十四年则是,晋在东向以争霸业,固亦措置其边疆之戎;此西方也。

然以东方之淮夷,楚之荆蛮,秦之巴蜀,晋之戎,胥为未华化,而杂居国中者。其在北方,则“胡”之患,实乃上古史中,汉族之威胁,《诗·小雅》《七月》言周宣王之北伐,有“猃狁孔炽,我是用急”之语,时人至叹为“靡室靡家,猃狁之故”《汉书·匈奴传》引。宣王虽能逐之,顾亦不能服之。及在战国之时,则秦、赵与燕,均竭力为备胡之事,胡服也,骑射也,胥由此而来。即今所艳称之万里长城,其起因,亦起于防胡,观于始皇之以绝世雄略,而致惊于“亡秦者胡”,则北方蛮族之猖獗于先秦之世,盖可知已。

《史记·秦本纪》载惠文王后七年时,韩、赵、魏、燕、齐,帅匈奴共攻秦。“秦使庶长疾与战修鱼,虏其将申差”。此时,正司马错伐蜀前之二年,匈奴已干预中国事也。又《史记·李牧传》载:牧居代雁门,“备匈奴,以便宜置吏,市租皆输入幕府,为士卒费。习射骑,谨烽火,多间谍,厚遇战士。为约曰:‘匈奴即入盗,急入取保,有敢捕虏者斩。’匈奴每入,烽火谨,辄入收保，不敢战。如此数岁，亦不亡失。然匈奴，以李牧为怯，虽赵边兵，亦以为吾将怯。赵王使他人代将，岁余，匈奴每来，出战，出战，数不利。边不得回畜，赵王乃复强起牧，使将兵”。然则赵之良将，于匈奴不过堵截而已。

大抵春秋之世，列国间参错而处之未华化民族，逐渐消灭混并；而战国之世，则秦、赵、燕濒北之境，率大抵受困于胡。即两汉征讨匈奴之起源也。而西南之地，如楚遣庄蹻伐滇，由黔中通牂牁，亦即汉世从事西南夷之起源也。——凡此民族活动范围之放大，即华化推行之先声也。

即如朝鲜，为箕子所封之地，依《尚书大传》，箕子之入朝鲜，初不过泰伯、仲雍之遁荆蛮。《汉书》《地理志》则云：“殷道衰，箕子去之朝鲜，教其民以礼义，田蚕织作。”则箕子，曾推行中国文化于边围矣。《史记》载：“楚威王时，使将军庄蹻将兵循江，上略巴蜀，黔中以西。……蹻至滇池，地方三百里；旁平地肥饶，数千里。以兵威定属楚，欲归报。会秦击夺楚巴黔中郡，道塞不通，因还，以其众还滇。”卷一一六《西南夷传》庄蹻之为滇君，正箕子之入朝鲜。其所以便其俗而训之政者，非武力征服所可概括者焉。

昔孔子称管仲之功，致叹于“微管仲，吾其被发左衽”，然秦穆公得戎人由余而致霸，赵王因胡服骑射以致强。由是观之，古中国与四裔之互易所长，正与古中国与四裔间之斫伐史之悲惨，背道而驰。顾祖禹引吕氏曰：“秦变于戎者也，楚变于蛮者也，燕变于翟者

也。”《读史方舆纪要》卷一吾人若置兵戎之事于不谈，而仅论其彼此互变，则春秋至战国间之对外军事，又岂止国疆之扩张而已，文化之以杂配而滋荣也，实利赖之矣。

第五章　救世主义

一九　儒家的救世策

然征夺相寻，杀戮相继，在当时人观之，自能蹙然起救世之念矣。《汉志》所谓九流十三家，由今考之，其重要者大抵应世运而生者也。

《汉志》《汉书》三十谓“儒家出于司徒之官，墨家出于清庙之守……”，是谓九流出于王官之论。然孔子之正名，墨子之非攻，胥应时而生，与司徒清庙之守，复何所与？《淮南子》《要略训》谓：“孔子修成康之道，述周公之训，以教七子，使复其衣冠，修其篇籍，故儒者之学生焉。”“墨子学儒者之术，受孔子之业，以为其礼烦扰而不说，厚葬靡财而贫民，服伤生而害事，故背周道而用夏政。”“齐桓公忧中国之患，苦夷狄之乱，欲以存亡继绝。崇天子之位，广文武之业。故《管子》之书生焉。”“齐景公内好声色，外好狗马，故晏子之谏生焉。”“六国诸侯，力征争权，故纵横修短生焉。”“申子者，韩昭厘之佐。韩，晋别国焉；晋国之故礼未除，韩国之新法重出。新故相反，前后相缪。

百官背乱，不知所用。故刑名之书生焉。”“秦国之俗，贪狼强利；寡义而趋利。可威以刑，而不可化以善。可劝以赏，而不可厉以名。故商鞅之法生焉。”然则诸家之学，原由时世而起者胡适有九流不出于王官论，立论同此，载于《中国哲学史大纲》附录。《汉志》所载，儒家、道、阴阳、法、纵横、墨、杂、名、农、小说班氏以此为九，有云“诸子十家，可观者九家而已”以及诗赋、兵、数术、方技。除小说、诗赋外，余皆与当时之世运有关。且班氏原谓：“王道既微，诸侯力政，时君世主，好恶殊方。是以九家之术，蜂起并作。齐引一端，崇其所善。以此驰说，取合诸侯。其言虽殊，犹水火相灭，亦相生也。”则必以为出于王官之一守，而无与于世变者，亦非班氏之本意也。

即以儒者论之，先秦所谓儒者，固非尽如宋儒之尊德性而道问学，为麻痹不知痛痒之人。故世皆言秦人坑儒，而《史记》独言“燔诗书，坑术士”《儒林传》语。然则儒，固有术也。孔子异于孟子，荀子异于孟子，荀子之徒，有李斯，为政治家；曾子之徒，有吴起为将。而孔子之徒，亦有樊迟之学稼学圃，则是先秦儒家，固尝与世推移，非若宋明理学，笃守一先生之门户，而迂腐不切于用者。

《韩非子》《显学篇》云：“孔墨之后，儒分为八，墨离为三。取舍相反，不同，而皆自谓真孔墨。孔墨不可复生，将谁使定世之学乎？”盖在兼并时期之“变”动中，立论者以时世而推移，针时立论，非如后世之思想，统于一尊也。

为儒家首创者之孔子，其对症而发药，辛勤于救世，固有足令人崇奉者。

孔子救世之基础，全在"托古"二字，故一则称"久矣，吾不复梦见周公"，再则言："河不出图，洛不出书，吾已矣夫！"老子诋之曰："子之所言者，其人与骨，皆已朽矣。"《史记·老子传》此语实可谓窥见孔子之腹心。

既托于古，则维持周天子之权威，维持上下相统之阶级政治，实为孔子救世之政治哲学。故《论语》《季氏》称："天下有道，则礼乐征伐，自天子出；天下无道，则礼乐征伐，自诸侯出。天下有道，则庶人不议。"而"齐景公问政于孔子，孔子对曰：'君君，臣臣，父父，子子。'公曰：'善哉，信如君不君，臣不臣，父不父，子不子，虽有粟，吾得而食诸？'"《论语·颜渊》而其徒"子路曰：'卫君待子而为政，子将奚先？'子曰：'必也正名乎。'子路曰：'有是哉，子之迂也。奚其正？'子曰：'野哉，由也。君子于其所不知，盖阙如焉。名不正，则言不顺；言不顺，则事不成；事不成，则礼乐不兴；礼乐不兴，则刑罚不中；刑罚不中，则民无所措手足。'"《论语·子路》"正名"云云，盖孔子"别是非"、"著逆顺"之救世策；而要之，在维持上下相统之旧政治。所以明贵贱，别同异，而异夫当时国君抗天子，大夫叛国君，陪臣攻大夫之混乱状态者也。

董仲舒《春秋繁露》《深察名号篇》言："名者，大理之首章也。录其首章之意，以窥其中之事，则是非可知，逆顺自著。"《荀子》《正名篇》言："今圣王没，名守慢，奇辞起，名实乱……贵贱不明，同异不别。"此皆为孔子正名下注脚者。可知孔子所谓"正名"，正欲君君臣臣，上下相制，名实相应，以纠正当时之混乱状态焉。

孔子尝语曾子，谓“吾道一以贯之”，而曾子述“夫子之道，忠恕而已矣”。充此忠恕一贯之精神，则对于当时之兵事，孔子自当斥责。故“卫灵公问陈于孔子，孔子对曰：‘俎豆之事则尝闻之矣，军旅之事，未之学也。’明日遂行”。即对于申明约束之刑法政治，自亦有所不满，故曰：“道之以政，齐之以刑，民免而无耻。道之以德，齐之以礼；有耻且格。”《论语·为政》——然而，孔子殆亦有为言之也。重军事及重法律之时代要求，孔子未尝否认之。

《左传》昭公六年，郑子产为刑书，叔向非之；昭二十九年，赵鞅铸刑鼎，孔子非之。然子产将死，“谓子太叔曰：‘我死，子必为政。唯有德者，能以宽服民，其次莫如猛。夫火烈，民望而畏之，故鲜死焉。水懦弱，民狎而翫之，则多死焉。’大叔为政，不忍猛而宽。郑国多盗，取人于萑苻之泽。太叔悔之，曰：‘吾早从夫子，不及此。’兴徒兵以攻萑苻之盗，尽杀之。盗少止。仲尼曰：‘善哉；政宽则民慢，慢则纠之以猛……’及子产卒，仲尼闻之，出涕曰：‘古之遗爱也。’”《左》昭二十年《传》然则，因时立政，孔子固未尝不尊法也。

又如夹谷之会，“鲁定公且以乘车如往，孔子摄相事，曰：‘臣闻有文事者必有武备，有武事者必有文备。’”《史记》四十七《孔子世家》此与“临阵无勇非孝也”，正见孔子洞瞩列国之局面，不斤斤于弭兵也即如《论语》言“足食足兵，民信之矣”之后忽言去兵，继言去食，然不过为衬托“民无信不立”句，非真以兵为可去也。

孔子之救世策，容有可议：然其救世之热诚，则不愧为后世师表也。

其解释“仁者”也，则曰：“己欲立而立人，己欲达而达人。”《论语·雍也》其立身也，则“发愤忘食，乐以忘忧，不知老之将至”《论语·述而》。其处世也，则栖栖皇皇，未遑宁处。吾人读《论语》时，未尝不为感动也：“子路宿于石门，晨门曰：‘奚自？’子路曰：‘自孔子。’曰：‘是知其不可而为之者欤？’”《宪问第十四》知其不可为而为之，固圣人救世，佛入地狱之真谛。“长沮、桀溺耦而耕。孔子过之，使子路问津焉。长沮曰：‘夫执舆者为谁？’曰：‘为孔丘’。曰：‘是鲁孔丘欤？’曰：‘是也。’曰：‘是知津矣。’问于桀溺，桀溺曰：‘子为谁？’曰：‘为仲由。’曰：‘是鲁孔丘之徒欤？’对曰：‘然。’曰：‘滔滔者天下皆是也，而谁以易之？且而与其从辟人之士也，岂若从辟世之士哉？耰而不辍，’子路以告，夫子怃然曰：‘鸟兽不可与同群，吾非斯人之徒与而谁与？天下有道，丘不与易也。’”《论语》十八《微子》怃然有作，圣人救世之笃志可想；“正以天下无道，故丘不甘宁息耳！”

然孔子之时代，兼并虽烈，未如战国之“群之大者，其争更烈也”。至孟子之时，则如水益深，如火益热矣。

孔子《春秋》绝笔前四八一，又二年而卒前四七九。司马光《通鉴》起于周威烈王二十三年前四〇三，明此八十许年之事，不敢擅续以亵《春秋》也。至于孟子之生，则明都穆《听雨说谈》页六，明人小说本谓：“《史记·孟子列传》，不书其生卒年月，余尝观孟氏谱云：‘孟子周定王卅“卅”字疑衍七年四月二日生，即今二月二日。赧王二十六年前二八九正月十五日卒，即今之十一月十五日，寿八十四。’”则孟子之生，距孔子之死约百余年，所谓“受业子思之门人”者，知孟为孔子四传弟子也。

孟子所处之时代，既与孔子异；故置周天子于不道，而惟希梁惠王、齐宣王之行仁政。昔人诗云：“乞丐何曾有二妻？邻家焉得许多鸡？当时自有周天子，何必纷纷说魏齐？”因世论人，此刺实乖。周室之拥戴，已成过去，而惟希于“以齐王若反手然”，虽不能如孔子之正名，要亦不得已耳。昔晋文公“践土之会，实召周天子，而《春秋》讳之曰：‘天王狩于河阳。’”用《史记·孔子世家》语，事见《左传》僖二十八年是则孔子尊王也；而孟子一则言：“民为贵，社稷次之，君为轻。”再则言：“闻诛一夫纣矣，未闻弑君也。”三则言：“君之视臣如土芥，则臣视君如寇仇。”恶君之残民以逞，竭其兼并之狂欲，而孤人子，寡人妇也，盖亦孟子之不得已。

后世多以孔子重视君权，孟子重视民权，轩轾孔孟，然因时立论，因世论人。则知源流不殊。孔子不云乎：“天下有道，则庶人不议。”《正义》谓：“议，谓谤讪。言天下有道，则上酌民言以为政教。所行皆是，则庶人无有非毁谤议也。”《论语》十六《季氏》然则，在天下无道之时，孔子未尝不许处士之横议焉。

孟子之言，颇多对症发药之言，故人称“公孙衍、张仪岂不诚大丈夫哉”？孟子则谓：“富贵不能淫，贫贱不能移，威武不能屈，此之谓大丈夫。”当时列国率以纵横捭阖为事；孟子则谓：“得道者多助，失道者寡助。寡助之至，亲戚畔之。多助之至，天下顺之。”当时列国率以武力为用，因而厚取于民，而孟子独谓：“行仁政而王，莫之能御也。且王者之不作，未有疏于此时者也。民之憔悴于虐政，未有甚于此时者也。”《公孙丑篇》至于臣弑其君，子弑其父，杀僇相寻，混乱至极。志士仁人，宜如何废然而兴叹？而孟子独谓：“恻隐之心，人皆有之；羞恶之心，人皆有之；辞让之心，人皆有之；是非之心，人皆有之。”明仁义礼智之为人所固有，不以乱世而绝望于移风改俗，则又孔子栖栖皇皇之救世精神已。

> “孟子去齐，尹士语人曰：‘不识王之不可以为汤武，则是不明也；识其不可，然且至，则是干泽也。千里而见王，不遇故去。三宿而后出昼，是何濡滞也！士则兹不悦。’高子以告。曰：‘夫尹士恶知予哉！千里而见王，是予所欲也。不遇故去，岂予所欲哉？予不得已也。予三宿而后出昼，于予心犹以为速。王庶几改之，王如改诸，则必反予。夫出昼而王不予追也，予然后浩然有归志。予虽然，岂舍王哉？王由足用为善，王如用予，则岂徒齐民安，天下之民举安。王庶几改之，予日望之！’”《公孙丑下》此段文字，一则见不远千里而为游说者，匪止公孙衍、张仪；再则见孟子之苦口婆心，亟亟于救世安民焉，故全录之！

荀卿少孟子四十余年，时世又不同也。孟子之时，商君也，苏秦、张仪也，已极反古乱常之能事。而荀子之世，则孟尝君好客养士，范雎。“远交近攻”、白起坑赵长平卒四十万之世也。故荀子虽亦受儒家之教，虽以一赵人而入齐、入秦、回赵、而老死于楚，有如孔孟之周游列国荀子时代参考拙作《荀子哲学》、《荀子传》，然其立说又异矣。

荀子在当时的混乱局面中，似欲求强有力之中央。故曰：“君者，民之原也。原清则流清，原浊则流浊。”《君道篇》又曰：“主者，民之倡也；上者，下之仪也。……故主道明则下安，主道幽则下危。”《正论篇》又曰：“君者仪也，仪者景也，君者槃也，槃圆而水圆。君者盂也，盂方而水方。”《君道篇》此与孔子所谓“政者正也，子率以正，孰敢不正”，意近而言峻矣。

然儒家之政治哲学，无有不重视民者。故荀子又言：“天之生民，非为君也；天之立君，以为民也”《大略篇》又云：“能用天下之谓王，汤武非取天下也，修其道，行其义，兴天下之同利，除天下之同害，而天下归之也。……天下归之之谓王，天下去之之谓亡。故桀纣无天下，而汤武不弑君。”《正论篇》由此观之，痛斯民之被虐政，“闻诛一夫纣矣”，荀子当亦云然耳。

荀子在当时之混乱局面中，诸多感触。故曰：“人之性恶，其善者伪也。”《性恶篇》后人执此一语，以为荀子之病。但性者，生也；而揆荀子所言之性，则大抵指后起的，而能为外物引蔽习染之“情”说详《荀子哲学》，页一五五至一六一，非谓性恶也，乃谓情恶也。故《大略篇》谓“义与利者，人之所同有也”，《乐论篇》谓雅颂之声，“足以感动人之善心”，《性恶篇》谓“涂之人，可以为禹”，即其明征也。盖“荀子睹时日之大难，人情之险恶，特为抵抗孟子之性善论，而自创性恶之说名义上虽为‘性恶’二字，而实际上则历举情欲之恶，以为立论之根据”。盖必言性恶，而后教育陶冶之功著；而后时世险恶之现象明。因时立论，又荀卿之不得已。

又当时学术界，有一普遍之象；即以人处衰乱之间，动神农、黄帝“神圣徂伏”之叹，反而思古，亦人之恒。故墨子喜谈夏道，许行为神农之言;玄言高远,无补世道。荀子所以主张“法后王”,亦荀子之不得已。

孟子道性善,言必称尧舜。孔子《论语》亦追叙至尧、舜为止《大戴礼·五帝德》要不能证为孔子之言。而战国诸子,反能侈言黄、农,荀子故以法后王矫之。要非谓当法秦昭王、齐襄王也。朱一新云:“《荀子》语意甚明,奚烦穿凿?刘端临补注:‘后王,指文武而言。’是也。扬注以为近时之王者,误。《荀子》:‘欲知上世,则审周道。’又曰:‘禹汤有传政,而不若周之察也,’其指文武甚明。”《无邪堂答问》卷四钱大昕《十驾斋养新录》云:“荀卿法后王之说,王伯厚深诋之。愚以为,王氏似未达荀子之意也。孔子之吾学《周礼》,今用之,吾从周。孟、荀生于衰周之季,闵战国之暴,欲以王道救之,孟言先王,与荀言后王,皆谓周王。与孔子从周之义不异也。荀卿岂逆料李斯之仕秦,而令其用秦法哉?七国僭号,名虽王,实诸侯也。孰可以当后王之名?而荀卿乃宜法之也?方是时,《老庄》之言盛行,皆妄托于三皇。故特称后王,以针砭荒唐悠谬之谈。非谓三代不足法也。”卷十八此释荀卿之法后王,由于救世,证断简明。案《荀子》《儒效篇》谓“百家之说,不及后王,则不听也”。又《王制篇》谓:“王者之制,道不过三代,法不贰后王。”以三代与后王并举,更足证明大昕立说。

然儒家之思潮,固亦随时世而变。孔子之言王道,视孟子之言仁政;孔子之尊天王,视孟子之“由齐王若反手然”——孟子似较为考虑环境矣。其在荀子,则更受时代之推移。观其一则言:“政令教化，刑下如影。"《臣道篇》再则言："征暴除悍，治之盛也。杀人者死，伤人者刑，是百王之所同也。"《正论篇》可知儒家之荀子，已不能守孔子之矩矱。而李斯、韩非亦遂以荀卿之弟子，为法家树立宏远之规模矣。此亦因世变而不得已者也。

二〇　道墨之救世策

案儒家之救世策，固从精神上入手，然其态度，则为积极的。其由精神上以消极的态度救世，则道家也；其由精神上以更积极的态度救世，则墨家也。至于纵横、兵、农、数术之技，则不过兼并者之工具；阴阳、小说、诗赋、方技，亦不过由于人事，非能左右世变，略而不论，可也。

《汉志》所载阴阳家书目，今无一存。度其内容，不过"舍人事而任鬼神"。名家则如《公孙龙子》，虽云由于世变，然与世变无补；纵横家如苏秦苏子，亦不过助乱滋暴。杂家如《吕氏春秋》，其书无所不包，而无所依丽。农家如《神农书》，亦不过为重农积谷之时世所用。小说、诗赋、数术、方技，亦皆无与于救世者。

老子约与孔子同时，其道在清静自正，无为自化。庄子"与梁惠王齐宣王同时"《史记》六十三《老庄申韩列传》。则亦与孟子同时，斯二人者，道家之代表也。《孟子》言杨墨之道盈夫下，而语不及庄生。近人颇疑庄子即杨朱；其说难稽。然以"无为"为救世之治，则庄、杨大致无殊。

近人蔡元培以庄、杨音似，疑庄、杨为一人。今如以杨朱列诸道家。然《列子·杨朱篇》系伪书，故不取杨氏说，只取庄子说也。

老子之言曰："有物混成，先天地生，寂兮寥兮，独立不改。周行而不殆，可以为天下母。吾不知其名，字之曰道。"老子《道德经》然则，彼所谓道者，乃指寂寥混成之自然法则。意欲以自然法则，救济纷纭杂综之人事焉。老子又云："辅万物之自然，而莫敢为。"此与儒家所谓"人能弘道，非道弘人"，立意异矣。

《韩非子·喻老》云："宋人有为其君以象为楮叶者，三年而成。丰杀茎柯，乱诸楮叶之中，而不可别也。此人遂以功食禄于宋邦。列子闻之曰：'使天地三年而成一叶，则物之有叶者寡矣。'故不乘天地之资，而载一人之身：不随道理之数，而学一人之智，此皆一叶之行也。故冬耕之稼，后稷不能羡也。丰年大获，臧获不能恶也。以一人力，后稷不足；随自然，则臧获有余。故曰，恃万物之自然，而不敢为也。"此正以人为为不足贵，自然为不可违，乃道家救济世变之根本主张也。

以随自然为训，则当时之文物进步，无论其为政治的，社会的，教育的，在道家视之，皆反自然者；皆滋乱者也。当日之栖栖皇皇，从事于教育、弭兵，或攻城夺地者，皆助乱者也。

其于政治也，孔子则"三月无君，皇皇如也"、"佛肸以中牟畔，召，子欲往”。孟子则“以齐王由反手也”，“三宿而后出昼，于予心犹以为速”。而老子之语孔子也：“吾闻之，良贾深藏若虚，君子盛德容貌若愚。去子之骄气与多欲，态色与淫志，是皆无益于子之身！”《史记》六十二《老子传》而庄子之非伯乐也：“马蹄可以践霜雪，毛可以御风寒，龁草饮水，翘足而陆陆，跳也，此马之真性也。虽有义台路寝，无所用之。及至伯乐，曰：‘吾善治马。’烧之，剔之，刻之，雒之，连以羁馽，编之以皂栈，马以死者十二三也。饥之，渴之，驰之，骤之，整之，齐之，前有饰撅之患，而后有便筴之威，而马之死者，已过半矣。”《庄子 · 马蹄篇》烧之剔之，驰之骤之，意盖指当时之政治组织，愈进步，愈严密，则残民乃益甚焉。故曰：“此亦治天下者之过也。”

孔子之答哀公问政也，曰：“政者，正也。子率以政，孰取不正？”而老子则言：“民莫之令而自正！”此亦儒家论政，与道家论政之根本差异。

其于社会也，老子一则谓：“常使民无知无欲。”再则谓：“不见可欲，使民心不乱。”三则谓：“小国寡民，使有什伯之器而不用，使民重死而不远徙。虽有舟舆，无所用之。虽有甲兵，无所陈之。使人复结绳而用之，甘其食，美其服，安其居，乐其俗。邻国相望，鸡犬之声相闻，民至老死不相往来。”可征老子之倾倒于原始之部落状态，以小国寡民为贵，不以兼并征伐为然。

其于教育也，则老子称：“大道废，有仁义；慧智出，有大伪；六亲不和有孝慈，国家昏乱有忠臣。”是则以仁义孝慈慧智，皆起于叔世也。即庄子之论人，亦谓“不材之木也，无所可用；故能若是之寿。”《庄子·人间世》则是谓叔世之来，惟不材可以免于惨祸焉。

要之，老、庄均否认现在之一切组织；而以返于无组织之自然状态，为救时之要。故《老子》言：“五色令人目盲，五音令人耳聋。”又言：“天下多忌讳，而民弥贫；民多利器，国家滋昏。人多伎巧，奇物滋起。法令滋彰，盗贼多有。”《庄子》则言：“绝圣弃知，大盗乃止。擿玉毁珠，小盗不起。焚符破玺，民乃朴鄙。掊斗折衡，而民不争。”《庄子·胠箧篇》又云：“为之斗斛而量之，则并与斗斛而窃之；为之权衡以称之，则并与权衡而窃之。……为之仁义以矫之，则并与仁义而窃之。’”同上——可知其诅祝时世深已。

然道家以消极为救世之本，取物我之两忘，诽制作之祸世，藉使人从其说，相效成风，其于兼并之时代，固亦远水不救近火者也。儒家以孝弟忠信礼义廉耻立教，水近矣，而于燎原之火，乃觉迂远也。其急切于救火者，则有墨家。

此盖由各家之人生观不同，而于救世之策，有所歧异也。道家私其我，而后其我；儒家则重其我，而亦不忘人。墨家则全以毁我成人为训者也。道家之私其我也，如《列子·杨朱篇》言：“损一毫，利天下，不与也；悉天下奉一身，不取也。人人不损一毫，人人不利天下，天下治矣。”《列子·杨朱篇》亦非信史，然“一毫”之语《孟子》引之，宜若可信者然所谓后其我者，则《老子》言“不敢为天下先”，《庄子》《秋水》言“吾在天地之间，犹小石小木之在大山也”。所谓“知雄守雌，知白守黑；人皆取先，己独取后”《天下篇》，均后我而不物竞之意也。

儒家之重我也，如曰：“身体发肤，受之父母；不敢毁伤。”《孝经》然孔子屡称“仁者爱人”，“己欲立而立人”，“己所不欲，勿施于人”，《孟子》亦称“老吾老以及人之老”，则“吾”固当重，“人”亦当爱也。不过爱有差等，故《中庸》称：“亲亲之杀，尊贤之等。”《孟子》称：“人人亲其亲长其长而天下平。”所谓别亲疏，正名分，是也。

墨家则爱无差等，且期于毁我以成人矣。所谓爱无差等者，《墨子》谓“盗爱其室，不爱其异室，故窃异室，以利其室。贼爱其身，不爱人，故贼人以利其身”《兼爱上》。又谓：“视人之室，若其室，谁窃？视人之身，若其身，谁贼？”同上盖以罪恶所由，由于人己别爱。所谓毁我成人者，《孟子》已称：“墨子兼爱，摩顶放踵，利天下为之。”近孙诒让辑《墨子传略》，其中言之尤详。本书亦有所引及。

道家私“我”后“我”，故主于无为；而其救世也，失诸荒远。儒者重我爱人，故别亲疏正名分；而其救世也，失诸纡回。墨则人我一体，毁我成仁；其持以救世也，盖庶乎得之。

墨子见时代之火，作于互相猜交相侵也，则矫之以兼爱。故曰：“视人之室若其室，谁窃？视人之身若其身，谁贼？视人之家若其家，谁乱？视人之国若其国；谁攻？”《兼爱上》故曰兼以易别，“吾本原兼之所生，天下之大利者也；吾本原别之所生，天下之大害者也。”《兼爱下》

墨子见时代之火，作于争城以战，流血盈野也。则矫之以“非攻”，故曰：“今有一人入园圃，窃其桃李。众闻，则非之。上之为政者，得则罚之。此何也？以亏人自利也。至攘人犬豕鸡豚，其不义又甚。入人园圃，窃桃李，是何故也？以亏人愈多，其不义兹甚，罪益厚。至入人阑厩，取人马牛者，其不仁义又甚盗人犬豕鸡豚。此何故也？以其亏人愈多。苟亏人愈多，其不仁兹甚，罪益厚。至杀不辜人也，扡其衣裘，取戈剑者，其不仁义又甚入阑厩取人马牛。此何故？以其亏人愈多；苟亏人愈多，其不仁兹甚矣，罪益厚。凡此，天下之君子，皆知而非之，谓之不义。今知大为攻国，则弗知，从而誉之，谓之义。此可谓知义与不义之别乎？”《非攻上》此较诸孔子之羞言五霸，孟子之诘“杀人以梃与刃”，用意相类，而态度更激昂矣。

> 《墨子》《贵义篇》云：“所攻者不利，而攻者亦不利。”又云：“今大国之攻小国，攻者即被攻者农夫不得耕，妇人不得织，以守为事。攻人者，亦农夫不得耕，妇人不得织，以攻为事。”《耕柱篇》盖《非攻篇》由道义上斥攻战之非，而此则由实利上诋战争之无益于人焉。

墨子见时代之火，炽于人欲横流，以享受而起争夺也，故矫之以俭朴。儒家言乐《小戴记·乐记》、《荀子·乐论》，每谓其：“廉肉节奏，足以感动人之善心。”而墨子则历举“钟鼓琴瑟竽笙之声，刻镂文章之色，刍豢煎炙之味，高台厚榭邃野之居”，以为“亏夺民衣食之财”者《非乐上》。盖“非乐”云云，墨子实反对一切艺术也。“三年之丧，天下之通丧也；自天子至于庶人共之”。此儒者之“丧死”也；“食不厌精，脍不厌细”，“可以食肉，可以衣帛”，此儒者之“养生”也。而墨子则谓：“粝粱之食，藜藿之羹，夏日葛衣，冬日鹿裘，其送死，桐棺三寸，举音不尽其哀。”司马谈《论六家要指》节用、薄葬云云，墨子实反对一切享受也。

享受为欲望之所自，而欲望则使人奔竞窜逐，有时为罪恶之源。观《史记》苏秦、张仪诸传，自明。儒家于人之欲望，临之以“次”，所谓礼有隆杀是也。道家则临之以“不”，所谓“不见可欲，则心不乱”是也。墨家则临之以“节”，节用、薄葬是也。三家对于罪恶之来源，均所洞悉；而其杜闭方法，其立论不同。

道家之返于自然，固属不易办到。然墨子之毁我成仁，节用薄葬，《庄子》称其“以裘褐为衣，以跂蹻为服，日夜不休，以自苦为极”《天下篇》。非有宗教家之精神，曷克推行其训？故《天志》、《明鬼》诸篇，神道设教；墨子特以为其徒之勇于救世之原动力耳。故公输班之为楚攻宋也，墨子自鲁趋楚：“十日十夜，足重茧而不休息。裂裳裹足，至于郢。”《淮南子·修务训》而《淮南子》又称：“墨子服役百八十人，皆可使赴火蹈刃，死不旋踵，化之所致也。”《泰族训》其师之所为若此，其徒之所为若彼，其救世之热诚，盖洵乎有宗教之意味矣。

墨家弟子，有所谓“钜子”者。盖犹儒家有大师，佛家之传衣钵也。《吕氏春秋》《上德篇》谓孟胜为墨者钜子，将死楚难，“因使二人传钜子于田襄子。孟胜死，弟子死之者八十三人”。盖以自苦为极，原非有宗教家之精神不可也。

二一　法家之救世策

墨家之自苦，儒家之迂阔，道家之荒远，果足以救世乎？甚未必也。应时而奏效者，其法家乎？

于文，“灋，刑也。平之如水，从水；廌，所以触不直者去之，从廌去。”平之如水者，即云纪纲法度之谓。固亦儒道墨三家所通有者，特法家发扬充实之尔。

儒家如荀子一派，固已重法，语详上述。第荀子以前之儒家，好以礼概法。故孔子以“齐之以刑”、“齐之以礼”对举，似谓刑异于礼。《论语·为政》然于子产之论政宽猛，则谓为古之遗爱《左》昭二十年《传》。然则孔子虽言齐之以礼，而究亦不废法焉。

> 《史记·孔子世家》载孔子相鲁定公，会齐侯于夹谷。齐人以夷狄之乐，侏儒为戏而前。“孔子趋而进，历阶而登，不尽一等，曰：‘匹夫而荧惑诸侯者，罪当诛，请命有司。’有司加法焉，身首异处。”可知孔子并不废法也。

盖古人所谓礼者，与法实大致不殊。故“晋侯谓女叔齐曰：‘鲁侯不亦善于礼乎？’对曰：‘鲁侯焉知礼？’公曰：‘何为？自郊劳至于赠贿，礼无违者，何为不知？’对曰：‘是仪也，不可谓礼；礼，所以守其国，行其政令，无失其民者。’”《左》昭五年然则礼者，所以守国行政令民者。“礼云礼云，玉帛云乎哉？”盖玉帛，乃仪而已。晏子语曰：“礼之可以为国也，与天地并。君令臣共，父慈子孝，兄爱弟敬，夫和妻柔，姑慈妇听，礼也。君令而不违，臣共而不贰，……礼之善物也。”《左》昭二十六年然则礼也者，固令君令臣共，父慈子孝，盖犹法也。然则儒者好言礼，儒者固不废法也。

法，固亦道家所需要者；《史记》以老子、韩非，等于陈胜、吴广，列之同传，盖已窥见隐微。梁启超释其微云：“道家认宇宙为现成的，人类则与万物等史，同受治于此种一定的因果律之下。其结果，必与法家所谓法治思想相契合，而冶为一；有固然焉。”“盖道法二家，末流合一，事实昭然。”《先秦政治思想史》，页一九二至一九三

墨家需有法乎？《墨经》上云：“君、臣、萌，通约也。”是不啻言在君也臣也萌也之上，须有所谓通约者。《尚同》中篇云：“天子之所是，必亦是之；天子之所非，必亦非之。”此所谓上同于天子，固陷于专制之弊；然既有所同，则必有所准则。固犹平之如水之义《墨子·非攻篇》由窃人桃李言起，以至于国相征伐，层层论定，盖亦法律证断之意，意盖先有一法“凡害人者皆非也”，而后推演之耳。

然儒家不肯言法，而始终言礼。道家不肯言法，而始终言道。墨家亦不肯言法，而始终言“同”。至于法家，则以世变之来，务实笃行。政治家固欲卑之无甚高论，而有意于信赏必罚矣；故曰，吾以救世也。

《左》昭六年《传》：“郑人铸刑书，叔向使诒子产书曰：‘始吾有虞于子，今则已矣。昔先王议事以制，不为刑辟，惧民之有争心也。犹不可禁御，是故闲之以义，纠之以政，行之以礼，守之以信，奉之以仁，制为禄位，以劝其从，严断刑罚，以威其淫。……于是乎可任使也，而不生祸乱。——民知有辟，则不忌于上。以征于书，而侥幸以成之，弗可为矣。夏有乱政，而

作禹刑；商有乱政，而作汤刑；周有乱政，而作九刑。三辟之兴，皆救世也。今吾子相郑国，作封洫，立谤政，制三辟，铸刑书，将以靖民，不亦难乎？……民知争端矣，将弃礼而征于书；锥刀之末，将尽争之？'……（子产）复书曰：'若吾子之言，侨不才，不能及子孙：既不承命，敢忘大惠？吾以救世也。'"细味此文，觉叔向并不反对用刑法，故曰"严断刑罚"；而所反对者，为公布成文之刑书。恐其"以征于书，侥幸成之"耳。子产亦不反对叔向之斥，特以"吾以救世"，故不得不铸；而听民之舞于文以弄其弊也。非然者，叔向何必诋其友，而称许皋陶之刑《左》昭十四哉？

考刑法之起，为一事；刑法之成文，又为一事。以前者言，舜命皋陶，已言："汝作士，五刑有服。"《尧典》而《吕刑》则称："苗民弗用灵，制以刑，惟作五虐之刑，曰法。"则又似刑法创于苗民者。然《左传》昭十四年载叔向言："恶而掠美为昏，贪以败官为墨，杀人不忌为贼。昏—墨—贼—杀，皋陶之刑也。"则似皋陶时已有刑矣。然而未言法之成文也。鲁太史克曰："先君周公作誓命曰：毁则为贼，掩贼为藏；窃贿为盗，窃器为奸，……有常无赦，在九刑而不忘。"《左》文十八年《传》"有常"云云，则似周公已定刑书矣。

今案子产之铸刑书，在西元前五三六年，鲁昭公之六年，而周景王之九年也。前于子产，固有刑书矣。晋之"被庐"、楚之"茅门"是也。不必远引《吕刑》及皋陶之"昏墨贼杀"焉。

前六三三年周襄王十九年，晋文公以欲治其民，"作执秩之官"《左》僖二十七年。"执秩"未知何解，然仲尼称："文公是以作执秩之官，为被庐之法，以为盟主。”僖二十九年则文公之时，固亦重刑法矣。此先于子产者，可百年。前六一三年至五九一年时，楚庄王有“茅门”之法；《韩非子》《右储说》云：“群臣大夫诸公子，入朝马蹄践霤者，廷尉斩其舟，戮其御。”《说苑》《至公篇》云：“楚国之法，车不得至于茅门。”案庄王之死在前五九一年，是茅门法亦早于子产五十年也。

即后于子产，如前五三五年，楚人侈陈仆区之法，而前五〇五年，驷颛亦杀邓析而用其竹刑。其尤足令人垂念于法之不可已者，则前五一三年晋范宣子之为刑鼎也。

楚仆区之法，创于楚文王，而楚昭王“为章台之宫，纳亡人以纳之”。芋尹无宇云：“吾先君文王作仆区之法。曰：盗所隐器，与盗同罪。……若以文之法取之，盗有所在矣。”《左》昭七年然则子产铸刑书之后一年，楚人固兢兢以法为务；仆区云云，犹今所谓贼赃律也。

前五一三年，叔向之故国“晋国，一鼓铁以铸刑鼎，著范宣子所为刑书焉。仲尼曰：‘晋其亡乎，……民在鼎矣，何以尊贵？’”《左》昭二十九年是二十三年以前，叔向指斥子产，以为法文不当公开，而防民之避重就轻者：其说不能用于其国焉。

前五〇五年，“郑驷颛杀邓析而用其竹刑书于竹，故云。君子谓：‘子然于是乎不忠。……’《诗》云：‘蔽芾甘棠，勿翦勿伐，召伯所茇。’思其人，犹爱其树，况用其道而不恤其人乎？子然无以劝能矣。”《左》定九年可知“君子”以邓析能订刑于竹，视为能者也。

征于上述，知子产铸刑书之救世精神，在春秋之末，几无人可以否认。及至战国之时，则荀卿所谓"君人者重礼尊贤而王，重法爱民而霸，好利多诈而危"《大略篇》者，亦可见法之当重。即儒者之好谈仁礼虚文者，亦不得不勖"霸者"以"重法爱民"也。

盖战国之世，有须于法者，非一端也。

其一，遭时多故，而贵戚大臣，淫鄙昏庸，欲已斯疾，非法焉治？故商君之相秦也，"卒定变法之令"，"于是太子犯法，卫鞅曰：'法之不行，自上犯之。将法太子，太子君嗣也，不可施刑。刑其傅公子虔，黥其师公孙贾。'"《史记》六十八《商君传》"法之不行，自上犯之"，刑公子公孙，而信赏必罚；以视《谷梁传》隐公元年之评郑伯克段，"缓追逸贼，亲亲之道"。知有法而不知有亲贵，则法之进步，一也。

其二，遭时多故，征战亘数百年，军事之治，非法焉治伪《周礼》有"刑乱国用重典"语，此盖战国人说法，出《荀子·正论》。春秋时，夹谷之会，孔子不废用刑；而司马穰苴之为齐景公将，一则以"军法期而后至"，斩幸臣庄贾，庄贾则景公命为监军者也。再则以"军中不驰"，威景公之使者，使者则持节赦贾者也《史记》六四。而孙武为吴王阖庐将，以宫中美女为阵，以二女大笑，斩之！卒达"前后跪起，皆中绳墨"之境《史记》六十五。皆中绳墨，绳墨，即法也。斯则春秋之末，善治军者，已善用其法也，信赏必罚，杀敌致果，则法之进步，二也。

军法与民法，虽不可一概而论，然古者军民不分，所以治军，即能影响于治兵。且申明约束，无论军法兵法，其致一也。尝怪《汉书·刑法志》上半，滔滔叙说军制，而后始言法令，今始知其不误焉。

其三，春秋之时，对于成文法之明布，尚多疑虑。故郑铸刑书，叔向有“弃礼征书”之惧。晋铸刑鼎，仲尼兴“民在鼎矣”之诽。——斯皆反对以某罪当诛，某罪当囚，昭示国人者也。然臧文仲之语鲁僖公，亦言：“刑五而已，无有隐者。隐乃讳焉。大刑用甲兵，其次用斧钺；中刑用刀锯，其次用钻笮；薄刑用鞭扑，故大者陈之原野，小者致之市朝。五刑三次，是无隐也。”《国语》四《鲁语上》文仲虽未言明布法文，而于明刑弼教之意，庶几得之，至战国之时，则商君《定分》明言法当公布，以期得民之信任于“明白易知而必行”之法矣。此则法之进步，三也。

《商君书》《定分篇》云：“公（秦孝）问公孙鞅曰：‘法令以当时立之者，明旦欲使天下之吏民，皆明知而用之如一而无私，奈何？’公孙鞅曰：‘为法令置官吏，朴足以知法令之谓者“之谓”即“之内容”意，以为天下正。诸官吏及民，有问“法令之所谓者”，于主法令之要，皆各以其故所欲问之法令明告之。各为尺六寸之符，明书年月日时，所问法令之名，以告吏民。……此所生于法，明白易知而必行。’”案此，则商君岂特公布法令，兼设法令解答员如今新闻纸上之法律答问，以期民之明法焉。《商君书》固未必为信史，然《史记·商君传》明言商君徙木与金，“以明不欺，卒下令。”则商君立法之意，固在于明白、易知、必行也。

其四，郑有竹刑，楚有茅门，晋有被庐刑鼎，春秋之时，国各有其法，各法各有其长短。集思广益，参同酌异，则法之进步，四矣。如屈平为楚“造宪令，作草稾”《史记》八四，而申不害申死于商君得罪后之一年相韩，亦以“晋国之故礼未灭，韩国之新法重出。先君之令未收，后君之令又下。新故相反，前后相缪，百官背乱，不知所从。故刑名之书生焉”《淮南子·要略》。可知申子之定刑名，由于新故相反，前后相缪焉。《晋书》卷三十《刑法志》谓：“魏文侯师李悝，撰次诸国法，著《法经》。以为王者之政，莫急于盗贼。盗贼须网捕，故著《网》、《捕》二篇。其轻狡越城博戏假借不廉淫侈逾制，以为《杂律》一篇。又以其律具其加减，是故所著，六篇而已。然亦罪名之制也。商君受之，以相秦。”然则李悝《法经》，集各国刑法之成，非限于一时，非限于一地，以视于前，益有进矣。

《唐律疏义》卷首云：“周衰刑重，战国异制。魏文侯师于李悝，集诸国刑典，造《法经》六篇。一盗法，二贼法，三囚法，四捕法，五杂法，六具法。商鞅传授，改法为律。”立说与《晋书》小异。然谓李悝之集思广益，参同酌异，则不殊也。

然而，四象既呈，三弊斯作：

一则曰，制法之权在君上，而君权乃益盛焉。

汉杜周云：“三尺之法安出哉？前主所是著为律，后主所是疏为令。当时为是，何古之法乎？”《汉书·杜周传》是明言法之所定，定于“主”者。然则“韩非子”《难势篇》所谓：“且夫尧、舜、桀、纣，千世而一出。……抱法则治，背法则乱。背法而待尧、舜，尧、舜至乃治；是千世乱而一治也。抱法而待桀、纣，桀、纣至乃乱，是千世治而一乱也。”其意若曰，用法则千世而一乱，不用法则千世而一治。斤斤执法之可治，而不知前主后主，均能以是非改法；焉在其不“人存法举，人亡法废”乎？此法治之弊，一也。

儒者每言其人存，则其政举；其人亡，则其政息。法家以法为可久守。然造法者，仍系于人君；人君，固亦人也。《荀子》《非十二子》云：“申子蔽于势而不知知。”杨倞注曰：“其说但以得权势，以刑法驭下；而不知权势待才智，然后治。”假使君非才智，则法于何有？其理至明。

二则曰，法家太看轻“人”在政治中之地位，而淡忘“造法”、“行法”之“人”。

《孟子》曰：“徒善不足以为政，徒法不能以自行。”自行者，明言行法之时，须有人之位置。《荀子》《君道篇》亦谓：“法不能独立，类不能自行。得其人则存，失其人则亡。”又谓：“有良法而乱者，有之矣；有君子而乱者，自古及今，未尝闻也。”《王制篇》此真法治流弊之当头一棒矣。

《管子》《七法篇》云：“国皆有法，而无使法必行之法。”盖法之必行，仍在乎人，《管子》书虽不足信，而其言“徒法不行”，意义深远。

三则曰，法家既视人为机械，因而刑罚之重，实为后人所嗟咨。

故古者罪人不孥，而秦则有三族之刑。李斯具五刑，夷三族《史记·邹阳传》邹阳言。而嫪毐之变，“二十人皆枭首车裂，以徇，灭其宗”《史记》六《始皇纪》。此秦之严刑也。齐亦车裂苏秦《史记·苏秦传》，烹阿大夫《通鉴》卷一；楚亦肢解吴起《韩非子·难言篇》，刖卞和足同上，《和氏篇》；魏亦断孙膑两足《史记·孙吴传》，赵漆智伯之头《史记·刺客传》。凡凿颠、抽胁、镬烹、车裂之刑，各国皆前后行之。——子产所以救弊者，而二百年后，弊起于所救之具，而莫之能救矣。

《史记·商君传》引《新序》论曰："昔卫鞅内刻刀锯之刑，外深铁钺之诛。步过六尺者有罚，弃灰于道者被刑。一日，临渭而论囚七百余人，渭水尽为之赤。号哭之声，动于天地。"今本《新序》佚此文此足见极端的法治之流弊。商君后以失权逃亡，"欲舍客舍，舍人不知其是商君也。曰：'商君之法，舍人无验者，坐之。'商君喟然叹曰：'嗟乎，为法之敝，一至此哉？'"大本以救弊，而孰知弊生于所救。盖利弊互见，人间恒有。儒之劳而寡功，墨之俭而难遵，道之空虚无定，以之救世，亦未必无弊也。吾人正不必以法家之有流弊，而抹杀其创始者"吾以救世"之苦衷。

第六章　平民活动之开展

二二　阀陛的升沉

上所述之诸救世主义者，其人非贵族焉。

孔子尝为委吏，又为人斥为鄹人之子。孟轲亦不过邹人，荀卿亦不过赵人，老子为周守藏室之史，庄子为蒙之漆园吏。申不害，"故郑之贱臣"。韩非亦不过"诸公子"，有如商君之为卫之"庶孽公子"。以上皆据《史记》此其人，皆非有阀陛之重，虽非平民，而要与平民接近，非如前此之以公子、公孙、叔孙、季孙，全凭其血统位置之优越，而得与于治理者也。

昔人谓汉之初兴，亭长作天子，屠狗为功臣。近人更曲予傅会，指为平民革命。实则亭长之作天子，正缘世无英雄，遂使竖子成名用《晋书》阮籍过广武语。以之代表平民，能乘时崛起之一种趋向，固可；似无庸冠以革命美名，聊书于此。

春秋之前，操有政治权衡，而享有种种特权者，贵族也。即春秋、战国之五百年间，亦为贵族平民竞争政权之期。贵族倾而阀陛移矣。

古代贵族，与国君仅相去一间。《左传》庄十九年称：“初鬻拳强谏楚子，楚子勿从。临之以兵，惧而从之。”而孔子请鲁公之讨陈恒，公云：“告夫三子。”《论语·宪问》明叔孙、仲孙、季孙在鲁之势，即公亦无可如何。更无论周、召二公之共和，原为贵族握持政权之一征焉。

普通喜以周召共和，厉王流彘，为民权之假借。今案《周语》上篇云：“厉王虐，国人谤王。召公告曰：‘民不堪命矣。’王怒，得卫巫，使监谤者，以告，则杀之。国人莫敢言，道路以目。……召公曰：‘是障之也，防民之口，甚于防川。川壅而溃，伤人必多，民亦如之。是故为川者，决之使导；为民者，宣之使言：故天子听政，使公卿至于列士，献诗；瞽献曲，史献诗，师箴，瞍赋，矇诵，百工谏，庶人传语，近臣尽规；亲戚补察；瞽史教诲；耆艾修之，而后王斟酌焉。是以事行而不悖。”《左》襄十四年引师旷言亦大抵不殊董增龄《正义》：“庶人卑贱，见时得失，不得达，传以语王也。”《吕氏春秋》高诱注：“庶人无官者，不得见王；故传语，因人以通。”《史记正义》：“庶人微贱，见时得失，不得上言，乃在街巷，若相传语。”然则周召“共和”以前，庶人论政，原与政府百执事有异者。

且周召共和，《史记》谓厉王出奔彘，召公、周公二相行政，号曰共和。《国语》周语上韦昭注，则曰：“彘之乱，公卿相与和而修政事，号曰共和。”《吕览》《开春论》、《庄子·让王篇》则谓厉王乱后，执政者为共伯和。——然则，诸家之说，无非谓贵族摄行国政而已，非有当于今日之共和也。

贵族之为阀陛，一则把持政权，世卿是也。孔子斥“世卿非礼也”《公羊传》隐三年、宣十年，良由“政在大夫，孔子所疾；世卿持禄，《春秋》为戒。圣人懑恻，不虚言也”《后汉书·乐恢传》。如“公子季友有功于鲁，大夫赵衰有功于晋，田完有功于齐，皆畴其官邑，延及子孙。终后田氏篡齐，赵氏分晋，季氏专鲁，故仲尼作《春秋》，迹盛衰，讥世卿最甚”《汉书·张敞传》。政权之握持，则阀陛之特权，一也。

贵族之为阀陛，一则为私有兵权；毛奇龄言：“春秋之时，兵枋皆在世卿。故高子之鼓，国子之鼓，与君分将。而管仲亦终不得豫也，邲之战，孙叔亦不得主兵事，斯庶姓所以终不能抗也。阳处父为太傅，其力足以易置中军，而贾季杀之甚易，亦以无兵也。孔子隳都，亦终是三家主兵，则世卿之势，自难动。”《经史问答》卷四而晋楚城濮之战，楚将子玉，统其若敖氏之卒，以与晋战详《左》僖二十八年。则所谓统兵抗令是也。

贵族之为阀陛，一则为受国家之特别保护，所谓亲亲是也。“缓追逸贼，亲亲之道”《谷梁传》隐元年。故齐桓之立也，公子纠逃于鲁。“鲍叔帅师来言曰：‘子纠亲也，请君讨之。管召仇焉，请召而甘心焉。’”《左》庄九年而郑子产之遣公孙楚也，亦曰：“不女忍杀，宥女以远。”《左》昭元年此与战国以后，相提并论，罔不同已。

《史记·李斯传》记二世即位，公子十二人，僇死咸阳市，十公主矺死于杜。则与郑伯之不杀共叔，“缓追逸贼”，意义异也。

即以此故，平民之以能材而欲参政者，在春秋至战国之五百年间，非与把持政柄，左右国政之“公子”、“公孙”决斗不可也。

故以仲尼之大贤，在鲁则阻于季孙，在楚则阻于子西。以商君之大材，为卫之庶孽公子，魏相公叔痤病，“魏惠王亲往问病，曰：‘公叔病有如不可讳，将奈社稷何？’公叔曰：‘痤之中庶子公孙鞅，年虽少，有奇材。愿王举国而听之，’王嘿然”。“既去，而谓左右曰：‘公叔病甚，悲乎！欲令寡人以国听公孙鞅也，岂不悖哉？’”《史记》六八《商君传》则商君亦以阀阅不如而见弃，其后因宠臣景监以用于秦孝公，可见阀阅限人之余音袅袅矣。——此则决斗之未烈未显者也。

吴起奔楚，“楚悼王素闻其贤。至则任之为相。起明法审令，捐不急之官，废公族疏远者，以抚养战斗之士。……诸庶皆患楚之强，而楚之贵戚大臣，多怨吴起者”《通鉴》卷一。其后“悼王死，宗室大臣作乱，而攻吴起。吴起走之王尸而伏之，击起之徒，因射刺吴起，并中悼王。悼王既葬，太子立，……诛射吴起，而并中王尸者，坐射起而夷宗死者，七十余家”《史记》六十六《起传》。商君之得秦孝公也，赵良谏之曰：“……积怨蓄祸，……日绳秦之贵公子，《诗》曰：‘相鼠有体，人而无礼。人而无礼，何不遄死？’以诗观之，非所以为寿也。”其后“孝公卒，太子立。公子虔之徒，告商君欲反”《史记》六十八。而商君卒为“秦惠王车裂以徇”，——此则决斗之烈而且显者也。

此所谓人而无礼，殆指阀阅高下之名分。赵良以商君过于削夺秦之阀阅，故以为无礼也。

然而决斗之结果，旧阀阅终于没落，而让移其权位于平民；而平民得能以材能表白于政治舞台者，盖亦有三因。

盖凭藉血统，以“公子”、“公孙”得参大政之阀陛；其才能，实不足以应世变；而战国之世，尤甚焉。此其一也。故鲁史称“齐师来伐我，公将战。曹刿请见，其乡人曰：‘肉食者谋之，又何间焉？’刿曰：‘肉食者鄙，未能远谋。’乃入见”《左》庄十年。而季桓子之将死也，亦“喟然叹曰：‘昔此国，几兴矣。以吾获罪于孔子，故不兴也。’顾谓其子康子曰：‘我即死，若必相鲁。相鲁，必召仲尼。’”《史记》四十七足征春秋之时，贵族之在鲁者，因不能了其国事也。及至战国之时，李斯尝遗荀卿书矣：“斯闻得时无怠时，游者主事，今秦王欲吞天下，称帝而治，此布衣驰骛之时。”斯《谏逐客书》亦谓“穆公取由余，孝文用商鞅，惠王任张仪，昭王得范雎。由是观之，客何负于秦哉？”足征战国之秦，其兴也，非其宗室大臣即建议逐客者，详《史记》八十七之力也。

其二，当时之国君，固欲削夷贵族之权，故宋昭公欲去群公子，而乐豫以“公族，公室枝叶为言”《左》文七年。此在春秋时已然。而平民之有材具者，乃所以赴此目的者。故“晋桓庄之族逼，献公患之。士蔿曰：‘去富子，则群公子可谋也已。’公曰：‘尔试其事。’”《左》庄二十三其后，“晋侯围聚，尽杀群公子”《左》庄二十五年。可征为削夷公族，则士蔿有功矣。鲁“公孙归父以（其父）襄仲之立公，欲去三桓，以强公室”《左》宣十八。欲去三桓，则归父有功矣。及至左昭三年，则晋叔向言：“栾、郤、胥、原、狐、续、庆、伯，降在皂隶。”是知春秋之末，贵族有陵夷者。战国之时，李斯称道范雎之功，在于“强公室，杜私门”《史记》八十七。则知晋鄙之客，所以能得秦之金，而行间于魏王，谓“诸侯徒闻魏公子，不闻魏王”，卒致魏王疑忌信陵者，非时势之故而何耶？详《史记》七十七《信陵君传》

《史记》七十九《范雎传》云:“……王来。而宦者怒逐之,曰:‘王至!’范雎缪为曰:‘秦安得有王?独有太后、穰侯耳!’欲以感怒昭王……秦王屏左右,宫中虚无人,秦王跽而请曰:‘先生何以幸教寡人?’范雎曰唯唯,若是者三!秦王跽曰:‘先生卒不幸教寡人耶?’范雎曰:‘非敢然也。……今臣,羁旅之臣也。交疏于王,而所愿陈者,皆匡君之事:处人骨肉之间。愿效愚忠,而未知王之心也,此所以王三问而不敢对者也。……’秦王跽曰:‘先生,是何言也?……先生奈何有言若是?事无大小,上及太后,下至大臣,愿先生悉以教寡人,毋疑寡人也!’……然左右多窃闻者,范雎恐,未敢言也,先言外事,以观秦王之俯仰。……用数年,……因请间说曰:‘臣居山东时,闻齐之有田父,不闻有王也:闻秦之有太后、穰侯、高陵泾阳,不闻其有王也。……妒贤嫉能,御下蔽上,以成其私,……今自有秩以上,至诸大吏,下及王左右,无非相国之人者。见王独立于朝,臣窃为王恐!’”——就此段文字细味,可见族阀之强,于秦犹然。故曰“左右多窃闻”、“范雎恐”,可见秦王之思用外人以除内患,故曰“屏人”。有帝王之思独掌大权,又有匹夫之希得荣通,结联为一,而族阀始倒焉。

其三,则当时哲人之思想,匪特孔子之讥世卿,即孟子,亦以“辅世长民”为天下之“达尊”:“天下有达尊三:爵一,齿一,德一。朝廷莫如爵,乡党莫如齿,辅世长民莫如德。恶得有其一,以慢其二哉?”《公孙丑下》匪特孟子之称重“辅世长民”,即墨子亦以“尚贤”为言;匪特墨子以“尚贤”为言,荀卿亦称:“以族论罪,以世举贤,虽欲无乱，得乎？”《荀子·君子篇》可知当时之明哲，常诅祝阀阅之颠覆也。语详下文第三六节。

第吾人所当知者，旧阀阅如公子公孙，凭其血统之优越，垄断国事，排斥贤能，因以引起平民之反抗，斯则然矣。然曩之所谓平民，凭藉才智，跃而居上；及其居上之时未尝不成为阀阅。故汉兴，才如贾生，遇君如文帝，终不能见谅于绛、灌大族，而卒抑郁以死。可知凭借血胤之阀阅虽倾，而因缘时会之功狗已生一丘之貉，不易进退优劣；故曰阀阅升沉，而未敢言平民抬头焉。

二三　富族的活动

平民进而为阀阅，非平民尽为贵族焉；正如平民之进而为资产阶级，非平民尽进而为资产阶级也。

夷考古昔，贵与富，本为一事，而同隶诸一人。“素封”云云，平民拥有资产之表示“素封”见《史记·货殖传》，仲长统所谓“荣乐过于封君，势力侔于守令，财贿自营，犯法不坐”《昌言·损益篇》。此乃后起之事，非“问庶人之富，则数畜以对”之时也。

自庶人之富开展以后，所谓封建制度者，亦分为两方面；一则为政治阀族的割据上文已详，而一则为经济财力的割据。《史记》一二九《货殖传》谓：“今有无秩禄之奉，爵邑之人，而乐与之比者，命曰‘素封’。”又云：“凡编户之民，富相什，则卑下之，伯，则畏惮之；千，则役；万，则仆。”执此以与“王臣公，公臣侯，……”《左》昭七年两两相比，可知两种封建型式不殊，而来自迥异；前者恃财富，后者恃爵秩，盖经济上之封建，其起较迟，而其崩颓亦晚也。

考古时经济之权，诚属操之豪族。即在春秋之世，仲尼尚斥臧文仲之“妾织蒲”，诋其与民争利《左》文三年；而公仪休不茹园葵，时人即叹为清德本书第十五节。此皆贵族好货之反证也。然同时，庶民之工商经营，已渐渐发达已。

《左传》闵二年称卫文公复国之后，“大布之衣，大帛之冠。务材训农，通商惠工。敬教劝学，授方任能”。而《史记》三十二《齐世家》亦载管仲相桓公，“设轻重鱼盐之利”。今存《管子》虽未必可尽信，然可见春秋之初，商人阶级已为政府所重视矣。

且以此时政治统一之初在演进，故列国通商，并无所阻。郑商人弦高则市于周《左》僖三十三年，郑贾人又如楚、如晋、如齐，《左》成三年而弦高之如周，尤足表示商人阶级之活动焉。岂止货殖而已，兼亦与闻国事矣。

《左传》僖公三十三年秦将伐郑，“师及滑，……郑商人弦高，将市于周。遇之，以乘韦先牛十二犒师，曰：‘寡君闻吾子将步师出于敝邑，为从者之淹，居则具一日之积。行则备一夕之卫。’且使遽告于郑，郑穆公使视客馆秦三大夫之在郑者，则束载厉兵秣马矣。使皇武子辞焉曰：‘吾子淹久于敝邑，唯是脯资饩牵竭矣。’……孟明曰：‘郑有备矣，不可冀也。攻之不克，围之不继，吾其还也！’”可见此役之中，郑之所以幸免，实商人之力是赖。

至如孔子弟子子贡，“速帛连骑，束修之币，以聘享诸侯。所至国君,无不分庭与之抗礼。夫使孔子名布扬于天下者,子贡先后之也”。而范蠡既助越王,报会稽之耻,退隐于陶。“以为陶,天下之中,诸侯四通货物所交易也。乃治产积治,与得逐而不贵于人。……十九年之中,三致千金。……故言富者,皆称陶朱公。”以上均见《史记》卷一二九《货殖传》——以此知春秋之末,孔子所以喟然致叹于“富而可求,虽执鞭之士,吾亦为之”者,原有所见而云然,故又曰:“使尔多财,吾为尔宰也。”

及至战国之世,而富人更显于时矣。

故成周为昔日中都所在,而《苏秦传》引:“周人之俗,治产业力工商,逐什二以为务。”《货殖传》又言:“周人之失,巧伪趋利,贵财贱义,高富下贫,憙为商贾,不好仕宦。”即鲁为周室之裔支,《史记》亦称:“及其衰,好贾趋利,甚于商人。”《汉书·地理志》则谓:“周公遗化销微,孔氏庠序衰坏,……俗俭啬爱财,趋商贾,好訾毁多巧伪。”——周鲁如此,他可知也。

其在于齐,则苏秦说宣王曰:“临淄之中,七万户。臣窃度之,下户三男子,三七二十一万。……临淄甚富而实。其民无不吹竽鼓瑟,击筑弹琴,斗鸡走狗,六博蹹踘者。临淄之涂,车毂击,人肩摩,连衽成帷,举袂成幕,挥汗成雨,家敦而富,志高而扬。”《国策·齐策》然则齐之富人,其态致可知。

其在于魏,则“梁之富人虞氏,家充殷盛。钱帛无量,财货无赀。登高楼,临大路,设乐陈酒,击博楼上。博者射明琼,张中反两,揄鱼而笑。飞鸢适堕其腐鼠而中之。侠客相与言曰:‘虞氏富乐日久矣,常有轻易人之志。吾不侵犯之,而乃辱我以腐鼠!’”《淮南子·人间训》则是魏之富人,其态度又何似也?

至于吕不韦为“阳翟大贾,往来贩贱卖买,家累千金”。一见秦公子楚之为质于赵,“不韦贾邯郸,见而怜之曰:‘此奇货可居。’”告以“不韦虽贫,请以千金为子西游;事安国君及华阳夫人,立子为适嗣”。更“以五百金与子楚,为进用结宾客,复以五百金,买奇物玩好自奉”。其后秦围赵急,“赵欲杀子楚,子楚与吕不韦谋,行金六百斤,予守者吏。得亡脱赴秦军,遂以得归”《史记》八十五《吕不韦传》。子楚实始皇之父,异日始皇诽不韦曰:“君何功于秦,秦封君河南,食十万户?君何亲于秦,号称‘仲父’?”然由黄金万能之说而言,则不韦所以造福于子楚者实大;而财富之力,固不亚于武士技击矣。

《国策》《秦策》谓:“濮阳人吕不韦,贾邯郸,见秦质子异人即子楚,谓其父曰:‘耕田之利,几倍?’曰‘十倍’;‘珠玉之赢几倍?’曰‘百倍’。不韦曰:‘今力田疾作,不得煖衣饱食。今立国定君泽,可遗后世,愿往事之。’”足征不韦之有政治活动,全由于其怀货思赢之商贾行为也。

此种富人横行之史实,其来源尚有三者:其一,为阀族间垄断富源之事,已成过去;故平民之雄狡者,可以起而相代。《日知录》记周末风俗,谓“春秋时犹论宗姓氏族,而七国则无一言及之”《日知录》卷十三。世族式微之后,平民自可抬头。得世族所不能久占之财贿,则平民可以略振。《楚语》卷下鬬且廷曰:“人谓令尹子文曰:人生求富而逃之,何也?对曰:‘夫从政者,以庇民也。民多旷者,而我取富焉,是勤民以自封也……’故庄王之世,灭若敖氏,唯子文之后在。”观于且廷之语,则知若敖未灭,富在若敖。战国之时,“若敖”既少,则民自可不“旷”而取富矣。其一,则为国家对于生产事业之提倡，如李悝“尽地力”之教，是也。

> 汉《食货志》云：“悝为魏文侯，作尽地力之教。以为地方百里，提封九万顷。除山泽邑居，参分居一，当为田六百万亩。治田勤谨，则亩益三升。不勤，则损亦如之。地方百里之增减，辄为粟百八十万石矣。”又曰：“籴甚贵，伤民；甚贱，伤农。……是故善平籴者，必谨视岁有上中下孰。……故上孰则上籴三而舍一，中孰则籴二，下孰则籴一。使民适足，贾平则止。小饥则发小孰之所敛；中饥则发中孰之所敛；大饥则发大孰之所敛而籴之，故虽遇饥馑水旱，籴不贵而民不散。取有馀以补不足也。行之魏国，国以富强。”——此所谓尽地力与平籴粜，要之，皆注意生产也。

其一，则为货币之流通。《汉志》谓：“太公为周立九府圜法，黄金方寸而重一斤。”是为中国始有币制之始，《说文·贝部》云：“古者货贝而宝贝，周而有泉。”《盐铁论》《错币》云：“夏后以玄贝，周人或紫石，后世或金钱刀布。”可知货币之始，或在太公兴周之后。及至战国之时，则金之用途滋盛。故苏秦为赵相，“黄金万镒”；冯谖出使，孟尝君与以金五百斤。金之用途既广，则商业之发达，当益盛于畴昔“以物换物”之时。而平民凭其财货，遂可上跻于公侯贵人之列矣。

但以平民而上跻于公侯贵人之列，则自有以启当时社会之不安者。而重农积谷，又为当时时世之所需要。故贱商之政，亦同时发生于商人翱翔得意之际焉。此觇于士农工商，阶次之论定而可知焉。

士，即代表旧日贵族，及新兴阶级之能者智者；农，则在重农积谷之时世中，自当重视。即工亦为生产者。然《谷梁传》成公元年谓："古者有四民，有士民，有商民，有农民，有工民。"《汉书·艺文志》师古注谓："谷梁子名喜，鲁人。"可知春秋之末，尚称士、商、农、工。至《汉书·食货志》则称"士农工商，四民有业"。《史记·货殖传》亦以"农工商虞"并举。可知"商"之名次之减低，乃基于社会上故意之贬斥，当在春秋至汉初之间，即商人阶级甚活动之时期中。

《商君书》《垦令篇》云："重关市之赋，则农恶商。商有疑惰之心，农恶商，商疑惰，则草必垦矣。"然孟子明言："关讥而不征，则天下之旅皆说。"《公孙丑上》《荀子》《王制篇》亦言："关市几而不征。"几，即呵察之义，明商旅之过，只有查验放行，不必予以重征。《商君书》为后出之书，力主征商者，盖深嫉豪民，希以税赋困折之也。

对于困折商人之方法，《史记·平准书》载高祖令贾人不得衣丝乘车，重租税以困辱之。又言武帝时立制，商以取利者，虽无市籍，各以其物自占。此则今营业税之权舆也。汉《食货志》载商贾人有轺车，二算。则今奢侈税之权舆也。——以前汉一代之苛待商人，更可征秦以前商人活动之烈，以致招统治阶级之嫉视。

然新兴之富族，虽逢政府之严酷制裁，终不以此减其颜色。故蜀寡妇清，"其先得丹穴，而擅其利数世。家亦不訾。清寡妇也，能用其业,用财自卫,不见侵犯。秦皇帝以为贞妇而客之,为筑女怀清台。”史公叹为“礼抗万乘,名显天下,岂非以富耶”《货殖传》。——夫以秦王之雄狠,而不得不倾倒于“富”人,则知战国时富人之活动,固系昭明显著之事矣。

二四　土地私有

平民之才智者,上既匡佐国君,削夺贵族之政治地位;中又凭借财货,以翱翔得意于社会间;其下也者,则又互相争夺,逞其材力,而为新地主阶级。

古代之地主阶级,其人皆贵族也。《诗》称“溥天之下,莫非王土”,后世则为“民土而非王土矣”用黄宗羲《南雷文约》卷三《赋税》中语。第所谓“王土”者,究系过甚之词。古代土地之所有人,为平民以上之各级贵族;当曰“王土”、“侯土”、“大夫土”、“士土”也。

《春秋传》云:“郑四富族夺民之田。”“郑子驷为田洫,司氏、堵氏、侯氏、子师氏皆丧田焉。”《左》襄十年晋“魏献子为政,分祈氏之田以为七县,分羊舌氏之田以为三县”《左》昭二十八。足征各国贵族,千仓万箱,如坻如京,其地主之威风,可推知焉。

襄二十九年《传》:“郑饥民病,子皮以子展之命,饩国人粟,户一钟。”皮、展皆贤人,而积谷至斯:尚非力耕所得,亦恃其地权,削剥佃人耳。

《国语》《晋语》二载:秦伯遣公子絷“吊公子夷吾。退而私曰:

‘中大夫里克与我矣，我命之汾阳之田百万；丕郑与我矣，吾命之负蔡之田七十万。’”《左传》成公二年记：“楚围宋之役，师还。子重请取于申吕以为赏田。王许之，申公巫臣曰：‘不可，此申吕所以邑也。是以为赋，以御北方；若取之，是无申吕也。’”“郑伯赏入陈之功，享子展赐之八邑，享子产赐之六邑。”《左》襄二十六年“郑伯如晋，公孙段相；甚敬而卑，礼无遗者。晋侯嘉焉，授之以策曰：‘子丰段父有劳于晋国，余闻而弗忘。赐尔州田，以酬尔旧勋。’”《左》昭四年——征于上述，可知田之所有权，在春秋之世，全在统治者之手；取舍予夺，非平民所可得而过问者。

> 故孟子对滕文公之问，告以“仁政必自经界始”。胡适谓：“细看《孟子》本文，说贡说助之间，忽插入‘夫世禄……’一句，”“可知孟子所谈的，不过是把滕国贵族的世禄制度，略加整顿。不过是分田制禄的井田计画。”《井田研究》页二十盖孟子之分田制禄，乃针对当时政治的豪族，垄断地权而言者。

至战国之时，则有平民为大地主者矣。此可于商君之决裂阡陌征之。

《史记》言秦简公七年，“始以禾为租”，又言“献公十年，始为户籍”卷五《秦本纪》。可知秦在商君以前，未有推行井田之准备。《商君传》又言：“致粟帛多者复其身，事末利及怠而贫者，举以为收孥。宗室非有军功论，不得为属籍。明尊卑爵秩等级，各以差次名田宅。”“为田开阡陌封疆，而赋税平。”由“差次名田”及“赋税平”二语，知商君实反对贵族之占田，而奖励平民之占田！

开阡陌之“开”字有二义：一即开置之开，一即开垦之开。朱子主于后说，谓其“悉除界限，垦辟弃地”详《朱子文集》七十二《开阡陌辨》。其所引证据，则为《国策》蔡泽语应侯：“商君为孝公，平权衡，正度量，决裂阡陌，教民耕战。”《秦策三》然决裂，亦有东割一块，西割一块之意，正可作开置解也。

《史记》初无商君破井田之记，《汉志》始有“秦孝公坏井田，开阡陌，……王制既灭，僭侈亡度。庶人之富者累巨万，而贫者食糟糠”卷二十四。《史记》言“以次名田”，《汉志》言“僭侈亡度”；《史记》言“家给人足”，而《汉志》言“贫食糟糠”。吾人将信《史记》耶？则鞅不过奖人力耕，定私人占田之阡佰；限宗室贵族之“名田”！杜佑《通典》谓：“鞅以三晋地狭民贫，秦地广人寡。……于是诱三晋之人，利其田宅，无知兵事，……故废井田，制阡陌；任其所耕，不限多少。”卷一夫既曰“地广人寡”，则即有井田，何至如朱子所云：“见阡陌之占地太广，则病其地利之有遗。”可知商君开置阡陌，不过“辟垦弃地，悉为田畴”，非“尽开阡陌，悉除界限”也上十六字皆朱子原文。

且商君之以“依次名田”限制贵族，以阡陌封疆均平赋税；固有旁证者。前者之旁证，则商君确曾制裁贵族也详三十二节。**后者之旁证，则如赵奢为赵田部吏，“收租税而平原君家不肯出。赵奢以法治之，杀平原君家用事者九人”**《史记》八一。**然则赋税之自田出者，固以贵族而不平，固有待于商君之各以爵秩而差次名田也。**

盖以爵秩差次名田，则贵者不能额外多占；而平民致力力耕之机会自多。开阡陌封疆，则赋税可稽，而不能虚隐，而国家财政之收入弘。前者使百姓“家给人足”，后者使“秦以富强”。史公所记，原浅显易知。后儒有一井田观念，横塞胸中；而不知古代初无平均授田之事实，只有贵族包占之恶习。一念既乖，则黑白颠倒已。

商君以得罪贵族而死，非得罪平民而死，事实具明。一则日绳秦之贵公子，一则宗室非有军功不得为属籍，一则差次名田，——三者，皆阀陛所不喜者。昔公孙痤为魏将，“胜韩，魏王说，迎郊，以赏田百万禄之。……痤反走而辞曰：‘此吴起之余教也。’……王曰：‘善。’于是索吴起之后，赐之田二十万”《国策·魏一》。然则，当商君之前后，固不乏左拥其贵，而右拥其地者。商君所以差次名田，所以求赋税平，所以置阡陌封疆，所以至家给人足，所以至贵族怨之；——此皆一贯之事实。安得谓商君破坏井田哉？盖商君，无非制裁贵族之占田而已。

商君以后，如始皇遣王翦伐楚，“始皇自送至灞上，王翦行请美田宅池园甚众。始皇曰：‘将军行矣，何忧贫？’王翦曰：‘为大王将，虽有功，终不得封侯。故及大王之向臣，请园池以为子孙业耳。’始皇大笑。王翦既至关，使使还请善田者五辈。或曰：‘将军之乞贷，亦已甚矣。’王翦曰：‘不然，夫秦王怚而不信人。今空秦国甲士而专委于我，我不多请田宅，为子孙业以自坚，顾令秦王坐而疑我耶？’”《史记》七十二《翦传》曰“终不封侯”，曰“请美田宅”，可见当时贵族之得田，犹以请乞而来。则商君依次限人名田之政，固不得已之举措尔。

限制贵族之占田，以任平民之“听其所耕，不限多少”；平民固肯出赋者，于国家固为得计矣，然于社会民生，久也必有积弊。盖昔之垄断土地者，为贵族之为地主者，其视察有所未及，即剥削有所未周。而今之为地主者，则系平民之豪，锱铢必较，细大无捐，而民生益以困苦矣。

《史记》六十九《苏秦传》记苏秦“出游数岁，大困而归，兄弟姊妹妻妾，皆窃笑之曰：‘周人之俗，治产业，力工商，今子乃释本而事口舌。困，不亦宜乎？’”此所谓治产，不知何解？然征以季子归来，“嫂委蛇蒲服，以面委地而谢，……苏秦喟然叹曰：‘此一人之身，富贵则亲戚畏惧之，贫贱则轻易之。且使我洛阳有负郭田二顷，吾岂能佩六国相印乎？’”以负郭田二顷征之，可知所谓治产；即系当时平民为地主者之行动也。“佩六国相印”与“负郭田二顷”，乃当时社会中人所希冀之两阀矣。

所谓锱铢必较，细大无捐者，如《货殖列传》记：“宣曲任氏之先，为督道仓吏。秦之败也，豪杰皆争取金玉。而任氏独窖仓粟。楚汉相距荥阳也，民不得耕种，米石至万。而豪杰金玉，尽归任氏，任氏以此致富……然任公家约，非田畜所出，弗衣食；公事不毕，则身不得饮酒食肉。”——此于地主之生活，可谓描绘尽致。

且也，平民之地主已建，而贵族之地主未已。其在汉初，“客有说相国曰：‘……上……畏君倾动关中，今君何不多买田宅以自活，上心乃安。’于是相国从其计，上罢（英）布军还，民道遮行上诉，言相国强买民田宅数千万。上至，相国谒上。上笑曰：‘夫相国乃利民。’民所上书，皆以与相国；曰：‘君自谢民。’”《史记》五十三《萧何世家》则萧何固尝凭其贵而强得田宅也。“何买田宅，必居穷僻处，……曰：‘令后世贤，师我俭。不贤，毋为势家所夺。’”《汉书》三十九《萧何传》然则，何固惧势家之夺田也。

然则，土地由贵族之手中，为平民所占有，徒少数富人而已，固未尝均也。旧贵族之地权虽已，而新贵族之地权仍在；耕种者固未尝得利也，得利者亦少数有际会能活数之富族而已。

二五　贤能者的活动

平民中之有少数人，能起而与世族平分春色，固不仅在经济方面。其在政治方面，固亦有贤者能者，善于利用时机，而得其政治地位者。

盖春秋之世，世变渐深；乱世与英才之关系，已足打破专用世族之登庸陋习。故如“狄人伐卫，卫懿公好鹤，鹤有乘轩者。将战，国人受甲者皆曰：‘使鹤，鹤实有禄位，余焉能战？”《左传》闵公二年其后，卫卒以亡。鹤，正可象征有禄位之世族，而能战之“能”，则即乱世所需要之“能”也。

《国语》《齐语上》载齐桓定国，使鲍叔为宰。鲍以管夷吾善治国对，“桓公曰：‘夫夷吾射寡人中钩，是以滨于死。’”意盖不欲。鲍叔又力荐，桓公乃使使迎夷吾于鲁，“比至，三衅三浴之。桓公亲逆之于郊而与之坐，问焉。”此显见桓公为国家故，能用贤能。虽夷吾为“齐卿姬姓之后，管严仲之子敬仲”韦昭说，然其裔流疏远，已非纯粹世族子弟也。又如孔子适齐，“齐景公待孔子曰：‘若季氏则吾不能，以季、孟之间待之。’”《论语》十八《微子篇》则景公固亦有意于孔子之贤，思以贵臣处孔子焉。

《左传》僖公二十四载“吕、郤畏逼，将焚公宫，而弑晋侯。寺人披请见，公使让之，且辞焉。曰：‘蒲城之役，君命一宿，汝即至。其后予从狄君，以田渭滨；女为惠公，来求杀余。命女三宿，女中宿至。虽有君命，何其速也？夫祛犹在，女其行乎。’对曰：‘臣谓君之入也，其知之矣。若犹未也，又将及难！君命无二，古之制也。除君之恶，惟力是视。齐桓公置射钩而使管仲相，君若易之，何辱命焉？行者甚众，岂惟刑臣。’公见之，以难告。”此段对话，述世变与人材之关系，言之更切。

及至战国之世，世变日亟，而贤能者，更得自挺于时矣。

贤能者之所以自挺，一则以私人游学之风盛，教育之权，不为贵族所垄断，而平民中之才智特出者，益可自显其才能也。

春秋之世，“郑人游于乡校，以论执政。然明谓子产曰：‘毁乡校如何？’子产曰：‘何为？夫人朝夕退而游焉，以议执政之善否；其所善者，吾则行之。其所恶者，吾则改之。是吾师也，若何之毁之？’”《左》襄三十一年足见民智既启，则干预政事之事萌矣。然乡校之中，以古代贵族垄断教育之情形度之，或未必尽系平民子弟；其后私家授学之风盛，而平民之才智者，更可得一磨须以待之机缘矣。

私人游学之风，孔子之门，已蔚为大宗。史称：“受业精通者，七十有七人，皆异能之士也。”《史记》六十七《仲尼弟子传》孔子弟子，有鲁人如颜回，有卫人如子贡，有吴人如言偃，有陈人如子张，有齐人如公皙哀，有宋人如司马牛，有楚人如公孙龙，有秦人如秦祖，有晋人如公坚定，足见以私人游学之故，列国国界寖为打破矣详朱彝尊《曝书亭集》卷五十六《孔子弟子考》、卷五十七《孔子门人考》。

其在战国之时，则如禽滑厘学于墨子《吕氏春秋·当染篇》。张仪、苏秦，俱事鬼谷先生《史记》卷七十《张仪传》。苏秦则“出游数岁，大困而归”《史记》六十九《秦传》，孟子亦“受业子思之门人”《史记》七十四《轲传》，春申君亦“游学博闻”《史记》七十八《春申君传》，蔡泽亦“游学干诸侯”《史记》七十九《蔡泽传》；李斯“年少时，为郡小吏”，亦“从荀卿学帝王之术”《史记》八十七《斯传》；而荀卿赵人，年十五始来游学于齐胡元仪《荀卿别传》；吴起亦从学于曾子《史记》六十五《起传》。私人游学之风愈盛，则人材之造就、贤能的表白，——更能促进平民活动之开展矣。

其二，贤能者之所以自挺，亦在乎尚贤使能之空气，滂溥弥漫，而成为一时风会。“大道之行也，天下为公。选贤与能，讲信修睦。”《礼记》九《礼运》虽未必为孔子所口语，然战国时期之思想家，则固以选贤与能为职志者。

墨子云：“今王公大人，有一衣裳，不能制也，必藉良工。有一牛羊，不能杀也，必藉良宰。故若当之二物者，王公大人，未知以尚贤使能为政也。逮至其国家之乱，社稷之危，则不知使能以治之？”《尚贤中第九》此墨子之尚贤也。孟子云：“尊贤使能，俊杰在位，则天下之士，皆悦而愿立于其朝矣。”《公孙丑上》又曰：“天下之达尊三，爵一齿一德一。朝廷莫如爵，乡党莫如齿，辅世长民莫如德。”《公孙丑下》此孟子之尊贤也。荀子云：“身能相能，如是者王。身不能，知恐惧而求能者，如是者强。惟便僻左右亲比己者之用，如是者危削，綦之而亡！"《王霸篇》此荀子之尚能也。此皆尚贤使能之空气也，故激昂之言，竟谓贫贱者可以骄人矣！

《说苑》《尊贤篇》"魏击（即魏文侯子）遇田无择于途，下车趋谒。无择坐乘如故，击意不悦。因问曰：'不识富贵者骄人乎，抑贫贱者骄人乎？'无择曰：'亦贫贱者骄人耳，富贵者安敢骄人？诸侯骄人，则失其国；大夫骄人，则失其家；士贫贱，行不合，言不用，则蹑履而适秦楚耳，安往而不得贫贱乎？富贵者，奈何能同之哉？'击乃再拜而后退。"《国策》《齐策》"齐宣王见颜斶，曰：'斶前。'斶亦曰：'王前。'……王忿然作色曰：'王者贵乎，士贵乎？'对曰：'士贵耳，王者不贵！'"此真尚贤使能空气中之贫贱骄人也。

然而使贤能可以有活动之机缘，则终不在于贤能者所自制之空气，而终以"家贫思良妻，国乱思良相"用《史记》四十四魏文侯谓李克语。世变之亟，贤能即不欲厕身政府；而政府中人，固亦以得贤为务焉。

春秋之世，秦穆以子车氏之三子殉葬，"皆秦之良也，国人哀之，为之赋《黄鸟》"，而君子起"人之云亡，邦国殄瘁"之嗟《左传》文六。其在战国，则齐威王之论宝，以贤人为贵于径寸之珠；魏文侯之遇士，每过段干木之庐，必式。燕君之招贤，及于良马之骨；秦王之好客，跽于范雎之前；岂特容黄鸟之栖止，而不加以伤害也！

在商君相秦之际，"齐威王、魏惠王会田于郊。惠王曰：

‘齐亦有宝乎?’威王曰:‘无有。’惠王曰:‘寡人国虽小,尚有径寸之珠,照车前后各十二乘者十枚。岂以齐大国而无宝乎?’威王曰:‘寡人之所以为宝者,与王异。吾臣有檀子者,使守南城,则楚人不敢为寇。泗上十二诸侯,皆来朝。吾臣有盼子者,使守高唐,则赵人不敢东渔于河。吾吏有黔夫者,使守徐州,则燕人祭北门,赵人祭西门,徙而从者七千余家。吾臣有种首者,使备盗贼,则道不拾遗。此四臣者,将照千里。岂特十二乘哉?’惠王有惭色。”《通鉴》卷二此于贤能与乱世之关系,亦一证明。

《通鉴》卷一又载:“魏文侯以卜子夏、田子方为师,每过段干木之庐,必式;四方贤士多归之。”此又见国乱思良相,如何影响魏文侯之行动也。

严可均《全后汉文》卷八十三载孔融《与曹公书论盛孝章》云:“燕君市骏马之骨,非欲以骋道里,乃欲以招绝足也。……故乐毅自魏往,剧辛自赵往,邹衍自齐往。向使郭隗倒悬而王不解,临溺而王不极,则士亦将高翔远引,莫肯北首燕途者矣。”案昭王之先,见辱于齐,亟图报复;此则言昭王在燕齐战后,因时势之亟,不得不屈尊纡贵,以招贤者。

《史记》七十九《范雎传》载雎见秦昭王,“秦王屏左右,宫中虚无人。秦王跽而请曰:‘先生何以幸教寡人!’范雎曰:‘唯唯。’有间,秦王复跽而请曰:‘先生何以幸教寡人!’范雎曰:‘唯唯。’若是者三,秦王跽曰:‘先生卒不幸教寡人耶?’范雎曰:‘非敢然也。……今臣,羁旅之臣也。交疏于王,而所愿陈者,皆匡君之事。处人骨肉之间,愿效愚忠,而未知王之心也。此所以王三问而不敢对者也。’”此言昭王在太后、穰侯逼制之下，其所求于范睢者深，故跽而请者，三也。

盖变动之事，非族阀可以胜任，如欲得人死力，则自须宠之信之。故吴起之为魏将，“与士卒最下者同衣食，卧不设席，行不骑乘，亲裹赢粮，与士卒分劳苦。卒有病疽者，起为吮之。”《史记》六十五《起传》田文亦“倾天下之士，食客三千人；无贵贱，一与文等”。卒赖客力，以脱于虎狼之秦《史记》七十五。赵胜亦以笑客之故，斩美人之头以谢客《史记》七十六，故楚赵之盟，卒得毛遂之力。信陵君魏无忌，则从市屠朱亥游，从监门侯嬴游，卒赖其力，以却秦而存赵《史记》七十七。——与士卒同甘苦，以及好客养士，胥足证在上者，非得在下者之欢心，则不足以成事。盖犹诸国主之尊贤使能也。

故齐宣王之遇稷下先生也，“自淳于髡以下，皆命曰列大夫，为开第康庄之衢，高门大屋，尊宠之。揽天下诸侯宾客。言齐能致天下贤士也”。而苏秦、张仪、蔡泽等人，胥皆出自布衣。一言既合，立取卿相；故郑樵言曰：“自夫子历聘列国，孟子以儒术游于诸侯。……继而苏秦、张仪之徒，专以口舌干时君。而范睢之于魏冉，蔡泽之于范睢，皆逞其辨口，以扼其吭，而夺其位。于是士生斯日，皆以读书游说，为可以得志，而取高位。”《通考》一七四罗大经言：“观李斯《逐客》之书，则秦固以客兴。观齐人‘松柏’之叹，则齐人又以客亡。客何所不有哉？在吾所择耳。子思、孟子、荀卿，亦当时之客也，如时君之不用何？”《鹤林玉露》卷十三第四叶——此又才能活动，辩说纵横之所以然也。

观乎鲁仲连，“好奇伟俶傥之画策，而不肯任官持职，好守高节”《史记》八十三，史人叹以为高士之风。而李斯从荀卿学帝王之术，“西入秦，辞于荀卿曰：‘斯闻得时无怠，今万乘方争，游者主事。

秦王欲吞天下，称帝而治。此布衣驰骛之时，而游说者之秋也。处卑贱之位，而计不为者，此禽兽视肉，人面而能强行者耳。故诟莫大于卑贱，而悲莫甚于穷困；久处卑贱之位，困苦之地，非世而恶利，自托于无为，此非士之情也。故斯，将西说秦王矣。”《史记》卷八十七以“万乘方争”，而“布衣驰骛”，此又贤能所以活动之故已。

综言之，私家游学之风，可使平民多有得知识之机会；尚贤使能之空气，又足使平民兴奋；国君注意。而更足促进贤能者之活动者，则以在大变动中，所需于特出之材者，无论其为国主，为权臣，均感逼切之需要——积此三因，而苏秦佩相印，稷下诸儒者为大夫，李斯亦入秦秉政矣。

二六　先秦之言论自由

由平民在政治经济界之活动而言，知平民在思想界上，亦有相当之活跃。非如春秋以前，学术思想，为贵族所专有也。但平民在政治经济上之活动，其因明，其果显，非如其在思想学术上之活动：论其因，不过上无一统之专制者；论其果，仅有平民之勇于开口，异说之滋为纷纭耳。

《汉志》所谓九流十三家，除儒、道、墨、法四家，其因起于世变，其果结于救世，显明易见，详于本卷第三十节者外，纵横、数术、方技、兵、农，无非为发动兼并者之工具，无所与于救世之大。至于杂、名、小说，诗赋、阴阳，与救世无甚关；至多仅能谓时在兼并，思想未能统一；上无范围之束，斯下有异说之播。与世变之关系，只能言一尊之制度未定，故平民敢于开口耳。

滋为纷纭，即所谓辩辞也，勇于开口，即所谓奇想也。

以辩词言之，儒家中之孟子，其弟子已言："外人皆称夫子好辨。"而孟子以"予岂好辨哉，予不得已也"为答。其实，孟子固好辩者。今存《孟子》七篇，其首章即以梁惠王"何以利吾国之"一问，孟子乃层层驳斥，至"上下交争利而国危"，为危词之恫喝。汉王充诘之曰："夫利有二：有货财之利，有安吉之利。惠王曰：'何以利吾国，'何以知不欲安吉之利，而孟子径难以货财之利也？《易》曰'利涉大川，利见大人，乾元亨利贞'，《尚书》曰'黎民尚亦有利哉'，皆安吉之利也。行仁义得安吉之利，孟子不且语问惠王'何谓利吾国'？惠王言货财之利，乃可答。若设令惠王之问，未知何趣；孟子径答以货财之利。如惠王实问货财，孟子无以效验焉。如问安吉之利，而孟子答以货财之利，失对上之指，违道理之实也。"《论衡·刺孟》——执此而言，孟子曷尝不好辩哉？

荀子之言曰："若夫充虚相施易也，坚白同异之分隔也，是有圣人之智未能偻指也。不知无害为君子，知之无损为小人。……而狂惑戆愚之人，乃始率其群徒，辩其谈说。明其譬称，老身长子，不知恶也。夫是谓之上愚。"《荀子。儒效篇》诚如是言，则是荀子恶辩也。然吾读《正论篇》云："世俗之为说者曰'桀纣有天下，汤武篡而夺之'，是不然。……"《正名篇》云："今圣王没，天下乱，奸言起。君子无势以临之，无刑以禁之，故辨说也。"又云："以仁心说，以学心听，以公心辨。"——执此而论，在"天下乱"时，荀子曷尝不好辩哉？

在“天下乱”时，无势以“临”辩说，无刑以“禁”辩说，——故辩辞来矣，奇想来矣。辩辞之结果，则否认天经地义之现在组织者，有人；奇想之结果，则剖析物理有非常识所许，而为俗人所讶者，亦有人。此皆言论自由之奇葩也。

《孟子》曰：“民为贵，社稷次之，君为轻。”《荀子》亦言：“天之生民，非为君也。天之立君，以为民也。故古者列地建国，非以贵诸侯而已。列官职差爵禄，非以尊大夫而已。”《荀子·大略篇》“天下归之之谓王，天下去之之谓亡。”《正论篇》《荀子》虽重君，如言“君者原也”，然未尝不垂念于民生，致恨于暴君；有如孟子之所怀抱，是则以辩词之故，而诋诽天经地义之现在组织，此固言论自由之所生也。

为暴君而斥责暴君，因以唤起时人对于平民之注意，非独孟、荀为然。《左传》师旷告晋侯：“天之爱民至矣，岂使其一人肆于民上。”襄十四年《国语》《楚语上》引楚“王曰：‘是知天咫，安知民则？’右尹子革曰：‘民，天之生也：知天必知民矣。’”《庄子》二十八《让王》亦于记尧舜让天下，太公亶父避岐之后，言曰：“能尊生者，虽富贵不以养伤身；虽贫贱不以利害形。今世之人，居高官尊爵者，皆重失之。见利轻忘其身，岂不惑哉！”《吕氏春秋》卷一《贵公览》亦云：“昔先圣王之治天下也。必先公。公，则天下平矣。……天下非一人之天下也，天下人之天下也。”又卷七《怀宠览》云：“子之在上无道：据傲荒台，贪戾虐众，恣睢自用也。辟远圣制，謷丑先王，排訾旧典，上不应天，下不惠民，征敛无期，求索无厌。罪杀不辜，庆赏不当。若是者，天之所诛也，人之所雠也。不当为君，今兵之来也，将以诛不当为君者也!”盖亦斥责暴君之意。

《列子》尝引旧说云:“齐田氏祖于庭,食客千人。中坐有献鱼雁者,田氏视之,乃叹曰:‘天之于民厚矣,殖五谷,生鸟鱼,以为之用。’众客亦和之如响。鲍氏之子,年十二,预于次;进曰:‘不如君言!天地万物,与我并生,类也。类无贵贱,徒以小大智力而相制,迭相食非相为而生之,人取可食者而食之,岂天本为人生之?如蚊蚋噆肤,虎狼食肉,岂天本为蚊蚋生人,虎狼生肉者哉?’”《列子·说符篇》因弱肉强食之故,而惕怵于相食相制之苦,遂生类无贵贱之论,不可见言论自由与世变之关系,以及世变与言论自由之关系。

虽然,言论自由,固自世变而来;世变,亦为自由言论者之标的。然言论既自由,则有不为世变而言论,纯为言论而言论者矣,此其起稍后,约盛于战国中期。盖纯思辨由思辨而来,而思辨则由世变激起,故纯思辨起时较后也。

纯思辨者,坚白同异,白马非马之辨是已。

《史记》记“赵有公孙龙,为坚白同异之辨”《史记·孟荀传》,《庄子》《天下篇》谓:“南方之墨者,苦获、已齿、邓陵子之属俱诵《墨经》,而倍谲不同,相谓别墨。以坚白同异之辩相訾!”又《骈拇篇》谓:“骈于辨者累瓦结绳,窜句游心于坚白异同之间。而敝跬誉无用之言,非乎?杨墨是也。”可知以言论自由之故,救世之墨,自私之杨,其末流亦不免于哓哓空言。

关于坚白同异之辨,有公孙龙之《坚白论》以及墨家之《墨经》此非墨子所为,亦“别墨”所撰,又有《庄子·天下篇》。

《墨经》经下谓："不可徧去而二，说在坚白。"又谓"石一也，坚白二也，而在石，故有知焉有不知焉，可"。而《坚白论》则谓："于石一也，坚白二也，而在于石。故有知焉，有不知焉；有见焉，有不见焉。故知与不知，相与离。见与不见，相与藏。藏故，孰谓之不离。"盖别墨之言，以为"坚""白"二德，同在一物；同时，同在人之感觉以内。故"坚""白"不能相离。而公孙龙之意；则谓坚者非限于石，白者非限于石。拊而得坚，视而得白，来自既异，故若相离。

坚白同异之辨已外，则有白马非马之辨。

公孙龙子《白马论》云："马者，所以命形也。白者，所以命色也，命色者，非命形也。故曰：'白马非马。'"而惠施谓"黄马，骊牛，三"《庄子·天下篇》。骊即黑马之意，谓黑马与黄马异类焉。司马彪云："牛马以二为三：曰牛，曰马，曰牛马，形之三也。曰黄，曰骊，曰黄骊，色之三也。曰黄马骊牛，形与色为三也。"《庄子·天下篇》注此则根据"白马非马"之意，而推演之者。

> 《庄子·天下篇》云："惠施即《秋水篇》中之惠子多方，其书五车。其道舛驳，其言也不中。历物之意曰，至大无外，谓之大一。至小无内，谓之小一。无厚不可积也，其大千里。天与地卑，山与泽平。日方中方睨，物方生方死。……南方无穷而有穷已知为《无穷》则南方之远可想，故曰"有穷"。今日适越而昔来。连环可解也。我知天之中央，燕之北，越之南是也天下无方，所在为中。惠施以此为大观于天下，而晓辩者。天下之辩者，相与乐之。卵有毛卵未生而毛，羽之性已著，鸡三足两足须神而行，故曰三足，郢有天下当时有大九州，所称为天下者不过九州之一，则一州中之一郢乌在其不可举以概天下也，犬可以为羊犬羊之名非犬羊也，非羊而可以名羊，则

犬亦可名羊。丁子有尾在上为首、在下为尾，世人谓右行曲波为尾，今丁子二字虽左行曲波亦是尾也，火不热热由人感出，故火无热，山出口呼于一山一山皆应，形声并行，则是山出口也，轮不辗地轮之所行者迹也，目不见无光则暗，暗则目不见形，目无以为光，故不见物，指不至，至不绝指取物不能自至要假物，故至也，龟长于蛇龟命甚长，矩不方，规不可以为圆犹之绳所以为直而绳非直也，凿不围枘凿枘异质合为一形，凿积于枘则凿枘异围，凿枘异围是不相围也，飞鸟之影，未尝动也影由光生，鸟动而光未动也，镞矢之疾而有不行不止之时，狗非犬狗犬同实异名，名实合则彼所谓狗此所谓犬也，名实离则彼所谓狗异于犬也，黄马、骊牛，三，孤驹未尝有母母为驹母非为孤驹之母，孤之名立则母名去也，一尺之棰，日取其半，万世不竭。其半常存。辨者以此与惠施相应，终身无穷。桓团、公孙龙辩者之徒，饰人之心，易人之意，能胜人之口，不能服人之心！”盖始于白马非马，坚白同异，其后演化多端，致有如许异论矣。

然此等论辩，在辩者以外观之，则殊觉可厌：故《庄子》非之，以为“其道舛驳，其言也不中”；“能胜人之口，不能服人之心。”《天下篇》《荀子》非之，以为“夫坚白同异，有厚无厚之辨，非不察也。而君子不辨，止之也”《修身篇》。“不知无害为君子，知之无损为小人。……而狂惑戆陋之人，乃始率其群徒，辩其谈说，……夫是之谓上愚。”《儒效篇》韩非非之，以为：“坚白无厚之辞章，而宪令之法息。”《韩非子·问辨篇》《吕氏春秋》非之，以为“孔穿谓……臧三耳，甚难，而实非也。臧两耳，甚易，而实是也”《吕览·淫辞篇》。盖“坚白同异”，纯乎为逻辑上哲理之辩论，于世变初无所与，乃因世变而来者。其如《孟子》之言“民为贵”，《列子》之言万物一齐，虽亦骇

俗振世；要有救世之意，而非纯乎为名学上之争论也。

但无论为救世之异说，以及因时无一尊而生之纯论辩，要之皆思想自由之表征，非秦以后所能有者。

《史记》卷六《始皇本纪》载李斯言："古者天下散乱，莫之能一。是以诸侯并作，语皆道古以非今，饰虚言以乱实。人善其所私学，以非上之所建立。"又载李斯言："不师今而师古，以非当世惑乱黔首。"以《孟子》斥责梁王言利之辩言之，则辩词非上之罪，自观幸免。以"坚白同异"、"白马非马"之辩言之，则惑乱黔首，固非贸然斥责者。

第七章　上古文化之结束

二七　变异与统一

以救世言，则儒墨道法之说各殊；以阀陛言，则新旧贵族，更迭相代；以经济言，则庶人之富，逐渐开展；以政事言，则贤者能者，纷纷活跃；以言论思想言，则有“白马”、“坚白”之辩，有贵民贱君之论。——要之，皆自春秋之初，至战国之季，五百年间之剧变焉。

然变异尚不至此。

变异之最大者，厥为当变与不当变之辩。后者则所谓师古，前者即所谓是今两派纷争，而是今者胜；则变异亦大矣。孔子之“久矣吾不复梦见周公”，孟子之“言必称尧舜”，此师古派之代表也。然儒家一变而至荀卿，则为法后王之论矣。荀卿一传而为李斯，则为“三代之事何足法也”之语矣。

《史记·始皇本纪》载博士淳于越言：“事不师古，而能长久者，非所闻也。”此即儒家之师古论也。然“于文从古皆非佳义，从草则苦，从木则枯，从草木则楛，从网则罟，从辛则辜，从文则故，从囗则固，从疒则痁，从牛则牯，从疒囗则痼，且从人作估，估客非上流也。从水为沽，孔子所不食也。从女为姑，姑息之谓细人。吾不知好古者，何去何从也？"谭嗣同《仁学》卷一页十九然而吾国思想家，要皆以古为根据。盖春秋、战国诸子之托古，言之俨然，述之井然，有以范围后人之思想者，至也。

大抵主张复古者，多为在野之思想者；而着实履行之政治家，则大抵主张变者。例如《墨子》好称夏道，《庄子》多言"古之道术"，无怪夫《淮南子》言："世俗之人，多尊古而贱今。故为道者，必托之神农、黄帝，而后能入说。乱世闇主，高远其所从来，因而贵之。为学者蔽于论而尊其所闻，相与危坐而称之，正领而诵之。"《修务训》以乱世闇主之语视之，知《淮南》所谓世俗之人"尊其所闻"，乃指战国诸士也。

"尊其所闻"非务实之政治家，在纵横捭阖之时所乐从也。商君说孝公曰："疑行无名，疑事无功。且夫，有高人之行者，固见非于世。有独知之虑者，必见敖于民。愚者闇于成事，知者见于未萌。民不可与虑始，而可与乐成。论至德者，不和于俗成大功者，不谋于众。是以圣人苟可以强国，不法其故；苟可以利民，不循其礼。"甘龙驳以"圣人不易民而教，知者不变法而治"。商君则答以："龙之所言，世俗之言也。常人安于故俗，学者溺于所闻。以此二者，居官守法可也；非所与论于法之外也。三代不同礼而王，五霸不同法而霸，智者作法，愚者制焉。贤者更礼，不肖者拘焉。"杜挚驳以"法古无过，循礼无邪"，商君则答以："治世不一道，便国不法古。故汤武不循古而王，夏殷不易礼而亡。反古者不足非，而循礼者不足多。"以上统见《商君列传》商君斥甘龙之溺于所闻，犹《淮南子》所谓"蔽于论而尊其所闻"焉。甘龙所谓"不变法而治"，即《淮南子》所谓“尊古而贱今”也。——然而，以时世之推移，而有非古者，主变者之成功；而有是今者，不主变者之失败。

盖是今者之成功，泥古者之失败，莫显著于政治方面，而战国之时，尤甚焉。《左传》昭公四年“郑子产作丘赋，国人谤之曰：‘其父死于路，己为虿尾，以令于国。国将若之何？’子宽以告，子产曰：‘何害，苟利社稷，死生以之。且吾闻为善者不改其度；主张故能有济也。民不可逞，度不可改。’《诗》云：‘礼义不愆，何恤于人言？’吾不迁矣。”可知春秋之末，子产小有更变，而人已非之。然子产虽受人之非，而亦终不改其变也。至战国则变异为常事，而不变为拘泥守拙矣。

> 《四库总目提要》卷八十一董说《七国考》提要云：“春秋以前之制度，有经传可稽；秦汉以下之故事，有史志可考。惟七雄云扰，策士纵横。中间一二百年，典章制作，实荡然不可复征。说能参考诸书，排比勾贯，尚一一各得其崖略。”此即言战国之事最纷复，意即言变异最甚焉。

《韩非子》《奸劫弑臣》云：“治国有要术，伊尹得之汤而王；管仲得之齐而霸，商君得之秦而强。此三人者，皆不牵于世俗之言。”赵武灵王之将胡服骑射也，召楼缓谋曰：“我先王因世之变，以长南藩之地。……夫有高世之名，必有遗俗之累；吾欲胡服！”肥义曰：“臣闻疑事无功，疑行无名。王既定负遗俗之虑，殆无顾天下之虑矣。夫论至德者，不和于俗；成大功者，不谋于众。昔者舜舞有苗，禹袒裸国，……愚者暗成事，智者睹未形，则王何疑焉。”而反对派公子成，则谓：“今王舍此中国之服而袭远方之服，变古之教，易古之道，逆人之心，而拂学者离中国，故臣愿王图之也。”赵武灵王谓：“先王不同俗，何古之法？帝王不相袭，何礼之循？……三王随事制礼，因时制法；法度制令，各顺其宜。衣服器械，各便其用，故礼也不必一道，而便国不必古。圣人之兴也，不相袭而王；夏殷之衰也，不易礼而灭。然则反古未足非，而循礼未足多也。……故齐民与俗流，贤者与变俱。故谚曰：‘以书为御者，不尽马之情。以古制今者，不达事之变。循法之功，不足以高世。法古之学，不足以制今，予不及也。’”遂胡服骑射《七国考》卷十一。——以贤者与变俱为言，见主张变异者之胜利；以胡服骑射言，又见衣冠之变易也。

岂特政治变异而已，衣冠变异而已，即风俗，亦变异矣。

顾炎武记《周末风俗》云：“春秋终于敬王三十九年前四八一庚申之岁，西狩获麟。又十四年，为贞定王元年前四六八癸酉之岁，鲁哀出奔，二年卒于有山氏，《左传》以是终焉。又六十五年，威烈王二十三年前四〇三戊寅之岁，初命晋大夫魏斯、赵籍、韩虔为诸侯。又十七年安王十六年前三八六乙未之岁，初命齐大夫田和为诸侯。又五十二年，显王三十五年前三三四丁亥之岁，六国以次称王，苏秦为从约长。自此之后，事乃可得而纪。自《左传》之终，以至此，凡一百三十三年。史文阙佚，考古者为之茫昧。如春秋时犹尊礼重信；而七国则绝不言礼与信矣。春秋时犹宗周王；而七国则绝不言王矣。春秋时犹严祭祀，重聘享，而七国则无其事矣。春秋时犹论宗姓氏族，而七国则无一言及之矣。春秋时犹宴会赋诗，而七国则不闻矣。春秋时犹有赴告策书，而七国则无有矣。邦无定交，士无定主，此皆变于一百三十三年之间。史之阙文，而后人可以意推者也。”《日知录》卷十三亭林之所谓可以意推者，盖言风俗之丕变焉。

亭林所谓风俗，大部涉及政俗。俞樾补充之曰；“此一百三十余年，略见于六国年表，观韩昭侯六年伐东周，知诸侯无天子也。赵襄子元年，封伯鲁子周为代成君，知诸侯得专封也。秦简公七年，初租禾，孝公十四年，初为赋，什一之法废矣。秦厉公十四年，晋人楚人来赂，聘问之礼坏矣。秦简公六年，初令吏带剑，揖让之容废矣。秦孝公八年与魏战，斩首七千，首功多矣。秦灵公八年，以公主妻河，礼俗变矣。”《曲园杂纂》卷三十四盖即就政俗而言，变异亦不少；商君等，特因时善措，无足怪也。

岂特风俗变异而已，即人情亦变异也。

王应麟言：“左氏载曹刿问战庄公十年，**谏观社**庄公二十三年，**蔼然儒者之言。《公羊》**庄十三年**乃有柯盟之事。太史公遂以曹沫列刺客之首，此战国之风，此游士之虚语，春秋初未有此习也。而燕丹之用荆轲，欲以齐桓待秦政，不亦愚乎？”王氏之说，盖一则以游侠兴于战国，二则谓信义衰于战国，以为人情愈险之征焉。**

曹刿劫齐侯，以返汶阳之田，见《公羊》庄十三年，《史记》八十六《刺客传》。然《史记》记此为曹沫事，《索隐》谓：“沫、刿声近字异，实即一人，”王氏谓曹刿蔼然儒者，且刺客之风，非春秋所恒见，正谓人情日恶。《史记》记荆轲刺秦王之前，燕丹亦以“诚得劫秦王，使悉返诸侯侵地，若曹沫之与齐桓公”为言。王氏则谓桓公之返侵地，非可望于战国时之秦王，盖亦为人情愈险作注脚也。

盖游侠之来，初亦由世变而至，谭嗣同《仁学》卷二页三十二云："……若为任侠，亦足以伸民气，倡勇敢之风。……儒者轻诋游侠，便比之匪人，乌知困于君权之世，非此益无以自振拔？民乃益愚弱而窳败，言治者不可不察也。"汉兴以后，于斯徒备加抑压，而后民气愈萎，此又后来之变也。

岂特人情变异而已，即礼乐亦变异也。

王应麟云："'犹秉《周礼》'闵元年，'齐犹有礼'僖三十三年，观'犹'之一字，则礼废久矣。"《困学纪闻》卷六《史记》二十三《礼书》谓："周衰礼废，乐坏，大小相逾。管仲之家，兼备三归。循法守正者，见侮于世；奢溢僭侈者，谓之显荣。"是则礼有变也。《乐书》《史记》二十四谓："魏文侯问于子夏曰：'吾端冕而听古乐，则唯恐卧。听郑卫之音，则不知倦。敢问古乐之如彼，何也？今乐之如此，何也？'"是则乐有变也。

李斯《谏逐客书》《史记》八十七云："夫击瓮叩缻，弹筝搏髀，而歌呼呜呜耳目者，真秦之声也。郑卫桑间，韶虞武象者，异国之乐也。今弃击瓮叩缻，而就郑卫，退弹筝而取韶虞，若是者何也？快意当前，适观而已矣。"然则秦之乐固亦有变，非止魏文侯以"好古"之君，而喜今乐也。

岂止礼乐有异变而已，即男女位置，亦起变易也。

《传》称郤缺夫妇，耕时馈馌，相敬如宾。《国语》称勾践败于吴国之后，"乃致其父兄昆弟而誓之曰：'寡人闻古之贤君，四方之民归之，若水之归下也。今寡人不能，将帅二三子夫妇以蕃；命壮者无取老妇，老者无取壮妻。女子十七不嫁，其父母有辠；丈夫二十不取，其父母有皋。将免者，以告，公令医守之。生丈夫，二壶酒，一犬；生女子，二壶酒，一豚。'"《国语》二十《越语上》自一犬一豚而言，男女未有所轩轾也。

《说文解字》十二下女部云："妻，妇与己齐者也。"段注："妻齐以叠韵为训。"是相敬如宾，初不足异。然世事渐兴盛，男子愈得显其身手。如苏秦之傲其富贵于妻嫂者，当不自秦始，亦不限于秦一人。然《春秋》之书妇人，特书："宋灾，伯姬卒。"《公羊传》述其故曰："宋灾，伯姬卒焉。称其谥何，贤之也？何贤尔？宋灾，伯姬存焉；有司复曰：'火至矣。请出！'伯姬曰：'不可，吾闻之也，妇人夜出，不见傅母，不下堂。'傅至矣，母未至也，逮乎火而死！"襄三十年足见妇人行为之受束缚，春秋时已然，至战国时，则《韩非》《六反篇》谓："父母之于子也，产男则相贺，产女则杀之。此俱出父母之怀妊，然男子受贺，女子杀之者，虑其后便计之长利也。"此非仅证溺女之俗，六国时已有且可知女子地位低落之"所以然"，以女子无"长利"也。

俞正燮曰："《礼·郊特牲》云：'一与之齐，终身不改。'故夫死不嫁。《后汉书》曹世叔妻传云：'夫有再娶之义，妇无二适之夫，故曰夫者天也。'按妇无二适之义，固也；男亦无再娶之义。圣人之所以不定此，仪也。曰'礼不下庶人，刑不上大夫'，非谓庶人不行礼，大夫不怀刑也。自礼意不明，苛求妇人，遂为偏义。古礼，夫妇合体，同尊卑。乃或卑其妻，大名终身不改，'身'则男女同也。七事出妻，乃七改矣。妻死再娶，乃八改矣。男子理义无涯涘，而深文以网妇人，是无耻之论也。"《癸巳类稿》卷十三《节妇说》俞氏谓男女俱不得再婚，指七出之义，为无耻之论。而谢在杭则言：“古者妇节，似不甚重。故其言曰：‘父一而已，人尽夫也。’辰嬴以国君之女，朝事其弟，夕事其兄。鹑奔狐绥之行，见于大邦之主，而恬不为耻。圣人制礼，本于人情。妇之事夫，视子之事父，臣之事君，原自有间。”《五杂俎》卷八则是言男女俱得再婚也。俞、谢二氏，说虽不同；然俱谓春秋时男女平等也。且茅焦之说秦王：“陛下车裂假父，有嫉妒之心。囊扑两弟，有不慈之名。”此详《说苑·正谏篇》在帝王之前，指其母之奸夫为“假父”，嫪毐，淫于秦太后者指其母之私子为二弟，足见妇女之位置虽低，而贞节犹不甚重。

至战国之季，则始皇在泰山刻石，“则云：‘男女礼顺，慎遵职事，昭隔内外，靡不清静。’在碣石门则云：‘男乐其畴，女修其业，……’惟会稽一刻，其辞曰：‘饰省宣义，有子而嫁，倍死不贞。防隔内外，禁止淫佚，男女絜诚。夫为寄豭，杀之无害。男秉义程，妻为逃嫁，子不得母。’”《日知录》卷十三《秦纪会稽山刻石》顾炎武叹为秦政之美，追嬗三王，实则，三王之世，曷尝有此重男轻女，防范周至之事哉？

综言之，战国之世，人多以古为不足贵，而“是今”者，则又多所成功。他如衣冠之变易也，风俗之变易也，人情之变易也，礼乐之变易也，男女位置之有变易也，——均足征自春秋迄于战国，国疆之变，政权之变，阀阅之变，经济之变，学术之变而外，其起而生变者，多矣。

然至秦之统一，而变异终止；上古史亦变而为中古史矣。

二八　秦之统一的前晚

秦之统一,使上古史得以告一结束者,固中国文化转移之枢纽也。

谭嗣同《仁学》卷二页二十九云:“二千年来之政,秦政也,皆大盗也。”此则毁秦者也。顾炎武《日知录》云:“汉兴以来,承用秦法,以至于今日者,多矣。世之儒者,言及于秦,即以为亡国之法,亦未之深考乎?”卷十三《会稽山刻石》此则誉秦者也。

黄汝成论顾炎武曰:“先生颇取秦法,其言政事,急于综核名实,夹杂申韩之学。”《日知录》同上注申韩之学,固源自先秦。言秦之美者,即言其承受上古遗产也。嗣同“二千年来之政皆秦政也”,其说固亦有本。《史记》二十三《礼书》云:“至秦有天下,悉内六国礼仪,采择其善。虽不合圣制,其尊君抑臣,朝廷济济,依古以来。至于高祖,光有四海,叔孙通颇有所增益减损,大抵皆袭秦故。”此谓自汉以后,多采秦政,而秦则又杂采六国者。《汉书》十九上《百官公卿表》,凡丞相太尉之属,均注秦官。称古官者无几而《叙》称:“自周衰官失,而百职乱。战国并争,各变异;秦兼天下,建皇帝之号,立百官之职,汉因循而不革,明简易,随时宜也。”此又谓秦制导源战国,而为汉制之蓝本:明秦之一统,于制度上,盖承先启后者。比杭县章厥生先生曾草创《秦史》,曾语作者,以读史者知有汉而不知有秦,知有汉之创制而不知有秦之垂后为病,故列举史实以明之。

章先生已去世矣。斯所举者，不过先生之万一耳，谨书于此以志感慨。

毁誉且不论，然史事不能间断，而秦之统一，为承前启后之大事，则人无异词者也。秦不能不承受前人之遗，后人亦不能不承受秦之启。方苞《望溪集》卷三《汉高帝论》云："二帝三王之治，荡灭而无遗，虽秦首恶，亦汉高帝之过也。方是时，古法虽废，而易兴也。俗变犹进，而易返也。文献虽绝，而未尝亡也。天下若敖若焦，同口以苦秦法，则教易行，政易革也。而高帝乃一仍秦政。故汉氏子孙，循而习之，垂四百年不绝。不独君安其政，民狎其俗，后此复何望哉？古圣人之有天下，若承重负，行畏途，而惧于不胜。至于秦，则用天下之恣睢，而专自慊于上。秦皇帝纵观，高帝曰：'大丈夫当如是矣。'及叔孙通定朝仪，乃曰：'吾今而知皇帝之贵。'则其所见，盖去秦皇帝一间耳。"——此以君权之恣睢，秦法之苛酷，病汉之不能推翻秦制，而复之上古。然孰知君之恣睢，法之苛酷，秦人固有绍承，有所不得不已，非秦之所能变，抑非汉之所能变焉。何也，在秦之统一之前晚，各国之法，固已苛酷矣；君之威权，固已恣睢矣。岂必至始皇统一六国而后然哉？

即以封建而论，由万国而为千八百国，由千八百国而为百余国，由百余国而为十二诸侯，由十二诸侯而为七雄，由七雄而为一秦，——国数之由多而少，至秦统一之前晚，其势始成，事始竣耳。秦，固前有所承也，岂秦一国之力而已哉！秦亦适逢其"时"而已！

东坡《志林》卷五《秦废封建》云："圣人不能为时，亦不失时。时，非圣人之所能为也。能不失时而已。三代之兴，诸侯无罪，不可夺削，因而君之。虽欲罢侯置守，其可得乎？此所谓不能为时者也。周衰，诸侯相并，齐晋秦楚，皆千余里，其势足以建侯树屏。至于七国，皆称王，行天子之事，然终不封诸侯，不立强家世卿者，以鲁三桓、晋六卿、齐田氏为戒也。久矣，世之畏诸侯之祸也，非独李斯、始皇知之。始皇既并天下，分郡邑，置守宰，理固宜然。如冬裘夏葛，时之所宜，非人之私智独见也。汉高帝欲立六国后，张子房以为不可也，未有非之者。李斯之论，与子房何异？世特以成败为是非耳。……凡有血气必争，争必以利；利莫大于封建。封建者，争之端而乱之始也。自书契以来，臣弑其君，子弑其父，父子兄弟相贼杀，有不出于封而争位者乎？封建者，争之端而乱之始也。自三代圣人以礼乐教化天下，至刑措不用。然终不能已篡弑之祸。至汉以来，君臣父子相贼虐者，皆诸侯王子孙。其余卿大夫不世袭者，盖未尝有也。"——盖亦谓秦之消灭封建，由于前此之贼杀。换言之，在秦统一之前晚，封建已尚消灭，秦固前有所承者。

《日知录》记《秦始皇未灭二国》云："古封建之国，其未尽灭于秦始皇者，《卫世家》言：'二世元年，废卫君角为庶人。'是始皇时，卫未尝亡也。《越世家》言：'越以此散，诸族子争立，或为王，或为君，滨于江南海上，服朝于楚。'《秦始皇本纪》言：'二十五年，王翦遂定荆江南地，降越君。'汉兴，有东海王摇、闽越王无诸之属，原注："如今世之土司。"是越未尝亡也。《西南夷传》又言：'秦灭诸侯，唯楚苗裔尚有滇王。'然则谓秦废五等而立郡县，亦举其大势然耳。"《日知录》卷二十二以此知七国兼并，势有必至；非全然关于秦之凶暴。不然者，秦何爱于卫越，而独留之哉？

然则秦之统一，无非为春秋、战国五百年间之世变，结一总账而已。吾所谓结总账者，即指承先之变而划一、整齐、修饰、补充之也。

如文字之混同，《史记》称“书同文字”《始皇本纪》，王国维云：“自秦灭六国，席百战之威，行严峻之法，以同一文字。凡六国文字之存于古籍者，已焚烧刬灭，而民间日用文字，又非秦文不得行用。观传世秦权量等，始皇二十六年诏后，多刻二世元年诏。虽亡国一二年中，而秦法之行如此。”《观堂集林》卷七此则言秦为上古文字之变异，结总账也。

六国之时，非但文字异趋，即语言亦有不同。《孟子》《滕文公下》云：“有楚大夫于此，欲其子之齐语也。……一齐人傅之，众楚人咻之，虽日挞而求其齐，不可得矣。”此足见齐楚之语不同。

《史记》卷四十八《陈涉世家》载涉为王后，其微时佣耕，同伴见之。“俱载入宫，见殿幄帷帐，客曰：‘夥颐，涉之为王沈沈者！’楚人谓‘多’为‘夥’，故天下传之。”服虔曰：.“楚人谓多为夥。颐者，明声之辞也。”《国策·秦策》：“周人谓鼠未腊者朴。郑人谓玉未理者璞。周人过郑贾曰：‘欲买朴乎？’郑贾曰：‘欲之。’出其璞，乃鼠也，因谢不取。”足征六国之时，方言亦不一致。以此推想，知秦之统一，当亦有关于语言，而文阙不具也。

如政治组织之整齐划一，初亦由秦之故俗，因统一而推诸六国。《荀子》《强国篇》云："应侯问孙卿子曰：'入秦何见？'孙卿子曰：'入境，观其风俗，其百姓朴，其声乐不流污，其服不佻，甚畏有司而顺，古之民也。及都邑官府，其百吏，肃然莫不恭俭敦敬，忠信而不楛，古之吏也。入其国，观其士大夫，出于其门，入于公门，出于公门，归于其家，无有私事也。不比周，不朋党，倜然莫不明通而公也。古之士大夫也。观其朝廷，其间听决，百事不留，恬然如无治者，古之朝也。故四世孝、惠文、武、昭有胜，非幸也，数也。"是知秦之政治组织严密，在秦统一以前，已然。秦不过以此严密之精神，推而行之各地耳。而此严密之精神，盖亦前有所本也。

顾炎武《日知录》卷八《乡亭之职》云："《汉书·百官表》，县令、长皆秦官。……大率十里一亭，亭有长：十亭一乡，乡有三老有秩，啬夫，游徼。三老掌教化，啬夫职听讼、收赋税，游徼徼循禁贼盗。县大率方百里，其民稠则减，稀则旷。乡亭亦如之。皆秦制焉。……此其制，不始于秦汉也。自诸侯兼并之始，而管仲、蔿敖、子产之伦，所以治其国者，莫不皆然！"足见秦政治组织之地方部分，又承前而启后者。

即如道路之制，为统一之表现者，据贾山《至言》，秦"为驰道于天下，东穷燕齐，南极吴楚，江湖之上，濒海之观，毕至。道广五十步，三丈而树，厚筑其外，隐以金锥，树以青松，为驰道之丽，至于此"据《汉书》五十一《贾山传》。据《史记·蒙恬传》："始皇欲游天下，道九原，抵甘泉，堑山堙谷，千八百里。道未就，始皇崩。"则似驰道始于秦也。然顾祖禹《读史方舆纪要》卷八十一《湖广七》记湖广永州府“府东八十里，有驰道。阔五丈余，类今之河道。《史记》秦始皇令天下修驰道，以备游幸，此其旧迹也”。修道云云，盖交通之具，秦亦承先启后者也。

即如奢靡之建筑，世盛称秦之阿房；然在秦未统一前，六国岂无“阿房”哉？如齐有万亩之室，而瑯琊台背山倚流，其高九仞《七国考》卷四。楚亦有细腰宫，宫人数千。赵之邯郸宫，“中有赵王果园，梅李至冬而花，春得食。”同上燕有明光宫“金纬玉经，白刃为表，周宫为衣，迷不知其所从入”。同上然则杜牧之《阿房宫赋》，指秦为竭帝王之淫欲者，秦固承先启后者也。

由此观之，在秦统一之前晚，各种事变，固纷具于秦之前；秦能因其势而利用此等趋势，以建树一切。足为上古史与中古史之分界。固非秦之君臣能突然骤然，创立新局面也。

卷二　中古卷

第一章　中古文化概说

一　本系文化之延长

上古文化史，既断限于秦之统一。然而落红化泥，更护新葩；苍狗白云，相承变幻。穷则变，变则通，通则久，变通之际，固未必有一昭著之鸿沟。请举中古文化之各方面，而征其与上古文化相联系焉。

夫中古文化史之大事，非曰：封建变而为郡县乎？然此匪始于中古也。

《左氏传》："赵简子伐郑，誓之曰：'克敌者，上大夫受县，下大夫受郡。'"杜预注："《周书·作雒篇》：'千里百县，县有四郡。'"哀公二年楚庄王之伐郑也，郑伯肉袒牵羊以迎，曰："使致事君，夷于九县。"宣十二年杜注："楚灭九国以为县。"则郡县之制，固已造端于封建之时矣。且也，中古时开始之郡县，固犹留往昔封建之残迹，两汉之时，诸侯王得自纪年，此何异乎《春秋》之尊鲁公："孔子志在尊王，而修《春秋》，亦以鲁公编年，盖成例相沿，虽圣人不能改。至汉犹然。《史记》诸侯王世家，纪年不用帝年，而仍以诸侯王之年纪事。"《廿二史劄记》卷二"汉时诸侯王各自纪年"条其时膺民社者，如郡守得专杀戮，得专辟属详《陔余丛考》卷十六，又无以异于先秦时之诸侯。则封建之制，有残留于郡县之时——可知郡县之制，特先秦封建残迹之延长之渐变焉“刺史郡守杀人不待奏”条。

《亭林文集》卷一《封建论》云：“盖自汉以下之人，莫不谓秦以孤立而亡。不知秦之亡，不封建亡，封建亦亡。而封建之废，固由于周衰之时，而不始于秦也。封建之废，非一日之故也。虽圣人起，亦将变而为郡县矣。”可谓一语中的顾氏《春秋大事表》（七）云：“三代之都邑即后世之郡县之制，而三代之封建，其国之大者仅如今之县，而春秋中叶强兼弱削，列国已来，为郡县初不始于秦也，必谓郡县出于李斯之议，不如汤武之封建，此儒者之迂论也。”意同。

夫中古文化史上之大事，非曰：皇权之隆重耶？然此匪始于中古也。

张端义《贵耳集》卷中，页二十七，津逮秘书本云：“尧曰，咨尔舜，天之历数在尔躬。……舍此别无他语。禹之传，则曰有典有则，贻厥子孙。《商书》则曰垂裕后昆，启迪后人。周书则曰欲至于万年，惟王子子孙孙永保民，启佑我后人。……吁，尧舜之世，未有一一语及子孙。则知天下乃天下之公器，天下共之；三代以后，子孙之念重。”可知皇权之重，其来有自。秦皇帝之纵肆，初未足异。即赵威后之问齐使：“‘岁亦无恙耶，民亦无恙耶，王亦无恙耶？’使者不悦曰：‘……岂先贱而后尊贵者乎？’威后曰：‘不然。苟无岁，何有民？苟无民，何有君？故有舍问本而问末者耶？’乃进而问之曰：‘齐有於陵子仲，尚存乎？是其为人也，上不臣于王，胡为至今不杀乎？’”《国策》四《齐策》盖虽强词自解：以民为主，而以君为宾，然已标不臣之惩。则知皇权之重，端不起于中古之秦。惟至秦及秦已后，而益见有皇权加重之趋向耳。

如秦尝收天下兵器，然《管子·国准篇》已有殷人之玉，诸侯无牛马之牢，不利其器之语。即在汉武帝亦欲禁民间不得挟弓弩《汉书》六十四《吾丘寿王传》，汉以后益见有此等事详《日知录》十二“禁兵器”条。

> 中古史开始时之秦，其妄自尊大，如朱子则诋其自称皇帝：“黄仁卿问：‘自秦始皇变法之后，后世人君皆不能易之；何也？’曰：‘秦之法尽，是尊君卑臣之法，所以后世不肯变。且如三皇称皇，五帝称帝，秦则兼皇帝之号；只此一事，后世如何肯变？’”《朱子语类》卷一百三十四“然秦仅称皇帝耳。至北周宣帝，则每对臣下，自称为天，自比上帝。又不听人有高者大者之称。诸姓高者改为姜，……官称名位，凡谓上及大者，改为长，有天者，亦改之”《北史》卷十《周本纪》。封演云：“秦汉以来，天子但称皇帝，无其他徽号也。天子之有徽号，盖始于唐。”《封氏闻见记》卷四，畿辅丛书本宋敏求以为：“尊号起于唐中宗自称应天神龙皇帝，后明皇自称开元神武皇帝。陆贽尝以谏德宗。”《春明退朝录》卷中可知皇权之重，秦承上古之遗，承上启下，略有端兆而已。

即曰上古皇权，并不奇重。然此事于中古之前期仍可寻得，而以之证明上古文化之延长。其在上古史中，则“齐宣王出猎于社山”，而“闾邱先生不拜”《说苑·善说》。驺衍“如燕，昭王拥篲先驱，请列弟子之座，而受业。筑碣石宫身，亲往师之”《史记》七十四《驺衍传》。然暴睢如始皇，固能受茅焦之直言；猜忌如汉高，亦能听樊哙之排闼。而“汉制丞相谒见，天子御座为起，乘舆为下《翟方进传》注。有疾，天子往问同上，百官三日一问起居。朝廷遣中使太医，高手膳羞络绎；及瘳视事，尚书令若光禄大夫，赐以牛酒上尊《太平御览》引《汉官仪》；薨，则车驾往吊，赠棺敛具。赐钱葬地，葬日，百官咸会”。陈树镛《汉官答问》卷一，振绮堂丛书本——则知上古时，君之与臣，相去一间，中古时，未能纯然变之焉。

《通鉴》卷六载秦皇迁太后杀嫪毐后，“茅焦谏曰：‘陛下有狂悖之行，不自知耶？车裂假父，囊扑二弟，迁母于雍，残杀谏士，桀纣之行，不至于是矣。’始皇起下殿，手自接之曰：‘先生起，就衣。今愿受教，’乃爵之上卿。”先师洪允祥曰：“汉兴以后，论事者每以秦为喻；故始皇为后世所诟厉，甚于桀纣。观于文信侯迁蜀，听茅焦之谏，始皇固犹有人心者哉？”《国风》三卷十一期洪著《读史随笔》实则始皇承六国之君，辄自菲薄之遗，正如汉高祖病卧禁中，而“樊哙排闼直入”《史记》九十五《哙传》；文帝幸慎夫人，而“袁盎引却慎夫人坐”《史记》一〇一《盎传》；贾生召对，而“文帝前席”《史记》八十四《贾生传》。具见秦汉之际，皇帝之肯屈尊纡贵，犹仍古代之风，故周煇《清波别志》卷下，页十八，知不足斋本谓吕后侧耳，听周昌之争辩；田延年更衣，杨敞夫人出见。“以母后之尊，致跽谢臣下，内外淆杂，略不为嫌，汉真有太古之风”焉。

又岂但汉时有皇权尚轻之太古遗风。三国之时，刘祯犹平视甄后《魏志》卷二十一裴注。而晋时王导又尝与元帝“升御床共坐”，成帝“幼冲，见导每拜，又尝与导书，手诏，则云惶恐”

《晋书》六十五《导传》。《吕览·贵公篇》云："天下者，天下人之天下。"而段灼之告晋武帝犹言："天下者盖亦天下之天下，非一人之天下也。"《晋书》四十八《灼传》——上古思想之延长可知。

如以民生经济言之，则亦可征中古文化为上古文化之延长。《史记》称萧何"强买民田"《史记》五十三《何世家》，《汉书》称贡禹应元帝之征，自言"有田百三十亩，陛下过意微臣，臣卖田百亩以供车马"《汉书》七十二《贡禹传》，而张禹家"以田为业，及富贵，多买田至四百顷。皆泾渭灌溉，极膏腴上贾"《汉书》八十一《张禹传》。——此皆土地私有豪富兼并之史实，而在上古史中，中牟之人卖田圃，苏秦思为洛阳地主，已略现于先矣。

《韩非子·外储说》："王登为中牟令，上言于襄王曰：'中牟有士，曰章胥己者。其身甚修，其学甚博。君何不举之？'王登一日而见二中大夫，予之田宅。中牟之人，弃其田耘，卖宅圃而随文学者半。"是土地之私有卖买，不始于中古也。苏秦宦达后，喟然叹曰："使我洛阳有负郭田二顷，吾岂能佩六国相印乎？"《史记》六十九《秦传》是地主阶级之安乐偷肆，非始于中古也。

即以风俗人情而言，其生于上古者，盖仍有见于中古者。《论语》称孔子"乡人傩，朝服而立于阼阶"。傩者，逐疫之仪也。其在东汉，仍存此风："先腊一日大傩，谓之逐疫。其仪选中黄门子弟，年十岁以上，十二以下，百二十人为侲子。……黄门令奏曰：'侲子备，请逐疫。'……"《后汉书》卷十五《礼仪志》其在北齐，则

“季冬晦，选乐人子弟，十岁以上，十二岁以下，为侲子。合二百四十人，……以逐恶鬼于禁中。其日戊夜三唱，开诸里门，傩者各集被服仪仗以待事。”《隋书》卷八《礼仪志》谢肇淛《五杂俎》卷二“傩以驱疫，古人最重之。沿汉至唐，宫禁皆行之，王建诗‘金吾除夜进傩名，画裤朱衣四队行’是也。今即民间，亦无此戏，但画钟馗与爆竹耳”。则风俗之存于上古者，盖有沿袭于中古之时。

他如男女在社会中之位置，《越语》《国语》二〇谓句践奖民生殖，男女同赏，然《韩非子》《六反篇》已述溺女之俗。而赵人之送其女，亦以必使勿返为言《赵策》三。因此则知女子之系于夫族，上古之季已然，更不必论《抱朴子》《疾谬篇》载世俗戏妇之法，为古代掠夺为婚，庆功谑宴之遗也。又如女慕贞洁，案宋伯姬持“妇人夜出不见，傅母不下堂”之训，卒逮于火而死《公羊传》襄三十年。则知《秦本纪》会稽刻石“有子而嫁，倍死不贞。防隔内外，禁止淫佚。男女絜诚，夫为寄豭，杀之无罪。男秉义程，妻为逃嫁，子不得母”《史记》卷六《秦本纪》，固前有所承，非始皇之作古。然“古者妇节，似不甚重。故其言曰：‘人尽夫也，父一而已。’《左传》桓十五年祭仲妻告其女之语展嬴以国君之女，朝事其弟，夕事其兄。鹑奔狐绥之行，见于大邦之主，而恬不为耻。圣人制礼，本于人情；妇之事夫，视子之事父，臣之事君，原自有间”谢在杭《五杂俎》卷八。其在孔氏，亦“三世不丧出母”《檀弓》。而中古之时，帝室公主，不恤再醮。蔚宗作《后汉书》，亦著录三嫁其夫狎生胡子之蔡琰《后汉书》卷一百十四《董祀妻传》。用知面首三十人，男左右三十人，虽六代人之淫佚，得无上古妇节，似不甚重之遗耶？

《后汉书》卷五十六《宋宏传》：“帝（光武）姊湖阳公主新寡，

帝与共论朝臣，微观其意。主曰：'宋公威容德器，群臣莫及。'"是当时不以再嫁为讳。至如山阴公主之语宋前废帝，"妾与陛下，虽男女有殊，俱托体先帝。陛下六宫万数，而妾惟驸马一人。事不均平，一何至此。帝乃为主置面首三十人"《宋书》卷七。郁林王亦为皇太后"置男左右三十人"《南史》卷十一《后妃传》。此虽六代之漫佚，要亦得视为古者妇节似不甚重之延长也。

即汉初布衣将相之局，"汉礼诸臣，惟张良出身最贵，韩相之子也。其次则张苍，秦御史；叔孙通，秦待诏博士。其次，则萧何沛主吏椽，申屠嘉，材官，其余陈平、王陵等，皆白衣；樊哙则屠狗者，周勃则给丧事者，灌婴则贩缯者，陆敬则挽车者，一时人材皆出其中，虽曰'为天地一大变局'，然七国之时，'其势已不得不变'。'先从在下者起'，游说则苏秦、张仪徒步而为相，征战则孙膑、白起，白身而为将，此已开后世布衣将相之例。"录《廿二史劄记》卷二"布衣将相之局"条

即以学术思想言之，说者每谓自秦焚书，自汉崇儒之后，先秦古学，因多隐灭。然汉文主张薄丧，谓"当今之时，世咸嘉生而恶死，厚葬以破业，重服以伤生，吾甚不取"《史记》卷十《文纪》，则犹是墨教之遗。"汉兴，董仲舒治《公羊春秋》，始推阴阳为儒者宗。宣元之后，刘向治《谷梁》，数其祸福，傅以《洪范》"《廿二史劄记》卷二"汉儒言灾异"条。而徐防、翟方进等，以灾异罢免，以灾异自杀《廿二史劄记》卷二"灾异策免三公"条。则犹是上世阳阴灾异之遗。《史记》卷一百二十一《儒林传》称："然孝文帝本好刑名之言；及至孝景，不任儒者。而窦太后，又好黄老之术。"而司马谈论六家要旨，谓儒者"其事难尽

从”，谓道则“乃合大道，混混冥冥；光耀天下，复返无名”《史记》卷百三十《太史公自叙》。则庄生、老聃之说，又何曾不延长于中古乎？至于法家思想之存于中古，则更显矣。

> 战国之时，刑戮甚严参看拙作《秦始皇评》第三节，《金陵学报》一卷，页三〇七—三〇八。汉高帝号称减刑，然《史记》传酷吏，汉人又多以言语获罪详洪迈《容斋四笔》卷十三。而汉元帝侍宣帝，“从容言陛下持刑太深。宜用儒生。宣帝作色曰：‘汉家自有制度，本以霸王道杂之，奈何纯任德教，用周政乎？’”《汉书》卷九《元纪》此正宣帝由衷之言，而秦隋重法之恶未足异也参看《容斋续笔》卷五“秦隋之恶”条。

由此观之，虽曰：“自秦统一之后，令读中古史者之耳目一新。”然以政制、刑法、风俗、社会、民生经济、学术、刑法而论，具可征中古文化为上古文化之延长，而非突变于秦，守成于汉，因以便史家之划分时代者焉。

二　中古文化之特色

虽然，中国中古文化若与上古文化比拟，就其大体言之，则显有与上古不同者。

盖自秦以迄五季，其显著之史实，厥为文化所披及之地区之扩大。

周世中国地，据《容斋随笔》卷五言：“其中国者，独晋、卫、齐、鲁、宋、郑、陈、许而已。通不过数十州，盖于天下指宋天下特五分之耳。”秦并中国，汉继经营，“西汉之世，郡国一百有三，县邑千三百有十四，道三十二，侯国二百四十一。左东海，右渠搜，前番禺，后陶涂，东西九千三百二里，南北万三千三百六十八里，可谓盛矣”《读史方舆纪要》卷二。故秦汉二字，在异国人视之，权威至大。“今之夷狄，谓中国为汉者，盖有说焉。《西域传》《汉书》九六载武帝轮台诏曰：‘匈奴缚我马前后足，言秦人，我匄若马。’注：‘谓州中国人为秦人，习故言也。’故今夷狄，谓中国为汉，亦由是也。”马永卿《懒真子录》卷一嗣后虽有五胡乱华之役，然华化所披，初不以汉族之消沉而阻抑。自彼以至李唐，则幅员更广，叶昌炽《语石》所谓“近俄人常于回纥、突厥故都，访得唐人纪功碑”卷二，具证中古史之有汉唐，真能为中古文化生色非少者矣。

汉代拓土之盛，《两都赋》所谓：“强干弱枝，隆上都而观万国。封畿之内，厥土千里，卓荦诸夏，兼其所有。”《后汉书》七十《班固传》燕然山勒石所谓：“恢拓境宇，振大汉之天声。”《后汉书》五十三《窦宪传》已足表其一二。其在于唐，则刘昫称之曰：“北殄突厥颉利，西定高昌，北逾阴山，西抵大漠。其地东极海，西至焉耆，南尽林州南境，北接薛延陀界。凡东西九千五百一十里，南北万六千九百一十八里，高宗时平高丽、百济，辽海以东，皆为州郡。”《唐书》三十八《地理志》如此国威，何时可再？令人兴感矣。

即以地图言之，《周礼》已有司险掌九州之图，大司徒“掌建邦之土地之图，与其人民之数”等语。然《周礼》实不足置信。其在于汉，则确有地图。史绳祖云：“世言舆地图，皆谓始于汉光武披阅地图，而不知前汉《淮南王安传》已有按舆地图之语。”《学斋呫哔》卷一是地图学始于中古之初。及至中古之中，则裴秀作《禹贡地域图》十八篇，“其序曰：制图之体，有六焉。一曰分率，所以辨广轮之度也；二曰准望，所以正彼此之体也；三曰道里，所以定所由之数也；四曰高下，五曰方邪，六曰迂直。此三者，各因地而制宜，所以校夷险之异也。”见《晋书》三五《裴秀传》，参看《禹贡锥指》卷一，案《宋书》八五《谢庄传》亦传庄作《左传》方丈图此由地图学之进步，而征地域观念之扩大也。

中古文化史所及之时间，自秦以迄五代，前二二一年至九六〇年阅时固不及上古之长。然中国文化沾溉之区，固较上古为广，即受其熏陶者亦较上古为多。易言之，则民族成分较前更复。如汉之金日磾、晋之段匹磾，固为显著之华化的胡人，及五胡乱华之时，则刘元海“习毛《诗》、京氏《易》、马氏《尚书》，尤好《春秋左氏传》、孙吴《兵法》，略皆诵之，《史》、《汉》诸子无不综览。尝谓同门生曰：‘吾每观书传，每鄙随陆无武，绛灌无文。’”《晋书》二百一《元海载纪》子刘和亦“好学夙成，习毛《诗》、左氏《春秋》、郑氏《易》”。《晋书》百一刘聪亦“究通经史，兼综百家之言”。同上石勒“雅好文学，虽在军旅，常令儒生谈《史》书而听之。尝使人读《汉书》。……”《晋书》百五《勒载记》此皆异族人士沐浴华化之证也。更无论后魏孝文帝之蓄意变法矣。

杨衒之《洛阳伽蓝记》卷一云：“伊雒之间有四夷馆，……乐中国土风，因而宅者不可胜数，是以附化之民，万有余家。”《隋书》称王世充为胡人。《通鉴》卷一八一称其本姓支氏，父收，幼从其母嫁王氏，因冒其姓。而李唐氏族，据最近各家考证冯承钧《唐代华化蕃胡考》，女师大《学术季刊》一卷四期；刘盼遂《李唐为蕃姓考》，《历史语言研究所纪念论文集》；陈寅恪《李唐氏族之推测》，出于蕃姓亦似有可信。更足明中古时，自晋至唐，民族成分之繁复矣。

即如新宗教之加入，固亦为中古文化生色者。

姑不论回教，言佛教。佛教自汉时传入中国具详本卷第一五节。其有影响于中古文化者，初不待宋元理学而见："朱世英言：予昔从文公于定林数夕，闻所未闻。……尝……曰：'成周三代之际，圣贤多生吾儒中；两汉以下，圣人多生佛中。'"释惠洪《冷斋夜话》卷十，其人与东坡同时"李屏山平日喜佛学，尝曰：'中国之书不及也。'又曰：'学至于佛，则无所学。'"刘祈《归潜志》卷九此犹谓佛教之侵入于中国哲学之范围。若以通常事物之在民间者觇之，则知佛教之为新宗教，真中古史中之骄子矣。

《后汉书》卷一〇三《陶谦传》，载："大起浮屠寺，上累金盘，下为重楼。又堂阁周回，可容三千余人。作黄金涂像，衣以锦彩。"晋恭帝亦"销货千万，造丈六金像，亲于瓦官寺迎之"《晋书》卷十。当其为刘裕所弑，将进药酒，犹惕惕于"佛教自杀者不复得人身"《通鉴》一九一。南齐江泌"衣敝，恐虱饥死，乃复取置衣中。遇鲑，不忍食。食菜不食心，以其有生意焉"《南齐书》五十五《泌传》。岂曰六代人之闇愚，盖亦新宗教之撼振人心者甚焉。至于唐代之迎佛骨，如代宗之迎万佛山详苏鹗《杜阳杂编》卷上页四至五。稗海本，宪宗之迎佛骨《新唐书·韩愈传》，《困学纪闻》卷十四，懿宗之迎佛骨《杜阳杂编》卷下页四至五，"时有军卒，断左臂于佛前，以手执之，一步一礼，血流洒地。至于肘行膝步，啮指截发，不可胜数”，则知佛教之入人深矣。

以故，中古文化史中，尝产生新学术及新生活。

今世之人，标举国乐，辄推琵琶。而不知推手为琵却手琶，正外族之遗。昭梿谓：“自隋时以龟兹乐入于燕曲，致使古音湮没，而番乐横行。故琵琶乐器，为今乐之祖。”《啸亭杂录》卷八此以乐器言之，外此，则隋开皇中，“颜之推上言：礼坏乐崩，其来自久。今太常雅乐，并用胡声”《隋书·音乐志》。此则音乐在中世之创革也。

音乐固随世而变，故“六国之时，魏文侯最为好古。而谓子夏曰：‘寡人听古乐则欲寐，及闻郑卫，余不知倦焉。’子夏辞而辨之”《汉书》二十二《礼乐志》参《礼记·乐记》。然此渐变之古乐，至五胡乱华时，而益队失。如后魏道武帝“得晋乐器，不知采用，皆委弃之”《隋书·音乐志》。降及隋初，无怪颜之推之慨然言之。及唐中叶，胡人南侵，而音乐益受胡化。元稹《长庆集》卷三十四《法曲》云：“自从胡骑起烟尘，毛毳腥膻满咸洛。女为胡妇学胡妆，使进胡音务胡乐。”《全唐诗》第五函第五册载王建《凉州行》云：“城头山鸡鸣角角，洛阳家家学胡乐。”则又一剧变矣。

又如近世好言音韵，而不知反切四声之学，固亦由西域传入者。

反切起于孙炎，四声定于沈约、陆厥，盖亦由西域之教。顾炎武云：“汉以前未有反切之学，许氏《说文》，郑氏笺注，但曰‘读若某’而已。其于后世，四声七音，又岂能尽合哉？反切之学，自西域入中国，至齐梁盛行。然后声病之说详焉。”《音论》卷一例如《左传》有寺人披僖二十四年，而《史记》卷三九《晋世家》作“宦者履鞮”，《国语》《晋语》第十作“寺人勃鞮”，说详俞正燮《癸巳类稿》卷七《反切证义》参本卷二十七节此正反切之祖。然反切之学，正式成立，则有待于中世时西域之传入也。即如四声之别，虽古人已有长言短言之别。如顾炎武谓：“平上去入之名，汉时未有。然公羊庄二十八年《传》曰‘春秋，伐者为客，伐者为主，’何休注于‘伐者为客’下曰：‘伐人者为客，读代，长言之，齐人语也。’于‘伐者为主’下曰：‘见伐者为主，读伐，短言之，齐人语也’。长言则今之平上去声也，短言则今之入声也。”《音论》一“古人四声一贯”条长言、短言起于汉世，然而四声之起于齐梁，则固不能不谓中古史上之大发现矣。

音韵之外，则又有艺术之受外来之影响者。如造像是也。

今世造像之古者，如南之摄山石象，北之云冈石窟，盖皆始于六代。清赵绍祖《古墨斋金石跋》卷二《跋北魏李仲琁修孔子庙碑》成于兴和三年，“其文有云：乃命工人，修建容像。又云，所以雕塑十子，奉进儒冠。似夫子庙，本自有像。而十哲，则仲琁创置之也。自佛入中国，始有像设。吾侪只作主而已。今乃举西域之法，施于圣人之门，此自不学之过，而特未可以为仲琁责也！”然则，中古之新宗教，固有以影响中古之艺术矣。

左春谷曰：“像设不自后世始也。后稷庙所铸金人，见于《周语》登原案：《史记·秦始皇本纪》亦有“铸金人十二”之语，越王命工以良金写范蠡之状，见于《国语》。土偶人与桃梗相语之说，见于《国策》。是塑像、木像、金像，汉以前皆有之。至夫子有画像，其来已久。汉文翁石室图，有孔子及七十二弟子像。《隶释》有《孔子见老子》画像，韩敕《修孔庙后碑》有改画圣像之语。而塑像，则不知所始。是碑之修建容像，亦不自仲琁始也。明张璁令天下学宫，尽撤塑像，而国朝邵长蘅有《复孔圣像议》，亦未见其言之非也。”同上案以像设怀眷过去，如汉武帝“使黄门画周公负成王朝诸侯以赐光”《汉书》六八《霍光传》，而明帝亦“图画建武中名臣列将于云台”《后汉书》五十四《马援传》，迭见于史。惟究为不甚通俗经见之事。故叶昌炽谓“造像莫先于元魏”《语石》，《金石萃编》谓“造像立碑始于北魏”，其言亦大致不谬也。

艺术之外，则又有文学，盖亦受外来之影响矣。

文学之首受熏炙者，则基于六朝之译经。以及尔时高僧之改易文气。故文风丕变，同异于过昔之渐变。如支道林通《庄子·渔父》，“先作七百余语，叙致精丽，才藻奇拔，众咸称善”《世说·文学篇》，则乃属于后者；盖当时文人，服于高僧之才调也。又如宝云“以晋隆安之初，远适西域。……遍学梵书，天竺诸国，音字诂训，悉皆备解，晚出诸经，多云所治定，为众信服”《高僧传》。而今世所传古诗，如《焦仲卿妻》等篇，学者多谓其受六代译经之熏炙，则乃属于前者。其在唐代，则文学之受外来影响，盖益明矣。

中古史上之唐代，文化所披及之地域益广，民族成分，亦较前更复，而文学之受地广人杂之熏炙益明。王建《凉州行》云云，元稹《长庆集》二十四《法曲》云云。此则言歌词受外来影响也。更具体言之，唐人《霓裳羽衣》之曲，王灼曰：“蔡絛《诗话》云：……龟兹国王与臣庶和乐者，于大山间听风水声，均节成音。翻入中国。如《伊州》、《甘州》、《凉州》，皆自龟兹致。此说近之。”《碧鸡漫志》卷三，知不足斋本则亦受异族影响者也。又如《菩萨蛮》之曲，据钱希白《南部新书》：“（苏鹗）《杜阳杂编》云：大中初，女蛮国入贡，危髻金冠，缨络被体，号菩萨蛮队，遂制此曲。当时倡优李可及作菩萨蛮舞，文人亦往往声其词。”《碧鸡漫志》卷五页四又如《苏幕遮》之曲，慧琳《一切经音义》卷四十云：“苏幕遮，西戎胡语也。……此戏本出西龟兹国，至今犹有此曲。”王世贞亦谓：“苏幕遮，胡服也，一曰高昌女子所戴油帽。”《弇州山人稿》卷一百六十可知文词之受外人影炙，初不待宋元戏曲而已然矣。

昔西汉之初，汉使者自安息得苜蓿、蒲陶归，于以酿酒，于以牧马《史记·大宛传》。苜蓿之为利也，今江南犹受其赐。今以文学、艺术、音乐、声韵言之，更知中国在中古时，因文化之昌披，因人种之歧杂，域外之交通既繁，殊国之文明斯入。国内之统一既成，对外之疆域斯拓，——此盖置诸上古史中而罕其例，置诸近世史中而徒与人以惆怅者也。

第二章　郡县制度与天下为私

三　天下为私之表现于郡县制度者

置诸上古史中而罕见其匹者，则帝皇之天下为私是也。

帝皇之天下为私，固非始于中古者参看第一节引《贵耳集》。然及中古之秦，而此风弥张，后世踵守，此风愈烈。《朱子语类》所谓尊君卑臣，“后世如何肯变”《朱子语类》卷一三四；方苞所谓“秦用天下之恣睢，而专自慊于上。秦皇帝纵观，高帝曰：‘大丈夫当如是矣。’及叔孙通定朝仪，乃曰：‘吾今而知皇帝之贵。’则其所见去秦皇帝盖一间耳”《方望溪集》卷三《汉高帝论》。可知秦虽首恶，而天下为私之政治，秦以后益有甚焉。故唐坰谓宋神宗：“秦二世制于赵高，乃失之弱，非失之强。”《宋史》三二七

秦以天下为私产，故始皇曰：“朕为始皇帝，后世以世计。二世三世，至千万世，传之无穷。”《史记》六《始皇纪》项籍于始皇渡浙江，谓梁曰：“彼可取而代也。”《史记》七《项羽纪》萧何之告汉高：“天子以四海为家，非壮丽无以重威。”即异日汉高之语其父：“始大人尝以臣无赖，不能治产业，不如仲力。今某之业所

就，孰与仲多？”俱见《史记》八《高祖纪》叔孙通为制朝仪，高帝曰：“吾乃今日知为皇帝之贵也。”《史记》九十九《叔孙通传》王安石《临川集》卷九《叔孙通诗》云：“先生秦博士，秦礼颇能熟。量主欲有为，两生皆不欲。草具一王仪，群豪果知肃。黄金既遍赐，短衣亦已续。儒术从此凋，何为返初服！”然归咎叔孙通，无宁归咎于天下为私之积势。汉宣帝时，盖宽饶以语“五帝官天下，三王家天下”得罪《汉书》七十七《宽饶传》。异日唐高祖尝告太宗：“今日破家亡躯亦由汝，化家为国亦由汝矣。”《通鉴》卷一八三即如明太祖，据谢肇淛《五杂俎》卷六页三云：“相传太祖既定天下，募有与己同禄命者，得江阴一人，召至，将杀之。既见，一野叟耳。问何以为生？曰惟养蜂十三笼，取其蜜以自给。太祖笑曰：‘朕以十三布政司为笼蜂乎？’”以民为蜂，则知天子以四海为家，秦以后此念益重。

以此天下为私为主张，则有恐民之反缜密加压之统治。如“分天下为三十六郡，郡置守尉监，更名民曰黔首，大酺收天下兵。聚之咸阳，销以为钟鐻金人十二”《始皇本纪》。考恐民欲反，禁蓄武装之令，如隋炀曾“制民间铁叉、搭钩、䂎刃之属，皆禁之”《通鉴》卷一八一。唐中宗时，亦议禁岭南兵器《旧唐书》卷百《郑惟忠传》。而《日知录》卷十二又称载秦汉已来“禁兵器”之事，似始皇不得专其丑即裂天下为郡县，直统于中央，盖亦战国以来之趋势致然。所以便专制者之统治焉。战国之时，即以信陵君之掌政于魏，而不能号令安陵君，仅怒作而云：“安陵之地，亦犹魏也！”详《通鉴》六则天下为私者，能勿改为郡县之制乎？“古者疆域未定，声教未通，各君其国，各子其民。虽不欲封建，而封建之势已定。……至战国七雄并吞，而生民之祸极矣。其势虽欲复封建，而封建之势不可久。是以秦人乘便因势，混一天下而郡县之。封建之变为郡县，其势不得不然。”《大义觉迷录》卷二“天下共苦战斗，不休，以有侯王”，则以天下为私者，能勿改为郡县之制乎。

然此仅指横的封建言之。若夫纵的封建，秦未能销也。楚无宇所谓：“天有十日，人有十等，王臣公……。”考《礼记·射义》，亦曰：“以贱事贵，有十等焉。像天之有十日。”杨慎谓：“十日十等，古有此说，故《左传》、《礼记》互见之。然不知其所当何义。或谓日中当王，鸡鸣当士，夜半当皂，人定当舆。”《丹铅总录》卷十二则君主与庶人之间，固有封建可寻。如樊哙亦壮士，然于高祖即位后，其语韩信，犹曰：“大王乃肯临臣！”《史记》九十九《淮阴传》司马光亦谓：“昔者圣王……知齐民之莫能相治也，故置师长以正之。知群臣之莫敢相使也，故建诸侯以制之。知列国之莫能相服也，故立天子以统之。”《通鉴》卷二四四惟韩信式之“大王”，及群臣之臣视齐民，究非天下为私者所乐有，故一一铲除。后世仅余下级吏胥，介于君民之间。“叶正则（适）之言曰：今天下官无封建，而吏有封建。州县之敝，吏胥窟穴其中。父以是传之子，兄以是传之弟，以掣州县之权。”《亭林文集》卷一《郡县论八》吏胥之治，盖纵的封建之残骸也。

盖上古之封建，犹诸后世之土司。秦之毁封建以为郡县，犹诸改土归流语详刘献廷《广阳杂记》卷四。故灭人之国，立郡置县，非始于秦语详《日知录》卷二十二“郡县”条。即以秦而论，孝公十三年，废小乡邑为县。惠文王十三年，取楚地为汉中郡，此则始皇即位以前也以上见《秦本纪》，秦灭赵，以其地为郡《史记·赵世家》。始皇二十六年，置郡三十六。此则始皇平天下之时也，始皇三十六年，置桂林、南海、象郡《始皇本纪》。《东越传》《史记》一一四“秦既并天下，以其地为闽中郡”，此则秦平天下之后也改土为流，事出诸渐，罢侯置县，亦非突然也。

以上郡县建置，根据刘师培《秦四十郡县考》《国粹学报》四十九期《地理篇》。宋《东坡集》卷六《封建》云：“周衰，诸侯兼并，齐晋秦楚，皆千余里。其势足以建侯树屏，至于七国称王，行天子之事，然终不封诸侯。以晋六卿，齐田氏为戒久矣。世之畏诸侯之祸也，非独始皇、李斯知之，秦王既并天下，分郡置守，理固当然。如冬裘夏葛，时之所宜，非一人之私智独见也。”事出有渐，其意正同。

且也，秦立郡县，虽发于天下为私之私念。然以较后世，尚有“私”不到头之处。其一，则纲纪未繁。“秦分天下为三十六郡，汉分为十三部，一部六郡”《五杂俎》卷三。晋则为一七三郡，唐为二九三州，宋有府、州、军三二一，元有路一八五、府三一、州三五九、军四，明有府一四〇、州一九三《方舆纪要》卷一至七，愈分愈析而愈细，故叶适慨乎言之：“秦分三十六郡，大于诸侯数十百倍。纲目未繁，粗得体统。汉稍分至百余，犹不害其为疏繁。北齐、隋、唐益以厘析，至今（南宋）愈甚。长吏削弱，代易促遽。天下之贵，聚于一人。德不能化，力不能给，而吏胥制其命。”《习学纪言序目》卷四十其二，则集权未甚。秦制虽不可考，然汉制固规摹秦例者。“汉郡极大，又属吏皆所自除。故其势炎炎，非后世比。只此会稽郡考之，吴即苏州，乌伤即婺州，毗陵即常州，山阴即越州，槜李秀州也，乌程湖州也，余杭杭州也，鄞明州也，以今考之，今浙东西之地，乃合一郡尔。宜乎朱买臣为之，气势赫赫如此。”马永卿《懒真子录》卷三页十八《陔余丛考》又载《汉刺史杀人不待奏闻》，又得专辟其属之权见卷十六。——若谓汉制有似于秦制者，则知秦虽以天下为私，而颁郡县之制；然于地方政权之剥夺，尚不如后世之甚。及至中古之中叶，则隋刘炫所谓：“往者州县，唯置纲纪。郡置令丞，县置守而已。其余具僚，则长官自辟。受诏赴任，每州不过数十。今则不然。大小之官，悉由吏部纤芥之迹，皆属考功。”《隋书》七十五《刘炫传》凡斯二者，读史者往往推为秦之郡县制度之长。然实则法度初立，事近草创，非不欲减郡县之地，非不欲削地方之权，直虑不及此，而有待于后世之以天下为私者之修订润色，网益加密耳。——此足征秦之天下为私，其涂未周，不背历史之演进者也。

考汉制实袭秦制，故以汉证秦也。司马迁云：“学者牵于所闻，见秦帝在位日浅，不察其终始，因举而笑之，不敢道。此与耳食无以异悲夫。”《史记》卷十五《六国表》是司马氏以秦为有影响于后来也。扬雄云：“汉祖帝天下，秦余制度，虽违古而犹继之。”《剧秦美新》是雄谓汉制踵袭秦制也。叔孙通云：“五帝异乐，三王不同礼，……故夏殷周之礼，所因损益可知者，请不相复也。臣愿颇采古礼，与秦仪，杂就之。”《史记》九十九《通传》是通愿汉制之袭秦也。贾生告文帝：谓“为官名，悉更秦之法”《史记》八十四《谊传》。是谊咎汉因秦制也。班固曰：“自周衰官失，而百职乱。战国并争，各变异。秦兼天下，建皇帝之号，立百官之职，汉因循而不革。”《汉书》十九上《百官表》叙是固知汉制出秦制也。

秦之郡县之制，有此两美，足为秦誉。且以时世而言，“唐虞三代，必能不害其为封建，而后王道行。秦汉魏晋隋唐必不能不害其为郡县，而后霸政举”《水心集》卷三《法度总论一》。马端临评为：“必欲易之，则书生不识变之论。”《通考》卷二六五张燧谓：“至于周衰，人心未离而诸侯先畔，谓非封建之弊乎？”《千百年眼》卷一顾炎武谓：“秦虽欲复古之制，一一而封之，亦有所不能。”《日知录》卷二二王夫之谓：“分之为郡，分之为县，俾才可长民者，皆居民上，亦何为而非天下之公？”《读通鉴论》卷一盖因时度势，则郡县之制实佳；立法诛心，则自私之罪难逭，亦不易之定论已。

《晨报》二十三年七月四日载蒋中正言现行制度之通病云：“头轻脚重，基础不固。论组织，则省庞大而县缩小，论经费，则省极大而县极微。伴食高官之人员太多，深入民间之人员太少。”以视于秦汉时郡县初创，后世自不及也。

四 天下为私之制作

然秦以天下为私，尚不限表见于郡县之制者。《始皇本纪》称谪狱吏治长城，《过秦论》称：“乃使蒙恬，北筑长城，而守藩篱，却匈奴七百余里，胡人不敢南下而牧马。士不敢弯弓而报怨。”此与“分天下以为三十六郡，郡置守尉监，更名民曰黔首大酺。收天下兵，聚之咸阳，销以为钟镰。一法度，衡丈尺，车同轨，书同文字”，盖同以天下为私而然。而焚书坑儒不与。

考长城兴筑之背景，顾炎武以为："春秋之世，田有封洫。阡陌之间，一纵一横，亦非戎车之利。至于战国，井由始废，而车变为骑。于是寇钞易而防守难，不得已而有长城之筑。"《日知录》三十一"长城"条按明季闵元衢《欧余漫录》卷八"井田可御虏"条云："今天下财用，南河北虏几大半。三代以上，独省此费者，亦以画井分疆，纵横沟洫，胡骑南下，难于长驱，猃狁陆梁，且不过至于泾阳而已。"亦有此说，其实，虏患之亟，与造城之风气，已足解释长城。不必远推井田之荒渺也。

戎患之深，起于西周之末。宣王前八二七至前七八二之"薄伐猃狁，至于太原"，诗人美之，然已不过略已腹心之患说详《日知录》卷三"太原"条。及至战国，以李牧之良将，对于匈奴之寇钞，不过"烽火谨，辄属收保，不敢战"《史记》八一《李牧传》而已。故及始皇，竟慑于"亡秦者胡"之流言《史记·始皇纪》，可知始皇之武，对于胡尚有戒心。则长城之由来，一也。城相传起于"鲧作城郭"《世本·作篇》，及至春秋之际，孔子堕强藩之城，而公敛处父有齐人将至于北门之惧《史记》四十七《孔子世家》，是城之功效已见。下至战国，则《孟子》称"三里之城，七里之郭"《公孙丑下》；又如石城十仞，汤池百步，带甲百万《汉书·食货志》引为神农之教，故顾氏《春秋大事表》卷三十八列当时城筑之表。移此防御之方式于边疆，则长城之由来二也。

长城，盖起于战国时相互之防御，董说曰："战国之世，各有长城。秦昭王筑长城以备边，楚有长城，又有扞关以拒边，赵肃侯筑长城以拒边，齐宣王乘山岭之上，筑长城，东至海，西至滑州以备楚。燕筑长城，自造阳至襄平，置上谷渔阳右北平辽东以拒敌。魏之长城，自惠王筑也。考《竹书纪年》，梁惠成王三十二年，龙贾帅师筑长城于西边。《魏世家》惠王十九年，塞固阳城，自郑滨洛以北，有上郡。当是时，秦数侵魏，而西戎义渠称王，窥中国，故筑长城焉。《盐铁论》曰：'魏滨洛筑长城，阻山带河，以保晋国。'"《七国考》卷三页一，守山阁丛书本又曰："《泰山纪》云：泰山西有长城，缘河经泰山，千余里至瑯琊台入海。《国策》苏秦曰：长城钜防，以为塞。《齐纪》之齐宣王乘山岭之上筑长城，东至海，西至济州，千余里以备楚。《括地志》，西北起济州平阴县，缘河历泰山城冈，上经莒州，即西南兖州博城县，东北至密州瑯琊台入海。《正义》，长城西在济州平阴县界。《竹书纪年》，梁惠成王二十年，齐闵王筑防以为长城。《郡县志》，故长城首起郓州平阴县北二十九里，齐湣王所筑。《外纪》威烈王十六年，王命韩赵伐齐，入长城。《田世家》，赵人归我长城，在齐威王时。《山东志》，齐长城在诸城县南四十里，跨安邱境，连亘蒙秦芜莱，直至平阴。乃齐宣王所筑，以御楚寇者。"卷三页十至十一——由以"御楚寇"以"泰山西有长城"等语观之，知长城虽为防胡而设；盖亦为列国间之尔虞我诈故焉。第以世变推移，而兴作更甚尔。

例如赵之长城，《七国考》以为始于赵简子，则与孔子同时："《括地志》云：赵武灵王长城，在肃州善阳县北。今案《史记》，赵肃侯七年，筑长城。及赵武灵王北略中山之地，至于房子，遂至代。北至无穷，西至河，登黄华之上，召楼缓曰：我先王因世之变，以长南藩之地。属阻漳滏之险，立长城。是武灵王之前，已有长城。疑《括地志》误一字，当是武灵王修长城也。《图书记》云：赵简子筑长城以备敌，则在肃侯之前矣。”卷三页十八由赵简子之长城，以为肃侯之长城，以为武灵王之长城，读史者可以睹世变矣。《日知录》卷三十一《长城》条云：“《史记·苏代传》，齐有长城钜防以为塞。……《苏秦传》说魏襄王曰：西有长城之界，……《后汉志》河南郡卷有长城，经阳武到密，此韩之长城也。《水经注》，盛弘之云：叶东界有故城，……一谓之长城，……此楚之长城也。……以此言之，中国多有长城，不但北边也。”胡渭《禹贡锥指》卷五云：“《管子》云：长城之阳，鲁也。长城之阴，齐也。是春秋时，已有长城矣。今案齐长城，绝泰山，绵地千余里，自平阴而东，历肥城、长清、泰安、莱芜、淄川、沂水、临朐、莒州以讫于诸城，皆故址。”语证略同。

世变推移，长城偏重于北，在始皇未一天下前，则有秦之长城《史记·匈奴传》，魏之长城《魏世家》，赵之长城《匈奴传》，燕之长城《国策·燕》，秦皇一天下，“使蒙恬将十万之众北击胡，悉收河南地，因河为塞，筑四十四县城。临河徙适戍以充之，而通直道，自九原至云阳，因边山险堑溪谷可缮者治之。起临洮，至辽东万余里，此秦并天下之后所筑之长城也。”《日知录》卷三十一自此以来，历代时有修治。如汉、北魏、北齐、北周及隋，《日知录》言之綦详。即至明季，戚继光亦城苏镇《五杂俎》卷四。而清时长城，“亦有几处颇完好，似近日曾加以修理者”刘复《乾隆英使觐见记》卷中页三。今辽沈沦亡，长城已与敌共；有览先民之缔造，又不胜感慨系之矣。

案长城功罪甚难定论。屈翁山《过居庸山诗》：“一代遗民此恨长，中原无地作边墙。可怜一代君臣骨，不在黄沙逐北乡。”《国粹学报》四十二期此则以宋明之亡，而寄恨于无长城以限元清也。乾隆中，英使马戛尔尼觐见，清臣阻其登城《觐见记》卷中页九。明谢肇淛亦谓：“秦始皇筑长城，而令万世无胡虏之患。冯道请镂九经经板，而令万世有书籍之乐，此两人者，有大功于万世。”《文海披沙》卷六，申报馆聚珍本又谓：“秦之长城，自榆关并河以东，属之阴山，以今之长城计之，仅及其半。今九边惟辽东不可城，而正当女直之冲。苏镇之城，则近时戚大将军继光所筑，其固不可攻，虏至其下辄引去。其有功于边陲若此，而犹不免求全之毁，何怪书生据纸上之谈，而轻诋嬴政也？”《五杂俎》卷四而檀道济之见杀于刘裕，自叹曰：“乃复坏汝万里之长城。”《宋书》四三——此皆称许长城之功者。至如王安石诗所云“望夷宫中鹿为马，秦人半死长城下”《临川集》卷四，故杨泉《物理论》云：“始皇使蒙恬筑长城，死者相属。民歌曰：‘生男慎勿举，生女哺用餔。不见长城下，尸骸相支柱。’其冤痛如此矣。蒙恬临死曰：‘夫起临洮，属辽东，城堑万余里，不能不绝地脉，此故当死也。’”《水经注》卷三引劳民诟始皇者，实繁有徒，可勿论也。

然秦之修整长城之动机，终起于子孙基业天下为私之帝皇观念。与其修理驰道之影响后世，均可谓自“有意栽花”而至于“无心植柳”者。盖秦固未尝受栽花之赐，而国民则终受其植柳之惠也。驰道之筑，始于始皇二十七年“治驰道于天下”《通鉴》七。三十五年前二一三“使蒙恬治直道，道九原抵云阳，堑山堙谷，千八百里”同上。贾山追记其丽曰：“东穷燕齐，南极吴楚，江湖之上，濒海之观毕至。

道广五十步，三丈而树。厚筑其外，隐以金椎，树以青松。”《汉书》五十一司马迁亲睹其盛曰：“堑山堙谷，通直道，固轻百民力矣。”《史记》八十八《蒙恬传》此于民力固有损，然于国防及交通上，则甚非毫无影响者。睹后世之继述可知矣。

> 汉时郡国有驰道《史记》一二六《滑稽传》，张卬为汉中守，通褒斜道《史记》二九《河渠书》。司马相如通巴蜀道千余里《史记》三〇《平准书》。《后汉书》卷六十三《郑宏传》记郑宏通零陵桂阳道。而隋炀帝大业元年六〇三，即开通济渠之年，亦“发榆林北境，自其牙东达于蓟，长三千里，广百步，举国就役，开为御道”《通鉴》一八〇，则秦之驰道，实启其端者矣。

长城驰道而外，秦又为统一文字之举。此在秦为张其大一统之威，而在后世则受益非浅。考瑯琊刻石，有“器械一量，同书文字”《史记》六始皇二十八年。良由“七国田畴异亩，车涂异轨，律令异法，言语异声。文字异形。秦始皇初并天下，丞相李斯，乃奏同之。罢其不与秦文合者”《说文叙》。考周宣王时，“太史籀作大篆十五篇，与古文或异”同上。经六国之变异，得始皇之统一，而李斯作小篆，“小篆亦曰秦篆。始皇二十年，始并六国。斯时为廷尉，乃奏罢不合秦文者，于是天下行之，画若铁石，字若飞动。作楷隶之祖，为不易之法”张怀瓘《书断》页六，藏修书屋本。小篆之外，程邈作隶书，“下邽人程邈，始为衙县狱吏。始皇幽系云阳狱中，覃思十年，益大小篆方圆而为隶语三千字奏之。始皇善之，以为隶人佐书，故曰隶书”《书断》页七。二书之体，式简用弘，亦不朽之事业，而得为始皇诩者焉。

李斯作小篆，见《说文叙》，隶书即今之真楷，今所谓隶书，古谓之八分。叶昌炽《语石》：“大小二篆生八分，八分生隶，两晋六朝，由分变隶之时。”卷八考隶书非始于秦者《陔余丛考》卷十九甚详言之，即八分亦非始于秦者，杨慎云：“《水经注》载晋世河决，胡公石槨上有八分书。考其时盖周也。又考《庄子》云：‘丁子有尾。’李颐注曰：‘谓右行曲波为尾。今丁子二字，虽左行，皆有曲波，亦是尾也。’审如李说，八分不始于秦，是又一证也。”《丹铅总录》卷十八“八分不始于秦”条朱新仲《猗觉寮杂记》卷下页五三，知不足斋本云：“隶书，古今皆云程邈变古为之。《水经·涿水注》：王次仲变苍颉旧文，为今隶书。始皇以次仲所易字，简便于事，三召不至。次仲履真怀道，穷术数之美，(案《水经注》卷十三《漯水》云：“王次仲，少有异志，年及弱冠，变苍颉旧文为今隶书。秦始皇时，官务繁多，以次仲所易文，简便于事要，奇而召之。三征不至，次仲履真怀道，权术数之美。始皇怒其不恭，令槛车送之。次仲首发于道，化为大鸟，出在车外，翻飞而去，”张怀瓘《书断》六页引《序仙记》云：“王次仲，上谷人。少有异志，早年入学，屡有灵奇。年未弱冠，变苍颉书为今隶书。始皇时官务繁多，得次仲文简略，赴急疾之用。遣使召之，三征不至。始皇大怒，制槛车，送之于道，化为大鸟，出在槛外，翻飞长引，至于西山，落二翮于山上，今为大翮、小翮山。”《仙传拾遗》云：“王次仲，古之神仙也。当周末战国之时，合从连横之际。居大夏、小夏山。以为世之篆文，功多用寡，难以速就。四海多事，笔札为先。乃变篆籀为隶书。始皇既定天下，以其功利于人，征之入秦，不至。复命使召之，敕使者曰:‘次仲一书生,而逆天子之命。如不起,当杀之。’……诏书至山,次仲化为大鸟,振翼而飞。”《旧小说》乙集六——次仲之异说如斯。)则变隶不自程始,自王次仲始也。”考隶非始于秦,创造之者疑无主名,故《水经注》卷十六《谷水》又引傅宏仁说:“临淄人发古冢,得铜棺,前和外隐,言‘齐太公六世孙胡公之柩’。余同今书,证知隶出于古,非出于秦。”阎百诗亦有此说详杭世骏《道古堂文集》二十九《阎若璩传》。正如《陔余丛考》卷二十一之论草书:“《晋书·卫恒传》云:‘匆匆不暇草书。’……近代虞虹升,以为草书乃起草耳。……此说甚新,然亦非也。章草虽起于汉时,而魏晋间体尚未备。习之者亦少。为草书必经营结构,摹形揣势而后成。故倍难于真书也。”——盖隶书之起为一事,然决非一时即可致用,一人即可臻美者,求之于程王二人间,拘而陋矣。

秦之修筑长城,谢肇淛称之;其修筑驰道,后世又不能废。而其一文字之功,近世如王国维亦盛许其“秦并天下同一文字,于是篆隶行而古文籀文废”说详《观堂集林》卷七,上古卷二十八节已引。惜乎其建国不长,未能统一音韵,陈寿祺云:“齐人言殷如衣《中庸》郑注,称裂为殈《乐记》注,谓蒙为萌《易·序卦》郑注,谓得来曰登来《公羊》何注。秦人谓抏曰挑《少牢馈食礼》注,谓摇曰犹《檀弓》注。周人谓颛曰申《檀弓》注,楚人谓陈曰陵《檀弓》注。齐鲁谓姬曰居《檀弓》注。陈宋言桓如和《汉书》传六十如淳注。周秦读至为实《礼记·杂记》注。南阳名穿地曰窾《周礼》郑注。秦人呼卷为委。齐人呼卷为武《杂记》注。”《左海文集》卷二《与王伯申书》,清经解本——《国策》《秦五》应侯曰秦人章谓:“周人谓鼠未腊者朴。周人怀朴遇郑贾,曰:‘欲买朴乎?’郑贾曰:‘欲之。'出其朴,乃鼠也。因谢不敢。"此等语言之不同,向使秦王能勒令同之,未始非一快专焉。

案《东坡集》卷四《秦始皇论》云:"今所谓大篆小篆,至秦而更以隶。贵其速成,而从其易。是以天下簿书符檄,烦多猥委,而吏不能究其奸。如今世而仍用大小之篆,书简策,则虽繁多其势无由。由此观之,凡所以便利天下者,是开诈伪之端也。"因噎废食,甚无谓。

五　统一思想

虽然,长城驰道,同书文字,罢侯置守,犹未能尽天下为私之能事焉。

秦既以天下为私,然六国余民,固不甘服也。齐人哀王建之亡《史记》四六《敬仲世家》,楚人有楚虽三户,亡秦必楚之诅《史记》七。齐人有松耶柏耶之歌《史记》四十六,陈胜有天下苦秦之怨《史记》四十八。此其证矣。然游说余风,固未绝迹也。案游说之风,贤如孟子不免。故王圣美见达官,"曰'孟子见梁惠王',不晓此语,达官深讶之。……圣美曰:'既云孟子不见诸侯,因何见梁惠王?'其人愕然无对。"彭乘《墨客挥犀》卷二苏、张、蔡泽,无论已。秦汉之际,此风未绝。如郦食其《史记》九十七《食其传》、蒯通《史记》九十二《韩信传》之玩弄韩信、汉高,此其证也。然皇权建设,固未稳固也,始皇见讥于卢生《史记·始皇纪》,以汉时上书,语不忌讳详《廿二史劄记》卷三映射,事非奇异。此又其证也。然富豪之势,固未易制也。"秦能制六国,然不能制兼并，为寡妇清筑台”王安石语，见李焘《续资治通鉴长编》二六二，此其证也。——兹数者，始皇所不能尽除者也。

案制裁贵族，固自不易，以始皇之独尊，而淳于越能批其逆鳞《史记》七《始皇纪》。降至汉世，此风未替。贾生恐文帝以老母弱子，将使不宁。谷永指成帝之违道纵欲，轻身安行。刘向之恐成帝，亦以“降为皂隶”为详《廿二史劄记》卷三《上书无忌讳》。此臣下之言论自由，过唐宋万万也。至若制裁富族，更属谈何容易？《临川集》云：“三代子百姓，公私无异财。……赋予皆自我，兼并如奸回。……后世始倒持，黔首遂难裁。秦皇不知此，更筑怀清台。”卷四《兼并》盖自春秋之季，富族已十分活动上古卷三十四节，新来形势，虽力抑无从断绝摧阻焉。

故始皇临之以严法，陈胜所谓失期法当斩《陈涉世家》，卢生所谓衡石量书；贾生所谓繁刑严诛，吏治刻深同见《始皇纪》；赵咨所谓废三代之制，兴淫邪之法《后汉书》五十七《咨传》；贾山所谓赭衣半道，群盗满山《汉书》五十一《山传》；——然秦皇秉战国严酷之余风，安天下新定之反侧，有激而发，非无以也。

秦世承先秦尚法之风上古卷二十一节，而所处之时，尤为有用重典之需要。《御览》卷八十六引刘氏《异苑》云：“秦始皇，何俺偃；开吾户，据吾床，饮吾酒，唾吾浆，餐吾饭以为粮，张吾弓，射东墙，行至沙丘当灭亡。”此殆亡秦必楚者之诅祝，而适以逢天下为私者之暴戾举措。近章炳麟言：“人之独贵者，其政平。……古先民平其权者，莫遂于秦。秦皇负扆以断天下，而子弟为庶人，所任将相，李斯、蒙恬，皆功臣也。椒房之嬖，未有一人得自遂者。富人如巴寡妇筑台怀清，然亦诛灭名族，不使并兼。……秦制本商鞅，其君亦世守法。韩非道秦昭王有疾，百姓买牛以祷。昭王曰：非令而擅祷，是爱寡人也。然法不立，乱亡之道也。不如罚之！秦大饥！应侯请发五苑以活民，襄王曰：使民有功与无功俱赏也，不可。秦皇固世守其术者，然而卒亡其国者，非法之罪也。六国宗族，欲复其宗庙，情也。"《太炎文录》卷一《秦政记》

严刑以制裁豪富，正如焚书坑儒以制裁智识阶级。始皇三十四年前二一三，以博士淳于髡之诽始皇之"事不归古"，李斯有惩于前，此"皆道古以非今，饰虚言以乱实"，有戒于当时，"入则心非，出则巷议"，"因请史官非《秦纪》皆烧之。非博士官所职，天下敢有藏《诗》、《书》百家语者，悉诣守尉杂烧之。有敢偶语诗书弃市"。"令下三十日不烧，黥为城旦"。"若欲有学法令徐广曰："一无'法令'二字。"以吏为师"。"制曰：'可'。"《始皇纪》然其事固可原也。盖亦前有所承。

谢肇淛言："秦祸天下，至焚书坑儒烈矣。而不知本于商鞅变法之初。鞅之言：民不贵学问，则愚。愚则无外交。又曰：农战之民千人，而有知慧一人，千人者皆怠于农矣。又曰：虽有诗书，乡一束，家一员，无益于治。……始皇、李斯袭而用之。"《文海披沙》卷一此言焚书非始始皇也。孙奕《示儿编》卷十二页九，知不足斋本云："秦焚书之祸，所由来久矣。北宫锜问爵禄之制，孟子曰：'诸侯恶其害己也，而皆去其籍。'《万章下》……

> 焚书岂一朝一夕之故哉？”祈骏佳《游翁随笔》卷上页十云：“世传焚书，起于李斯，不知韩非已先有是说。其说曰：世之愚学，多诵先古之书，以乱当世之治。……公孙鞅《靳命篇》云：……以六虱受官，则治烦言生。六虱者，曰礼乐，曰《诗》《书》……如鞅之说，非燔诗书之祖哉？”盖焚书在独夫视之，自有时势之必要。故汉兴，至惠帝四年，始除挟书律也《汉书》卷二。

然秦之焚书，其一则为有限制的。《论衡》《书解篇》曰：“秦火燔六籍，不及诸子。”此一说也，又曰：“秦燔诗书，燔《诗经》之书也。”《正说篇》朱彝尊曰：“当周之衰，圣人不作，处士横议。孟氏以为邪说诬民，近于禽兽。更数十年历秦，必有甚于孟氏所见者。又从人之徒，素以摈秦为快。不曰嫚秦，则曰暴秦。不曰虎狼秦，则曰无道秦。所以诟厉之者，无不至。六国既灭，秦方以伤心之怨，隐忍未发。而诸儒复以事不师古，交讪其非。祸机一动，李斯上言，百家之说燔，而《诗》、《书》亦与之俱烬矣。”《曝书亭集》五十九《秦始皇论》此又一说也。其二，则秦焚书后，公家收藏犹在。及项羽破秦都，火咸阳，而后烬余凋零。《论衡》谓：“令史官尽烧五经，有敢藏《诗》、《书》百家语者刑，惟博士乃得有之。”《正说篇》朱子谓：“秦只教天下焚书，他自己却依旧留得。”详《语类》百三十八卷萧森《希通录》：“谓非博士官所职，天下敢有藏《诗》、《书》百家语者，皆诣守尉杂烧之；则是天下之书虽焚，而博士犹有存者。惜乎入关收图籍，而不及此，竟为楚人一炬耳。”《辍耕录》卷二十五引郑樵《通志》、刘大櫆《焚书辨》《海峰集》卷一亦有此说。光聪谐《有不为斋随笔》卷甲更引：“《史记·乐书》李斯进谏二世曰：‘放弃《诗》、《书》，绝意声色，祖伊所以惧也。斯能为此谏，而又议烧《诗》、《书》者，烧天下之私藏耳，盖犹有在官者。”康有为《新学伪经考》卷十一亦有此说，不录其三，则私家之藏，虽经焚书，要亦不替，故史称陈余、郦生、陆贾，均好《诗》、《书》《史记》各传。而孔鲋在秦禁焚之际，又明言：“吾将藏之，以待其求。”《通考》卷一七四引章炳麟亦谓：“自三十四年焚书，讫于张楚之兴，首尾五年，记诵未衰。”《太炎文录》卷一《秦献记》——此皆其征矣。

参看拙作《秦始皇评》《金陵学报》一卷二期。案此问题，最不易言，《论衡》《正说》谓：“令史官尽烧五经，有敢藏《诗》、《书》百家语者刑，惟博士乃得有之。”可见东汉人，已无定论也。

焚书以外，则有坑儒，事在始皇三十五年前二一二。盖因卢生等致诽于“博士七十人之备员勿用”，始皇乃怒其诽谤，案问诸生。诸生传相告引，共坑四百六十余人。即太子扶苏，谏以诸生皆诵法孔子，勿听也《史记》六。然而其所坑者，大抵纵横之余也，非真儒也。“儒者术士也。太史公《儒林列传》曰：秦之季世，坑术士；而世谓之坑儒。”章炳麟《国故论衡·原儒》即其“死者四百六十余人，是特以卢生故恶其诽谤，令诸生传相告引。亦犹汉世党锢之狱，起于一时，非其法令，必以文学为戮也”《太炎文录》卷一《秦献记》。其昭昭者，则叔孙通“秦时以文学为待诏博士，数岁，陈胜起山东，二世召博士诸生问曰：‘楚戍卒攻郑入陈，于公何如？’诸生三十余人，前曰：‘人臣无将，将即反，罪死无赦。’……”《史记》九十九《通传》“人臣无将”，语出《公羊》；盖秦乃恶好为异说，而议论不合者耳。

案《汉书》八十八颜注，有诸儒辩说瓜实不同，秦即发机坑之之事，殊可笑。故朱彝尊谓：“彼之所坑者，乱道之儒，而非圣人之徒。”《曝书亭集》五十九《秦始皇论》焦竑亦谓：“陆贾秦之巨儒，郦食其秦之儒生，叔孙通秦时以文学召待诏博士，是则秦时，未尝不用儒生与经学也。况叔孙通降汉时，自有弟子百余人。齐鲁之风，亦未尝替。故项羽之亡，鲁为守礼义之国。则知秦时，未尝废儒；而始皇所坑者，盖一时议论不合者耳。”《焦氏笔乘》卷三“秦不绝儒学”条张燧谓：“始皇之初，非不好士，亦未恶书。观其读李斯《逐客书》，则亟毁初禁。读韩非《说难》，则愿识其人。其勤于下士，溺于好文如是。其后焚书之令，以淳于髡议封建坑儒之令，因卢生辈窃议时事而下，要亦有所激而然。”《千百年眼》卷四——要皆谓所坑不必尽儒；儒生不必尽坑，而特以此阻止战国纵横之风耳。

此其说，已见宋萧森《希通录》，森云：“仆亦信卢生，非吾儒中人。况始皇自谓‘尊赐甚厚’，岂非方术图谶之类，有以中其欲，故尊赐之。初不闻其诵孔子之言以进；古今相承，皆曰坑儒，盖惑于扶苏之谏。扶苏曰：‘诸生皆诵法孔子，……’呜呼，至若卢生者，何尝诵法孔子？自扶苏言之，误使诸儒蒙不韪之名。……卢生等四百六十余人，皆方技之士也。”又云：“仆按《诗》、《书》所坑，仅卢生等四百六十余人，非能尽坑天下儒者。为其所坑，又非儒者。……始皇三十二年，使卢生求羡门，刻碣石。又卢生自海还，因奏录图书曰：‘亡秦者胡也。’始皇乃遣蒙恬，发兵三十万人，北伐匈奴。……观此二事，皆卢生稔其恶，又怂恿之。特方技之流耳，岂所谓儒哉。”均据《辍耕录》卷二十五引故《史记》言秦博士七十人；叔孙通、伏生，世佥知之。淳于髡之骨骾，见于《秦纪》，亦未尝得罪。而《汉志》儒家有羊子，名家有黄公，更有正先，以刺赵高死《汉书》七十五《京房传》。鲍白令亦诋始皇行桀纣之道《说苑·至公》。此皆秦有博士之遗征参看《太炎文录》卷一《秦献记》。可为秦恕。至于挟书之禁，汉兴至惠帝二年前一九三始除《汉书·惠纪》；诽谤之律，至文帝二年前一七八始去《汉书·文纪》，可知焚书坑儒，初不甚关于秦之敝政也。

章炳麟《秦政记》云："夫贵擅于一人，故百姓病之者寡。其余荡荡，平于浣准矣。藉令秦皇长世，易代以后，扶苏嗣之。虽四三皇，六五帝，不足比隆也。何有后世繇文饰礼之政乎？"《太炎文录》一盖焚坑之举，原亦时势逼成。世多以此独罪秦皇，非笃论也。

六　封建制度之回光返照

然秦制之以天下为私，则固无可疑者。以己为尊，则极后世之尊号。如曰自称皇帝。"古之称尊，曰皇曰帝曰王。自秦并天下，始兼皇帝之尊。穷宠极崇，度越千载。后虽有作，亦无加焉。"王明清《挥麈后录》卷一页一以己为贵，则私天下之学问，如曰以吏为师。"礼不下庶人，非官与大夫，无所师，故学者犹以椽佐，而为小史。此革战国之俗，而返之三代也。"章炳麟《检论》卷四"秦人之悖于古者，禁诗书而仅以法律为师耳。三代盛时，天下之学，无不以吏为师，东周以还，君师政教，不合于一。于是人之学术，不尽出于官师之典守。秦人以吏为师，始复古制。”《文史通义》内篇三《史释篇》——盖秦制，无论复古与创新，皆基于自私，无怪后人沿用之矣。

后皇自私，未尝逊秦。如汉高祖定天下，自谓今某之业，所就孰与仲多《汉书》卷一《高帝纪》。又急于屠戮功狗，故宋张方平游沛县高祖庙歌风台，“见前后题诗人甚多，无不推颂功德；独安道《高祖庙》诗云：‘纵酒疏狂不治生，中阳有土不归耕。偶因乱世成功业，便向翁前与仲争。’又《歌风台》曰：‘落魄刘郎作帝归，尊前感慨大风诗。淮阴反接英彭族，更欲多求猛士为。’”叶梦得《石林诗话》页三十六深鄙其天下为私的心理之延长焉。

然而，秦汉之际，六国余裔之反动心理，何尝净尽？《诗话总龟》前集十五云：“章碣题焚书坑曰：‘竹帛烟消帝业虚，昔年曾是祖龙居。坑灰未冷江东乱，刘项元来不读书。”即其明征。故秦亡之后，楚汉相持，而韩信思为假王《史记》九十二《淮阴传》。田儋自称齐后《通鉴》七。郦食其请复六国《史记》五十五《留侯世家》。即汉定“天下”，张敖之客贯高，亦愤愤于高祖之侮慢，思得甘心于汉帝《史记》八十九《张耳传》。——此皆战国残留心理之发见，更无论边陲僻乡，踞土自立，未服命于汉室也。

秦亡于纪元前二〇六年。又四年，汉灭项羽而兴前二〇一。此时，固有仍前此之割据状态者。“其未尽灭于秦始皇者，《卫世家》言：二世元年前二〇九，废王角为庶人，是卫未尝亡也。《越世家》言：越以此散，诸族子争立，或为王，或为君，滨于江南海。……汉兴，有东越王摇、闽越王无诸之属，是越未尝亡也。《西南夷传》又言秦灭诸侯，惟楚苗裔，尚有滇王。然则谓秦灭五等而立郡县，亦大势然耳。”《日知录》二十二

汉之兴也，韩信以反罪死，彭越以“壮士”族，英布以“欲为帝耳”叛，卢绾亦叛入匈奴。功臣宿将，一一凋零。然汉祖以之分封其同姓，可知其心目中，固有往昔封建之残景。例如汉十一年前一九六英布败后，高祖以“吴会稽轻悍，无壮王以镇之，乃立兄仲子濞为吴王，王三郡五十三城。已拜受印，高祖召濞相之，……曰：‘汉后五十年，东南有乱，岂若耶？今天下为一家，慎无反也。’”《史记》百六《吴濞列传》而“汉兴功臣受封者，百有余人”。《功臣侯年表》大抵削蚀，以资同姓。诸侯之张大，“大者或五六郡，连城数十。置百官宫观。僭于天子。汉独有十五郡，而公主列侯，颇食邑其中。”《史记》十七《汉兴以来诸侯年表》——初封之时，固“封建亲戚，以蕃屏周”《左》僖二十四年富辰语之私意，阅世不久，“后属疏远，相攻击如寇仇”矣。

汉时郡国，其一，则有经济权之威胁中央，如吴王濞，“天下初定，郡国诸侯，各务自拊循其民。吴有豫章郡铜山，濞则招致天下亡命者，益铸钱煮海水为盐，以故无赋，国用富饶”。《史记》百六文帝亦赐佞幸邓通，以“蜀严道铜山，得自铸钱；邓氏钱布天下”。《史记》卷一二五故胡致堂《读史管见》卷一页五十曰：“汉既大封同姓，至文帝时，封国渐众。诸侯王自食其地，王府所入，寡于郡县之时矣。”即此亦见中央地方势难久于对立焉。

其二，则郡国自由用人，王鸣盛《十七史商榷》卷十五“王自除丞尉”条云“《衡山王传》，如淳注引《汉仪注》：吏四百石以下，诸

侯王得自除国中。《百官表》云:县丞尉四百石至二百石。”即其证也。

又赵翼《廿二史劄记》卷二言“汉初诸侯王自置官属”云:“高祖初定天下,大封同姓诸侯,得自置御史大夫,汉但为置丞相而已。今案悼惠初封,得自置二千石《悼惠传》。是二千石得自置也。田叔为人廉直,赵相言于赵王,张敖即以为郎中《田叔传》;是郎中亦自置也。薄昭与淮南厉王书云:大王逐汉所置相二千石,而请自置,皇帝屈法许之,是并得自置相矣……景帝以梁孝王属官韩安国为梁内史,孝王则欲以公孙诡为之,窦太后诏不许。是时已在七国反后,故禁令稍严。武帝以衡山王骄恣,乃为置吏二千石以上,则禁网更密矣。”

其三,则郡国自有纪年,如《楚元王传》,元王子戊二十一年,景帝之三年也详《廿二史劄记》卷三《汉时诸王国各自纪年》,是正朔亦不一统焉。

且汉自高祖灭诛异姓五侯之后,中更吕后之乱前一九四至前一八〇,**对于同姓侯王之跋扈,纵容不知所裁。淮南负气不食死,则斗粟尺布之讽起**《史记》一一八《淮南传》。**吴王怏怏不朝汉,则几杖之赐颁**《史记》一〇六《吴王传》。**厝火积薪,事由有渐。故景帝之时**前一五六至前一四一,**晁错以为削诸侯则反速而祸小,不削则反迟而祸大。然令下“十余日,(吴楚)七国果反,以诛晁错为名”**详《史记》百一《晁错传》。**幸得周亚夫讨平,而汉之中央政治,始得追媲美秦时矣。**

在六国力战之际,辨士食客,往往为纷纭之操纵者。汉初所以有此反动,未必非此辈为祟也。如家令说太公以“人臣”、

“人子”之义《高祖纪》，蒯通说韩信以两利俱存《淮阴传》，萧何受买田自污之计《萧相世家》，曹参醉游说者以醇酒《史记》五十四《曹相世家》，甪里四老，保护惠帝《留侯世家》，周勃听客言而辞相《绛侯世家》，——皆食客游说之昭昭者，故七国反时，袁盎多受灵王金钱，说景帝以斩错谢敌之计《史记》百一《盎传》，非偶然也。及封建之遗孽既除，高门大闾，养士之风亦替。盖亦由帝皇之深知其弊。《汉书》卷五十五《卫青传》赞曰：“苏建尝说责大将军，至贵重而天下之贤士大夫无称焉。愿将军观古名将，所招选者。青谢曰：‘自魏其武安之厚宾客，天子武帝常切齿。’”可知汉自平七国乱后，对于战国养士之习，亦加摧抑。其所惧者，则扇动蛊惑，以重招反抗中央之乱耳。汉惟不显明坑儒而已。对封建制度之利用者，亦深恶之。

但七国战后前一五四年之胜利之属于汉，仅为军事之解决。其政治之解决，则尚有待于下列数者之切实履行。而后侯王之势始杀。

一曰分，即“众建诸侯而少其力。力小则易使以义。国小则亡邪心。令海内之势，如身之使臂，臂之使指。”《汉书》四十八《贾谊传》武帝时，又听主父偃之计，“今诸侯子弟十数而适嗣代立。余虽骨肉，无尺土之封。愿陛下令诸侯，得推恩封子弟，以地侯之。彼人人喜得所，愿上以德施，实分其国。必稍自削弱矣，于是上从其计。”《汉书》六四《偃传》分其地而使之小，则政治之措施一也。

次则夺，“海内初定，子弟少，激秦孤立亡藩辅，故大封同姓，以镇天下。时诸侯得自除御史大夫群卿以下众官，如汉朝。汉独为置丞相，自吴楚诛后，稍夺诸侯权，附益阿党之法设。其后诸侯惟得衣食租税，贫者或乘牛车。”《汉书》三十八赞语盖“汉以后，有国者不论地大小，皆为置相；王侯未尝自专相，与守何异哉？”《习学记言序目》四十夺权之外，又有夺地。所谓“坐法陨命亡国耗矣，罔亦少密焉。”《史记》十八叙夺之而使之弱灭，则政治之措施二也。

再次，则严其防范。“齐分为七，赵分为六，梁分为五，淮南分三。……齐赵梁楚，支郡名山陂海，咸纳于汉。诸侯稍微，大国不过十余城，小国不过数十里。上足以奉贡职，供养祭祀，以蕃辅京师。而汉郡八九十，形错诸侯间，犬牙相临，秉其阨塞地利。强本干，弱枝叶之势也。”《史记》十七《诸侯年表》叙

第史事变化，甚虽一蹴而几。罢侯置守，导源先秦；而汉兴百年，犹不能绝封建之残迹。岂止封建制本身之有残迹哉，即郡县行政中，亦有昔日封建之臭味在焉。一曰郡守之名义崇高；二曰郡守之事权巨大；三曰郡守之任久地广；此皆有异于后世者矣。

汉时郡守，声势煊赫。朱买臣为会稽太守，“会稽闻太守且至，发民除道，县吏并送迎，车百余乘”《汉书》六十四《买臣传》。岂止“王官之于国君，属吏之于府主，其称臣如故”《日知录》二十四“时人称臣”条，至有“以郡守之尊，称为本朝者，《司隶从事郭容碑》云‘本朝察考，贡器帝庭’，《豫州从事尹宙碑》云‘纲纪本朝’是也”《日知录》二十四“上下通称”条。苏洵《嘉祐集》十二《上仁宗书》云：“古有诸侯，臣妾其境内，而卿大夫之家，亦各有臣。陪臣之事其君，如其君之事天子。其后诸侯皆废，而自汉至唐，而犹有相君之势者，其辟署之权，犹足以臣之也。是故太守、刺史，高坐堂上。州郡之吏，拜于堂下。”——其在后世，鲜有不斥为僭妄者矣。

郡守地位，与君权之隆重，正成反比。“胡缵宗曰：郡县立

而封建废，守令设而诸侯微。此三代之所以降而为汉唐宋也。然汉重郡县，守令因之而尊。唐次之，宋又次之，及至我朝，大都因宋之旧，而近者，又与国初异矣。视郡县日轻，视守令日卑，古以牧民。今以役民，古以守官，今以寓官；古以宜上，今以奉上；古以逮下，今以取下。其不重而尊也，谁之尤哉？"《天下郡国利病书》卷三十七此又读史者所当知之盈虚变化也。

汉时郡守，事权巨大。如自专刑戮《陔余丛考》卷十六《汉刺史杀人不待奏》，如自辟属吏《陔余丛考》卷十六《郡国守相得自置吏》，而治民之余，讲武勤兵，校猎财力，兵权又非尽统于中央说详王鸣盛《十七史商榷》卷十五"郡国兵权"条。则专其政，且专其兵，如在后世，鲜有不疑其将为不逞者矣。

至于守地甚大，任期永长，赵翼《陔余丛考》卷十六《汉初分郡之大》、马永卿《懒真子录》卷三页十八，前已引言之綦详。赵彦卫云："汉郡守权重，据数千里之地，官属皆自辟置，生杀亦自己出。"《云麓漫钞》卷四页十三，涉闻梓旧本数千里云云，言守地大也。左雄云："吏权变易，则下不安业；久于其事，则民服教化。"《后汉书》卷九十一《雄传》朱翌云："汉郡守如王霸，或十年二十年不徙，皆有治状，盖久任之效也。"《猗觉寮杂记》卷下，知不足斋本久任云云，言任期长也。——此又后世之制，所不许者也。

此皆封建制之残蜕也，非汉之宽厚为之，时势为之。汉固以天下为私者也。《孤树裒谈》卷一云："明太祖祭列代帝王，至汉高帝，笑谓曰：'刘君刘君，今日庙中诸君，皆有所凭藉以得天下。惟朕与汝，不阶尺土，手提三尺，致位天子，比诸侯尤为难事，可共饮三爵。"天下为私可见已。

七 君权与法家

天下为私也,思想统一也,罢侯置守也,胥足示秦人法制之延长。昔顾炎武云:“秦之任刑虽过,而其妨民正俗之意,固未始异于三王也。汉兴以来,承用秦法,以至今日者多矣。世之儒者,言及于秦,即以为亡国之法;亦未之深考乎?”《日知录》十二“会稽刻石”条盖帝皇之自私,不相度越。则立法垂制,大抵相近。岂特罢侯置守而已,又可于法家之得志征之。

《汉书》卷六十《杜周传》云:“客有谓周曰,君为天下决平,不循三尺法,专以人主意旨为狱。狱者固如是乎?周曰:‘三尺安出哉?前主所是著为律,后主所是疏为令;当时为是,何古之法乎?’”可见法家与君权勾结之一斑。

考秦人重法,其来甚早:“韩非道昭王有病,百姓里买牛,而家为王祷。王曰:非令而擅祷,是爱寡人也。夫爱寡人,寡人亦且改法,而心与之相循者,是法不立,乱亡之道也。不如人罚二甲!而与为治。秦大饥,应侯请发五苑以活民,昭襄王曰:‘秦法使民有功而受赏,今发五苑之疏草者,使民有功与无功俱赏也。夫发五苑而治,不如弃束蔬而治。’其用意使君民不相爱,块然循于法律之中,秦皇固世守其术,其守法则非草茅搢绅所能拟矣。秦政如此,然而卒亡其国者,非法之罪也。”《太炎文录》一《秦政记》积此势趋,故汉兴虽云约法三章;与民简易。度亦不过虚获人心,非实在也。吾读荀悦《汉纪》卷十二载汉武帝曰："朕闻五帝不相复礼，三王不相同法，所由殊路，而建德一也。"由此观之，汉何以异于秦哉？

《汉书》二十三《刑法志》云："高祖初入关，约法三章。曰，杀人者死，伤人及盗抵罪。蠲削繁苛，兆民大说。其后四夷未附，兵革未息，三章之法，不足以御奸。于是相国萧何，捃摭秦法，取其宜于时者，作律九章。"然去诽谤之律《汉书·文纪》、去挟书之禁《汉书·惠纪》，其时已远在平天下后，则所谓蠲削繁苛，岂当年之实录，盖一时之权宜尔。

且汉初定律，与礼仪混似："自叔孙通定朝仪，而张苍为章程。通因作《旁章》十八篇，……亦以见汉律之所包络，国典官令，无所不具，非独刑法而已。"章炳麟《汉律考》，见《检论》卷三政法相混，可见以法治国之风。故夸谩侮上，不道不敬，种种便于自私自利之律，视秦何少逊哉？张端义云："汉初黜申韩，崇黄老，盖公有曰：'治道贵清静。'"《贵耳集》卷上页五殆不然。

洪迈《容斋随笔》卷九有"汉律恶诞谩"条。盖仅须不罔上，则他罪可免焉。《唐律疏义》："汉制《九章》，虽并湮没，其不道不敬之目见存。原夫厥初，盖起诸汉。""不道"见《景纪》如淳注引《贼律》，"不敬"见《广川王传》《汉书》五十三，"无道"见《杨恽传》《汉书》六十六，而颜异在武帝时，未尝言令不便，徒以"微反唇"，即坐"腹诽"论死《汉书·食货志》。由此观之，汉何异于秦乎？后世所谓十恶，《大明令》卷一云："一曰谋反，二曰谋大逆，三曰谋叛，四曰恶逆，五曰不道，六曰大不敬，七曰不孝，八曰不睦，九曰不义，十曰内乱。”盖汉已有之矣。

盖汉初已崇法，高帝时，萧何虽曾收秦丞相御史律令图书，而以多受贾人财，徒跣入谢《汉书》三十九《何传》。而曹参治齐，因其后相曰：“以齐狱市为寄。”同上《参传》周勃拥立文帝，而身遭刑宪。至有吾尝将百万军，安知狱吏之贵之语？《汉书》四十《勃传》其子亚夫，以讨平七国之功臣，卒以见辱狱吏，呕血而死同上《亚夫传》。武帝之时，李广名将，亦有不能复对刀笔之吏之叹。其孙李陵，亦谓丈夫不能再辱《汉书》五十四《李氏传》。史称武帝崇儒，实则“好以法制驭下”《读史管见》卷二，盖宽饶所谓“以刑余为周召，以法律为《诗》、《书》”《汉书》七十七，甚非溢饰之词。时势限人，故贤如董仲舒，亦不能忘情于法律焉。

《汉书》五十六载仲舒对策，固称上世之节民以礼，“故其刑罚甚轻”。然而其诋秦也，则独以“善者不必免，而犯恶者未必刑”为病，名儒如此，其它奚论为？

然法家之治，利弊正复相参。自其弊而言之，则有二端。

其一曰，扶持皇权也。岂特杜周言之。司马迁言：“见狱吏则头抢地，视徒隶则心惕息；何者，积威约之渐也。”《汉书》六十二《史迁传》自张汤复定“腹诽之法比，而公卿大夫，多谄谀取容”《汉书》二十四《刑法志》。其二曰，摧折民气也。上古多豪侠之风，“任侠亦足以伸民气，倡为勇敢之风，是亦拨乱之具。……彼吏士之所顾忌者，谁欤？未始非游侠也。儒者轻诋游侠，便比之匪人，乌知困于君权之世，非此益无以振拔也”谭嗣同《仁学》页三十二。盖“机无可乘则为任侠，亦足以伸民气，而倡勇敢之风”《仁学》页三十二。自游侠之风微，雄才大志之徒，退而隐于“独行”、“逸民”，民气愈不振矣。

《史记》、《汉书》均有《游侠传》，且不甚加以指斥。徒以“天子切齿”，故朱家、郭解之风，为六国养士之余者，一变而为楼护，“则亲而敬众”矣；再变而为原涉，“则振施贫乏”矣。三变而为杜君敖，“则皆有谦退之风”矣。此已西汉之季矣参看《汉书》九二《游侠传》。荀悦《汉纪》卷十论曰：“世有三游，德之贼也。一曰游侠，二曰游说，三曰游行。立气势作威福，结私交以立强于世者，谓之游侠；饰辨辞，设诈谋，驰逐于天下，以要时势者，谓之游说；色取仁以合时，好连党类，立虚誉以为权利者，谓之游行。此三游者，乱之所由生也。”汉人论游侠如斯，故范《书》有逸民独行，而无游侠。“猥俗之论，多以晚明方比后汉。后汉可慕者，盖在独行逸民诸传。及夫雅俗廉孝之士而已，其党锢不足矜。”《太炎文录》卷一《思乡愿下》游侠之化为独行逸民，则以剧孟诛，郭解族；万章见杀，原涉被斩，匹夫有豪杰之风，而舞文之吏，严临以法，正如汉世党狱，蜕为两晋清谈也。

自其利而言之，盖亦有二。

其一，为奸民知惩。如宣帝时尹翁归为右扶风县，“收取黠吏豪民，案致其罪，高致于死。收取人必于秋冬课吏大会中及行县时；不以无多时。其有所取也，以一警百，吏民皆服，恐惧；改行自新。”《汉书》七十六《翁归传》顾炎武曰：“武断之豪，舞文之吏，主讼之师，皆得而访祭之。及乎浊乱之时，遂借此为罔民之事。”《日知录》卷十二“访恶”条言其病而不没其利也。

故竟有谓汉以法重而兴，法轻而亡者，梁统是也。“自高祖之兴。至于孝宣，君明臣忠，谋谟深博，因循旧章，不轻改革。海内称理，断狱益少。至初元建平，所减刑罚，百有余条。而盗贼寖多，岁以万数。……由是观之，则刑轻之作，反生大患。惠加奸轨，而害及良善也。”《后汉书》六十四《梁统传》固竟有谓汉以重法而亡者，苏子由《汉光武论》云：“宣帝明察有余，而性本忌克。非张安世之谨畏，鲜有能容者。恶杨恽、盖宽饶，害韩光汉、韩延寿，悍然无恻怛之意，高材之士，侧足而立。至于元成，朝无重臣，遂酿王民之祸。”《栾城后集》八《汉光武下》

《汉书》所谓酷吏，大抵以严刑裁制豪族耳。正如今日妇孺皆知之海瑞，史称：“海忠介抚江南，立意挫抑豪强。……不谙民俗，妄禁不许完租；夫租既不完，税何由出。致佃户赖租，产户赔税。”沈德符《野获编》卷二二其所以民到于今思之者，正缘能执法以临豪强耳。

其次，则为律令成文。案“魏文侯师于李悝，集诸国刑典，造《法经》六篇。一盗法，二贼法，三囚法，四捕法，五杂法，六具法，商鞅传授，改法为律，汉相萧何，更加悝所造户兴厩三篇，谓九章之律”《唐律疏义》卷一《名例》。是汉兴，律有进步也，孝文帝之时，晁错定令《汉书·错传》。其后张汤，有《越宫律》二十七篇；赵禹有《朝律》六篇，又汉时决事，集为令甲以下，三百余篇《晋书》三十《刑法志》。公孙宏以《春秋》之义绳下，张汤以峻文决理《汉·食货志》。虽西汉之末，有识者已有文章繁罪名众之讥《盐铁论·刑德篇》，盖指昭帝时。然由汉律以影响于负有重名之唐律，则不可谓非诸法家之有造于中国文明矣。

东汉承受西汉之绪，法令之学亦章。晋《刑法志》所谓："马融、郑玄诸儒章句，十有余家。家，十余万言。"故三国时，魏陈群等，又校定之。"魏因汉律，为一十八篇。改汉具律为刑名第一，晋命贾充等增损汉魏律，为二十篇。于汉刑名律中，分为法例律。宋齐梁及后魏，因而不改。爰至北齐，并刑名法例为名例。后周复为刑名。隋因北齐，更为名例。唐因于隋，相承不改。"《唐律疏义》卷一可知在唐律之前，晋魏之修改，两汉之赓续，均所以承上古法家之遗，而光大之者也。

八　国疆推拓与吏治修明

法之修整，为人主耳，盖亦独国疆之推拓，其初亦为人主之私欲耳。其因而发扬中国之文明，则副果也。

案汉之声威至大，汉人汉子，实异族嫉汉忌汉之诽："今人称贱丈夫曰汉子，盖始于五胡乱华时，北齐魏恺自散骑常侍，迁青州长史，因辞之。宣帝大怒曰：'何物汉子，与官不就！'此其征也。"陆游《老学庵笔记》卷三汉时夷狄，名中国为秦者，畏秦也；汉后夷狄，名中国为汉者，畏汉也详马永卿《嬾真子录》卷一页十三，释海本。故朱彧《萍洲可谈》卷一卷二及《明史》三二四《真腊传》，均述外人所以名我为汉唐之故。说者，谓西汉疆域之大，东西九千余里，南北万三千余里《方舆纪要》卷二。又谓："权时施宜，覆以威德。然后单于稽首，臣服遣

子入侍，三世称藩，宾于汉庭。是时边城晏闭，牛马布野。三世亡犬吠之警，黎庶亡干戈之役。"《汉书》九四《匈奴传》

案中国圣人立训，不务侵略，故《公羊传》曰："内中国而外诸夏，内诸夏而外夷狄。"《公羊》成公十五班氏亦谓："夷狄之人，贪而好利。被发左衽，人面兽心。……隔以山谷，壅以沙幕。天地所以绝外内也，是故圣王禽兽蓄之，不与约誓，不就攻伐。"《汉书》九四《匈奴传》论其在南宋，胡致堂尚论圣王专务在内云："汉武之于西北两垂，其勤劳耗费，盖前无古，后无继矣。苟使匈奴款塞面内，不相欺玩，亦可以小杀疲敝之耻。然兵行余二十年，卒不能如志。至于宣帝，承平无意于武功者，乃坐享其成。渭水盛仪，单于冠带此元寿二年事，是则武帝平生所欲见而不得者。哀帝之世，汉已衰矣。匈奴乌孙，犹不废礼。西域佩印，五十余君，而蠹生心腹，根条将颠矣。"《读史管见》卷三然以民族拓殖之大端言之，则不无可取者。

然窃憾其拓殖之动机，不过帝皇之报复，与独夫之虚荣。

汉初北族匈奴，其势至强。高祖困于白登，用陈平计始脱《汉书》九四《匈奴传》，又四十《陈平传》。吕后时，匈奴冒顿遗书，有云："孤偾之君，生于沮泽之中；长于平野牛马之域。数至边境，愿游中国。陛下独立，孤偾独居。两主不乐，无以自娱。愿以所有，易其所无。"《汉书·匈奴传》即在文帝之时，匈奴亦自称"天所立匈奴大单于"，——此非有慢汉者也，赵佗以秦乱踞南越，文帝下"谨问"之诏，高祖使陆贾往聘，佗虽自谦于"处蛮夷中久，殊失礼义"；而亦有"我孰与皇帝贤"之问《汉书》四十三《贾传》，是南族之专，未易侮也。

滇谓汉孰与我大，“及夜郎亦然。”详《史记》一百十六《西南夷传》此南有轻汉者也。即在武帝之时，东瓯与闽越相攻，田蚡以越人相攻击，固其常；又数反复，不足以烦中国为言详《史记》一百十四《东越传》。朝鲜之为燕人卫氏据者，亦终不因武帝一介之使，而有所折服《汉书》九十五《朝鲜传》。——前仇具在，威力未伸，则足以动天下为私者之企图耳。

其次则为独夫之虚荣。如武帝以涉何诱杀朝鲜使者，“为其名美，即不诘。”《史记》一一五《朝鲜传》唐蒙言制敌南越，以通西南夷为一奇《史记》一一六，而武帝亦加信用。其最可哂者，则如李广利为“贰师将军，发属国六千骑，及郡国恶少年数万人，以往。期至贰师城，取善马，故号贰师将军”。《前汉》六一《贰师传》则皆足征帝王之私欲，名之曰雄才大略固可；即诋之曰穷兵黩武，亦无不可。

然国内之征伐，则无论如何不可废者。司马相如《喻巴蜀父考书》云：“告巴蜀太守：蛮夷自擅，不讨之日久矣。时侵犯边境，劳士大夫。陛下即位，存抚天下，辑安中国，然后兴师出征。”《史记》一一七赵佗之告文帝，亦谓：“且南方卑湿，蛮夷中，西有西瓯，其众半羸，南面称王。东有闽粤，其众数千人，亦称王。西北有长沙，其半蛮夷，亦称王。老夫故敢妄窃帝号，聊以自娱。”《前汉》九五即在后汉时，盛允戏黄琼犹以江夏“蛮多士少”为言《后汉书》六十二。《汉书》谓西南夷、两粤、朝鲜，“三方之开，皆自好事之臣”卷九十五赞。案此三方，皆中国域内地，夷其部落状态，而使开明，正不必为首事诸臣罪也。

考“刘贡父《咏史》诗云：‘自古边功缘底事，多因嬖佞欲封侯。

不如直与黄金印，惜用沙场万髑髅，……其说则出于温公论李广利，曰：‘武帝欲侯宠姬李氏，而使广利将兵伐宛。其意以为非有功不侯，不欲负高帝之约也。夫军旅大事，国之安危，民之生死系焉。苟为不择贤愚，欲侥幸咫尺之功，藉以为名，而私其所爱。不若无功而侯之为愈也。’……近世刘潜夫诗曰：‘身属嫖姚性命轻，君看一蚁尚贪生。无因唤取谈兵者，来此桥边听哭声。’”周密《齐东野语》卷一中国人之诋拓殖者，可以以此为代表。然匈奴寇边，南粤坐大。朝鲜有负隅之形，闽蜀有榛莽之阻，则临以武力，收为郡县之地，其动机虽不纯，其影响实至大，王夫之之言，是也。

王夫之《读通鉴论》卷三“武帝开边”条云：“遐荒之地，有可收为冠带之伦，则以广天地之德而立人极也。……以一时之利害言之，则病天下。通古今而计之，则利大而圣道以宏。若夫駹也，冉也，邛僰也越巂也，滇也，则与我边鄙之民，犬牙相入，声息相通。……垂及于今，而为冠带之属，此岂武帝张骞之意计所及哉。”此言汉武用兵，副业至佳。语真中肯。《宋论》卷六有评章惇用兵武陵语，寓奖于贬，大旨同此，不录。

武帝以元封三年前一〇八，灭朝鲜为真蕃、临屯、乐浪、玄菟四郡。而先是元鼎六年，前一一一已定南越为儋耳、朱厓、南海、苍梧、郁林、合浦、交趾、九真、日南九郡。又灭战国时越人之苗裔闽越、东越前一一〇。至于经略匈奴，则如卫青出征，取故秦河南地前一二七。嗣又乘匈奴内乱，改建河西四郡前一二三。卫青、霍去病等，相继立功，卒达于“漠南无王庭”之境前一二一同时以以夷制夷之故，遣张骞通使西域，招致乌孙、康居、大宛、月氏。而元鼎、元封之间，今川、贵、黔、蜀之地，昔所谓西南夷者，亦皆列入郡县。——昔班氏美武帝之“表章六经”，而惜其“雄材大略”，不能“不改文、景、之恭俭”《武纪》赞。然以推行华化言之，则穷兵黩武，奇功足录；表章六经，何足道哉？

考汉郡有仍秦郡者，如河南、颍川等是。有逐匈奴而置者，如朔方、五原均置于元朔二年前一二七。有平西南夷而置者，如益州置于元封二年前一〇九，如牂牁置于元鼎六年前一一一。有通西域而置者，如敦煌置于元鼎六年。有平朝鲜而置者，如乐浪置于元封三年前一〇八。有平南越而置者，如交趾立于元鼎六年前一一一。故能东至海，西至火州，南至交广，北至沙漠说详《方舆纪要》卷二。

何也，盖由文化而言，播植之功，究亦不小。罗大经《鹤林玉露》云：“巴、邛、闽、峤，夙号荒陋。而汉唐以来，渐产人材，至本朝极盛。古称山西出将，山东出相。又曰：汝颍多奇士，燕赵多佳人，其说拘矣。”罗大经《鹤林玉露》卷四考中国古代，哲人惟老子产稍近南。然在两汉之时，尚有“山东出相，山西出将”《前汉书》六十九《赵充国传》之谣；又有“关西出将，关东出相”《后汉书》卷八十八《虞诩传》之谚。明乎文武之材，胥北产也。故赵佗自谓：“居蛮夷中久，殊失礼义”《汉书》四十三《陆贾传》也。然及汉之季而南方渐开启光明，要不得谓非西汉经营之冒筚路蓝缕矣。

万国鼎《中国田制史》上册页一二四至一三一曾依《汉书·郡国志》、《地理志》，画为二图。据其结论，“三辅人口减，凉州人口减，即中原繁盛之区，后汉亦不及前汉，惟后汉时，长江流域之人口，则有进步”。此亦南部渐臻文明之一证也。在前汉时，以司马相如之好读书《史记》一一七，其谕巴蜀文，犹指巴蜀为“溪谷山泽”之民。而秦宓之对，益州“五尺童子皆学，何必小人？”《蜀志八·宓传》此又西南渐臻佳境之一证焉。

考南部文明之启，固自渐而至。颜之推谓：“冠冕君子，南方为优；闾里小人，北方为愈。”《家训·音辞篇》似已推崇南方。故唐之中叶，柳宗元居永州，《与萧翰林书》犹言：“居蛮夷中久……意体殆非中国人。”《河东集》三十贬柳州，有《别舍弟宗一》诗云：“一身去国六千里，万里投荒十二年。”《河东集》四二韩愈到潮州，又为创立师教，令进士赵德为师。《东坡后集》卷十五《韩文公庙碑》则在中古期中，南部文物之进步，仍尚有待。独进步之起点，则当以汉之统一为最显著之一点尔。

其次，则国人之足迹渐广，异族之慕义日深。如霍去病得匈奴祭天神人，攻越祈连山，直穷瀚海，已涉今戈壁之地。即其一征。而张骞足迹尤远，“使大宛、康居、月氏、大夏、乌孙”。大夏为今葱岭间地，大宛去长安万二千二百五十里，今在伊犁西南；乌孙在今伊犁河南说详丁谦《汉书西域传考证》页二十三至三十一。尤足见汉威之远播，故“殊方异物，四面而至”《汉书》九十六《西域传》赞，“单于变俗好汉物”《汉书》九四《匈奴传》，具见双方消息之互通矣。

然武帝大武功之后难为继。史称甘露三年前五一年南匈奴请降，宣帝“诏单于毋谒，其左右当户之群臣，皆得列观。及诸蛮夷君长王侯数万，咸迎于渭桥下，夹道陈，上登渭桥，咸称万岁”《匈奴传》。虽曰：傅介子斩楼兰王首，悬之北阙；而陈汤亦假胡汉之兵逾葱岭而斩郅支单于之首详《汉书》卷七十《陈傅传》；——又称神爵三年前五九年西域设都护《西域传》，此皆宣帝之世盛事。而成哀之间，匈奴复炽，元帝之时，朱崖议罢，而西域之受汉都护者，至西汉之季，王莽之乱，而亦绝矣。

自武帝平南越，立珠崖等郡后，至昭帝始元元年，二十年间，凡六反。宣帝时，又反，元帝初，又反；贾捐之乃以"父子同川而浴，相习以鼻饮"，遂以为："非冠带之国，《禹贡》所及，《春秋》所治，皆可且无以为"，遂罢之《前汉》六四《贾捐之传》。可见以武力播扬文明，非一蹴可几也。其在西域，则自武帝设校尉后，宣帝改设都护，元帝改置戊己校尉，至王莽之乱而绝《后汉书》一一八《西域传》。匈奴在"宣帝元康前六十五至六十二神爵前六十一至五十八之间，匈奴内乱，五单于争立，日逐呼韩邪，携国归死，扶服称臣"。《前汉》九十四下裂为南北，南者顺矣。而王莽之世，南匈奴亦乘机携贰。则武帝之功，虽曰昭宣食之，而兹事体大，非至五胡乱华时，固不能彻底解决。意者非武帝过欤！

班固云："孝武之世，图制匈奴，患其兼从西国，结党南羌。乃表河曲，列西郡，开玉门，通西域，以断匈奴右臂。值遭文景，养民五世，天下殷富，财力有余，士马强盛，故能睹犀布玳瑁，则建珠崖七郡；感枸酱竹杖，则开牂牁越巂；闻天马蒲陶，则通大宛安息。自是之后，明珠犀甲，通犀翠羽之珍，盈于后宫；蒲梢龙文，鱼目汗血之马，充于黄门；巨象师子，猛犬大雀之群，食于外囿。殊方异域，四方而至。于是广开上林，穿昆明池，营千门万户之宫，立神明通天之台。兴造甲乙之帐，落以隋珠和璧；天子负黼扆，袭翠被，冯玉几而处其中，设酒池肉林，以飨四夷之客。作巴渝都卢，海中砀极，漫衍鱼龙角牴之戏，以观视之。及赂遗赠送，万里相奉。师旅之费，不可胜计。至于用度不足，乃榷酒酤，筦盐铁，铸白金，造皮币，算至车船，租及六畜。——是以末年，遂弃轮台之地，而下哀痛之诏，岂非仁圣之所悔哉？"《前汉》九六《西域传》赞——此释开疆辟地，重劳民力，以为基于天下为私者之一念，而致其讽刺；然以民族之大体言之，则武帝诚功臣哉！非如表章儒术之仅以玩弄"天下"后世已也。

《汉书》七十五《夏侯胜传》："宣帝初即位，欲褒先帝。诏丞相御史曰：'孝武皇帝，躬仁义，厉威武，北征匈奴，南平氐羌、昆明、瓯骆两越。东征薉貉、朝鲜。廓地斥境，而庙乐未称。'胜独曰：'武帝虽有攘四夷广土斥境之功。然多杀士众，竭民财力，奢侈无度，天下虚耗，百姓流离，物故者半。蝗虫大起，赤地数千里，或人民相食，畜积至今未复，亡德泽于民，不宜为立庙乐。'公卿共难胜曰：'此诏书也。'胜独曰：'诏书不可用也。人臣之谊，宜直言正论。非苟阿意顺旨；议已出口，虽死不悔！'"此可以见当时人对于拓殖之评论已。

第三章　专断政治下之学术

九　表章儒术与收集遗书

曷以言夫表章儒术之仅以玩弄天下后世也？曰“此以粉饰太平而已”，曰“此以牢笼英雄而已”，曰“此以统一思想而已”。

考汉之初兴，其将相，多闾巷贩缯屠狗者流《廿二史劄记》卷二《汉初布衣将相之局》。而高祖雅“不喜儒，诸客冠儒冠来者，辄解儒冠溺其中”《汉书》四十三《郦食其传》。既定天下，“亦未遑庠序之事也。孝惠、高后时公卿皆武力功臣；孝文时，颇登用，然孝文本好刑名之言，及至孝景，不任儒，窦太后，又好黄老术。故诸博士具官待问，未有进者”《前汉》八十八《儒林传》。至武帝之世，而曷为突然重儒也？得毋与高祖之“求贤士大夫”，同为牢笼英雄而已乎？

黄彻《䂬溪诗话》卷一，武英殿本云：“汉高祖置酒沛宫，酒酣击筑自歌曰：‘大风起兮云飞扬，威加四海兮归故乡，安得猛士兮守四方？’时帝有天下，已十三年。当思耆艾贤德，与共维持，独专意猛士，何也？岂马上三人，谩骂余态，未尽革哉？治道终以杂霸，盖有由。然其前年十二年，《汉书》卷一下下诏曰：‘贤士大夫，吾自尊显之。'是年下诏曰：'与天下之贤士大夫，同安辑之。'窃谓播告之词，乃秉笔代言；非若耳热之歌，乃中心所欲也。"以是知统治阶级者求士之真意。故文帝举"贤良方正"《汉书》四文二年而不能用一贾生《汉书》四十八《贾谊传》，即其验也。

武帝之崇儒，据史所载，盖在建元元年前一四○："丞相绾奏所举贤良，或治申、商、韩非、苏秦、张仪之言，乱国政，请皆罢，奏可。"《武纪》元光元年前一三四，亲问董仲舒对策，仲舒动以"尔好义，则民向仁；尔好利，则民好邪"；惑以"今师异道，人异论，百家殊方，旨意不同，是以上无以持一统"。因建置方案："以为不在六艺之科，孔子之术者，皆绝其道勿使并进，然后统纪可一，而法度可明。"均详《汉书》五十六《仲舒传》可知昌明儒术，全在纲纪法度，中专断者利用之欲而已。

然儒生所言，儒生未必能行。故在上者，虽云设博士弟子，实未尝尊显其人，亦未曲尽其用。武帝时所用者，极少儒生。"西汉自孝武之后，崇尚儒术，至于哀平，百余年间，士之以儒生进用，功业志气，可纪于世者，不过三四。而武夫文吏，皆著节当世，其业与儒者远甚"苏子由《栾城集》卷二十《策问》题文。然则儒者为帝皇所用，而不为帝皇所信，明矣。此固后世亦然，然汉武非能例外也。所谓斤斤自诩之儒生，特随利用者之牵引，而勉自抬头耳。

站在思想界权威者之儒生，常为政治的权威者所牵引，不特汉世也。东坡《东坡集》六十三，道光壬辰刊本《论历代世变》云："秦以暴虐，焚诗书而亡。汉兴鉴其敝，必尚宽德，察经术之士。然多未知圣人；（而有扬雄之徒）故光武继起，不得不废经术，褒尚名节之士。故东汉之士，多名节。知名节而不能接之以礼，遂至于苦节之士，有视死如归者。苦节既极，故晋魏之士，变而为旷荡，尚浮虚而亡礼法。”是即异日谭嗣同所本。谭氏《仁学》卷一页二十八云：“孔虽当‘据乱’之世，而黜古学，考今制，寄义而升平太平。孔学衍而为两大支：一为曾子至孟子，孟故畅宣民主之理；一为子夏传田子方至庄子。庄故痛诋君主者。不幸此两支皆绝不传，荀乃乘间冒孔之名，以败孔之道。其为学也，在下者术之，又疾遂其苟富贵取容悦之心，公然为卑谄侧媚，反以助纣为虐者，名曰忠义。在上者术之，尤利于尊君卑臣，而涂锢天下之人心。政秦亡而汉高祖术之于上：‘从吾游者，吾能尊显之。’叔孙通术之于下，今而后知皇帝之贵，绵蕞之导君于恶也。君主之潜施其饵也。汉衰而王莽术之于上，以经学行篡弑矣。刘歆术之于下，又窜易古经以歒之矣。新蹶而汉光武术之于上，‘吾以柔道治天下’，盖渐令其驯扰，而已得长踞之也。桓荣术之于下，车服稽古之力焉。挟《尚书》为稗贩，而无所用耻也。如是者四百年，安得不召五胡乱华之祸？至唐一小康，而太宗术之于上，‘天下英雄，尽入吾彀中矣。’韩愈术之于下，‘君者出令者也，臣者行君之令而致之民者也：民者出粟帛麻丝作器皿通货财以事其上者也。’显背民贵君轻之理，而谄此一人，以犬马土芥乎天下。至于‘臣罪当诛，天王圣明’此乃退之之《羑里操》文，敢唱邪说以诬往哲，罪尤不可逭矣。至宋又一小康，而太宗术之于上，修《太平御览》之书，以销磨当世之豪杰。孙复术之于下，造《春秋尊王发微》，以杜绝上下之分，严立中外之防，惨挚刻核，尽窒生民之灵思，遂开两宋诸大儒之学派，而诸大儒卒亦莫脱此牢笼。迄宋而中国真亡矣。”——嗣同与东坡比，词意较峻。然谓汉以来之儒生，受统治者之玩弄，则贤者所得略同乎。

考汉之初立博士，如韩婴于孝文时为博士，辕固，孝景时为博士《汉书·儒林传》。“武帝建元五年，初置五经博士。宣成之世，五经家法稍增。经置博士一人，至东京，凡十四人”《宋书·百官志》。案其职守，“太常差选有聪明威重一人，为祭酒，统领纲纪，其举状曰：生事爱敬，丧没如礼，通《易》、《尚书》、《孝经》、《论语》，兼综载籍，穷微阐奥，隐举乐道，不求闻达，六属不与，姣恶不通，……”《后汉书》六十三《朱浮传》注不过抱缺守残，贞顺柔曼，供在上者之指挥而已。

即武帝之广收藏书，《艺文志》所谓：“汉兴，改秦之败，大收篇籍，广开献书之路。迨孝武世，书缺简脱，礼坏乐崩，圣上喟然称曰：‘朕甚闵焉！’于是建藏书之策，置写书之官，下及诸子传说，皆充秘府。”刘歆《七略》所谓：“武帝广开献书之路，百年之间，书积如丘。故外有太史博士之藏，内则延阁广内秘室之府。”《太平御览》卷六一九《学部》“搜辑遗逸”条引实则在清修《四库》之前，表饰太平者，固未尝不注意于搜集遗书。

东汉之搜书，见《后书·儒林传》叙。然桓谭丑诋献书之徒，以为“巧慧小才，技数之人，增益图书，矫称谶记”《后汉书》五八《桓谭传》。魏之代汉，亦事采辑详《通考》一七四。东晋及梁之集书，则详《隋书·经籍志》。北魏虽新造之邦，顾亦“搜索备送”详《魏书》三十三《李先传》，“群书大集”《魏书》八四《孙惠蔚传》。隋炀亦收书《隋书·经籍志》，杜宝《大业幸江都记》云：“炀帝聚书至三十七万卷。”王明清《挥麈后录》卷七引唐兴，亦曾括书“增置楷书令缮写"《旧唐书·令狐德棻传》。太宗、玄宗、代宗时，均向天下征书《唐书》四十五《经籍志》。即在五季，庄宗同光中，"募民献书及三百卷，赐以试衔，其选调之官，每百卷减一选"。后汉乾祐中，司徒调请开献书之路："凡儒学之士，衣冠旧族。有以三馆亡书来上者，计其卷帙，赐之金帛。数多者，授以官秩。"《山堂肆考·角集》卷十八北宋则太祖乾德四年，"下诏募亡书"。太宗太平兴国九年，诏曰："遗编坠简，当务询求，眷言经济，无以加此！……若臣僚之家，有三馆所缺者，许诣官进纳。及三百卷以上，其进书人送学士院引验学士书札，试问公理，如堪任职官者，与一子出身。亲儒墨者，即予量才安排，如不及三百卷者，据卷帙多少，优给金帛。"真宗咸平二年，语辅臣曰："国家搜访图书，其书渐广。臣庶家有藏书者，朕皆令借其目录，以参校内府，及馆阁所有；其缺少者，借本钞填之。"仁宗嘉祐五年，又诏："一应中外士庶之家，并许上馆阁所缺书，每卷支绢一匹，及五百卷，特予文资安排。"宋事均详程俱《麟台故事》卷二南渡后，又定献书有赏之例《通考》一七四。王明清谓："太上警跸南渡，屡下搜访之诏；献书补官者，凡数人。秦禧提举秘书省，请命天下专委守臣，又有旨录会稽陆氏所藏书。"《挥麈前录》卷一如绍兴二年二月甲子，"市贺铸家所鬻书，以实三馆"《系年要录》五十一。四月戊午，"贺廪献书五千卷，诏添差廪监平江府粮料院，仍官其家一人"《系年要录》卷五十三。其在于明，则至元二十六年，"削平陈友谅即下诏访求遗书"朱国祯《皇明大政记》卷一。成祖永乐四年，"上御便殿览书史，问文渊阁藏书，解缙对以尚多缺略。帝曰：'士庶稍有余资，尚欲积书，况国家乎？'遂命礼部尚书遣使访购，惟其所欲，与之，勿较值。"《明史》九十六及俞继登《典故纪闻》卷六——踵上所述，可知在清修四库，汉征遗书之间，为君主者，欲表饰升平，胥均注意搜辑残逸也，说详拙作《收集遗书与建国新猷》《建国》月刊第六卷第四五期。

即统西汉一代言之，武帝以后，固亦有致意于收书者，如成帝时，“以书颇散亡，令谒者陈农求遗书于天下”《艺文志》。而郡国风气，亦多有收书者，如“河间献王德，以孝景前二年立，修学好古，实事求是。从民得善书，必为好写与之，留其真，加金帛，赐以招之，由是四方道术之人，不远千里，或有先祖旧书，多奉以奏献王者。故得书多与汉朝等；是时淮南王安，亦好书，所招致率多浮辨”《汉书》五十三《景十三王传》。此其征也。

即如崇奉孔子，列代封号愈贻愈重；具详孙承泽《春明梦余录》卷二十一页六至九，古香斋十种本。而余氏有《学宫辑略》六卷，青照堂丛书，清圣祖所谓：“朕惟天生圣贤，作君作师；每念厚风俗必先正人心；正人心必先明学术。”《东华录》康熙十六年利用之心，昭然若揭。唐子西云：“挟六经以令百氏，百氏必服，然谓之尊经则不可。”张端义《贵耳集》卷下页十六汉武之举措，殆亦不过尔尔。论其奖掖儒生，儒生亦不过抱残守缺者流，故李塨有“汉儒之于学，驿使也。宋儒则驿使改换公文者也”之叹《颜氏学记》卷七，更无论阴阳灾异之学已。

西汉最重灾异，《廿二史劄记》有“灾异策免三公”、“汉儒言灾异”条卷二。董仲舒称大儒，而以“私为灾异书”败《汉书》三十六《刘向传》引。章炳麟《驳建立孔教议》云：“燕齐怪迂之士，兴于东海，说经者多以巫道相糅，伏生开源，仲舒衍流。是时适用少君文成五利之徒，而仲舒亦以推验火灾，救旱止雨，与之较胜。以经典为巫师，谶纬纷起，怪说布彰，曾不须臾而巫蛊之难作，则仲舒为之前导也。"《太炎文录》卷二汉儒之学可知已。刘向称大儒，而其说王氏之祸，以王氏祖墓梓柱生枝为言《汉书》三十六《刘向传》。儒生如此，诚无怪乎方士之见用于武帝，而巫蛊左道，使武帝陈皇后，"惑于巫祝"焉《前汉》九十七《陈皇后传》。纪昀云："余于汉儒之学，最不喜《春秋阴阳》、《洪范五行传》；于宋儒之学，最不信《河图洛书》、《皇极经世》。"《槐西杂志》一亦允论也。

然副果之生，有非所能掩者，其一，则曰书得保留详《艺文志》；其二，则曰书得校勘，如武帝曾命张安世校书《汉书》五十九《安世传》。成帝时则"光禄大夫刘向校经传诸子诗赋，步兵校尉任宏校兵书，太史令尹咸校数术，侍医李柱国校方伎"，哀帝使向子"歆卒父业，歆于是总群书，而奏其《七略》"《艺文志》叙。其三，则为黉舍之盛，王朗谓当时"学官博士七千余人"《魏志》十三《王朗传》注，亦其征也。

然抱残守缺，于后世影响颇大。杨慎《丹铅总录》卷十一《刘静修论学》云："六经自火于秦，传注于汉，疏释于唐，议论于宋，日起而日变。学者亦当知其先后，近世学者，往往舍传注疏释，便读宋儒之议论，不知议论之学，自传注疏释出，特更作正大高明之论尔。传注疏释之于经，十得其六七；宋儒用力之勤，铲伪从真，补其三四而已。"盖但就经学言之，则汉儒之抱守，固与后世有关。第其功过何似，则经学于中国文化之功罪，本不易言焉。

一〇　书契制作之进步与经今古文

汉世之崇儒收书，固为帝皇自私之心，遭秦之焚书坑儒而反动者。然当时有一伟大之进步，则笔与文字体例，是也。

"古者书契之用，自刻画始。金石、甲骨、竹木，不知孰先。而以竹木之用，为最广。以见于载籍者言之，则用竹者为册，《书·金縢》'史乃册祝'。曰简，《王制》太史执简记是也。用木书者曰方，《聘礼》不及百名书于方。曰版，《司民》自生齿以上，皆书于版是也。曰牍，《韩诗外传》七墨笔操牍是也。竹木通谓之牒，亦谓之札，《汉书》注：'札，木简之薄小者也。'《文心雕龙》'短简编牒'，此谓竹牒也。"王国维《简牍检署考》页一然简札编牒，其用固未便也。所谓"竹""帛"，"竹"之为用，见其不便。第便秦皇之焚而已。

简策携带之不便，乃便于秦之焚书者。考简之长短，孔颖达《左传序》云："《春秋》二尺四寸书之，《孝经》一尺二分书之。"蔡邕《独断》云："汉天子命令，一曰策，二曰制，三曰诏，四曰戒。策书长二尺，短者半之，其次一长一短。两编下附篆书，起年月日，称皇帝曰：'……。'"《史记·匈奴传》，文帝遗单于书牍，以尺一寸，而单于遗汉书以尺二寸。至于连简为编，连策为简，则更累赘。"贾公彦《仪礼疏》云：'简据一片而云，连编诸简，乃谓之策。'然顾彪说曰：'二尺四寸为简，一尺二寸为简。'则又以长短别之。前说是。"《简牍检署考》别详冯承钧《纸未发明前中国书契制度》《图书馆学》季刊五卷一期。案《南史》卷四有武进吴季札庙得古木简，长一尺，广二寸。上书张陵再拜等字，虽萧道成伪作符命，恐非事实；然古人遗制，可以略寻矣。

春秋之季，竹简犹盛。崔杼弑其君，则鲁太史执简以往《左》襄二十五。战国之时，似已用帛，如吕不韦以《吕览》稿“布咸阳市门”《史记》八十五《不韦传》。秦时，陈胜诈为符命，曾有帛书鱼腹之事《史记》四十八《陈涉世家》。然竹简之用仍溥。故刀笔两字，仍在流行；如刀笔吏凡两见《史记》五十三萧相赞，又《汉书》五十四《苏建传》。著书述作，动事笔削，即无秦皇之禁焚，所由何自而广，虽有汉帝之提倡，流布何自而通。史称仲尼修《春秋》，笔则笔，削则削详《史记·孔子世家》、《汉书》二十二《礼乐志》。师古注曰：“削者谓有所删去，以刀削简牍也。笔者谓有所增益，以笔就而书也。”向使笔削不废，缮录不兴，则汉之搜书，其效力当较微矣。

案笔削之制，其见于先秦者，如“楚左师请赏，公与之邑六十。以示子罕，子罕削而投之”《左》襄二七。其在汉时，则犹有“削牍为疏”《原涉传》，“投刀使削所记”《朱浮传》，“辄削草稾”《孔光传》，而《刘盆子传》：“公卿皆列坐殿上，其中一人出刀笔……”李贤注曰：“古者纪事，书于简策。谬误者，以刀削而去之。”是汉时固用笔削者。故《周礼》“筑氏为削”，郑注云“今之书刀”也。

刻于竹木，书于竹木，书于竹帛，著述之方，盖三变矣。故《说文》于“聿”下云：“所以书也。楚谓之聿，吴谓之不律，燕谓之弗，秦谓之笔。”——此皆言所以刻者。至于墨，则书墨也，从土黑。段氏注曰：“盖竹木，自古有之，不始于蒙恬也。著于竹帛，谓之书。竹木以漆，帛必以墨，用帛亦不始于秦汉也。”《皇清经解》卷六五三此则言所以书者。但刻与书二者，中古之初，实同时并用。故樊宏有焚削文契之事《后汉书》六十二曰削，知汉季之尚用刻竹，曰焚，知汉季之已用帛书也。

然绢帛之书之进步，与竹木之刻之退化，中间当以毛笔之发明为断。史称蒙恬造笔，今湖州有蒙公祠，香火颇盛俞樾《春在堂随笔》卷七详此。但案“牛亨问曰：‘自古有书契以来，便应有笔。世称蒙恬造笔，何也。’答曰：‘蒙恬始造，即秦笔耳。’以枯木为管，鹿毛为柱，羊毛为被”崔豹《古今注》卷下。马永卿《懒真子录》卷一亦云：“张子训尝问仆曰：‘蒙恬造笔，然则古无笔乎？’仆曰：‘古非无笔，但用兔毛自恬始耳。’《尔雅》曰：‘不律谓之笔。史载笔。’《诗》云：‘贻我彤管，夫子绝笔。’《庄子》云：‘舐笔和墨。’是知其来远矣。但古笔多以竹，如今木匠所用水斗竹笔，故其字从竹。”更详《陔余丛考》卷十九“造笔不始于蒙恬”条是笔匪创始于秦之蒙恬。第恬以前之笔，多指刀笔之笔，其舐笔和墨，以毛为笔，要当及秦汉而昌明，创述之理则然也。

前人不以刀笔之笔，与毛笔之笔划分，理亦非是。左春谷《三余偶笔》云：“《管子·霸形篇》，桓公令有司削方墨笔，《晏子春秋》，拥札掺笔。《鲁语》里革曰：臣以死奋笔。《晋语》董安子曰：方臣之少也，进秉笔。士茁曰：臣以秉笔事君。《庄子·田子方篇》，舐笔和墨。《太公阴谋》笔之铭曰：毫毛茂茂，陷水可脱，陷文不活。《曲礼》史载笔，是古已有笔，笔之制不始于蒙恬也。”卷一左氏所引，除《庄子》外，不见毛笔意思《阴谋》乃伪书也。则言毛笔之用，始于秦汉之际，要当不诬。故《御览》卷六〇五引王羲之《笔经》：“汉时诸郡献兔毫，惟赵国毫中用。”明毛笔之用，在汉时则确凿有据也。

毛笔未通用前，书之誊录流传，自较困艰。如伏生“故为秦博士，孝文帝欲求能治尚书者，天下无有。乃闻伏生能治，欲召之。是时伏生，年九十余。老不能行，于是召掌故晁错往受之。秦时焚书，伏生壁藏之。其后兵大起，流亡。汉定，伏生求其书，亡数十篇。独得二十九篇，即以教于齐鲁之间”《史记》一百廿一《儒林·伏生传》。“壁藏”言卷帙之累，“无有”言流通之仄，盖“书皆竹简，得之甚难。若不从师，无从写录。非若后世之书，购买极易，可兼两而载也”《经学历史》页二十七。

案袁山松《后汉书》云：“王充所作《论衡》，中土未有传者。蔡邕入吴，始得之，恒秘玩以为谈助。其后王朗为会稽太守。又得其书，及还许下，时人称其才进。或曰，不见异人，尚得异书。问之，果以《论衡》之益。”《抱朴子》曰：“时人嫌蔡邕得异书，或搜求其帐中隐处，果得《论衡》，抱数卷持去。邕丁宁之曰：‘惟吾与尔共之，勿广也。’”《后汉书》七十九注文在卷帛时期，书之流传如是，竹木时期勿论矣。

同时，在上古期中，学校教育，大抵垄断于贵族之手见上古卷第十五节。春秋战国之际，私人讲授之风始启。汉武虽立学校之官《汉书·董仲舒传》，而“建首善自京师始，由内及外”《史记·儒林传》。其循吏如文翁，虽遣子弟入都受业，业成而执教于其乡，以开巴蜀蛮夷之风《汉书》八十九《循吏·文翁传》，然教育之权，似在国都详《陔余丛考》卷十六《两汉时学者皆赴京师》。郡国之学，似尚未广。故西京之季，光武家南阳，而"之长安受《尚书》"《后汉书》一，邓禹新野人，亦"受业长安"《后汉书》四十六，耿纯巨鹿人，亦学于长安《后汉书》五十一。郡国之学，私人教授，其道未广；则书之难于流传，二也。

郡国之学，虽已见于《周礼》，及所谓夏校殷庠周序之制《孟子》、《史记·儒林传》。又如郑人有乡校《左传》襄卅一，然其用未宏。《史记》《项羽本纪》载"鲁守礼义"，《论语》亦载武城有弦歌之声，然秦汉人材，犹多从私人师受出者详皮锡瑞《经学历史》第二十七页。如匡衡之平原，则后进往从之《汉书》八十一《衡传》，翟方进亦问学于蔡父，及其"入京求学，则母怜其幼，随之长安，织履以给"《汉书》八十四《方进传》；贾复习《尚书》，则事舞阴李生《后汉书》四十七《复传》，《通考》四十六于郡国之学，载其具体之事，亦托始于文翁；而元帝平帝时，郡国立学次之。

书既经秦火，而又流传未易。故今文古文之别，适与毛笔俱兴。"古文者，今所谓籀书；隶书，汉时通行，故当时谓之今文"《经学历史》第十七页。汉初博士皆诵今文。其后，景帝时河间献王"得古文先秦旧书《周官》、《尚书》、《礼记》"。鲁共王亦以坏孔子宅，"得古文经传"《汉书》五十三。然书契之制作初简，教育之传播未溥，故先入为主，今文之学独盛；哀帝时，刘歆"欲以《左氏春秋》、《毛诗》、《逸礼》、《古文尚书》皆列于学官"，而太常博士犹"专已守残，党同门，妒道真"《汉书》三十六《刘歆传》"让太常博士书"，则又不能不归过于秦季兵燹，流通尚仄，而有此抱残守缺之象焉。

今文学为《谷梁》、《公羊》、《仪礼》、《戴记》今学各篇《王制》、《千乘》、《四代》、《虞戴德》、《冠义》、《昏义》、《乡饮酒义》、《射义》、《燕义》、《聘义》、《祭统》、《主言》、《哀公问》、《礼三本》、《丧服四制》，《孟》、《荀》、《墨》、《韩非》、《司马法》、《吴子》、《易纬》、《尚书大传》、《春秋繁露》、《韩诗外传》、《公羊何氏解诂》。古文学为《周礼》、《左传》、《仪礼经》、《戴记》除今学诸篇、《周书》、《国语》、《说文》。

抱残守缺之表示。则在着重家法。“汉儒家法，大略有三。一曰，守师说，如《易》有施、孟、梁、邱、费、高，……其间文字异同，章句错互，各守师传，不相沿袭。一曰，通小学，汉儒课学僮，必先讽籀书九千字，《尔雅》十七篇。一曰，通天人之际，《书》家如伏生，则以《洪范》释天”。“汉初开献书之路，广立学官；于是经术之士，得以身显。当时各守其传，自立门户。持论甚严，不肯轻易师法”参看严杰《经义丛钞》卷二十《胡邵两氏汉经师家法考》。故刘歆欲立《左传》、《毛诗》、《逸礼》、《古文尚书》于学官，则诸博士不肯置对。歆为书让之，则诸儒怨恨《汉书》三十六《歆传》。公孙禄复斥其“颠倒五经，毁师法，令学士疑惑”《汉书》九十九《王莽传下》。则今文之学，遍于墨守，亦不得不谓阻碍学术之进步矣。

今文学与古文学之杂糅，当在东汉时。西汉诸儒，“多专一经。……后汉则何休精研六经，许慎五经无双，蔡元学通五经。……郑君出而遍注诸经，立言百万，集汉学之大成”《经学历史》页二十六。《后汉书》论所谓："自秦灭六经，圣文埃灭。汉兴，诸儒颇修艺文，及东京学者，亦各名家。而守文之徒，滞固所禀。异端纷纭，互相诡诘。遂令经有数家，家有数说。……郑玄囊括大典，网罗众家，删裁繁芜，刊改漏失。自是学者，略知所归。"《后汉》六十五《郑玄传》守残缺表同异之习，亦稍稍变已。

至于谶纬之学，阴阳灵异之说，亦盛于西汉。盖亦为帝王所利用者。谶本起于先秦，如《史记》有"秦谶于是出"《赵世家》，"亡秦者胡"，"明年祖龙死"之记《秦本纪》。"本方士之书，与经义不相涉。汉儒增益秘纬，乃以谶文牵合经义"《经学历史》页二十三。纬书虽云起于哀平之间严杰《经义丛钞》卷二十徐养原《纬候不起于哀平辨》，然成帝时，李寻与王根书已言："五经六纬，尊术显士。"《前汉》七十五《李寻传》而《隶释》存《谯敏碑》，称故国师谯赣，深明典奥，谶录，图纬，传道与京君明。京房即君明，元帝时人。即董仲舒之《春秋繁露》，亦有用《春秋纬》文者《经义丛钞》卷二十汪继儒说。则武帝重经时，民间盖已有纬。——谶纬之说成，而阴阳灵异之学益张矣。

《文心雕龙》卷一《正纬》谓纬书起于哀平。纬有四伪，其言甚辨。但观上文，即知其误。俞正燮《癸巳类稿》卷十四《纬书论》谓纬书西汉时不入秘府，但在民间；故学者甚讶其新出。其说亦是。然谶纬在西汉时固已有重大影响矣纬书后为隋帝所烧，见《隋书·经籍志》。纬书中尽有佳资，如《尚书考灵曜》青照堂丛书本称："地常动移而人不知，譬如人在大舟中，闭牖而坐，舟行不觉也。"则地动说之鼻祖也。然纬书固有为人利用者。如光武因李通说谶而定谋，因强华奉赤伏符而即位《后汉书》卷一，胡致堂叹其“以英睿刚明之主，亲见王莽信尚奇怪，而躬自蹈之，其为盛德之累，不亦少哉！”《读史管见》卷三页卅一考桓谭诋“伎数之人，增益图书，矫称谶记”。而光武大怒，以为非圣无法《后汉书》五十八《桓谭传》。则光武对于图谶。固念念不忘利用者。异日张衡疑“《春秋元命苞》中有公输班与墨翟，事见战国，非春秋时”，而请“一禁绝之”《后汉书》八十九《平子传》。荀悦亦厚非之《后汉书》九十二，可知明哲者流，不以为然。而无如在上者之好之何也！后有隋炀之焚《隋·经籍志》，纬乃残缺，宋欧阳修又有《请删去九经正义中谶纬》《永叔奏议集》卷十六，纬书乃少完者矣。

一一　文艺与时世

非仅谶纬之学，受政治之熏炙也；即文学亦何尝不然。

文学之本质，虽具于吾心，如董其昌《文诀》所谓：“今夫农人之歌，岂知声律。然一唱众和，前轻后重。若经惯习，虽善歌者，不能习之。于此，见人心有自然之节奏，以此机相感，洒然善矣。”武之望《举业卮言》卷三，青照堂丛书本虽或具天籁，如《随园诗话》所举：“杭州有负贩者，目不识丁。而酷嗜度曲，其母死，哭曰：叫一声，哭一声，儿的声音娘惯听，如何娘不应？一字一泪，真天籁也。”《熙朝新语》二引然受时世之推移，感于物而后动，激于事而变型，则《诗经》、《楚辞》两汉诗赋，固有异矣。

往时谓文学，多谓出于天才，如江郎梦五色笔《南史》五十九

《淹传》，任昉，其母娠时，梦旗盖四角铃《梁书》十四《昉传》。李峤梦人遗双笔《旧唐书·峤传》，而李白亦以母梦长庚星生《新唐书》二〇二《白传》。此皆文学由于天才之说。天才固不易测定之物，然成使有天才，岂能离时世而不染乎？

朱熹《诗传集叙》朱《文集》七十六云："或有问于予者曰，诗何谓而作也？余应之曰：人生而静，天之性也。感于物而动，性之欲也。夫既有欲矣，则不能无思。既有思矣，则不能无言。既有言矣，则言之所不能尽，而发于咨嗟咏叹之余者，必有自然之音韵节奏而不能已焉。此诗之所以作也。"若夫外物既异，则所动自殊。时世尤外物之大者，故"三百篇之不能不降而为《楚辞》，《楚辞》之不能不降而为汉魏，汉魏之不能不降而为六朝，六朝之不能不降为唐也，势也"。《日知录》二十二《诗体代降》所谓势者，盖犹时世之不同为之。

如有草昧神治之事，则起事神之歌，《商颂》是也。有困民蠹俗之政，则起悲怨之音，《小雅》是也。荀子论《小雅》曰："疾今之政，以思往者，其言有文焉，其声有哀焉。此诗之情也。"如以古时之贵豪封建，剥削小民；纲纪未立，人伦初建论之，则舆人之诵，悲愍之言，男女赠答之词，里巷传流之语；司马迁所谓："诗三百篇，大抵贤圣发愤之所作也。"所谓贤圣，大半闾阎小民。

"疾今之政以思往者"，亭林以为作诗之旨如是《日知录》二十一。然后世之统治者，既堂高陛远；而小民之声不易聆听。应时刺世之作，权在一二文人。白居易《与元稹书》，所谓："文章合为时而著，歌诗合为事而作。"又自叙其诗，关于美刺者，谓之讽谕诗。而谓好其诗者，邓鲂、唐衢俱死。不知天意，不欲使下人病苦，闻于上耶？《旧唐书》一六六非如古昔，晋侯听原田每每之诵僖二十八年《左传》，而子产为政，初则闻“孰杀子产”之毁，继则来“谁其嗣之”之誉《左》襄三十一年。自主权既崇，阀阅渐隆，里巷讴歌，不为世重，缀文属笔，胥出词人。而三百篇之多无名作者，一变而为可得主名之《楚辞》矣。此以作者之殊，而读史者知所以别世变矣。

战国以降，政刑渐立；撰者既殊，风格自异。悲怨化为讽刺，讽刺化为容与：故《诗经》之后，“王泽殄竭，诗人辍采。《春秋》观志，讽诵旧章。酬酢以为宾荣，吐纳而成身文，逮楚国讽怨，则《离骚》为刺。”《文心雕龙·明诗第六》虽云：“《九歌》盖取诸《国风》，《九章》盖取诸二《雅》，《离骚》盖取之《颂》。”周密《浩然斋雅谈》卷上词臣之作，究与民歌不同。司马迁谓：“屈平正道直行，竭忠尽智，以事其君。谗人间之，可谓穷矣。信而见疑，忠而被谤，能无怨乎？屈平之作《离骚》，盖自怨生也。”《史记》八十四《屈平传》刘勰谓：“其陈尧舜之耿介，称汤武之祗敬，典诰之体也。讥桀纣之昌披，伤羿浇之颠陨，规讽之旨也。虬龙以喻君子，云蜺以譬谗邪，比兴之义也。每一顾而掩涕，叹君门之九重，忠怨之辞也。观兹四事，同于风雅。”《文心雕龙·辨骚第五》又谓：“昔汉武爱《骚》而淮南作传。以为《国风》好色而不淫，《小雅》怨诽而不乱，若《离骚》者，可谓兼之。”若骚离以后，则容与之作，见于朝庙；而诽怨之词，微于民间矣。

《史记·屈原传》：“屈原既死之后，楚有宋玉、唐勒、景差之徒者，皆好辞而以赋见称。然皆祖屈原之从容辞令，终莫敢直谏。”惟齐人有“松耶柏耶，与建共者客耶”《史记·田世家》之作,略具怨诽之意。而“荆轲入秦,燕太子丹及宾客,送至易水之上。高渐离击筑,轲和而歌,为变徵之声。士皆涕泪。轲本非声律,乃能变徵换羽,于立谈间”录王灼《碧鸡漫志》卷一,尚有民间悲壮之气。顾与《诗经》之“莫谓鼠无牙,何以入吾家”、《书》之“时日曷丧,与女偕亡”,意致所由,迥乎异矣。

以西汉言之,更征君权日盛,作者日靡。故乐府之兴,由于帝皇之协律;赋体之变,化为游观之描摹。即诗人撰诗,大致致力于赠别伤离,自感不遇;非材智环境,绝异侪辈之徒,鲜有不为“不许谤讪”之专制格局所牢笼。而古人率情任性之文,遂与古代浑朴之治俱去矣。司马迁之“谤书”王允云云,见《后汉书》九十《蔡邕传》,自托于“倡优畜之,流俗所轻”《汉书》六十二《司马迁传》。迁官太史,其“位在丞相下,天下上计,先上太史公,副上丞相”者,“宣帝以其官为令,行太史公文书事而已”《西京杂记》卷六。而迁外孙杨恽,且以“田彼南山”获罪《汉书》六十六。文人遭厄如此,而哀怨民瘼,讽刺国政之作,胥变为帝皇奉养之物。上也者,能自怨自艾而已。此明示文学之影响于时世也。

乐府起于李延年《汉书·礼乐志》,其人则佞幸也《汉书》九十三《佞幸传》:“延年虽歌,为新变声。是时武帝方兴天地诸祠,欲造乐。令司马相如等善得诗颂,延年辄承意弦歌,所造诗,为之新声曲。”如李夫人死,武帝思之,则作诗而被诸乐府《汉书》九十七。歌曲古意“余波,西汉始绝。西汉时,今之所谓古乐府者渐兴”。赋,在《左传》中甚多,如“公入而赋……”隐元年。然“汉初词人,顺流而作,陆贾扣其端,贾谊振其绪,枚、马同其风，王、杨骋其势”《诠赋第八》。贾生《鹏鸟》，论性命死生之说，自恨不遇；余则“京殿苑猎，述行序志”《诠赋》。盖不能免于雕虫小技，徒以娱人耳目之讥。即如诗，《诗品》谓七言，诗始于柏梁联句，五言诗始于苏李赠答；后人指其不当详《日知录》二十一，此当别论。然苏李赠答，不过个人穷愁。而柏梁造句，明为帝皇豫乐；与古人悲天悯人，刺时拯世之旨异矣。

《沧浪诗话》卷二云：“《风》、《雅》既亡，一变而为《离骚》，再变而为西汉五言，三变而为歌行杂体，四变而为沈、宋律诗，五言起于李陵、苏武，七言起于汉武、柏梁。”〔注云：“元封三年作柏梁台，群臣二千石，有能为七言诗，乃得上坐。其辞曰：日月星辰初四时（帝），骖驾驷马从梁来（梁武王）；郡国士马羽林材（大司马），总令天下诚难治（丞相）。”〕明诗体之变，变自贵族也。

故祈骏佳《遯翁随笔》云：“西汉文章，或于武帝时，其时又似有三种。枚、邹、司马之徒，诗赋唱和，供奉乘兴，此其一，太史公网罗百史，成一家言，此其二。至淮南诸客，撮合诸家之旨，发明道术，又其一也。”卷上页四除私人穷怨外，全为贵人豢养之物矣。

即以图画论之，其现于日常生活者，原先于文字。而其发扬进步，则亦由于有闲之特殊阶级。“屈原放逐，忧心愁悴，旁皇山泽，经历陵陆，见有楚先王之庙，及公卿祠堂，图画天地山川神灵，瑰琦僪诡。及古贤圣怪物行事”《天问序》。明画图与神权皇权有关也。其在于汉，则报功之画，淫佚之图，著于史册，颜习斋曰：“后世诗文字画，乾坤四蠹也。”戴望《谪麐堂集》二《书杨贞甫诗卷》就其孕育于有闲阶级言之，则所言不为无因矣。

案汉世图画，如武帝思股肱之美，图功臣于骐驎阁见《汉书》五十四《苏武传》。异日明帝亦图功臣于南宫云台《后汉书》五十二。此即图画用于贵族之明证。而《水经注》卷八《济水篇》又载桓帝时李刚之墓，“雕刻为君臣官属，龟龙麟凤之文，飞禽走兽之象，作制工丽。”鲁峻之冢，则有忠臣孝子贞妇之像同上。武帝又画周公抱成王朝诸侯图以赐霍光《汉书》六十八。又画金日磾母像以励日磾同上。此皆图画有关于政事之据。至于甘泉宫有李夫人画像《汉书》九十七。广川王画男女交接之像《汉书》五十三，则淫佚与画事，其关系又显甚矣。

即以建筑工事而论，“上古穴居而野处”《易·系辞》，孔子称“禹卑宫室”《论语》；然《孟子》已有工师求大木之语，《国语》载楚灵筑台《楚语》。而吴王亦“自治宫室，治姑苏之台，旦食鲃山，昼游苏台，射于鸥陂，驰于游台”《吴越春秋》卷二。语详董说《七国考》。然犹未及阿房宫之整丽也。阿房宫“殿高数十仞，东西五里，南北千步，从车罗骑，四马骛驰，旌旗不挠”《汉书》五十一《贾山传》，盖“秦每破诸侯，辄写放其宫室”《始皇本纪》。经项羽之火，而羽固以宫阙残破为念者《项羽本纪》。则知汉兴，壮治宫室，固有所承者：“萧何治未央宫，……上见其壮丽，甚怒。谓何曰：天下匆匆，劳苦数岁，成败未可知。何治宫室过度也。何曰：‘天子以四海为家，非令壮丽，亡以藏威。’”《汉书·高祖纪》观何此言，而建筑与天下为私之时世，可知矣。

汉武治宫室，盖可征信，《水经注》卷十九《渭水》谓："建章宫，武帝时造，周二十余里，千门万户，其东凤阙，高七丈五尺。"又谓长安城中，"凡此诸门，皆通逵九达，三途洞开。隐以金椎，周以林木。左右出入，为往来之径。行者升降，有上下之别"同上。可见当时都市之美，班固《两都赋》谓长安西郊，"离宫别馆，三十六所。神池灵沼，往往而在。其中乃有九真之麟，大宛之马，黄支之犀，条枝之鸟"。又谓："周庐千列，徼道绮错。辇路经营，修涂飞阁。"《后汉》七十《固传》则帝皇之淫欲，越秦更有加焉。上有好之，下也必甚。故成帝之时，王氏五侯，"争为奢侈，大治第室，高廊阁道，连属弥望"《汉书》九十八《元后传》。此以皇权之重，而帝皇贵族，得以恣其淫欲也。然此等淫欲，就其害者言，则耗天下以娱特殊阶级，而自其利言之，则建筑技艺进步，其在东汉，固有梁冀之大起第舍，殊极土木《后汉书》六十四《冀传》然费衮记成都大成殿，"建于东汉初平中，气象雄浑，至今千余年，岿然独存。"《梁溪漫志》卷六因淫欲而影响技艺，因技艺而普及民间，亦不可谓非佳美之副业矣。

第四章　伪复古运动

一二　王莽变政之始末

有天下为私之政，则民生之疾苦可知；有专断政制所需之学术，则士气之渐次消沉可知。于是武帝以后，历宣元哀平，而王莽西元前八至后八乃因民生之疾苦而改制，以天下为私而行篡，以古经古学而文过，以士气消沉而得畅所欲为矣。

> 莽之为人，固亦有可敬者，胡致堂谓："莽之事无足言矣。然犹有后人所不能及者。彭宣耻与同列，乞骸而去，才免就国。申屠刚斥之，才罢归田里。孙宝阻其称颂功德，才坐免官而已。逮龚胜邴汉辞位，又皆优礼而遣之，未尝讽司隶举劾，加以他罪也。"《读史管见》卷三

士气消沉，固由于重法多戮。亦由选举制度之渐为困缚征之。古时选举，除中下官吏，拔诸民间，其大吏皆世族说详上古卷十四节引俞正燮《癸巳类稿》卷三《乡兴贤能论》。自秦汉兵事，而布衣将相之局，已见于苏秦苏秦曰"使我洛阳有田二顷，吾岂得佩六国相印"，其为平民可知，特显

于樊哙，而汉时用人，或用直言极谏，或举贤良方正《史记》卷十文二年。或举茂材孝廉《前汉书》六《武帝纪》元光元年。故公孙宏“家贫”，“以贤良征”；张安世以“奇材”擢，张骞以“能使外国”应募，朱买臣以“文学”为中大夫，贾捐之以言得失，待诏金马门具详《汉书》各传。即将帅干城之材如赵充国、甘延寿等，亦以能骑射补官《汉书》各传。是虽有任子之举，而平民参政，犹得各尽其材。非如元帝之时，以四科取士，“一曰质朴，二曰敦厚，三曰逊让，四曰有行。盖孱主佞臣，以柔惰销天下之气节，自此以后，汉无刚正之士，遂举社稷以奉人，而自诩其敦厚朴让之多福”王夫之《读通鉴论》卷四。然则王莽之得志，固由士气销沉助成之。

任子之制颇有似古之世族，所谓士之子恒为士是也。如苏武以父任为郎，刘向以父任为郎《通考》三四，然此与士气殊无关。其与士气有关者，则武帝以后外戚宦官之更迭也。外戚为皇亲，其兴不具论。至于宦官，古有巷伯能诗，列在《小雅》《日知录》卷九“宦官条”；寺人进谏，著于《左传》《左传》二四；自帝皇淫纵，多蓄妻嫔，汉儒有一后、三夫人、九嫔、二十七世妇、八十一御妻《礼·昏义》之说，则宦者益盛，“宦官之盛，由于宫嫔之多”《日知录》。黄宗羲《明夷待访录》《奄宦下》亦有此说。此为定论。汉高尚枕宦者卧《樊哙传》，元帝之宠宏恭、石显而诛戮直臣，理有必然。——然士气则益馁矣。

其次，则大臣无耻。盖以君权之渐重，法网之日密，武帝时，张汤不免于自杀，严助亦陷于弃市，司马迁所谓：“自至王侯将相，声闻邻国，及罪至罔加，……安在其不辱也？”《汉书》六十二其在成帝时之张禹，则虽王氏弄权，而“以自见年老子孙弱，恐为所怨”《汉书》八十一而噤口不言矣。大臣无耻，故王莽弄权；异日翟义慨乎言之矣！

平帝崩而王莽居摄，翟义曰：“天下倾首服从，莫能亢杆国难。”《汉书》八十四此可见张禹一流人之多矣。

其次，则富豪陵削。盖秦皇尚筑台，以礼巴清。而“富相什则卑下之，伯则畏惮之，千则役，万则仆”《史记》一二九《货殖传》，明明为汉世风俗。故萧相有受贾人财贿之说《汉书》三十九《萧何传》，卜式、司马相如，或以财拜官《汉书》五十八《式传》，或以货为郎《汉书》五十七《相如传》。东汉安帝永初三年之令人入赀拜官，无足异也。此足明贫富在政治上之不均也。董仲舒云：“富者田连阡陌，贫者亡立锥之地。邑有人君之尊，里有公侯之富，或耕豪民之田，见税什五。故贫民常衣牛马之衣，而食犬彘之食。”《汉书》二十四上《食货志》明在经济上之贫富不均也。萧望之云：“今欲令民量粟以赎罪，如此，则富者得生，贫者独死。是贫富异刑，而法不一也。”《汉书》七十八《望之传》是法律上之贫富不均也。——安得而不动王莽更革之念乎？

汉初颇有截截富人之法，如“高祖令贾人不得衣丝乘车，重租税以困辱之”《史记·平准书》，而“商贾人，轺车二算”《汉书》二十四下《食货志》，“毋得名田以便农”，但枝节之制，何伤于富人？且汉方有事外国，需用正殷，则富人之盛自宜。虽董仲舒有“限民名田以赡不足，”卒未得行。哀帝时，师丹有“今累世承平，豪富吏民，訾数巨万，而贫弱俞困”，因定名田之议均详《汉书》卷二十四上《食货志》，亦终格不得行。时势如此，则王莽更法，自有必需者。

其次则为贵族之淫虐。成帝之不慕白云乡，而欲终老温柔乡《飞燕外传》。无论已。而张禹之“买田至四百顷，皆泾渭溉灌，极膏腴上贾”《汉书》八十一《禹传》。翟方进之坏堤为田，民致怨恨《汉书》八十四。而杜建在昭帝崩时下狱，则中贵为请托，宾客谋篡取《汉书》七十六《赵广汉传》。至王氏五侯之声势煊赫，无论已。

> 刘向于成帝时上疏曰：“今王氏一姓，乘朱轮华毂者，二十三人。素紫貂蝉，充盈幄内，鱼鳞左右。大将军秉事用权，五侯骄奢僭盛。并作威福，击断自恣。行污而寄治，身私而托公……事势不并立，如下有泰山之安，则上有累卵之危。陛下为人子孙，而令国祚移于外戚，降为皂隶，纵不为身，奈宗庙何？……”“书奏，天子召见向，叹息悲伤其意。谓曰：‘君且休矣，吾将思之。’”《汉书》三十六《向传》

有士气之消沉，有大臣之无耻，有富豪之陵削，有贵族之淫虐——因以形成社会政治之不安者，则托古改制，以经说自文其行迹，而“王莽窃君子之似矣”《读通鉴论》卷五，更助以在经学孕育以下之一二文人，推波助澜，而莽之改政篡位，一一臻于实现矣。盖“古之权臣跋扈，必阴藉名儒为之宗主。毅然复古之礼文，以厌群志，然后乃敢行大事。彼名儒者，冒昧依附，欲资其势，而行其志。是故西京郊社之礼，至王莽辅政而后定，刘歆主之也。东京宗庙之制，至董卓入朝而后定，蔡邕主之也”敖英《东谷赘言》页二，明人小说本，此不具论。然莽之举措，则受西京经师之指示者，固多！

歆为莽国师,"博极群书,先知谶文,自成帝时已更名秀,冀以应之。先儒谓《周礼》非全经,乃六国阴谋之书。欲以亡秦。而歆又补缀附合以成之。凡莽所以劳弊精神,困苦天下,征财敛怨,泥古召亡者,此书之用,十居六七。而歆当国师之号,则知莽受教而为之也"《读史管见》卷三页二十六。案此说未免推重刘歆太过,然莽之作为,受西汉经师之感炙,则无可疑者。

以莽之立身行己论之,莽为元帝皇后王后之弟之子,"群兄弟皆将军,五侯子乘时侈靡,以舆马声色,佚游相高,莽独孤贫,因折节为恭俭。受礼经,师事沛郡陈参"。绥和元年西元前八,辅政,其"妻衣不曳地,布蔽膝,见之者以为僮使"。《王莽传上》辅政以后,陈崇称其功德曰:"昔令尹子文,朝不及夕,鲁公仪子,不茹园葵,公之谓矣。"《王莽传上》——此则贵族豪侈之反响,而又益以通经师古者也。

令尹子文,毁家纾难,见《左传》庄三十年。公仪休事,"相鲁,之其家见织帛怒而出其妻,食于舍而茹葵,愠而拔其葵曰:'吾已食禄,又夺园夫、女红利乎?'"《汉书》五十六《董仲舒传》此莽之所本也。

以莽之政治目标言之,"官无狱讼,邑无盗贼,野无饥民,道不拾遗,男女异路之制,犯者象刑。"《王莽传上》古史称文王治岐,争讼自止。世又传"治世无肉刑,而有象刑"。《荀子·正论》则莽之举措,固针对狱讼繁多之政治,而亦受经说之影炙者。

以莽之好言符瑞言之，如未篡位前“臧鸿奏符命，刘京言齐郡新井云，庖云言巴郡石牛。”《王莽传上》又有“天下太平，五谷成熟，或禾长丈余，或一粟三米，或不种自生，或不蚕自成”。同上则又汉儒好言阴阳灾厉阶之厉焉。

汉儒好言灾异，语详前。以刘向之骨骾，而其在成帝时指斥王氏，“今王氏先祖坟墓在济南者，其梓柱生枝。叶扶疏上出屋，根垂地中。虽立石起柳，无以过此之明也”《汉书》三十六。此后世谈风水之权舆，早于郭璞远甚。

以莽之利用儒生言之，如“征天下通一艺，教授十一人以上，及有《逸礼》、古《书》、《毛诗》、《周官》、《尔雅》、天文、图谶、钟律、月令、兵法、《史篇》、文字，通知其意者，皆诣公车”《王莽传上》。此其操纵儒生，班固所谓：“昔秦燔《诗》、《书》以立私议，莽诵六艺以文奸言。”《王莽传上》则愚弄天下之习气为之。其时上书诵功德者“四十八万七千五百七十二人”《王莽传上》，则士林无耻之习气为之——凡汉武所利用者，至莽而一一见效矣。

又如改易官制，名大司农曰羲和，“以《周官》、《王制》之文，置卒正连率”《王莽传中》；则经义之憧憬也，变易土地制度，“古者设庐井八家，一夫一妇，四百亩，什一而税。则国给民富，而颂声作。秦为无道，厚赋税以自供奉。罢民力以极欲。坏圣制，废井田，是以兼并起，贪鄙生。强者规田以千数，弱者曾无立锥之居。又置奴婢之市，与牛马同阑。……奸虐之人，因缘为利。至略卖人妻子，逆天心，谆人伦。缪于天地之性，人为贵之义。……汉氏减轻田租，三十而税一，而豪民侵陵，分田劫假。厥名三十税一，实什税五也。

父子夫妇，终年耕耘，所得不足以自存。故富者犬马余菽粟，骄而为邪。贫者不厌糟糠，穷而为奸。俱陷于辜，刑用不错。……今更名天下田曰王田，奴婢曰私属，皆不得卖买。其男口不盈八，而田过一井者，分余田予九族邻里乡党。故无田，今当受田者，如制度。敢有非井田圣制，无法惑众者，投诸四裔，以御魑魅，如皇始祖考虞帝故事”《王莽传中》。此则托诸古经，而受时世之驱策者也。

莽二年，“初设六筦之令，命县官酤酒卖盐铁器铸钱诸采入名山大泽众物者，税之。又令市官收贱卖贵，贷赊于民，收息百月三”《王莽传中》。此则《周官》泉府之说也。

然而莽之改革，则竟失败矣。揆其失败当有四因。

一则败于更张之仓皇也。莽之更张，均定令于三年西历八至一〇之中。而“变改制度，政令繁多，奉问者辄质问，乃以从事。前后相乘，溃眊不渫。莽常御灯火，至明犹不能胜”《王莽传中》。莽尚如是，而况“县宰”乎！

二则败于泥古而神秘也。如“制作地理，建封五等”《莽下》，此尚无不可。至如匈奴入寇，招言便宜，或言“度水不用舟楫”，或言行军“不持斗粮”，或“取大鸟翮为两翼”，言“能飞一日千里”《莽下》，此仅失之诬。至于乱者四起，而仿《周礼・春官》女巫“国有大灾，则哭以厌之”。兵已至郊，则仿《论语》而曰：“天生德于余，汉兵其如予何！”《王莽传下》则知莽之改制，踵袭《周官》、《王制》，其愚实不可及焉。

三则败于中产阶级之反抗也。王田之立，区博谏以为“违民心”《王莽传中》；六筦之作，公孙禄以为“以穷工商”《王莽传下》。而其时起兵抗莽者，如“卖谷”之光武《后汉书》一，“倾家破产”之刘縯《后汉书》四十四，“货殖著姓”之李通《后汉书》四十五，“世吏二千石”之邓晨同上，“受业长安”之邓禹《后汉书》四十六，“世为著姓”之寇恂同上，家“素豪侠”之隗嚣《后汉书》四十三，“以父任为郎”之公孙述同上，——此其人皆中产者，逼于莽之捄时之政而突起者也，即异日杀莽者，乃“商人杜吴”《王莽传下》也。

东汉与西汉，其同姓刘，实偶然耳。当时王郎曾冒为成帝子，光武斥之曰：“倘使成帝复生，天下不可得。”《后汉书》四十二《王昌传》可知中兴刘氏，非能应时；豪杰亡莽，纯为莽之制度有以偪之耳。

而最足为莽之不幸者，则有饥荒故也。饥荒常足为战争之起因，故《左传》僖十九年有“周饥，伐殷而年丰”之记。考《王莽传》有“陨霜杀菽”，“关东大饥蝗”。《食货志》有“饥疫人相食”，此见于班《书》者也。《光武纪》云，“连岁灾蝗”，《刘玄等传》“南方饥馑”卷四十一节绿林之起，“青徐大饥”《刘盆子传》。《伏湛传》曰：“夫一谷不登，国君彻膳，今民皆饥，奈何独饱。”《后汉书》卷五十六此见于《后书》者也。则知起兵为乱者，均为困于衣食之徒，非必恶王氏而熹刘氏也。

案东汉中兴诸将，如邓晨娶光武姊，光武小挫。莽吏乃污晨宅，焚其冢墓。宗族皆恚怒曰：“家自富足，何故。随妇家入汤镬中？”《后汉书》四十五富人不反，何知？

然莽之纷更致败，固亦有可纪者。“新帝复千载绝迹，更制王田，男不盈八，田不得遇一井。此于古制稍奢，荀悦以为废之于寡，立之于众，土田布列豪强，卒而革之，兹有怨心，此其所以致败也。然分田割假之害，自是稍息。讫建武之后，乡曲之豪，无有兼田数郡，为盗跖于民间，如隆汉者矣。大功之成亏，亦不于一世也”章炳麟《检论》卷七《通法》。盖以削豪拯弱而言，如王丹有“如丹此缣，自出机杼”，以羞富豪之语。丹实莽之同时人也《后汉书》五十七《丹传》，则莽之作为，对时下药，虽泥于古，愍时势者，傥有取焉。

一三　表章气节与尊崇儒术

致力于社会改革者，既失败矣，继起之东汉二五至二一九光武二五至五七对于士大夫之委靡，及大臣之无耻，自当别图救济之方。帝微“为白衣时，藏亡匿死，吏不敢至门”《后汉书》一〇七《董宣传》。虽云恢廓大度告朱鲔，则曰：“举大事者，不忌小怨。”《通鉴》四十帝告朱鲔语似不甚顾到气节。告公孙述，则曰：“君非我乱臣贼子，仓卒时人皆欲为君事耳。”《后汉书》四十三《公孙传》然正以为“天子不与白衣同”《宣传》，故遂如“楚人有两妻者，人誂其长者，长者詈之。誂其少者，少者许之。居无几何，有两妻者死。……誂者（欲）取长者。……曰：‘居彼人之所，则欲其许我也。今为我妻，则欲其詈人也。’”《国策》三《秦策》，又见《后汉书》卷五十八《冯衍传》异日曹丕、朱元璋等盖屡用之，盖以便其一人之统治也。

魏于禁、庞德与关羽战，德死而禁降焉。后于禁还魏，文帝预“画关羽战克，庞德愤怒，禁降服之状，禁见惭恚，发病死”《魏志》十七《于禁传》。其在明太祖，则以“元顺帝有一象，宴群臣时，拜舞为仪。……帝北遁，徙象至南京，一日，上设宴使象舞，象伏不起，杀之。次日作二木牌，一书‘危不如象’，一书‘素不如象’，挂于危素左右肩”黄溥言《闲中今古录》页二，明人小说本，以素乃降臣也。严从简《殊域周咨录》记：“上擢元臣危素为大学士，一日上御东阁，闻履声橐橐。上方诘之：而素适至，乃谓之曰：‘是汝，吾以为文天祥耶！’“文天祥耶”亦见钱谦益著《列朝诗集小传》甲集《危素传》……初，李文忠捷奏至，时百官方奏事奉天门，闻元主殂，相率称贺。上谓侍御史刘炳曰：‘尔本元臣，今日之捷尔不当贺。’因命礼部榜示，凡北方捷至，尝仕元者，不许称贺。”卷十六页十，故宫印本——胥此类也。

所以便利其一人之统治，故一则奖励不仕二姓者；宛人卓茂，“视民如子，举善而教，口无恶言，吏民亲爱。……及王莽居摄，以病免归。上光武即位，先访求茂。诏曰：‘夫名冠天下，当受天下重赏。’”《通鉴》四十谯玄为汉郎，而为公孙述所强征，“玄仰天叹曰：‘唐尧大圣，许由耻仕；周武至德，伯夷守饿；彼独何人，我独何人？保志全高，死亦奚恨。’……建武十一年卒，明年，玄弟以状诣阙自陈，光武美之。……祠以中牢。”《后汉书》卷一〇一司马光曰：“光武即位之初，群雄竞逐，四海鼎沸。彼摧坚陷敌之人，权略诡辨之士，方见重于士，而独能取忠厚之臣，旌循良之吏，……宜其享祚久长，光复旧物。盖由知所先务，而得其本原故也。”《通鉴》四十

不仕二姓，由于政治上的淡泊，故再则奖励淡泊名利者，故“侧席幽人，求之若不及。旌帛蒲车之所征贲，相望于岩中矣。若薛方

逢萌，聘而不肯至，严光周党王霸，至而不能屈，群方咸遂，志士怀仁。”《后汉书》一一三《逸民传》叙严光与帝同游学，而听其高尚王侯《光传》，“牛牢为光武布衣交，尝夜共读谶文，有刘秀作天子之语，光武笑曰：‘安知非我？若果尔，各言尔志。’牢曰：‘大丈夫义不与帝王为友。’众皆大笑。及即位，征之不至。诏郡守存问，牢被发称疾。”祈骏佳《遯翁随笔》卷上页四十九引与光武本人之迷信谶记，渴欲集富贵于一人，似乎背道而驰；而不知集富贵于一身者，正欲人之淡泊于名利焉。

> 光武于建武元年，以赤伏符即位《后书》一上。胡致堂论之曰：“光武举兵，英雄材智，云合景从。河北既平，雒阳将下。诸将奉上尊号，光武辞避，亦已再三。纵微赤伏符，孰以为不可？何必见符命，然后决计乎？……其后拜三公三人，而二人取诸符谶……”《读史管见》三页三十一“有诏会议灵台，帝谓桓谭曰：‘吾欲以谶决之。’谭复极言谶之非法，帝大怒曰：‘桓谭非圣无法。’将下斩之！”《后汉书》五十九《桓谭传》此乃王莽所为者，而光武效之；此岂真能重视气节儒术者所为乎？

此种方法，微妙已甚。以视高祖之溺儒冠，嫚儒生，精粗不同。正由“天子不与白衣同”《后汉书》百七《董宣传》，故曰：“我治天下，亦欲以柔道行之。”非如西汉高祖之以亭长而为天子也。东京诸豪大抵起于知识阶级，光武亦然。“起于学士大夫，习经术，终陟大位者三，光武也，昭烈也，梁武帝也。故其设施，与英雄之起于草泽者，有异”《读通鉴论》卷六。故用兵征讨之时，则不物小节；而“天下”已定之后，则努力纲纪。及光武之子明帝显宗，而益粉饰升平。永平二年，以桓荣为五更，李躬为三老，虽名实不符，而统治者以提倡儒术为用，则固与表章气节，异曲同工矣。

三老本为乡官，见《高纪》、戾太子、龚胜、京房、韩延寿、王尊、外戚各传，及《百官公卿表》。其另义，则三老为老人，知天下之事。五更老人，知五行代更事者。见《后汉书》明纪永平二年注文。杭世骏《诸史然疑》《后汉书》条云："杜氏《通典》云：'明帝以李躬为三老，桓荣为五更。安帝以鲁丕李充为三老，灵帝又以袁逢为三老。按《杨赐传》，光和元年，其冬行辟雍礼，引赐为三老。又《伏恭传》，建初二年，肃宗行飨礼，以恭为三老。又《周泽传》，数为三老五更。此三条可补杜氏之缺。"可见显宗明帝以后崇三老五更非一次也。故致堂云："观显宗尊师之意，多仪及物，数千百年，鲜有其俪。可谓人主之高致，帝皇之盛节也。可惜桓荣授受一经，专门章句，不知仲尼之微言大义耳。"《读史管见》卷三可谓犹为明帝瞒过。

即东汉初兴，百年间之搜集遗书《后汉书》一〇九《儒林传》叙，章帝建初四年之诏，"诸儒会白虎观，议五经同异。……帝亲临制称决，作《白虎议奏》，名儒班固、贾逵及广平王羡皆与焉"《通鉴》卷四十六，实亦不过同于汉武重儒。西汉宣帝甘露三年，已有石渠议经故事《通鉴》卷二十七；东京之事，无足重焉。其提倡经学，使于文人之外，复有经师；盖利其破碎迂阔，便于节制。文人尚有逸气，而经师则只以供人利用者尔。

经与文分，当始东汉。袁枚《小仓山房文集》卷十《虞先生文集叙》云："文章始于六经，而范史以说经者入儒林，不入文苑。后世史家，俱仍之而不变。则亦有所不得已也。大抵文人，恃其逸气；不喜说经。而其说经者，则曰吾以明道云尔，文则吾何恤焉。自是，而文与道离矣。"至《宋史》而又以道学立于儒林之外，则又变已。有逸气者，犹有倜傥非常之致。其"吾以明道"者，则班固撰集《白虎通德论》，而胁服于窦宪《后汉书》七十一：马融"才高博洽，为世通儒"，而不敢"违忤势家"《后汉书》九十《马融传》：康成大儒，亦不能拒袁氏之逼《后汉书》六十五《郑玄传》。——提倡儒术后之经师，较诸提倡儒术前之逸民，有愧色矣。非故为苛论也。

故曰尊崇儒术，与表章气节，乃全以为统治者一己之便。彼明帝者，固刻薄寡恩谊，故北海王睦使使朝帝，谓使者"曰：'朝廷设问寡人，大夫将何辞以对？'使者曰：'大王忠孝慈仁，敬贤乐士，臣敢不以实对。'睦曰：'吁，子危我哉。大夫其对以孤袭爵以来，志意衰惰；声色是娱，犬马是好，乃为相爱耳。'"《通鉴》四十五永平十七年而韩歆以直言无隐讳，于永平十五年自杀《通鉴》四三，斯范晔所谓"法令分明，弘人之度未优"《明纪论》。钟离意所谓"宜少宽假"，宋均为云不敢尽言俱见《后汉书》七十一，寒朗所谓"仰屋窃叹"《后汉书》七十一，——此皆与重三老尊五更，背道而驰。其真能以崇尚名节而"崇尚名节"者，大抵州郡掾属，非国家柱石焉。

《廿二史劄记》卷五有"东汉尚名节"条，列举：（一）尽力于所事，以著其忠义，如郭亮负斧钻，请收李固尸《固传》。（二）感知遇之恩，而制服从厚；如乐恢为郡吏，其太守坐法诛，恢独行丧服《恢传》。（三）轻生以报仇者，如崔瑗兄为人害，手刃报仇《瑗传》。然于大臣謇谔，无能举焉。此表章气节，与提倡儒术之效也。

至若曹褒，于章帝时制礼，“依准旧典，杂以五经谶记之文”《后汉书》六十五《褒传》。异日郑康成梦孔子，而“以谶合之，知命当终”《后汉书》六十五《玄传》。则经东京诸帝所提倡之儒术，不能不谓与王莽有相同者。昔宋神宗语文彦博：“更张法制，于士大夫诚多不说；然与百姓何所不便？”彦博曰：“为与士大夫治天下，非与百姓治天下也。”李焘《续通鉴长编》卷二二一尊崇儒术也，表章气节也，应用图谶也，重法严刑也，岂东京开基之帝，“为与士大夫治天下”而故创此矛盾纵横之文治乎？

其副果则为教育之发达，班固所谓：“四海之内，学校如林。庠序盈门，献酬交错，俎豆莘莘。下舞上歌，蹈德咏仁。”《后汉书》七〇《固传》以及当时私人之立学授徒，如马融弟子千数，以次相传，鲜有入室《马融传》。卫飒起庠序于桂阳《飒传》，李忠起学校于丹阳《忠传》。牟长弟子，前后万人《牟长传》。郑玄在马融门下三年，不得见，使高业弟子传授于玄。——此胥私人教学之可称者。中国古代之握教育权衡者，往往不在乎国家所立之学，而在乎私人所立之塾；此在东汉亦然。意者，在上者有尊崇儒术之政，斯在下者为群居从学之风；其结果，殆亦为偶然的，而非当然的欤！

第五章　发明与承受

一四　纸的发明

由上观之，儒术与气节之提倡，其目的，殆与汉高嫚骂，武帝兴儒，王莽假古无以异。其真能撼动中古文化者，则纸的发明，与承受印度来的佛教是也。美人哈维（Harvey：*The mind of China*，*Introduction*，Yale University Prese 1933），尝痛诋吾人曰："古中国文物之伟美，吾邦学童，亦知之。学童者，胥知火药、茶叶、罗针、磁器、文具、印刷等业，为中国人原始的发明或改进者。但曾至中国者，则见数万吨之纸，与火药，仅为祀神花炮之用。罗针固海上航行之利器，其在中国，则仅以找求坟地而已。"此吾人于叙纸的发明之前，所当明耻弼教者已。

俞宁颇《睥睨全球之宣纸》云："读本年九月九日《申报》北平通信，瑞典亲王卡尔氏，来沪游历，谓彼国现代造纸，颇发达，纸质虽优，然工料之细，尚不及吾国之宣纸。本人在北平故宫博物院所见之殿板书，系用宣纸所印成。数百余年，不褪色。且鲜明如初绘。中国造纸，如加以改良，将来与瑞典纸业，互相携手；促进东方文化，乃一有价值之事业也。”《申报》二十二年十月五日国人如不以人誉而虚憍，不以人毁而沮抑，则自尊自勉，亦兴国时所必有者。

纸之发明，据《后汉书》卷一〇八《蔡伦传》曰：“伦有才学，……永元九年九七监作秘剑，及诸器械，莫不精工坚密，为后世法，自古书契，多编以竹简；其用缣帛者，谓之为纸。缣贵而简重，并不便于人。伦乃造意，用树肤麻头及敝布鱼网以为纸，元兴元年一〇五，奏上之；故天下咸称蔡侯纸。”盖在蔡伦以后，而后纸之涵义，与今世不殊已。

《说文解字》卷十三上：“纸，絮笘也。从系，氏声。”段注：“笘”下云：“澈絮渍也。澈下云，于水中击絮也。……案造纸始于漂絮，其初丝絮为之，以笘荐而成之。今用竹质木皮为纸，亦有致密竹帘荐之是也。《通俗文》曰，方絮曰纸，释名曰纸砥也，平滑如砥。”《释名》纸砥也，谓平滑如砥也。《初学记》：“古者以缣帛依书长短，随事截之，名曰幡纸，故其字从系。”可见平滑之纸，先于汉世，已有之。而用丝布麻头以制纸，则中国中世之一大发明焉。

蔡伦固非始造纸者，始造纸者，殆亦难得其主名。“案蔡氏造纸之时，更有左伯者，亦善造纸。且较蔡伦为佳。故《书断》曰：左伯字子邑，能造纸。时蔡伦亦为之，伯尤精绝。蔡氏既非造纸初祖，又不特佳；而蔚宗《后汉书·宦者传》及《舆服志》竟特书之以表其功，诚不得其解矣。”《学文》一卷二期古今人有幸不幸，殆未足以深异者。至如谢肇淛云:“今人谓纸始于蔡伦,非也。西汉《赵飞燕传》‘箧中有赫蹏书’,应劭曰:‘薄小纸也。’孟康曰:‘染纸令赤而书,若今黄纸也。’则当时已有纸矣。但伦始煮壳皮麻头敝布鱼网,捣以成纸,故纸始多耳。”《五杂俎》卷十二祈骏佳谓:“前代未有纸,故书载五车,即秦始皇衡不量书,亦当是竹非纸。史称东汉和帝时……蔡伦造纸,……班《书·赵皇后传》有赫蹏。《西京记》称薄蹏,注云:‘小纸也。’又《三辅故事》,卫太子以纸塞鼻。此三者皆在伦前。定知纸不始于伦,或伦之制纸,袭古法而加精通,故独传其名耳。”《遯翁随笔》卷上页二十,仰视一千七百二十九鹤斋丛书——此谓西汉时已有纸,正以古之“纸”字,与今之“纸”字,审其同名而不量其异实,斯《学斋呫哔》之说所以不及《云麓漫钞》也,何则?《赵后传》之纸,乃缣帛也;蔡伦(或左伯)以后,则始有破布鱼网所制之纸矣。而纸之通用,实非能限于一时,纸在章帝建初七六至八三已有,建初元年,贾逵上言,“章帝与简纸经传各一通”范《书》六十六《逵传》,盖早于伦者二十年。纸之通行,则建光元年一二一年周磐临终写《尧典》,“编二尺四寸简,置刀笔各一于棺前,以示不忘”范《书》六十九《周磐传》,其时则伦上纸以后之十四年。创作难得主名,亦定论也!

史绳祖《学斋呫哔》卷二《记纸笔事》云:“传记小说多失实,如《事始》谓蒙恬造笔,蔡伦造纸;皆未必然。蒙恬乃秦时人,而诗中已有‘彤管’,谓女史所载之笔。又传谓史载笔,又孔子作《春秋》,笔则笔,削则削,绝笔于获麟,又《尚书中候》云:‘元龟负图书,周公援笔,以时文写之。’又《尔雅》及《说文》云:‘秦谓之笔,楚谓之聿,吴谓之不律,燕谓之弗。’其来尚矣。马大年乃附会以为简牍之笔,乃竹笔非毫也。殊不知《庄子》书中有'舐笔和墨'之语，则以毫染墨明矣。竹笔岂可舐耶？……此端由《说文》'秦谓之笔'一语，以误后世。又如蔡伦乃后汉时人，而《前汉·外戚传》云：'……'，注谓'……'，则纸字已见于前汉，恐亦非始于蔡伦。但蒙恬所造精工于前世则有之，谓纸笔始于二人，则不可也。"史说如此，然不如赵彦卫《云麓漫钞》卷七页一之说为得之："上古结绳而治，二帝以来始有简策，以竹为之，而书以漆。或用版，以铅画之，故有刀笔铅椠之说。秦汉末，用缣帛。如胜、广书帛内鱼腹，高祖书帛射城上，至中世，渐用纸。《赵后传》所谓赫蹏书，注云：'薄小纸。'然其实，亦缣帛。《蔡伦传》，用缣帛者，谓之纸，缣贵简重，不便于人，伦乃用木肤麻皮等。则古之纸，即缣帛，字盖从系云。"赵瓯北《陔余丛考》卷十九"造笔不始蒙恬"条亦取此说——然则造纸虽不能定为蔡伦，而造纸要当离蔡伦不远也。

《前汉书·路温舒传》："父为里监门，使温舒牧羊；温舒取泽中蒲，截以为牒。编用写书。"卷五十一是宣帝之时，读书之工具，犹欠缺如斯。《初学记》："古者……以缣帛……曰纸，贫者无之，或用蒲写书，如温舒截蒲是也。"则读书之流通，有赖于纸者，自非浅鲜。《风俗通》云："刘向《别录》，杀青者，……新竹有汗，善朽蠹。凡作简者，皆先火上炙乾之。陈楚间谓之汗，汗者，去其汁也。吴越曰杀，杀亦治也。"《御览》六百六引则著书之难易，有赖于纸者，更非浅鲜。蔡伦辈之功，真可百世祀之焉。

然纸之通用，要亦在蔡伦以后。和帝时，"吴恢为南海太守，欲杀青简，以写经"。子祐，有"南海旧多珍怪，……此书若成，则载之兼两。”必有马援薏苡之谤《后汉书》九十四《祐传》。即献帝时“董卓移都之际……自辟雍东观，诸藏典策文章，竞共剖散。其缣帛图书，大则连为帷盖，小乃剖为縢囊”《后汉书》一〇九《儒林传》叙。此皆纸未通用之证。然王充得“入市买书”，阚泽“为人佣书以供纸笔”《吴志》八《泽传》，是知东京之季，纸亦通行。初不待六朝时，有“皎白犹霜雪，方正若布棋，宣情且记事，宁同鱼网时”梁宣帝《咏纸》据《渊鉴类函》引之赞美也！

纸之发明，其赐与于人间者何限。至于墨砚，虽似次重，然亦述作有赖于悠时。“九经有笔墨字，如史载笔，公输削墨之类，而无砚字。是古人用墨，以器和之”高士奇《天禄识余》卷上。是谓墨早于砚也。“上古无墨，竹挺点漆而书。中古方以石磨汁，或云是延安石液。至魏晋时，始有墨丸。乃漆烟松煤，夹和为之。所以晋人多用凹心砚者，欲磨墨贮沈耳”陶宗仪《辍耕录》卷二十九《墨》。是墨之处用，固亦在汉以后，始渐渐进步，有如纸也。

谢肇淛《五杂俎》卷十二云：“三代之墨，其法似不可知。然《周书》有‘涅墨’之刑，晋襄有‘墨衰’之制。又古人灼龟，先以墨画。则谓古人皆以漆书者，亦不然也。”“古有黑石，可磨汁而书。然墨不仅出延安，晋陆云《与兄书》谓三台上有藏者，则亦稀奇之物，安得人人而用之？况墨之为字，从黑从土。其为煤土所制，无疑，但世远不可考耳。至汉而始有隃麋之名，至唐而始有松烟之制，然三国时，皇象论墨，已有多胶黝黑之说。则谓魏晋以前，多用漆而不用胶者，亦误也。至于用珠，则自李廷珪始。用脑麝金箔，则自宋张遇始。自此而兢为淫巧矣。”案谢说与姜绍书说略异，姜说见《韵石斋笔谈》卷下页二十一，知不足斋丛书本可知墨创于上古，而盛于中古，精于近古，其在南唐，则“澄心堂纸，李廷珪墨，龙尾石砚，三物为天下之冠”矣甚详王辟之《渑水燕谈录》卷八。

砚之来由，亦与墨俱，“砚字虽见于《西京杂记》，天子以玉为砚，及《异书》帝鸿氏之砚。然字不见于经。且唐人多以瓦为砚，及宋初而砚以谱行，端、歙二石，擅名天下也。”《天禄识余》卷上“九经所无”条东晋时尚已用之，故“孙承泽曾藏谢氏道蕴一砚，有铭曰：‘丝红清石，墨光洪璧，资我文翰。玉硃坚质。’”王渔洋《池北偶谈》卷十五其在于中古之季，则宋砚妙天下矣，语在《韵石斋笔谈》卷下第二十页。

一五　佛教之初来华

纸之发明，与佛教来华之承受，治史者胥以为中古文化史之大事云。刘光汉《国学发微》云：“汉魏之时，佛教入中国者，多属浅显之书。故道教者，得佛教之粗者也；唐宋以后，佛教入中国者，悉属精微之语；故宋学者，得佛教之精者也。”《国粹学报》乙巳九期金李屏山，谓程伊川“窃吾佛书”刘祈《归潜志》卷九；清全祖望《鲒埼亭集》外编三十一《题真西山集》亦谓：“乾淳诸老之后，百口交推，以为正学大宗者，莫如（真）西山。近临川李侍郎穆堂《类稿》，讥其沉溺于二氏之学，此岂有闻于圣人之道者。愚尝详考其本末，而叹西山之过负重名，尚不止此两宋诸儒，门庭径路，半出入于佛老。……然则其不能攘斥佛老，固其宜尔！”则佛之来华，其影响于思想界者，又何限焉。

案佛之来华，有谓始于秦始皇时者，有谓始于汉武帝时者，有谓始于汉哀帝时者，有谓始于东汉明帝时者，后说，则最有力者也。

《历代三宝记》卷一云：“秦始皇时，西域沙门室利防等十八人，赍佛经来咸阳，始皇投之于狱。”此则谓佛来于秦始皇时也。鱼豢《魏略·西戎传》云：“汉哀帝元寿元年，博士弟子秦遵宪，从大月氏王使伊存，口授浮屠经。”此则谓佛来于汉哀帝时也。王楙《野客丛书》卷十页二，稗海本云：“佛自后汉明帝时入中国，其来久矣。”观《魏略·西戎传》云：“昔汉哀元寿元年，博士景虑受大月氏王使伊存，口传浮屠经。又观刘向《列女传叙》曰：得仙者一百四十六人，其七十四人，已在佛经。则知汉成、哀之间，已有佛经矣。观《汉武故事》，昆邪王杀休屠王，以其众降，得金人之神，上置之甘泉宫。金人皆长丈余，其禁不用牛羊，惟烧香礼拜。上使依其国俗。又元狩三年，穿昆明池底，得黑灰，帝以问东方朔，朔曰：‘可问西域道人’，可知佛法，自武帝时已入中国矣。”此佛法始来于汉武帝之说也。——三说胥悠谬，更无论战国时佛教已来华之说矣。

有谓孔子为佛徒者，《野客丛书》卷十页三云：“薛正己记仲尼师竺乾审，则佛入中国，又不始于武帝也。”《陔余丛考》卷四云：“罗壁《识遗》引《列子·仲尼篇》曰：‘西方之人，有圣者焉。’则列御寇在战国时，已知有佛也。《论衡》记周昭王二十四年甲寅岁四月八日，井泉溢，宫殿震，夜恒星不见。太史苏繇占，西方圣人生。金履祥因之；修入《通鉴前编》；则又西周时，已知西方有圣人矣。”《隋书·经籍志》卷三十五又谓：“自汉已上中国未传，或之久已流布，遭秦之世，所以湮灭。其后张骞使西域，盖闻有浮屠之教。”——此皆谓周世，佛已入中国也。

俞正燮《癸巳类稿》卷十五《释伽文佛生日生年决定具论》云：“《法苑珠林》云：释道安朱士行经目录，言秦始皇时，有沙门释利防等十人，贤者来化，被囚禁，金刚破狱出之。其言妖妄。但欲证佛入中国，在明帝前，而造事悖乱，为委巷所不道。又《史》、《汉》《匈奴传》，均言霍去病得休屠王祭天金人。如淳谓祭天为主，是也。而崔浩以为浮屠金人，张晏亦言佛徒祠金人，《魏书·释老志》以为不祭祀，但烧香拜礼，为佛教流通之渐。不知匈奴祭金人，乃是拜天，杀牲祝福，与烧香不相涉，且《魏书·释老志》太平真君七年诏曰：‘虽云胡神，问今胡人，共言无有。’可知佛非匈奴种也。”——书此以破前说之惑。

其最为人间所信者，则汉明帝之求法也。

其一，则王浮《老子化胡经》云：“永平七年西元六四甲子，星昼见于西方。明帝梦神人，因傅毅之对，知为胡王太子成佛之瑞应。即遣张骞等经三十六国，至舍卫。值佛已涅槃，乃写其经，以永平十八年西元七五归。”王浮为一粗浅之道士，附张骞于明帝，乃不知有东西汉之别者，此不必论！

其二，则袁宏《后汉纪》卷十云：“帝梦金人，长大，顶有日月光。……而问其道，遂于中国，图其形象。”然犹未有蔡愔之说也。正如《洛阳伽蓝记》卷四云：“白马寺，汉明帝所立也，佛至中国之始。寺在西阳门外三里，帝梦金人，丈长六，顶皆日月光明，胡神号曰佛。遣使于西域求之。乃得经像焉，时白马负经而来，因以为名。”言明帝之遣使，而未言使者为蔡愔也。

至于言明帝时遣蔡愔求法者，则更有三说也。

一则慧皎《高僧传》云：“汉永平中，明帝夜梦金人，飞空而至。……通人傅毅答曰：‘臣闻西域有神，其名曰佛。陛下所梦，将必此乎！’帝以为然。即遣郎中蔡愔，博士弟子秦景等，使往天竺，寻访佛法。……冒涉流沙，回至雒邑，明帝甚加赏接。于城西门外，立精舍以处之。”卷一《摄摩腾传》又云：“时蔡愔既至彼国，兰与摩腾，共契游化，遂相随而来，……既达雒阳，与腾行止。”卷一《竺法兰传》——此《高僧传》之“蔡愔”说也。

二则《隋书》三十五《经籍志》云：“哀帝时，博士弟子秦景，使伊存口授浮屠经，中土闻之，未之信也。后汉明帝，夜梦金人，飞行殿廷，以问于朝。而傅毅以佛对。帝遣郎中蔡愔及秦景使天竺求之，得佛经四十二章，及释伽立象。并与沙门摄摩腾、竺法兰同还。愔之来也，以白马负经，因立白马寺于洛城雍门西以处之。其经缄于兰台石室。”此《隋书》之“蔡愔”说也。

案哀帝元寿二年西元前一年崩，自此至明帝永平七年西元六四为时六十五年。秦景即老健，安能在六十五年前奉使，而六十五年后，又奉使乎？《隋志》之说妄矣。

三则唐道宣《广弘明集》卷一云：“蔡愔偕摩腾、法兰归，道家积不能平。道士褚善信等六百九十人，以永平十四年正月一日，抗表请比对。其月十五日，明帝集诸道士于白马寺，使与兰腾二人赛法。道经皆焚尽，腾等显种种神通，道士费叔才惭死，吕惠通等六百余人出家。宫嫔等二百三十人，士庶千余人出家。”此《广弘明集》之“蔡愔”说也。

案东汉之初，道教亦不甚张，何来互嫉之事？且僧道赌法，固亦后来之事，非汉世所能有也如《通鉴》卷一九五贞观十三年所记傅奕与胡僧赌法并以羚羊角破其佛齿事。且范书《襄楷传》有桓帝立浮屠老子之宫语，明非在决斗之时。

实则汉明遣蔡愔求法说，万不可为典训。其一，永平之中，匪可通印度之时也。盖以“王莽篡位，变易王侯；由是西域怨畔，与中国遂绝，并复役属匈奴。……永平中，北虏乃胁诸国，共寇河西，郡县城门昼闭，十六年，明帝乃命将北征。……遂通西域。……西域自绝六十五载，乃复通焉”《后汉书·西域传》。何以蔡愔奉使，乃竟在此六十五年中耶？

梁启超云：“此纪西域通绝年岁，谨严详明。永平七年，西域受胁匈奴，构乱猖獗之时，下距十六年之复通，且十载。安能有遣使经三十六国入印度之时耶？”《梁任公近著》中卷《佛教之初输入》页六汉明求法说辨伪意同。

其二，明帝之时，已有显著之佛教形迹也。楚王英为光武子，明帝异母弟，“永平元年，特封英舅子许昌为龙舒侯。英小时好任侠，交通宾客，晚节更喜黄老学。为浮屠斋戒祭祀。（李贤注云：‘袁宏《汉纪》：浮屠佛也。西域王竺国，有佛道焉。佛者汉言觉焉。……初明帝梦见金人。……’）八年，诏令天下死罪，皆入缣赎，英奉送缣帛以赎愆罪，……诏报曰：楚王诵黄老之微言，尚浮屠之仁祠，洁斋三月，与神为誓。何嫌何疑，尚有悔吝？其还赎以助伊蒲塞桑门之盛馔。"《后汉书》七十二《英传》永平八年，信佛者已有王子之尊，佛语已见公牍，而谓其前年，始有蔡愔之求法乎？始有佛教之输入乎？可知佛入中国，必在永平已前。

佛教之入中国既在永平已前，而春秋时，秦始皇时，汉武时，汉哀时，又荒诞不足为训，则佛教来华当在何时已后！曰：必当在汉武已后乎？其一，汉武征伐之后；交通乃利。二则"昔汉武穿昆明池底，得黑灰。问东方朔，朔云：'不知。可问西域胡人'。后(竺)法兰既至，众人追以问之，兰曰：'世界终尽，劫火洞烧，此灰是也。'"《高僧传》卷一《竺法兰传》可见汉武之时，时人尚不知有佛；而佛之来华，必当在武帝后也。——更当在明帝前。

佛教之既入华也，其影响盖有四云：

其一，则令国人之眼光放大也。"当秦汉以前，与我接触之他族，其文化皆下我数等。我对之，诚不免贯高自慢。魏晋以下，佛教输入，贤智之士，憬然于六艺九流之外，尚有学问。而他人之所濬发，乃似过我。于是积年之潜在本能，忽尔触发。留学印度，遂成为一种时代运动"《任公近著》中卷页二六。揆任公云，求法运动，盖始诸朱士行魏甘露五年，二六〇年而终于悟空唐德宗贞元五，西元七八九年，"此种运动，前后垂五百年"。

其二，则令中国之艺术增辉也。桓帝"设华盖以祠浮屠老子"《桓帝纪论》。延熹九年一六六年即党锢事起之年，襄楷谏桓帝曰："闻宫中立黄老浮屠之祠。"《后汉书》六〇《襄楷传》此寺庙之始也。嗣后，陶谦之"同郡(丹阳)人笮融，……大起浮屠寺，上累金盘，下为重楼。又堂阁周回，可容三千余人。作黄金涂像，衣以锦彩，每浴佛，辄多设饮饭，布席于路，其有就食及观者，且万余人。"《后汉书》百三

《谦传》盖笮融“大起浮图祠，以铜为人，黄金涂身，衣以锦采，垂铜槃，九重下，为重楼阁道，可容三千余人，悉课读佛经”。《吴志》卷四《刘繇传》此造像之始也。

其三，则更令南方之文明开启也。“楚王英信佛，因个人信仰。然其受地方思想之薰染，盖有不可诬者。我国思想，南北两系统，在先秦本极著明。北方孔、墨之徒，虽陈义有异同，而其贵重现实，则一。老、庄籍贯，以当时论，固南人也。其治学则尚谈玄，其论道则慕出世。屈原思想之表见于《远游》者，亦与老、庄极相近。盖江淮学风，与中原对峙，由来久矣。西汉初淮南王安受封故楚，成《淮南鸿烈解》，传于今，集道家言之大成。然则在中国各地各民族中，惟江淮人对于佛教，最易感受，最易了解，固其所也”《梁任公近著》中卷页十五。——佛教之影响南华，盖即异日六朝玄学之胚子已。

其四，则使国中更多一种有闲阶级。士农工商之外，更有佛徒，不耕而衣，不事而食。中国人之出家者，以颍川朱士行为最先。“朱士行出家，汉土沙门之始”《历代三宝记》卷三《年表》。士行“出家以后，专务经典”，以《道行经》“文义未善”，乃“西渡流沙”，“以至于阗”。时在曹魏甘露五年，遂终于阗，春秋八十详《高僧传》四《士行传》。——曹魏之朱士行而后，汉人之为沙门，益辐凑矣。此亦有关于世变哉！

《高僧传》卷九《佛图澄传》载石虎时三三四至三四九王度奏曰：“佛出西域，外国之神。功不施民，非天子诸华所应祀奉。往汉明感梦，初传其道。唯听西域人，得立寺都色，以行其道。其汉人皆不得出家。魏承汉制，亦循前轨。……可断赵人，悉不许诣寺烧香礼拜，以遵典礼。”又傅奕亦云：“至汉明帝，乃立胡祠，然惟西域桑门，自传其教。西晋以上，不许中国髡发，事胡。至石苻乱华，乃弛厥禁。”《唐书》百七可知佛教初来，中国虽禁国人之不得出家，正如初期时之禁华人为基督徒也。汉魏已后，则律令为虚文矣。“不忠不孝，削发而事君亲，游手游食，易服以逃租赋”邵博《邵氏闻见后录》卷八页十二引傅奕表。江左之时，沙门为五横之一，此岂东京诸人所能逆料者乎？

第六章　黑暗的先驱

一六　武功与文教之升沉

朱士行之出家，在三国之乱世，范蔚宗谓："佛道神化，兴自身毒，而二汉方志，莫有称焉。张骞但著地多暑湿，乘象而战。班勇虽列其奉浮图，不杀伐，而精文善法，导达之功，靡所传述，……骞超无闻者，岂其道闭往运，数开叔叶乎？"《后汉书》百十九《西域传论》叔叶云云，盖指明五八至七五章七六至八八以后乎？其在大武功之后乎？

西汉武功之总结束，基于王莽之乱中古卷第八节。而东汉之经营，则起明章之际，盛于和八九至一〇五安一〇七至一二五之间：而顺一二六至一四四桓一四七至一六七之时，则国力竭矣。

其对南匈奴自西汉经营后，"五单于争立，呼韩邪款塞输诚，比于属国，东汉已来竟徙居边内，虽漠北亦开庭幕，史家谓南单于向化尤深，故别为标目而以北部事迹附焉"（丁谦《后汉书匈奴传考证》，第八页）。以其与北匈奴鬩，光武令内徙西河美稷丁谦云：在今鄂尔多斯部。明帝时，则防其南北勾结，章帝时亦然。和帝时，窦宪出征北匈奴，始大破之。班固所以撰燕然山刻石者也和帝元年（八九），详《后书》五十三《窦宪传》此初期也。北匈奴既衰，南单于则屡叛屡钞边，而鲜卑新强，屡胁其背，故安帝永和五年一一一年时，议欲徙单于近亲于内郡，此中期也。桓帝延熹元年一五八，南匈奴与乌桓、鲜卑，与寇边，张奂平之，拘单于。其种族益内徙，东京之季。曹操遂使人监其国，盖南匈奴南徙内属，而乌桓、鲜卑寖强矣。

乌桓、鲜卑均东胡种也。曹操、公孙康尝破之，以余众徙居中国。东胡在西汉时，为匈奴所胁，至汉挫匈奴，伊等始复燃，乌桓以乌丸山得名，此山高大，为内兴安岭南行正干。鲜卑为悉比利亚之音转，在今辽宁内蒙地方，说详丁氏《后汉书乌桓鲜卑传考证》。

其对西域也，则王莽乱时绝，而明帝永平十六年七三复通之。章和之间，班超用“以夷狄攻夷狄”之计，以永平十六年出，以永元十四年归七三至一〇二。积三十年之辛苦，范《书》所谓：“定远慷慨，专功西遐，坦步葱雪，咫尺龙沙。”《后汉书》七十七《超传》以视张骞，功盖侔矣。其稗将甘英穷临西海，“前世所不至，《三经》所未详”，说者以为几临地中海云！虽超没以后，西域反乱，“自建武五七至于延光一二二西域三绝三通”；然天山南北之地，沐浴华化，而不耗国力，宣威万里，则事足多云。

东汉对东夷。羁縻而已。而南蛮西南夷之在今川贵两粤者，以后汉之经营，本能“启土立人，至令成都”《后汉书》一一六。此近世改土归流之先鞭也。其宣威万里，不如西域，其增益国力，则窦宪之所不能逾，而班超之所不能专美也。

其惟羌乎，东汉对之，最棘手也。

羌为今“陕甘川滇徼外诸部之蕃子”。西汉时，赵充国曾经营之，更始、赤眉之际，“羌乃放纵寇金城陇西”《后汉书》一一七《西羌传》，连续寇钞，汉对之“多败少胜”《羌传》。安帝永初一〇七至一一三中，虽得虞诩之调度，略平其势。然已“军旅转输，府帑空竭”《羌传》，而桓帝一四七至一六七时，段颎犹“以为狼子野心，难于恩纳，势穷虽服，兵去复动。唯尚长矛挟胁，白刃加颈”《后汉书》九十五《颎传》。盖“永初中一〇七至一一三诸羌反叛，十有四年，用二百四十亿。永和一三六至一四一之末，复经七年，用八十余亿。费耗若此，犹不诛尽。余孽复起，于兹桓帝作害。”《颎传》则羌患及于百年之久，故国库为虚，及夫“寇敌略定矣，而汉祚亦衰焉”《西羌传》论，谓东汉之武功，屈于顺桓帝之讨羌，亦无不可。故曰：明章与焉，和安述焉，顺桓竭焉！

《读通鉴论》卷七云：“汉之强也，北却匈奴，西收三十六国此章和之时。未数十年，羌人一据于河湟，其志止于掠夺，未有觊觎汉鼎之心，而转徙五郡，流离其民，僵仆载道。如狐豚之避猛虎，悲哉？”安帝永初四年一一〇庞参已谓：“比岁羌寇，特困陇右。……今复募发百姓，调取谷帛。衒卖什物，以应吏求。外伤羌虏，内困征赋。”因上弃置西域凉州之策《后汉书》八十一《参传》，则羌患深矣。

即其内治言之，亦得。曰：明章兴焉，和安述焉，顺桓竭焉。

东京自明章时，固已奴视臣属，故宋均有不敢尽言之嗟，锺离意兴宜少宽假之叹俱见《后汉书》七十一本传，楚王英之狱明帝永平十三年，七〇年，牵累甚多，第以英言符瑞耳《后汉书》七十二。开国盛世，而摧抑自为如是；又不信宰相，“光武皇帝愠数世之失权，忿疆臣之窃命。矫枉过正，政不任下。虽置三公，事归台阁。三公之职，备员而已。……而权移外戚之家，宠被近习之竖”仲长统《法诫》篇，《后汉书》七十九。盖“河南帝城多近臣，南乡帝乡多近亲，田宅逾制不可为问”《东观汉纪》二，亲其私慝，开国时已然尔。

章和以后，“诸帝均不永年”详《廿二史劄记》卷四，因“多母后临朝，外藩入继”详《劄记》卷四。以母后少主也，因多宦官用事；“渐染朝事，颇识典物。少主凭谨旧之庸，女君资出内之命，顾访无猜惮之心，恩狎有可说之色。……斯忠贤所以智屈，社稷所以为墟”范《书》百八《宦者传》论，以母后少主也，因多外戚专权；和帝时之窦宪，“夫二三子得之不过房幄之间，非复搜扬仄陋。选举而登”范《书》五十三《宪传》。安帝时之邓骘，“豪横盈极，自取灾故”范《书》四十六《邓传》。“汉之叔世，艳后司政，寺人阿后，穷奢极欲以蠹国，私人墨吏，横行郡国以吮民”《读通鉴论》卷四。中叶之政，盖可知矣。

窦宪、梁冀卷六四之侈，均见本传。桓帝时窦武之为外戚似贤矣，而《陈蕃传》《后汉书》九十六称其荒乐不堪，则劣于武者，自可勿论已。且初期重法之治，及中期而衰，如安帝时，刘恺乞除“坐赃锢二世”之禁详《后书》六十九，则大臣宦者，自益滋横！虽修安车玉帛厚礼贤逸之礼详《抱朴子》外篇卷二《逸民》，而告朔饩羊，又何益哉？

顺桓以后，以讫灵一六八至一八九献一九〇至二二〇。武功寖废，治愈不纲，而党锢、黄巾起焉。王符生安帝时，固太息于“举俗舍本农，趋商贾，牛马车舆，填塞马路。游手为巧，充盈都邑”范《书》七十九引《潜夫论·浮侈篇》。桥玄仕灵帝时，而质贼杀其子，因奏于朝："乞下天下，凡有劫质者，皆并杀之。不得赎以财货。……初自安帝以后，法禁稍弛，京师劫质，不避权贵。自是遂绝"范《书》八十一《玄传》。则绑票之事已见。献帝逊位，仲长统卒。统著《昌言》，谓："君臣宣淫，上下同恶。"《治乱篇》谓："井田之变，豪人货殖；馆舍布于州郡，田亩连于方国。"《损益篇》叔世之政，胥可知矣。观《抱朴子》所记，而更可吁咈已。

《抱朴子》外篇三十三《汉过》云："道微俗弊，莫剧汉末。当涂端右，阉宦之徒，操弄神器。……进官则非多财者不达焉案灵帝中平二年，崔烈以入钱五百万为司徒，狱讼则非厚货者不直也，……其所用也，不越于妻妾之戚属；其惠泽也，不出乎近习之庸琐。……于是傲兀不检，丸转萍流者，谓之弘伟大量；苛碎峭崄怀螫挟毒者，谓之公正方直；令色警慧，有貌无心者，谓之机神朗彻；……反经诡圣，顺非而博者，谓之庄老之客《日知录》卷十三以为始于蔡邕。嘲弄嗤妍，凌尚侮慢者，谓之萧豁雅韵"。又外篇二十《名实》云："汉末之时，灵、献之世，品藻乖滥，英逸穷滞。饕餮得老，名不准实，贾不本物，以其通者为贤，塞者为愚。"傅玄亦谓："汉末一笔之押，雕以黄金。饰以和璧。缀以隋珠。发以翠羽。公卿大夫，刻石为碑，镌石为虎，碑虎崇伪，崇于三衢。妨功伤德，异端并起。众邪之乱正若此，岂不哀哉！"《群书治要》引《傅子》此东京季世之风俗也。

昔《日知录》赞美东京风俗见卷十三，赵翼《廿二史劄记》卷五亦谓东汉尚名节，以为(一)"是时郡吏之于太守，本有君臣名分。为椽吏者，往往周旋于死生患难之间。如李固被戮，弟子郭亮，负斧锧上书，请收固尸。杜乔被戮，故掾扬匡，守护其尸不去固、乔二传。此尽力于其所事，以见其忠义者也”。(二)“傅奕闻举将没，即弃官行服，李恂为太守李鸿功曹，而州辟恂为从事，会鸿卒，恂不应州命，而送鸿丧归葬，持丧三年，此感知遇之恩而制服从厚者也。”(三)“又有以让爵为美者，……丁綝卒，子鸿请让爵于弟盛，不报，鸿乃逃去。以采药为名，后友人鲍骏遇之于东海，责以兄弟私恩，绝其父不灭之基，鸿感悟乃归受爵”《鸿传》。……(四)“又有轻生报仇者，崔瑗兄为人所害，手刃报仇亡去。……又有代人报仇者，何容有友虞纬高，父仇未报，而病将死。泣诉于容，容即为复仇，以头祭其父墓”。此等“轻生尚气，已成习俗”，盖由“自战国豫让、聂政、荆轲、侯嬴之徒，以意气相尚。……其后贯高、田叔、朱家、郭解辈，徇人刻己，然诺不欺，以立名节。驯至东汉，其风益盛。好为苟难，遂成风俗。……”然则东京风俗，苟有所美，则战国游侠之遗，而非当时文教之隆盛也。东京文教，虽以刑法之故，挺立于明章之际；而弱主孱臣，消沉之于和安之间，及夫桓灵，而内政云云，其一部为鸣琴之政，醇酒之治矣。岂止武功颓废而已矣。

章炳麟《太炎文录》卷一《五朝学》云：“且夫鸣琴之政，醇酒之治，所从来非一世也。汉季张邈从政，号为坐不窥堂。孔伷，亦清谈耳。孔融刺青州，为袁谭所攻，流矢雨集，犹隐几读书，谈笑自若，城陷而奔。阮简为开封令，有劫贼，外白甚急。简方围棋长啸，曰局上有劫甚急(《御览》一百五十八引《陈留风俗传》，据《隋书·经籍志·地理篇》：《陈留风俗传》三卷，汉议郎圈称撰)。斯数子者，盖王导谢安所从受法；及夫蓬发亵服，嘲弄嗤妍，反经诡圣，顺非而博，在汉已然。”此可以见汉季之政俗矣。

一七　章句之儒与激烈思想者

佛教之来，由于世运之降，世运之降，尊崇儒术何补哉？且东汉之儒，果何如耶？

儒者好言汉学，“而汉学亦有辨，前汉今文说，专明大义微言。后汉杂古文，多详章句训诂”皮锡瑞《经学历史》页十八。如周防撰《尚书杂记》三十二篇，四十万言。伏恭为《齐诗章句》二十万言，景鸾著述五十余万言，而郑玄所注尤多详范《书》各本传。章句之技，技且施于法令。《晋书》卷三十《刑法志》所谓：“后人生意，各为章句。叔孙宣、郭令卿、马融、郑玄，诸儒章句十有余家，家数十万言者”，是也。“碎义逃难，便词巧说，破坏形体，说五字之文，至于二三万言；后进弥以驰逐，故幼童而守一艺，白首而后能言，安其所习，毁所不见”班《书》三十《艺文志》。如班固言，则范《书·儒林传》所载东京学校之盛“羽林之士，悉令通《孝经》章句”者，得无与渐荒之治政，同为无益于世乎？

案两汉法学颇盛，著于班《书》者，有路温舒、杜延年、郑昌、于定国、丙吉、文翁等，著于范《书》者，有郭躬授徒以律，侯霸从人受律，钟皓以刑律教授，——俱见两《汉书》本传，故章句之学风，亦侵入之！

西汉宣帝时，夏侯胜已谓：“章句小儒，破碎大道”《班书》七十五《胜传》。哀帝时刘歆则以为“分文析义，烦言碎辞”《后汉书》三六《歆传》。东汉明帝时，徐防虽请禁不依章句，妄生穿凿者《范书》七十四《防传》，然与其同时之杨终，固已言章句之徒，破坏大体《范书》七十八《终传》。章帝时，王充“好博览而不守章句”《充传》，亦力斥“章句小儒，不览古今，或以说一经为是，不须博览。夫孔子之门，五经皆习，庶几之材也。我不能博五经，又不能博众事，守信一学，不好广观，无温故知新之明，而有守愚不览之闇”《论衡》十三《别通篇》，则守株之学，与谶纬之说，何异焉？

东汉光武深信谶书《廿二史劄记》卷四，自足开一代风气。故康成大儒，而其死也，“以谶合之，知命当终”范《书》六十五《玄传》。东京之季，董卓徙都，亦引“《石包谶》，宜徙都长安以应天人之意”范《书》八十四《杨彪传》；袁术亦以“少见谶书，‘代《汉书》当涂高’，自云名字应之”，遂萌僭逆之谋范《书》百五《袁术传》。

士既沉沦于妖妄与章句，非卓异非以自拔。故虽有爱好真实之士，在此时世中，亦有没世而名不章之痛矣。如西汉武帝时，落下闳经营浑天仪，始有成效；而安帝时张衡，亦能“研核阴阳，妙尽璇玑之正，作浑天仪，言甚详明”。然东京之季，蔡邕有考验天象，多所违失之叹详盛百二《尚书释天》四，参看《张衡传》、《晋书·天文志》。何也，以天历之学附丽于经术，故也。

西京以阴阳灾异附经，东京诸儒，则多以天文学传经，故杨厚"学天文推步之术"《范书》六十《厚传》。郎觊能占候同上,《觊传》。襄楷善天文之术同上,《楷传》。蔡邕亦好数术天文范《书》九十下《邕传》。他如廖扶习韩《诗》、欧阳《尚书》,"尤明天文风角之术",唐檀少游太学,而好星占。公沙穆习《公羊春秋》而"锐思河洛推步之术"廖等见范《书》一一二《方技传》。可征经学为天文之先导矣!天文为经术之附庸矣。故郑玄亦善天文焉详范《书》六十五《郑玄传》。

其纯为科学而科学者,如张衡永和四年一三九卒之斥图谶,于阳嘉元年西一三二造候风地动仪,能知地震所在详八十九《衡传》。此即异日北朝信都芳明所本,隋临孝恭地动遗经之祖详周密《齐东野语》卷十五"浑天仪地动仪"条,允为东京之宝。其他则见于范《书·方技传》卷百十二者,大低巫觋风占之流,惟崔豹《古今注》卷上页一,顾氏文房小说本有"大章车,所以识道里也,起于西京,亦曰记里车。行一里,下层击鼓,行十里,上层击镯,尚方故事,有作车法"。而《晋书》卷二十五《舆服志》亦有记里鼓车之制。——知东京巧匠,亦能绍述。再外,则能挺然于章句之外者,惟药医而已。

医药见于《本草》,《本草》谓始于神农,然《汉·艺文志》不著其书,而惟见于《汉·平帝纪》、《楼护传》。姚际恒谓:"书中有后汉郡县人名,以为东汉人作。"《古今伪书考》其后,蔡邕有《本草》七卷,吴晋有《本草》六卷。以及《唐本草》、《蜀本草》,以及宋《大观本草》,要不得不谓东汉人之有功。精医者,东汉以前,有扁鹊、仓公《史记》一〇五。而东汉张机之《金匮要略》,"上卷论伤寒,下卷论杂病,下载其方,并论妇人。自宋以来，医家奉为典型”《四库提要》卷百〇三，尤为著称。至于和帝之时，郭玉诊脉，能别男女。华佗医病塞者，得下一蛇。此与左慈千里钓鲈何殊？玉等事具详范《书》卷一一二惟佗言“人体欲使劳动，但不当极耳。动摇则谷气得销，血液流通。譬如户枢，终不朽也”，则经验之谈，其利溥矣。

故以东汉时章句之学，隐微之科学进步，与重法之治，淫暴之政，恣肆之贵族，等量齐观，则有识者不能不咨嗟。揆其流派，亦可分三。

其一，则自弃也。如薄葬起于墨子，而汉时天子陵墓，则穷奢异常见《晋书》六十《索琳传》。故西汉时，杨王孙已激之以裸葬《西京杂记》卷三，其在东汉（顺帝）时，则崔瑗又有“归精于天，还骨于地，何时不可藏形骸，其赗赠之物。羊豕之奠，一不得受”范《书》八十二《瑗传》，而杨震亦以“杂木为棺，布单被，裁足盖形，勿归冢次，勿设祭礼”同上八十四《霍传》，郑康成亦“遗令薄葬”《玄传》。——赵咨告故吏云：“薄敛素棺，藉以黄壤。欲令速朽，早归后土。”范《书》六十九所以秉墨教之遗者，乃有激于豪富之淫恣欤？

周燮有许行之风范《书》八十三，“非身所耕渔，则不食也”。乃安帝时人，徐儒子则与弟守，共谈稼穑，且斥人之栖栖不遑宁处同上，《徐穉传》，胥此类也。

其二，则曰怀疑也。王充卒于永元中，八九至一〇四著《论衡》，宋恕《六斋卑议》所谓旷世超奇出上虞，《论衡》精处古今无者也。充于章帝章和二年“年渐七十”，“论衡，论之平也”卷三十《自叙》。其疑古也，于稷母履大人迹而生，则曰："贵人之气，更禀贱物之精，安能精微？"卷三《奇怪》于古今异宜，则曰："上世之人，所怀五常也；下世之人，亦所怀五常也；共禀一气而生，上世何以质朴？下世何以文薄？"卷十八《齐世》其论死生也，则以死者现神，必著敛时之衣；人即有鬼，岂衣服之仍形详卷二十《论死》。他如《书虚篇》疑孔颜同登泰山，以望阊门之事；《感虚篇》疑杞梁之妻哭城城崩之伪；《语增篇》疑武王伐纣，兵不血刃；《问孔》、《刺孟》显非章句小儒所能；《谴告篇》，疑灾异之无关人事；《商虫篇》谓虫灾之由于人谋不臧，则更明言当时学风之妖妄已。

《论衡》二十八《正说》又谓著作者为文儒，说经者为世儒，而后言世儒之劣，则充实反对当时之所谓儒者。

三则曰评政也。如王苻与张衡同时，稍后于充。所作《潜夫论》，一则谓善事君者，善治其民《贵忠》。二则谓今使贡士，必核其实《实贡篇》。三则谓浮侈之徒，"皆所宜禁"《浮侈篇》。四则谓礼义起于富足，盗窃生于贫穷《爱日篇》。而其主张法治，不主赦宥《述赦篇》。则其友人崔瑗之子崔实，固已言"以德教治残，犹粱肉已疾"范《书》八十二《瑗传》。盖瑗亦主张"俗人拘文牵古，奇伟所闻，简忽所见，乌可与论国家大事？"而与章句小儒异趋者焉。

《抱朴子外篇》十四《用刑》云："若德教御狡暴，以黼黻御剡锋也。以刑罚施平世，是以甲胄升庙堂也。"意同崔实。

崔实之生，已逢桓帝。宦官外戚之祸，党锢清议之狱，风雨排山，政局沧溟。稍后则有仲长统，其卒与献帝逊位二二〇汉亡同岁。所著《昌言》，虽言复井田以抑兼并《损益篇》，贵宰辅以平戚宦《法诫篇》，斥君恶以明理乱《理乱篇》，俱见范《书》七十九本传。然汉已叔世，善类一空，仲长统遂为激烈思想与清谈者之过渡人物矣。

清谈之旨，疾世自淑而已。其反对章句之学，则见于《抱朴子外篇》二十五《疾谬篇》，曰："终日无及义之言，彻夜无箴规之益。诬引老、庄，贵于率任。至行不顾细礼，至人不拘检括、啸傲纵逸，谓之体道。……虽心觉面墙之困，而外护其短乏之病。不肯谧己，强张大谈，曰杂碎故事，盖是穷巷诸生章句之士，吟咏枯简，匐匍黄卷者所宜识，不足以问吾徒也。"盖章句之士，与诬引老庄者，正各不相谋。

案清谈之术，于古非无之。"《三山老人语录》云：'性命死生之理，老、庄论之备矣。自秦灭学之后，贾谊首窥其奥，为长沙傅，有鹏鸟入舍，为赋以自广曰：'千变万化，未始有极。……'此语自汉已来，言达性命齐生死者皆不能其右。晋宋间清谈，推本其言而已。"胡仔《渔隐丛话》后集卷一考《论衡·自叙》亦谓："养气自守，适食则酒，闭明塞聪，爱精自保。……惟人性命，长短有期，人亦虫物，生死一时；犹入黄泉，消为土灰。"与阮生之论不殊。然清谈之显，当始于汉季。如桓帝时，马融大儒，已"善鼓琴，好吹笛，达生任性，不拘儒者之节"范《书》九十《马融传》。而孔文举、弥正平之"跌荡放言云：子之于母，亦复奚为？辟如寄物瓶中，出则离矣"。范《书》卷百《孔融传》反经诡圣，顺非而博，此异日阮、刘二子之先导也。

且以激烈思想者，有仲长统之殿，而仲长固清谈之尤者。

宋吴师道《礼部诗话》页一，知不足斋本云："仲长统述志诗，允谓奇作。其曰叛散五经，灭弃《风》、《雅》者，得罪于名教甚矣。盖已开魏晋旷达之习，玄虚之风。"明祈骏佳《遯翁随笔》卷下页二十二，一七二九，鹤斋丛书云："放旷任达，但盛于晋，非始于晋也。庄列为旷达之祖，而其言隐而其旨远，不可仿佛。至汉末，仲长统云，寄愁天上，埋忧地下。叛散五经，灭裂《风》、《雅》。则言显而意浅矣。郑泉临卒，命埋于酒家之侧，冀化为土，而取为酒壶。则宛然刘阮之先鞭而其旨愈下矣。"张燧《千百年眼》卷六同故以仲长统殿诸激烈思想者，而仲氏以后，则"魏武好法术，而天下贵刑名；魏文慕通达，而天下贱守节。"《晋书·傅玄传》而曹丕《与吴质书》，亦云高谈娱心，清筝顺耳，妙思六经，逍遥百氏矣。

一八　清议与党锢

曷言夫东汉叔世之善类一空也，则以清议受阻压故也。而其最大之摧残，则在桓帝延熹九年一六六及灵帝建宁二年一六九二次之党狱。

考汉世清议，本较后世发达。只从上书无忌讳《廿二史劄记》卷二已可方物。故景帝时，黄生虽有冠敝必加于首，履新必关于足，以明君臣之分，而辕固生非之《史记》一二一《辕固传》。夏侯胜则于宣帝之前，助斥武帝用兵之过班《书》七十五《胜传》。盖宽饶亦言"五帝官天下，三王家天下"班《书》七十七《宽饶传》。此在后世，岂不罪至罔加？陈衍《槎上老舌》页四八，砚云乙编本云："汉时有征伐大事，皆集百官议。议而是官虽微，天子可其奏，而三公亦不之拒。形迹浑忘，祸患不作。如贾捐之之罢珠厓，扬雄之许单于降，班勇之伐西域，李固之定交趾，四人皆小臣也。后世不论事之大小安危，惟要地人言为符印。稍有违忤，首领不保矣。”此皆指朝廷之清议也。

清议有在下者，故卢植虽“不守章句”，而以庶人规窦武曰：“植闻嫠有不恤纬之事，漆室有依揾之戒。忧深思远，君子之情。夫士立争友，义贵切磋，书陈谋及庶人。诗咏询于蒭荛，植诵先王之书久矣，敢爱其瞽言？”范《书》九十四《植传》此清议之见于事者也。何休《公羊》宣十五年注：“男年六十，女年五十，无子者，官衣食之。使之民间，求诗。乡移于邑，邑以移国，国以闻于天下。故王者不出牖户，尽知天下所苦，不下堂而知四方之事。”此清议之托于古者也。《范书·西域传》“大秦有三十六将，会议国事，其王无有常人，简立贤者。”范《书》一一八此清议之托于远者也。——皆清议之在下者。

> 《太炎文录》卷一五《朝学》云：“闾巷之间，据道推方，嶷然不群者，梁鸿、韩康、徐穉、郑玄、申屠蟠。……尝试论之，汉之纯德在下吏诸生间。虽魏晋不独失也。”盖谓“在下”者可贵。

积此清议之潜力，而助之以官学私学本卷第十三节，学生之推扬，则指摘末世之政，自易发生。豪富淫佚，君政黑暗，则尚气之士，又并入清议与学生间。——斯其所以于桓灵之时，激成党锢之狱也。“桓灵之间，主荒政谬，国命委于奄寺，士子羞与为伍。故匹夫抗愤，处士横议。遂乃激扬名声；互相题拂。品核公卿，裁量执政，婞直之风，于斯行矣”范《书》九十七。此清议也，此其一也；“太学诸生，三万余人，郭林宗、贾伟节为其冠，并与陈蕃、李膺，互相褒重，并危言深论，不隐豪强”。此学生也，此其二也；“初桓帝……受学于甘陵周福，及即帝位，擢福为尚书，时同郡河南尹房植有名当朝，乡人为之谣曰：天下规矩房伯武，因师获印周仲进。二家宾客，互相讥揣。各树朋徒，渐成尤隙。”尚气相争，此其三也。——其动机由于朝政之不纲而党锢之成分，视清议为夹杂矣。

党锢盖合政治上之争夺作用。非纯然清议；而固有以为纯清议者。《明夷待访录》《学校篇》云：“其始也，学校与朝廷无与。其继也，学校与朝廷相反。不特不能养士，且至于害士。……东汉太学三万人，危言深论，不隐豪强，公卿畏其贬议，宋诸生伏阙捶鼓，请起李纲。三代遗风，惟此犹为相近。”其同时人顾炎武《日知录》卷十三《两汉风俗》云：“汉自孝武，表章六经之后，师儒虽盛，而大义未明。故新莽居摄，颂德献符者，遍于天下。光武有鉴于此，故尊崇节义，敦厉名实。所举用者，莫非经明行修之人。而风俗为之一变。至其末造，朝政昏浊，国事日非。而党锢之流，独行之辈，舍命不渝。风雨如晦，鸡鸣不已。三代之下，风俗之美，尚无过于东京者。”——此论非始于顾、黄二子也。

《后汉书》九十一《左雄传》论云：“孝桓之时，硕德惟兴。陈蕃、杨秉，号称贤宰。……其于宏儒远智，高心絜行，激扬风流者，不可胜数。而斯道莫振，文武陵队；在朝者以正议婴戮，谢事者以党锢致灾，往车虽折，而来轸方辂。所以倾而未颠，决而未溃，岂非仁人君子，心力之为乎？”——此亦以党锢为有益汉治者也。

曷以言党锢乃夹杂也？章炳麟云："猥俗之论，多以晚明方比后汉。此未得其情，后汉可慕，盖在《独行》、《逸民》诸传，及夫雅俗孝廉之士而已。其党锢不足矜（党锢起于甘陵，其后连及天下善士，此乃奄宦所为。终之，甘陵非善士，善士亦非甘陵之党。善士可慕，不得以是并慕甘陵也），然则孝弟通于神明，忠信行于蛮貊，居处齐难，坐起恭敬，道涂不争险易之利，冬夏不争阴阳之和。见利不亏其义，见死不更其守，此后汉贤儒所立，著于乡里，本之师法教化者也。"《太炎文录》卷一《思乡愿下》间尝征之《抱朴子》而似若可信者然。

> 《抱朴子外篇》卷四《崇教》云："汉之末世，吴之晚年。望冠盖以选用，任朋党之华誉。有师友之名，无拾遗之实。匪惟无益，乃反为损。"又卷二十七《刺骄》云："闻诸汉末，诸无行自相品藻次第。群骄傲慢，不入道检者，为都魁雄伯；四通八达，皆背畔礼教，而从恣邪……口习丑言，身行敝事，凡此之为，使人不忍论也。"又卷五十《自叙》云："汉末俗敝，朋党分部。许子将之徒，以口舌取戒，争讼议论，门宗成仇。故汝南人士，无复定价？而有月旦之评，魏武帝深亦疾之，欲取之首。"此皆痛诋党锢者也。

平心论之，党锢既为夹杂之物，故自美丑参半有自洁其行者，如申屠蟠叹焚坑之祸，乃因树为屋，自同佣人。黄宪则泛泛若千顷波，澄之不清，清之不浊。而徐孺子之语郭林宗，则曰："大树将颠，非一绳所维。"《后汉书》八十三此一流也。

其次则曰矫枉者。

如张成之子，虽故杀人，而李膺以愤疾案杀。成遂交结宦官，欺蒙桓帝，帝遂禁锢党人，禁锢终身。而范滂犹言："善善同其清，恶恶同其污。"岑晊则处措富人张汎，亦诛之于赦后，并杀其宗族宾客二百余人俱详九十七《党锢传》。——故有延熹九年一六六第一次之党狱，幸得陈蕃、窦武力救始解。知嫉宦官嬖臣之恶，而投鼠不知忌器，且枉法以惩恶，立崖岸以拒人，此一流也。

又次，则为慕虚名者。

如第一次党祸解后，党人相率标榜，有三君八俊八顾八及八厨之号，固已启人疑忌；如范滂则"登车揽辔，慨然有澄清天下之志"。何颙感友人之义，代报父仇。张俭"亡命困迫遁走，莫不重其名行，破家相容"。范滂于第一次狱解，"始发京师，汝南南阳士大夫，迎之者数千两"俱详范《书》九十七。故有灵帝建宁二年一六九之大捕党人。其遭权宦孱主之忌者，亦宜哉？

赵翼曰："其时党人之祸愈酷，而名愈高。天下皆以名入党籍中为荣。……"如景毅遣子师事李膺，而耻于漏名；皇甫规自言与党人有关。捕范滂之诏书至，督邮抱诏书，闭传舍，伏床而泣。虚名所感，其势盛矣详《廿二史劄记》卷三。故吕强言于灵帝，以党狱郁结，恐与黄巾合谋为变，恐吓灵帝。中平元年，黄巾起一八四而党狱始解，可知虚名蠹世，昏君且以党人畜有异志也。

然党人为时世之反映与刺激，则亦有可述者。一则对于宦者之刺激也。考古有帝皇多妻之制《礼·昏义》，以其多妻，故慎防宫闱，而宦官之制盛详《明夷待访录·奄宦下》。汉高祖尚枕宦者卧《史记·

樊哙传》，则东京宦者之祸详《廿二史劄记》卷五，理有必然。二则对于昏主之刺激也。范书称桓帝好音乐，善吹笙，称灵帝不敢临高帝纪，此其征也。三则选举之政不良之反映也。两汉本重征举，“汉初诏举贤良方正，州郡察孝廉秀才，中兴以后，复增敦朴有道，贤能直言，清白敦厚之属”范《书》九十一《左雄传》论，又卷五《安纪》。西汉时如卜式、公孙宏，虽以资为郎，而登庸人材之陋，则后汉之季远过之。如崔烈入钱五百万，得为司徒，而灵帝犹嫌其价廉《后汉书》八十二《烈传》，故稍知自好者，徼于野而冥行《左雄传》论。此其征也。

党锢之讫，时同黄巾之起，天下大乱，武人纷起。党事之余波，徒为东汉灭亡之征。然乡里标榜，为异日九品中正之母；观于曹操之雄，尚求鉴赏于乔玄《魏志·武纪》，且不夺邴原之志详《魏志》十一《邴原传》。“义不使高世之士，立于污君之朝”《抱朴子外篇》二《逸民》载此为曹操告孔明语，此畏惮清议，盖犹党锢之余波惟士大夫阶级，经此大创，故贤者流为放荡《日知录》十三以为始于蔡邕；不肖者不耻为污辱如《魏志·武记》载曹公用污辱之士；而转为六代清谈成因之一矣。——故曰党锢之事，虽不足以匡时捄世，而与魏晋之时世，则甚有关。

案郭太夜观乾象，以为天之所废，非人可支范《书》九十《郭太传》。《抱朴子外篇》四十六《正郭》只为“按林宗之言，其知汉之不可救，非其才之所能办”。此则党锢无裨于前，有启于后之反证也。

后汉可慕，盖在循吏。然循吏不足刺激时世也。范《书》一〇六《循吏传》云：“若杜诗守南阳，号为杜母；任延锡光，移变边俗，斯其绩用之最章章者。”此实事实上做工作者，较清议党锢，尚为可贵。惟与后来史变，则不及耳。

第七章　文化史上之大风雨

一九　三国至东晋之政治混乱

党锢之士，其不能拯时救世，可知时世之艰。时世者，此盖指黄巾贼起灵帝中平元年一八四，中经三国二二〇至二七九之纷扰，西晋之暂安晋武帝太康元年二八〇至二九九，而卒有八王之役三〇〇至三〇六、永嘉之祸三一一年，以结束于五胡乱华，东晋之偏安江左三一七至四二〇也。

其一，则为人心险恶，篡弑愈烈。例如曹操之夺，曹丕之篡二二〇年，尚能优待东汉之裔详邵博《河南邵氏闻见后录》卷九，页九。而西晋宣帝之夺魏，则其孙明帝，异日与王导谈此，“王乃具述宣王创业之始，诛树名族，宠树同己，及文王之末，高贵相公事。明帝闻之，覆面箸床曰：若如公言，祚安得长？”《世说》三十三《尤悔》，又《晋书》一《宣纪论》然方之于刘裕以后，则司马懿未为穷凶极恶也。

晋恭帝之禅刘裕也四二〇，欣然命笔《晋书》卷十而卒受其忌。虽自知佛教自杀者不复人身，然卒为裕所杀详《通鉴》百十九。自此之后，亡国之君，遂无幸全其残生者，详蒋超伯《麗滹荟录》卷三。其最惨者，则如陈霸先弑梁敬帝，帝曰："我本无意作天子，何故见杀。"赵翼《劄记》卷七《禅代》盖自"刘裕即戕故君以后，齐梁陈隋北齐北周，无不皆然"。至于宋齐多荒主，子孙杀戮之惨，亦详赵书卷十一

其二，则为尔帝尔王，自私自利。两汉之兴，尚封同姓诸王。而"魏文帝忌其诸弟，帝子受封，有同幽絷。司马父子，攘臂取之，曾无顾惮。晋武封国至多，宗藩强壮，可谓惩魏之弊矣，然八王首难，阻兵安忍，反以召五胡之衅"。"盖为人上者，苟慕虚名，而实无唐虞三代之公心，为诸侯者，既获裂土，则遽效春秋战国之余习"《通考·自叙》。则深谋远虑，要皆自私而已。《晋书》四十八《段灼传》载段灼劝武帝分封诸侯之利，灼又乌知其患哉？

晋武帝二六五至二八九以太康元年二八〇灭吴，混一天下。即削减州郡兵备《通考》卷一五六《兵考八》。然对于同姓侯王，则仍听其置军。"出拥旄节，莅岳牧之荣，入践台阶，居端揆之重"《晋书》五十九《八王传》叙。但畜志自私，何以服人？王夫之所谓："晋之篡魏而吞吴也，谋惟恐其不狡，力惟恐其不兢。日进阴鸷残忍之夫，而蓄其强狡于草泽。幸而兵解难夷，遂欲使之屈首，以奉长吏之法；未有能降心抑志，以顺从者也？"《读通鉴论》十一允矣。盖列代自统一以后，必有反动式的内乱，正由大酋思长持宝器，而次又不甘废弃，故事变来矣。

其三，则为人材登用，未能允尽。汉世本重荐举，故董仲舒有："诸列侯郡守二千石，各择其吏民之贤者，岁贡各二人，以给宿卫。

且以观大臣之能。所贡贤者，有赏；所贡不肖，有罚。”《仲舒集》卷一常科之外，又有特举。如成帝时举敦朴逊让有行义者《后汉书》一一一《谯玄传》。东京继之，大致无改。然王符非东京选举，已有“朋党用私，背实趋华”之感《潜夫论·实贡篇》。如田歆当举六孝廉，重违贵戚之请，但欲自求一名士，以报国家范《书》八六《种暠传》。“吴植为宛令，梁冀干之而植拒以‘多托非人，诚非敢闻’，时人以为美谈。”宋葛洪《涉史随笔》页十五，知不足斋本此风不改，无怪《抱朴子》之痛哭，魏武帝之矫激也。

魏武帝欲用污辱之士，不求有行，但求有才，见《魏志》卷一建安十九年条，及建安二十二年裴松之注。揆其所以，盖有所激。《抱朴子》外篇十五《审能篇》云：“桓灵之世，柄去帝室。政在奸臣，网漏防隤，风颓教阻。抑清德而杨谄媚，退履道而进多财。力兢成俗，苟得无耻。或输自售之宝，或卖要人之书。或父兄贵显，望门而辟命。或低头屈膝，积习而见收。……何可不澄浊飞沉，沙汰臧否，严试对之法，峻贪夫之防哉？……灵献之世，时人语曰：‘举秀才，不知书，察孝廉，父别居。寒素清白浊如泥，高第良将怯如鸡。’……”则贤才之滞塞，固亦黑暗之象征耳。

其四，则为帝皇荒淫，甚或闇愚。刘禅乐不思蜀，孙皓纵戮虐人，无论已。即以开国龙兴之晋武，尝“多简良家子女，……自择其美者，以绛纱系臂。……平吴之后，掖庭殆将万人。而并宠者甚众，帝莫知所之，常乘羊车，恣其所适”《晋书》三十《胡嫔传》。其子惠帝，闻人饿死，则曰何不食肉糜？闻蛙声，则有官乎私乎之询《晋书》

三。此虽不足尽信，如记石虎、苻生之凶暴；然统治者之不孚人望：要不得甚讳也。

关于惠帝之愚，张燧《千百年眼》卷六“晋书矛盾”条以《晋书》八十九《嵇绍传》驳之。又《晋书》称石虎破城之后，“坑斩士女，鲜有遗类”《晋书》百六。称苻生“截胫刳胎，拉胁锯颈”《晋书》卷一一二。——然杨衒之《洛阳伽蓝记》卷二则记苻生“虽好勇嗜酒，亦仁而不杀。观其治典，未为凶暴”。则五胡诸君之淫虐，殆亦如惠帝闇弱，“宋齐多荒主”《廿二史劄记》十一也。

其五，则为世道如此，贤者兢兢。段灼在晋武时，虽能言晋武受禅之日，“兵刃耀天，旌旗蔽日”《晋书》四八。臣下似得直言。然阮嗣宗则“遭时多故，禄仕而已”《魏志》二十一注。卫瓘不敢言太子之失，其语武帝，仅曰：“此座可惜。”张华虽受贾后之敬，其论牝鸡，亦但箴《女史》俱详《晋书》三六，二人者，固所谓“松筠无改”者也，而讷讷若斯，非汉时上书无忌讳之朝，斯臣下所以战兢矣。

沈作喆《寓简》卷三云：“晋人雅尚玄远，宜于世情淡薄。今观其书尺，感叹暌离，极于悽怅，沈思缠绵，不能自已。所谓玄远淡泊，得无妄乎？大率晋人以心迹不相关为自解免，此最其膏肓也。”

其六，则为时运正艰，兵燹匝地。考黄巾之乱，固无论已。黄巾乱后，则有董卓移都一九○之乱，“吏民扰乱，自辟雍东观兰台石室宣明鸿都诸藏，典策文章，竞共剖散。大则连为帷盖，小乃制为縢囊。”《后汉·儒林传》嗣后则有三国之兵燹，如陈群告魏明帝曰：“今丧乱之后，人民至少；比汉文景之时，不过一大郡。”《魏志》二二《陈群传》此语可见梗概。晋武平吴二八〇以后，垂二十年，而有八王之乱，五胡之乱。李重所谓：“人迹播越，仕无常朝，人无定处。郎吏畜于军府，豪右聚于都邑，事体驳杂，与古不同。”《晋书》八六《重传》此统言之也。“朝为伊周，夕为莽卓，机权失于上，横乱作于下。楚赵诸王，相仍构衅。徒兴晋阳之甲，竟非勤王之师。……遂使昭阳兴废，有甚弈棋。乘舆幽絷，更同羑里，胡羯陵侮，宗庙邱墟。”《晋书》五九《八王传》叙此乃言八王之乱也二九九至三〇六。在八王乱中，匈奴刘渊已自称汉王三〇四，匪久而晋怀被虏三一一年，晋愍继之三一六年。东晋元帝三一七至三二一于二年后即位江东三一八年，即史所谓永嘉建兴之乱。魏收曰：“叡割有梁扬荆三州之土，因其故地，分置郡县，户口至有不满百者。”《魏书》九六容或出奴之言。然温峤为东晋臣，固自言“鄢陵旧五六万户，今裁有数百”。《晋书》五〇《温传》南朝如此，北虏之痛为屠杀，无论已。

以上俱详陈登原《中国土地制度史》页八五至八八。至于五胡之酋，其草菅人命，如赫连勃勃四一八年与刘裕战后，杀人头筑为京观，号髑髅台。其虏杀人命，具详《通鉴》卷一一八。——且勃勃，特其中之一例尔。

其七，则为异族杂处，事象非昔。其曰杂处者，如石勒“年十四，行贩洛阳，依啸上东门”。“与李阳邻居，常争麻地”《晋书》一〇六《勒载记》。石勒则故羯也。李特“值岁大饥……随流人入于蜀”《晋书》一二〇《特载记》，特则故氐也。刘渊于“咸熙魏少帝中，为侍子在洛阳”《晋书》一〇一。渊则故匈奴也。慕容氏于“魏初入居辽西”，其人则鲜卑也《晋书》一〇八。“永嘉之乱，（姚弋仲）东徙榆眉，戎夏缀负随之者数万”《晋书》一一六《弋仲载记》，弋仲则故羌也。此皆在西晋亡前；至东晋以后，则种族益淆杂矣。

东晋三一七至四一九以还，则中国民族益复。如三五〇年，石勒之嗣石虎殂，诸子争立，冉闵大破羯，“一日之中，斩首数万。闵躬率赵人，诛诸胡羯，无贵贱，男女少长皆斩之，死者二十余万，尸诸城外，悉为野犬豺狼所食。……于时高鼻多须，至有滥死者半”《晋书》一百七。则胡羯之近于高鼻也。

又如“高坐道人不作汉语，或问此意，简文曰：以简应对之烦。道人名尸黎密，西域人。永嘉中，始到此土。止于大市中，性高简，不学晋语。诸公与之言皆因传译，然神领意得，顿在言前”《世说·言语篇》。又《洛阳伽蓝记》卷三“龙华寺”条云：“伊洛之间，夹御道有四夷馆，一名金陵，二名燕然，三名扶桑，四名崦嵫。……吴人投国者，处金陵馆；北夷来附者，处燕然馆；东夷来附者，处扶桑馆；西夷来附者，处之崦嵫馆。自葱岭以西至于大秦，百国千城，莫不款附。商胡贩客日奔塞下。所尽天地之区矣。是以附化之民，万有余家。乐中国之风，因而宅者，不可胜数。”则知北方种族，在北魏统治下，亦甚复杂矣。

又案《世说》《假谲篇》云：“王大将军既为逆三二三年，晋明帝……乃著戎服，骑巴宝马，……阴察军形势。未至十余里，有一客姥，居店养食，帝过谒之。……行敦营匝而出。军士觉曰：此非常人也。敦卧，心动曰：‘此必黄须鲜卑奴来。’……追之，……因向问姥：‘不见一黄须人骑马度此耶？’”以此见鲜卑人固自有其特相也《北史》(九七)《康国传》"人皆深目高鼻多领",同卷《于阗传》"自高昌以西诸国人等深目高鼻,惟此一国貌不甚胡,颇类华夏",于此见种族之歧。

据上,可知黄巾贼起之后,百余年而有西晋之暂安。暂安二十年,而有八王之乱,永嘉之乱,以造东晋之偏安三一七至四二〇年。永嘉乱后,北方之为汉为赵为燕为凉为代者,苻坚颇能统一之,不幸而有淝水之败三八三年。于是北方又裂为燕凉秦,而北魏自代,渐显头角。渐次征讨,至刘裕篡晋后之十九年四三九年,始定南北分治之局。盖离汉季黄巾之乱,为时二百五十年矣。前述七者,皆二百五十年中之以政治混乱而致之也。

二〇　华夷民族之消长

自黄巾之乱一八四以至于南北朝开始四三九年之二百五十年,其初期之形势,则为华族之不知自陷于消沉,且目睹夷族之实偪处此,而不能谁何。

所谓消沉者,即为政者,但顾小己之久远之幸福,绰为之备;不顾民族之百年之大计,善为之防。其结果,则为之备者,固备不胜备,而为之防者,亦防为可防;况未尝善为之防乎?竭力以防之乎?自来统治阶级,盖但知淫乐自图,如汉天子之厚营坟墓详《晋书》六十《索淋传》,之环植嬖妾详《汉书》九二《荀爽传》,又九六《陈蕃传》,而其为吾民族设计之政策,未尝丝毫为公也。

晋削州郡兵，即此一例。故郑獬《备乱》《宋文鉴》九十七云："夫历世之乱，考其所以备之者不为不至；窒一穴，穿一穴，何祸乱之不息耶？岂未尝取天下之公制，而独以己之私备之耳。"清李匡济《墨海萍雨》云："汉非为功于天下，然其修身治家，全无先王规模。而心法全以诈遇臣下，世运可知矣。"卷二此方孝孺《深虑论》之所本也。

故以魏晋时之君言之，魏武帝曹操虽能取天下于盗贼之手详《通鉴》六十六司马氏评荀彧之死，**然建安之时，"匈奴虽折节过于汉时，然乌丸鲜卑，稍更强盛；亦因汉末之乱，中国多事，不遑外讨，故得擅漠南之地，寇暴城邑，杀戮人民，北边仍受其困"。曹操"徙其族居中国"，而对于鲜卑，第能略予羁縻，听其杂居幽并**《魏志》三十。**——操虽能武，然属望于铜雀故伎一类之私，则未遑竭全力以对外，其功在孙氏刘氏下，亦势所必至已。**

三国时，江东孙氏经营南方之蛮越，在今江浙两湖江西之山境者。语在《十七史商榷》四十二"山越"条。其在于蜀，则如诸葛亮之平今云贵之蛮详《蜀志》四《亮传》。教及夷族，夷人感怀恩德，为戴带天孝，久而不除详《天下郡国利病书》卷六十六。王世贞云："余旧见孙兆儒言，永靖永顺两宣慰，酉阳宣慰之民，至今尚冠白巾。云为诸葛武侯服孝。后睹《避暑录》，载所见唐明皇幸蜀图，山谷间民皆冠白巾，以为蜀人为诸葛武侯服。所居深远者，后遂不除；然则诸葛之道，行于蛮貊，一至于此。"《弇州山人稿》一六〇此均言吴蜀二国经营草昧之功也。

以孟德之才，何尝不能经营匈奴、鲜卑？然伊亦未能免俗，如“遗命令其诸子曰：吾婕妤伎人，皆著铜雀台中。于台上施八尺穗帐，朝晡上酒脯粻糒之属，每月朝十五，汝等时时登铜雀台，望我西陵墓田”吴竞《乐府古题要解》卷下，津逮秘书本。墓田尚不能忘，则对外族之志，自不如鼓内争之欲，故先师洪允祥论之曰：“江东立国。六十余年，开拓山越，辑宁交广，吴越之民，赖以生息。晋室南迁，中原衣冠人物，藉长江之险，以保障而留存者，亘三百年。孙氏实启之也。诸葛亮之功，不在北伐曹魏，而在南拓蛮土，曹操之罪，不在胁迫献帝，而在不能驱逐匈奴，此均由民族方面列论者也。”《国风》三卷十一期洪氏《涉史随笔》

何况当时异族，已逼处疆内。南匈奴十六节鲜卑无论已，羌十六节为东汉末年之大患，败后“率种人内附”《晋书》一一六《姚弋仲载记》，问题初未解决。氐则苻洪之族，世居陇右；李特之族，世居巴渝《晋书》一一二又一二〇。既“致之内地，而县官豪右，皆得奴使之，积怨既久，遂至思乱。若政府无事，尚有所畏。一旦有烽烟之警，则群思脱羁绊矣”夏曾祐《中国古代史》，页三九五。“在汉人之意，以为迁地之后，既不复为患。而不如其后之患，特甚于未灭时。董卓之乱，汾晋萧然，已呈大乱之象”夏书四一三。——斯八王之役，所以益促五胡乱华之早现也。

中国之政治者，既不能屏其自私，而外族之处边者，则以久接华化，文智较开：如刘元海“好毛《诗》、京氏《易》，《史》、《汉》、诸子，无不综览。尝鄙随、陆无武，绛、灌无文”。“石勒尝使人读《汉书》，至郦食其劝立六国，后疑汉高何以得天下？苻洪于永嘉之乱，亦知散其千金，召英杰之士，访安危变通之术。杨亮之赞姚襄，亦谓神明气宇，孙策之俦，而雄武过之。李特过剑阁，则箕踞太息，诋刘禅为庸材。沮渠蒙逊则博涉群史，颇晓天文”以上摘录《晋书》一〇一至一二九载记。故异族之来也，既摧枯折朽，而异族之居也，亦摹学华风。既有蛮力，复蓄文教。斯五胡之乱，所以延至三百年之久欤？

五胡未乱华前，江统曾为晋武帝定徙戎之策，其《徙戎论》曰：“非我族类，其心必异。”“当今之宜，宜及兵威方盛，众事未罢……（徙诸羌氐）……廪其道路之粮，令各自致。各附本种，反其旧土。使属国抚夷，就安集之。戎晋不杂，并得其所。”《晋书》五十六《江统传》傅玄于泰始四年二六八，论便宜五事。其一乞奖兵耕田，其二乞励官务农，其三乞整理田赋，其四乞修防水利，其五则曰：“戎狄兽心，不与华同。鲜卑最甚，邓艾欲取一时之利，不虑后患。使鲜卑数万，散居人间，此必为害。”“今宜更置一郡，募乐徙民以充之，以通北道，渐以实边。”《晋书》四十七《傅玄传》统所言，则徙之出边；玄所言，则夹防之，使不得动也。然而言之固易，行之甚难，况自私自利之君，未必能付行之乎？

王夫之《读通鉴论》卷十一以为空言徙戎，而不实行，反近于教猱升木。异日诸胡破晋，即如统所言云云。案王言，殊近罗织。杂居之患，为时已久。非以统等，曾有所言，而致祸也。

徙戎既未能实行，而八王之自相屠杀，又促迫利便之。故有永嘉之乱，及怀、愍二帝青衣行酒之辱。于是北方大混杂，其中原华族，则相率渡江。盖“洛京倾复，中州士女，避乱江左者十六七”《晋书》六五《王导传》；刘琨亦亲睹“流离四散，十不存二，携老扶弱，不绝于路。及其在者，鬻卖妻子，生相捐弃，死亡委厄，白骨横野；群胡数万，周匝如山。动足遇掠，开目睹寇”。祖逖丁“京师大乱，率亲党数百家，避地淮泗，以所乘车马，载同行老疾”《晋书》六二《琨传》、《逖传》。——衣冠南渡，固有益于南方之启发；然北方孑遗之民，与五胡之自相残杀，则南侨所云：风景不殊，举目有河山之异者；其在北方，岂不曰河山不殊，举目有种族之异耶？

当时有以五胡而屠华人者，如永嘉五年石勒大破晋兵，将士十余万人，相践如山。刘聪破洛阳，晋兵前后十二败，匈奴遂掘晋诸陵，人民死者数万《通鉴》七八。又三十余年，而至东晋穆帝永和五年三四九则冉闵杀胡羯，死者二十余万，尸诸城外，悉为野犬豺狼所食《晋书》一〇七。此则汉人之杀诸胡也。石虎于攻城陷垒后，不别善恶，坑斩士女，鲜有遗类《晋书》一〇六。赫连勃勃斩杀人以为京观，号髑髅台《晋书》一三〇。百年间祸乱之推移，而人物南渡，一变昔时关中为重，河北次之之形势。此则烧房子以煨猪肉，损失固不少，而佳肴可食，亦足破涕以述者矣。

两晋之间，南士犹为人轻，虽南方文物，经孙吴之培植，无由破除积势也。故陆机入洛，王彰语成都王颖曰：“陆机吴人，殿下用之太过。”《通鉴》八五“蔡洪赴洛，洛中人问曰：‘君吴楚之士，亡国之余，有何异材，而应斯举？’蔡答曰：‘夜光之珠，不必出于孟津之河；盈握之璧，不必采于昆仑之山。圣贤所出，何必常处？昔武王伐纣，迁顽民于洛邑，得无诸君其苗裔乎？’”《世说》二《言语》异日“元帝始过江，谓顾荣曰：寄人国土，心常怀惭。荣对曰：臣闻王者以天下为家，愿陛下勿以迁都为念。”同上可见北人之侨居金陵，乃不幸而为五胡驱至者，非所愿也。其至于南宋，则陈亮力请孝宗：“陛下慨然，移都建业，常以江淮之师，为金人侵轶之备。”《宋史》四三六《陈亮传》视金陵重土矣。

《天下郡国利病书》卷十三云：“海内之形势，关中为重，河北次之，关中者，秦汉用之；河北者，光武用之；皆用之以取天下者也。曹操、石勒，以河北取关中。苻坚以关中取河北。此三人者，皆并海内十有八九，而苻坚不能取东晋之后。元魏以河北取关中，后周以关中取河北，隋唐以关中取天下。以此论之。由关中取天下者五，而不得者三；用河北并天下者一，而不能者三。然则关中为重，河北次之，不亦信乎？”此可证古史之活动，大氐在华北也。自东晋南渡，而东南之文物一启，南宋南渡，而东南之文物又启。然“宋世士大夫，称广西昭州广东新州为大法场。英州为小法场。又有谚曰：高窦雷化，说着也怕”蒋超伯《麗濵荟录》卷三。则华南西南之开启，尚有赖于赵宋已后也。其在于明，则王士性《五岳游草》云：“自昔以雍、冀、洛、河为中国，吴、楚、越为蛮夷。今声名文物，反以南方为盛。大河南北，不无稍让矣。”《天下郡国利病书》卷一——至此而南方始全然占优越之文化可知。

盖五胡乱时，南北人又互相轻蔑。如“今人呼贱丈夫为汉子，盖始于五胡乱华时”《老学庵笔记》卷三，此北斥南之证。“南朝谓北人曰伧父，或谓之虏父。南齐王洪范，上谷人，事齐高帝，为青冀二州刺史。励清节，州人呼为虏父使君”《老学庵笔记》卷九；“南谓北为索虏，北谓南为岛夷”《通鉴》六九。——然终以南渡之故，而中世以后南方人文日兴。就科举之得失言之，亦史事变赜之林也。

王世贞《弇州史料》前集九《科举考》云："李侃等奏今年会试，礼部奏准，取士不分南北，臣等窃惟江北之人，文词质实。江南之人，文词丰赡。故试官取南人恒多，北人恒少，洪武三十年，太祖怒所取之褊，选北人韩克忠等六十一人，赐进士及第。洪熙元年，仁宗命杨士奇等定议取士之额，南人十六，北人十四。今礼部妄欲变更，意欲专以文词，多取南人。乞敕多官会议，今后取士之额，虽不可拘；而南北之分，则不可改。刑部侍郎罗绮，亦以为言。"又法式善《槐厅载笔》卷九云："乾隆丙辰，诏举博学宏词。先后举者，二百六十七人。满洲五，汉军二，直隶三，奉天一，江苏七十八，安徽十九，浙江六十八，江西三十六，湖北六，湖南十三，福建十二，河南五，山东四，山西三，广东六，陕西四，四川一，云南一。"此明、清两代南人远胜北人之征也；而其端，由五胡之役启之。

《宋史》四〇六《崔与之传》论云："唐张九龄、宋余靖，皆出于岭峤之间。而为名世公卿。造物者，曷尝择地而生贤哉？番禺崔与之晚出；屹然大臣之风。"同时，庐陵罗大经作《鹤林玉露》，更云："巴、印、闽、峤夙号荒陋，而汉唐以来，渐产人材。至本朝极盛。古称山西出将，山东出相。又云，汝颍多奇士，燕赵多佳人，其说拘矣。"《玉露》卷四然在南宋之前，宋敏求已谓："河北河东陕西举子，性朴茂而词藻不工，故登第者少。"《宋史》二九一《敏求传》则"衣冠南渡"，东晋之时亦烈，论民族史者，傥有取焉参看本卷第八节。

二一　实学与清谈

然政治虽乱，蛮夷虽昌，在魏晋六朝之间，非无实学也。

以交通言之，则《吴志》卷二载黄龙二年西二三〇求夷州及亶州，此即自宁波东渡之始。以视“吴徐承率舟师自海入齐，越王勾践命范蠡舌庸率师沿海沂淮以绝吴路，汉武帝遣杨仆浮海击朝鲜”《日知录》二九“海道行师”条者，足迹渐广。而魏明帝亦使汝南太守田豫，自海道讨公孙渊，《晋书·卢循传》述循浮海作贼，亦由永嘉而福州而广州详《晋书》一〇〇，此即唐宋间利用浮海之先导焉。

以科学言之，则诸葛亮能为木牛流马《蜀志》五《亮传》。马钧尤有巧思，改造绫机，作翻车以灌水，为悬石以却敌，傅玄称之曰：“汉世张平子，不能过也”《魏志》二九《杜夔传》注。晋《天文志》又言王蕃、陆绩造浑象，《裴秀传》又言秀制地图《晋书》三五。《宋书》八五《谢庄传》亦言谢庄作图，图方丈，离之则州别郡殊，合之则寓内为一。虽异日沈括《梦溪笔谈》吴淑《宋史》四四一无以远过。而记里鼓车之淫奇，尤足令人缩舌生异云。

记里鼓车之制，出自西汉本卷十七节。《通鉴》一一八记晋安帝义熙十三年，刘裕灭秦，收其仪器浑仪土圭记里鼓指南车，送建康。则知在世途黑暗中，巧匠原未绝也。详见张荫麟《记里鼓车之造法》《清华学报》二卷二期。《宋史》二九八《燕肃传》亦及记里鼓车，知此车由来久矣。

即以著述而言，如何晏虽为一清谈家，然其《论语》之学，“《晋书》载郑冲与孙邕、何晏等共集《论语》，诸家训诂之善者。……陆德明《经典叙录》云：何晏集孔安国、包晏、周氏、马融、郑玄、陈群、王肃之说，并下己意，为《集解》。正始魏二四〇至二四八中用之，盛行于世，今以为主”《四库提要》三五。而叶适称“何晏《集解序》，语简而文古，数百年讲论之大意，赖有以存。经晏说者，皆异于诸家。盖后世诣理之学，以晏及王弼为主。始破碎经生专门之陋矣。范宁以为幽沉仁义，过于桀、纣，亦知其所知而已”《习学记》卷十三。则东汉墨守章句之学，盖始破于斯时。至于王弼之注《老子》，之注《周易》，鲁胜之注《墨子》，更无论已。

鲁胜注《墨子》，详《晋书》九四《鲁胜传》。何平叔注《老子》，见王弼，“见王注精奇，神伏曰：‘若斯人，可与论天人之际矣。’”《世说·文学第四》至于弼注《周易》，其业尤伟。考《易》在汉前，尚近巫祝占卜之术，故京房治《易》，“各有占验，用之尤精”《汉书》七五《京房传》。《魏志》二九载管辂占卦尤神异。然管“称引古义，深以戒”邓飏，而飏以为“老生之常谈”《世说》十《规箴》。则知三国时人论《易》，盖与两汉不同。弼注《易》，一本之于义理；“平心而论，阐明义理，使《易》不杂于术数者，弼与康伯，深为有功。祖尚虚无，使《易》竟入于老、庄者，弼与康伯，亦不能无过”《四库提要》卷一。可见清谈家之功过互见矣。

即以教育制度而言，两汉有石渠讲经《汉书·宣纪》甘露三年，东汉有白虎讲经《章帝纪》建初四年。而党锢诸公，如谢甄、边让，俱有盛名。如苻融之谈词如云，令人叹息见范《书》各本传。其在于魏，则有如高贵卿公之讲经《魏志》卷四。及佛学鼎盛，此风益启。如支道林开讲小品，而于法开弟子，杂座质难《世说·文学四》，伽提婆讲《阿毗昙》同上，是也。——执经问难，议论风生；安得不谓当时之文物，有裨于后世者哉？

然而为世诟病者，则魏晋六朝，亘三百许年起正始（二四〇）讫梁武（五四九）之清谈，读史者虽谓前乎魏晋，清谈已有萌芽本卷十七节；而清谈要以魏晋为盛。——然亦时世之黑暗，有以促成之。

其一，请谈者往往思免祸也。曹"魏正始中，何晏王弼等，祖述《老》、《庄》，立论以天地万物，皆以无为为本，……贤者恃以成德，不肖恃以免身"《晋书》四三。盖"魏明帝崩，少帝即位，改元正始，凡九年。其十年，则司马懿杀曹爽，而魏之大权移矣。三国鼎立，至此垂三十年。一时名士风雅，盛于洛下。乃弃经典而尚《老》、《庄》，蔑礼法而崇放达"《日知录》十三"正始"条。《困学纪闻》卷十三论之云："《晋书·傅玄传》云：'魏武好法术而天下贵刑名；魏文慕通达而天下贱守节。'然则放旷之风，魏文实倡之。程子谓东汉之士，知名节而不知节之以礼，遂至苦节。苦节已极，故魏晋之士，变而为旷荡。"由政治之昏沉，而思成德免身，斯阮籍所以未尝臧否人物，嵇康所以未尝有喜愠之色，详《世说·德行一》而竹林七贤，嵇康、阮籍、刘伶、阮咸、山涛、向秀、王戎所以思夫醇酒也。

> 史称山涛隐身自晦，戎与籍为竹林之游《晋书》四三。阮籍以酣饮为常，嵇康思得浊酒一杯。刘伶携酒出游，语从者曰：死便埋我。阮咸弦歌酣饮而已《晋书》四九。诸贤耽酒，固亦有因。宋钱选《题竹林七贤》诗云："昔人好沉酣，人事不复理。应世聊尔尔，但进杯中物。悠悠天地间，媮乐本无愧。诸贤各

有心，流俗毋轻议。”此论可谓得之。叶梦得《石林诗话》页四十八云：“晋人多言饮酒，有至于沉醉者。此未必真在于酒，盖方时艰难，惟托于醉，可以粗远世故耳。惟颜延年知之，故《五君咏》云：‘刘伶善闭关，怀情灭闻见；韬精日沉饮，谁知非荒宴。’如此，饮者未必剧饮，醉者未必真醉耳。”沈作喆《寓简》卷三云：“晋人雅尚幽远，宜于世情淡薄。今观其书尺，感叹睽离，极于凄怅沈思，缠绵不能自已。……大率晋人以心迹不相关为自解免，此最其膏肓也。”立意正同。

其二，清谈者，往往能诽政也。故阮籍则“遭时多故，禄仕而已”《晋书·籍传》。嵇康以山涛荐之仕，而与山绝交：“又每非汤武，而薄周孔，在人间不止此事，会显世教所不容，此甚不可一也。”《嵇中散集》卷二此诽当时之禅让欤？其《养生论》云：“且圣人宝位，以富贵为崇高者，盖谓人君贵为天子，富有四海。民不可无主而存，主不能无尊而立。故为天下而尊君位，不为一人而重富贵也。”“圣人不得已而临天下，以万物为心，任宥群生，由身与道，与天下同于自得。穆然以无事为业，坦尔以天下为公。虽居君位，飨万国，恬若素士接宾客也。虽建龙旂，服华衮，忽若布衣之在身。故君臣相忘于上。蒸民家足于下。岂劝百姓之尊己，割天下以自私，以富贵为崇高，心欲而不已哉。”《嵇中散集》卷四此对于帝主淫佚之攻诽欤——“不可概以醉客忽之也！”

丁南湖曰：“竹林七贤，轻蔑礼法，遗落世事。特会饮竹林时，则然耳。若乃地非竹林，时非宴会，则其执法而慎世事者，不少也。尝观山涛竭事母之孝，守廉官之节，阮籍辞曹爽之召，却晋武之婚，嵇康悟养生之道，却选部之举，此乃名教之所系，不可概以醉客忽之也”孙文玉《新义录》卷十九引，其言允已。

其三，清谈者往往诽富也。

考富人之势，汉时已强详本卷十二节。而江统于西晋武帝时言：“秦汉以来，风俗转薄。公侯之尊，莫不殖园圃之田，而收市井之利。渐冉相放，莫以为耻”《晋书》五六《统传》。《抱朴子外编》五十《自叙》记三一七年以前风俗，则谓：“洪尤疾无义之人，不勤农桑之本，而慕非义之奸。持乡论者，则卖选举以取树；有威势者，则解符疏以索财；或受罪人之赂，或枉有理之家；或挟使民丁，以妨公役；或强取财物，以求贵价。或占锢市肆，夺百姓之利；或割人田宅，劫孤弱之业。惚恫官府之间，以窥掊克之益，内以夸妾妻，外以钩名位。”——观于风俗如斯，斯管宁所以掷金，王衍所以口不谈钱欤！

《世说》一《德行篇》记管宁掷金，不殊瓦石。王若虚《滹南遗老集》卷二十七论之曰：“毕竟金玉与瓦石，岂无别者哉？此庄列之徒，所以为达，而好风者悦之者也。”然石崇与王恺、羊秀之徒，以奢靡相尚详《晋书》三三《石崇传》，而王戎之散筹算计，和峤之吝其好李《世说》二九《俭啬》。则又何怪乎王衍之一激而为口不言钱耶？详《晋书》四十三

更进则诽礼矣。曰礼，则令人忆及虚伪之禅让如《廿二史劄记》七所记九锡文；故阮嗣宗嫂将归宁，就与之别。人讥之，则有“礼岂为我设耶”之语。阮咸居母丧，纵情越礼；嵇康锻大树下，亦不礼钟会。毕卓为吏部郎，亦盗酒酣饮俱详《晋书》四十九卷。虽或有矫枉过正之

弊，然不得不谓世俗虚伪之反抗也。

案葛洪乃反对清谈者，然《抱朴子外篇》卅一《省烦》云："安上治民，莫善于礼。弥纶人理，诚为曲备。然冠婚饮食，何破碎之甚耶？人伦虽以有礼为贵，然冠昏饮食，但当足以叙等威而表情敬。何在乎兴降揖让之繁重，拜起俯伏之无已耶？"则洪于繁文缛礼，固亦非之。

平心论之，清谈者，自有所不得已。且如孟敏介决，破甑不顾《世说·黜免》注文，简文见稻不识，毅然自谴《世说·尤悔》。其风操亦有足多者。然如胡毋辅之之父子酣饮，交相尔汝《晋书》四十八《辅之传》。王澄为荆州，时贤送者倾路，澄脱衣巾上树，取鹊子，旁若无人《世说·简傲篇》。斯则清谈之流变，范宁以为罪甚桀纣，葛洪以为强为放达者也。

《抱朴子外篇》二五《疾谬》云："轻薄之人，迹厕高深。交成财赡，名位粗立，便背礼畔教，托之率任。才不逸伦，强为放达。以傲兀无检者为大度，以惜护名节者为涩少。于是无赖之子，白醉耳热之后，结党合群，游不择类。奇士硕儒，或隔篱而不接。妄行所在，则虽远而必至。携手连袂，以敖以集。入他堂室，观人妇女，指玷修短，评人美丑。其或妾媵，藏避不及，至搜索隐僻，就而引曳，亦怪事也。"案洪书成于东晋南渡（三一七年）之稍后范宁谓："王、何之罪，浮于桀、纣"，语见《晋书》七五《宁传》。然末流之弊，固非王弼、何晏所能料也！

二二　道教之起原与演变

三国、西晋间社会之黑暗，政治混乱，华夷杂处，清谈盛行，足以为数。然犹未如道教之滋盛，足以象征之也。朱黼尝曰："三代以上，不过曰天而止，一变而为诸侯之盟诅，再变而为燕秦之仙怪，三变而为文景之黄老，四变而为巫蛊；五变而为灾祥；六变而为符谶。人心泛然，无所底止，而后西方异说，乘其虚而诱惑之。"《困学纪闻》卷二十引如以佛教为乘人心之虚而流行者，则道教，盖集仙怪黄老灾祥符谶，而特文之以黄老之说者也。

道家以清净自持，而实含坚忍之法家言。其后则神仙房中烧炼符箓斋醮章奏，一一加入，则已南北朝时代矣。语详《四库总目提要》一四六《道家类叙》。但道教究非名贵之宗教，昔孔子称未能事人，焉能事鬼？史嚚亦曰："国将亡，听于神。"《左》庄三二子产亦曰："天道远，人道迩。"昭十八年仲几则谓："宋征于鬼，宋罪大矣。"《左》定元年妖妄之说。本非先秦诸贤所许。即清谈诸人，阮修亦以"人死有鬼，衣服亦有鬼耶"《晋书》四九《修传》为言，立说清正，不愧王充。

所以文之以黄老者，其一则以黄帝本无其人，老子之生平，史迁已不能详。故易为利用。其二，则黄老之学，两汉颇有；如窦太后好黄老言《汉书·外戚传》；其三，则老子哲语，如"玄神""玄牝"，词旨闪烁，便于文饰。其四，则佛教来华后，一般迷信者，自不得不借重老子，以期与佛陀之伟大人格，东西映抗。其五，则“守雌”全身，颇合于长生修炼，亦宜于苟免叔世，非如儒者之言，死当速朽也。

参看刘国钧《两汉时代道教概说》《金陵学报》一卷一期。以下简称刘文。

知道教之复杂因子，斯知其创教者之为未知名之士，而非大雅之人焉。

故有张陵之五斗米道焉：“张鲁祖父陵，顺帝一二六至一四四时客于蜀，学道鸡鸣山中。造作符书，以惑百姓。受其道者，辄出米五斗，故谓之米贼。陵传子衡，衡传于鲁。鲁遂自号师君。”范《书》百五《刘焉传》有张修之太平道焉：“张修为太平道，太平道师持九节杖，为符祝，教病人叩头思过，因以符水饮之，病或自愈者，则云此人信道。其或不愈，则云不信。……施静室，使病人处其中思过。又使人为‘奸令’‘祭酒’，主以老子五千文，使都习。”范《书》一〇五《张鲁传》章怀注与《魏志》八裴注不同有张角之黄老道焉：“巨鹿张角，自称大贤良师。奉事黄老道，畜养弟子，跪拜首过。符水咒说，以疗病。病者颇愈，百姓信向之。”范《书》一〇一《皇甫嵩传》有于吉之太平清领道焉：“初，顺帝时琅琊宫崇诣阙，上其师于吉，于曲阳泉水所得神书百七十卷。皆缥白素朱介青首朱目，号《太平清领书》。其言，以阴阳五行为家，而多巫觋杂语。”范《书》六十《襄楷传》——此足征道教之非出于一源焉，故即以“张天师”而论，其异说亦纷如已。

张道陵之名，始见《南史》卷四建元四年，以前仅作张陵，此

《养新录》卷十九“天师”条所未及。又案《魏书》百十四《释老志》云：“道家之原，出于老子。……其为教也，咸蠲去邪累，澡雪心神。积行树功，长生世上。所以秦皇汉武，甘心不死。灵帝置华盖于濯龙，设坛场而为礼。及张陵受道于鹄鸣，因传天官章本。千有二百，弟子相授，其事大行。”沈德符《野获编》卷四“张天师之始”条云：“张天师名道陵，字辅汉。生于汉光武十年，居吴之天目。以符水治疾病。灵帝永寿元年，白日上升，年一百二十岁。唐天宝七年，册赠太师。中和四年，封三天扶教大法师。宋熙宁中，加‘辅元’两字。大观二年，册号正一清应真君。子孙相传，以至于今。……宋真宗赐其裔信州龙虎山道士张正随，号真静先生。立授箓及上清观，盖其时崇奉天书，故有天师之称，胡元至元十三年，始命张氏三十六代道士张宗演，为辅汉天师演道灵应冲和道人，遂真拜天师。本朝洪武元年，始革教主天师之封号，封张正常为正一嗣教护国阐祖通诚崇道宏德大真人，秩二品。至隆庆中，降为提点六品。至今上丁丑，仍复真人。”此张天师生于汉初之说也。谢肇淛《五杂俎》卷八云：“汉末张道陵避疟丘社，得咒鬼之术，遂以符咒使鬼疗病。后为蟒蛇所吞，子衡奔往，觅尸不得，乃生縻鹄足，置石厓顶，托以白日升天。至今列代崇奉，奉为天师。……自唐至晋，尚未有闻。至五代，遂称天师。秋宋元未有非之者，据广信之龙虎山，金碧殿宇，偃然为世业矣。我太祖高皇帝曰：‘至尊者天，岂有师也？’然以二品秩流传后世，亦幸之甚矣。真人每入觐，沿途民，为鬼魅所恼者，悉往投牒，所至成市。闻其箓亦有验者，故愚民信奉之也。万历间，京师大旱，适真人入朝，上命留之祷，而终不效。乃遣之，则其伎俩亦去寻常黄冠一间耳。”——此则张天师生于汉季之说也。俞正燮《癸巳存稿》卷十三《张天师旧事》云：“《晋书·何充传》云：‘时郄愔及弟昙奉天师道。’《南史·沈僧昭传》云：‘……少事天师道士。’《魏书·释老志》云：寇谦之遇大神太上老君曰：‘自天师张陵去世以来……’则天师之号，由来已久。《三国志·张鲁传》云：‘自号师君……’是天师之名，由师君得之。《水经·沔水注》云：‘濜水南迳张鲁治东，其西有张天师堂，于今民事之。’所谓天师者，指道陵。《女仙传》云：‘孙夫人，三天法师张道陵之妻也，……子衡字灵真，孙鲁字公祺。世号嗣师。’《太平广记》载《传仙录》云：‘张玉兰者，天师孙灵真女也。’《隋书·经籍志》有《正一真人三天法师张君内传》一卷，《唐志》亦有之，云王苌撰。唐天宝中，封太师。《册府元龟》天宝七月三月诏亦称后汉张天师。宋时称三天辅教大法师。《老学庵笔记》云：‘天圣八年，赐张天师二十五世孙乾曜虚静先生号，蠲赋税。……’《夷坚志》云：‘虚静不娶，嫡派遂绝，今以族人绍其后。’元时封为嗣汉天师，有道教碑，史亦有传。至元三品，大德二品，至大一品。《明史·方伎传》云：张正常元时天师，洪武元年，太祖曰：‘天有师乎？’改授正一嗣教真人，视二品。按王世贞《弇州史料》云：‘洪武中封张正常为正一教主，嗣汉四十二代天师，后定为正一嗣教真人，正二品。’盖初尚沿元号，……乾隆十二年，改二品为五品，停朝觐筵宴，收缴银印。三十一年，以请雨升三品。……嘉庆九年，换给三品印。二十四年，仍定为五品。……”——此则历代崇奉天师之旧事也。自民国十七年，革命军入江西，革去天师位号，然二十三年七月大旱时，上海闻人王一亭等，犹请嗣汉六十三代天师张瑞龄“登坛斋祷”

二十三年七月二十日《新闻报》，此则张天师之余波也。

平心论之，道教者固有导源于儒家者详《太炎文录》卷二《驳建立孔教议》，本卷第九节，占卜妖妄是也说详夏曾祐《中国古代史》页三四二至三四三，儒家与方士分离即道教之原始。《郭宪传》言知千里外事，《王乔传》言腾云驾雾，《费长房传》言物代人死，分身之法。《刘根传》言关召亡灵，盖神异之说之存于后汉者，一一为道教所收，此其二也。其三，道教虽托于老子，然"老、庄之意，以身为赘，以生为苦，今神仙道士，乃欲长生不死，真与老、庄之说，背道而驰"《鹤林玉露》卷十。此盖允论！其四，道教实有出自方士者。方士之事，详于《史记·封禅书》、《汉书·郊祀志》。然祀神之仪，《汉志》与魏《释老志》所载，有相同者，即其征也刘文页一二八。其五，道教虽反对佛教，固有窃诸佛徒者。魏《释老志》谓道教所云"劫数，颇类佛经"。唐傅奕、宋朱熹均有此说详《鹤林玉露》卷十。且桓帝以浮屠、老子并祀《范书·桓纪》及《襄楷传》，其间消息，可想而知。——均足以证道教之驳杂也。

罗大经《鹤林玉露》卷十云："朱文公云：'佛说尽出老庄，今道教有老庄书不看，尽为释氏窃而用之，却去仿效释氏，作经教之属。如《清净消灾》、《度人》等经，模拟可笑。'"又如《佛藏》中有《佛本行经》，而《道藏举要》中亦有类似之《本行集经》，则道教规随佛教，又其昭明者焉。

且道教不仅庞杂已也，其荒唐悠谬，实远过于佛教，如寇谦之尸解变化《魏书·释老志》，孙恩之还瓜刀于鱼腹《晋书》一〇〇，皆可哂者。而犹发扬于五胡乱华，南北分治之时，斯《左传》庄公三十年，史嚚所谓“国将亡听于鬼”乎？盖在西晋之季，中国之不亡，固厘厘如线矣。

第八章 南方新霁

二三 涉身处世之多方面

自西晋之亡三一七年，中经淝水之役三八三年，苻坚未能统一残晋，约百余年四二〇年，而南朝为宋四二〇至四七八，其时北魏并吞迭起迭亡之五胡，又十九年四三九年而北凉降魏，中国仅遗南北二朝。时宋文帝元嘉十六年也。自此以后，南朝历齐四七九至五〇一、梁五〇二至五五六、陈五五七至五八九，北朝亦分东魏五三四至五四九、西魏五三四至五五六、北齐五五〇至五七七、北周五五七至五八〇，——而卒于隋之并齐周而灭陈，盖适为百五十年，西晋东晋之百年，大混乱也；南北分治之百五十年，则较定矣，而兵争仍繁焉，就其痛心处言之，则两晋间之百年，南北分治之百五十年，其真所谓亡天下者矣。

亭林于两晋风俗，痛论之曰："有亡国，有亡天下。亡国与亡天下，奚辨？曰：易姓改号，谓之亡国。仁义充塞，而至于率兽食人，人将相食，谓之亡天下。"然"亦有不可及者数事，曰尊严家讳也，矜尚门第也，慎重婚姻也，区别流品也，主持清议也"《日知录》十三"正始"条杨注。门第，婚姻，流品，语详下节；至于尊严家讳，如《颜氏家训》《风操篇》谓"梁世谢举，甚有声誉，闻讳必哭"。其主持清议，则《日知录》卷十三"清议"条备详之。此岂所谓霁明之象征欤？

亡天下且莫论，然士夫之应世者，在此百年，及百五十年间，则固甚不易也。而涉身处世，自各异其趣，以应付非常之时也。

赵翼《陔余丛考》卷十六有"元魏子贵母死之制"，则女子地位之低落也。又有"元魏族诛之法最惨"，则严刑峻法之逼人也。又有"六朝忠臣无殉节者"卷十七，则气节之消沉也。《廿二史劄记》中有"宋齐多荒主"，"宋世闺门无礼"，"宋子孙屠戮之惨"卷十一，"后魏刑杀太过"，"北齐宫闱之丑"卷十四、卷十五，则教刑之失措也。此皆所谓非常之时。

其一，则清谈之复盛也。如王敦见卫玠，谓谢鲲曰：不意永嘉之末，复闻正始之音《世说》八《赏誉》。**而异时北齐颜之推，又谓："清谈雅论，洎于梁世，兹风复阐。《庄》、《老》、《周易》，总谓三玄。"**《家训》卷三《勉学篇》**玄学且别论，然睹于尔时思为遁世者之多，乌托邦桃源乡之述，则知消极之清谈家，所以有复兴之必然矣。**

东晋中业，刘驎之不受达吏之遗，"衣食有无，与村人共"《世说》十八《栖逸》。谢鲲答明帝卿与庾亮何如之询，自谓"端委庙堂，百僚准则，臣不如亮。一丘一壑，自谓过之"《世说》九《品藻》。东晋之亡，陶潜以甲子纪年。深疾世变，其所著《桃花源记》，世所脍炙。案《琳瑯秘室丛书》十六册有刘宋刘义庆《幽明录》页十六云："汉明帝永平五年刘晨阮肇共入天台山，取谷皮，迷不得反。……溪边有二女子，姿质妙绝，……与仙女交接，……遂住半年。天气常如二三月，晨肇求归不已，……既归，亲旧零落，邑庐全无！"可知桃源之记，乌托邦之幻想，不止一人一时之感焉。

其二，遁世者以外，固亦有救世者。王导谓当戮力中原，何至楚囚对哭，以箴过江名士《晋书》六五《导传》。卞壶谓清谈者，"悖礼伤教，罪莫斯甚。中朝倾覆，实由于此"《晋书》七十《壶传》。桓温亦"眺瞩中原，愤然曰：'遂使神州陆沉，百年丘墟。王夷甫诸人，不得不任其责。'袁虎率尔对曰：'运自有废兴，岂必诸人之过？'"桓懔然以刘表之大牛为喻《世说》二六《轻诋》。而陶侃之收贮竹头木屑《世说》三《政事》，爱惜寸阴《晋书》六六《侃传》，祖逖之闻鸡起舞，渡江击揖《晋书》六二《逖传》，盖亦足以砭针叔世者。

故"高坐道人于丞相座，恒偃卧其侧。见卞令（壶），肃然改容，云：'彼是礼法人。'"《世说》二四《简傲》可见以正道救世，匪无补也。

其三，则更有愤世者。案西晋之时，阮嗣宗已谓："古者无君而庶物定，无臣而万事理，……君立而虐兴，臣立而贼生。造制礼法，束缚下民。……惧民之知其然，故重赏以喜之，严刑以威之。"《嗣宗集》卷上《大人先生传》，明新安程氏校本嵇中散作《唐虞诗》，亦谓："万国穆亲无事，贤愚各自得志，晏然逸豫内忘，佳哉尔时可憙。"见《中散集》卷一，程本段灼之告武帝，亦谓："天下者天下人之天下，非一人之

天下也。"《晋书》四八《灼传》**渡江以后,则鲍生敬言之说尚矣。而驳斥敬言者,因亦无以易之焉。**

葛洪《抱朴子外篇》四八《诘鲍》云:"鲍生敬言,好老庄之书,治剧辨之言,以为古者无君,胜于今世。故其著论云:'儒者曰:天生蒸民,而树之君,岂其皇天谆谆言之,将亦欲之者为辞哉?夫强者陵弱,则弱者服矣。智者诈愚,则愚者事之矣。服之,故君臣之道起焉。事之,故力寡之民制焉。然则隶属役御,由乎校强弱而争愚智。……夫役彼黎蒸,养此在官,贵者禄厚,而民亦困。……曩古之世,无君无臣。……安得聚敛以夺民财?安得严刑以为坑穽?……使夫桀纣之徒,……并为匹夫,性虽凶奢,安得施之?……由于为君,故得纵意也。'"又云:"人君采难得之宝,聚奇怪之物,饰无益之用,厌无益之求。"又云:"人君后宫三千,岂皆天意?""人之生也,衣食已剧,又加之以赋税,重之以力役,饥寒并至,下不堪命,冒法犯非,所是乎生。"——凡此敬言所云,见于《抱朴子》者,葛洪均著论驳之,然洪述《君道》云:"见三苗之倾殄,则知川源之未可恃也;睹翳幽之不守,则觉岩险之不足赖也。夫江汉犹存,而强楚肤辱。剑阁自如,而子阳赤族。四岳三涂,实不一姓。金城汤池,未若人和。是以贤君抱惧恐不足,而改过恐有余。"则对于时势而诽君者。又岂止一鲍敬言已。且两晋王权,视之近世,盖犹不及。故成帝拜王导《晋书》六五《王导传》,而周颛亦痛斥明帝《世说·方正五》,则帝皇之权未振也。向雄微时,与太守刘淮积怨,后同在朝,不交言。武帝敕雄,"复君臣之好"《晋书》四八《雄传》,《世说·方正五》,则君臣之阶未悬也。——此亦诽君论者，所以兴盛之一背景欤？

其四，则更有尽量放诞者，晋有石崇《晋书》三三，《世说·汰侈三〇》，为世所知。而北朝则亦有河间王琛，有“不恨我不见石崇，恨石崇不见我耳”之豪语《洛阳伽蓝记》卷四。东莱《晋论》云：“晋室南迁，士大夫袭中朝之旧，贤者以游谈自逸，而愚者以放诞为娱。庶政陵迟，风俗大坏。”《郡国利病书》卷十三引虽有抑制富人之法，岂得谓见效乎？

《太炎文录》卷一页七十二《五朝法律索隐》谓晋律：走马城市者，不得以过失杀人论；商贾皆殊其服，常人有罪不得赎。盖皆抑制豪人之法。然此与六朝放诞之习不合。如刘伶之誓酒，罗友向桓温禀事，便求白羊肉吃《世说》二三《任诞》。则两晋人之任诞放荡，岂法所能制？他如王粲好驴鸣《世说》十七《伤逝》，谢安于淝水战后，接胜利之书，了无喜色《世说》六《雅量》，及入户过限，不觉屐齿之折《晋书》七九《安传》。盖放荡之至，竟似习与性成矣。

而更足为涉身，处世之艰难，作一良好之伴侣者，则有茶之服用。茶之始，陈霆《两山墨谈》卷十四据《飞燕别传》，以为汉人已饮茶。然正式之见，则在三国之时。孙皓迫其群臣强酒，而韦曜饮酒，“不过三升。初见礼异时，常为裁减，或密赐茶荈，以当酒。”《吴志》二〇《曜传》其后则“谢安诣陆纳，纳无所供办，设茶果而已”《封氏闻见记》六页一，学津讨原本。今人恒言，好言煮茗清谈，而不知煮茶云云，与清谈风气；又相巧合如斯，斯亦叔世之佳话也。

茶之制法沿革，见陈继儒《茶董补》卷上页十，眉公十种本虽萌芽于六朝，而终盛于唐世。封演《封氏闻见记》卷六云：“早采者为茶，晚采者为茗，本草之止喝，令人不眠。南人好饮之，北人初不多饮。”杨衒之《伽蓝记》卷三“劝学里”条谓：“王肃入魏，刘镐慕其风，专好茗饮。彭城王嘲之，由是朝廷燕饮，虽说茗饮，皆耻不复饮。惟江表残民，来降者，饮焉。”此可为封氏之征佐，而见茗茶导源于南方也。封接云：“开元中，泰山有降魔太师，兴禅教学，禅，务于不寐，又不夕食，皆许其饮茶。人自怀挟，到处煮饮，从此转相仿效，遂成风俗。自邹齐渐至京邑，城市多开店铺，煮茶卖之。不问道俗，投饮取饮。其茶自江淮而来，舟车相继，所在山积。色额甚多，楚人陆鸿渐为茶论，说茶之功效，说煎茶炙茶之法。”而茶博士之名，亦由于李季卿之鄙视陆羽，茶馆林立，则风气又一变矣。其在于宋，则饮茶之法更张。如沈括有《本朝茶法》，熊蕃有《宣和北苑贡茶录》，黄儒有《品茶要录》，蔡襄有《茶录》俱见五朝小说所收，谈艺有林，又风气之一变矣。而其初则由六代人启之！但六代以后，茶之饮法，自有变易：“东坡云：唐人煎茶用姜，故薛能诗云：盐损添常戒，姜宜著更夸。据此，则又有用盐者也。近世有用此两物者，必大笑之。然茶之中等者，用姜煎，信佳也，盐则不可。东坡之说如此。不知今吴门、毗陵、京口煎点茶、用盐，由来已久，却不曾有用姜者。风土嗜好，各有不同。”陈鹄《耆旧续闻》卷八页五，知不足斋本此亦可以征饮茶方法之时异焉。

二四　九品中正与六朝门阀

士大夫之涉身处世之多方，端由于时世之剧变，在此剧变之中，则用人选举之更法，在世态苍黄五胡云扰中，固亦变动之一。据《魏志》卷二二《陈群传》："九品官人之法，（陈）群所建也。"其时魏文帝初即位也。其法，"州郡县，各置大小中正，各取本地人，在诸府公卿及各省郎吏有德充才盛者为之。区别所管人物，定为九等。其言行修著，则升进之；如以五升四，以六升五。或道义亏缺，则降下之；或自五退六，自六退七"。及在于晋，"亦依魏氏九品之制，内官吏部尚书司徒左长史，外官州有大中正，郡国有小中正，皆掌选举。凡吏部选用，必下中正，征其人居，及祖父官名"《通考》二八。——盖亦由汉季选举不端，而略有改革者，非特创也。

九品中正，与两汉选举之不同，厥为司选举者之官职与籍贯；两汉选举，权在兼掌民刑之牧守详本卷十九节，魏晋则特置中正，"由小中正品第人才，以上大中正；大中正核实，以上司徒；司徒再上，然后付尚书选用"《廿二史劄记》八《九品中正》。此司选举者之官职有异焉。牧守未必本籍人，而中正必为乡邦人士，则司选举者之籍贯有殊焉。汉季选举详本卷十二又十九节，固自有弊。《抱朴子》卷十五《审能》云："知人则哲，上圣所难。今使牧守审良材于未用，诚未易也。但当遣其私情，竭其聪明，不为嘱托屈，不为利欲动，必澄思以察之，博访以详之，修其名而考其行。"以牧守兼中正，洪言固与时异；而牧守选举之积弊待革，则洪言云云，亦可以见九品中正之所以。故《十七史商榷》论之曰："大约汉末名士，互相品题，遂成风气。于时朝廷用人，率多采之。……《何夔传》夔言于太祖曰：'自今所用，必先核之乡里。'"《十七史商榷》卷四十此又以见九品官人之前有所承。

九品中正之制之可考者，大约如下：其一则曰品状，如刘卞为"'访问'令写黄纸一鹿车。卞曰：'刘卞非为人写黄纸者也。'访问知，怒言于中正，退为尚书令吏"《晋书》三六《卞传》。王济为州大中正，状孙楚曰："天材英博，亮拔不群。"《晋书》五六《孙楚传》"访问"者，即调查访问之吏，状则调查报告也。其二则曰更籍，"魏始建九品之制，三年一清定之，虽未尽宏美，亦缙绅之清律，人伦之明镜"《晋书》一〇六《石虎载记》。其三则曰上下品级，"如陈寿遭父丧有疾，令婢丸药，客见之，乡党以为贬议，由是沉滞累年《寿传》。阎乂亦西州名士，被清议，与寿皆废弃《何攀传》。卞粹因弟裒有门内之私，粹遂以不训见讥被废《卞壶传》。华恒为州中正，乡人任让轻薄无行，为恒所黜《恒传》"《廿二史劄记》卷八。"阎潜以盗父金之谤，十余年不得复品"《晋书》四八《阎传》。盖"官职之升沉，本于乡评之与夺，犹有近古之风"《日知录》卷十三《清议》甚详。其四则曰特举寒素，如燕国中正刘况举霍原为寒素，中书司徒参论未从，荀组则以为寒素者，当系门寒身素，与原之为列侯者不合。李重则以原隐居求志笃古好学，既有孙孟之风，自应寒素之品详《晋书》四六《李重传》。其五，则曰越次特举，如武帝"诏举奇材可以安边者"，而王衍以习纵横之术，为辽东太守《晋书》四三《衍传》。——盖司徒握用人之最后之权，而乡里公论，固亦有绝大势力者。

最后之决定在司徒，如霍原为大中正举二品，而司徒不过《晋书》九四《原传》，即其征也。此等乡里之评，“其始乡里清议，不拘爵位，褒贬所加，足为劝奖。犹有乡论余风”《廿二史劄记》卷八。顾亭林谓：“君子有怀刑之惧，小人存耻格之风，教成于下，而上不严；论定于乡，而民不犯。九品中正之设，虽多失实：遗意未亡，凡被纠弹付清议者，即废弃终身，同之禁锢《卞壶传》。”《日知录》十三“清议”条是也。

乡评公论，操之中正，亦未必无弊也。其一，则由中正个人之良否而起者，如张轨不得张华之延誉，则将为中正所屈《晋书》八六《轨传》。其二，则由于制度的本身而起，西晋以前，夏侯玄已谓中正品定，上侵台阁用人之权，机源多门，纷乱之原《魏志》九《玄传》。其三，则由于当时之社会而起，当时社会，究为豪族的而非平民的，故武帝之时，段灼谓：“九品访人，惟问中正，据上品者，匪公侯之子孙，则当涂之昆弟。蓬门荜户之俊，安有不陆沉者？”《晋书》四八《灼传》卫瓘谓：“其始造也，乡邑清议，不拘爵位，褒贬所加，足为奖励，犹有乡论余风。中间渐染，遂计资定品，使天下观望，惟以居位为贵。”《晋书》三六《瓘传》而刘毅“八损”之说，盖又洞明之谈说详《晋书》四五《毅传》，所谓高下逐强弱，是非由爱憎者，则九品中正之制之最大缺点也。

然九品中正，自魏晋历南北朝，三四百年，莫有能改两汉之“乡举里选者，采毁誉于众多之论”，六朝之“九品中正者，寄雌黄于一人之口”《通考》二八。士大夫明知此弊，而延至于隋初始罢参看《通考》二八，则由“执权者，即中正高品之人，固不肯变法”《廿二史劄记》八。而“江左世族无功臣”《廿二史劄记》十二，“南朝多以寒人掌枢要”《劄记》卷八，胥此世族无用，阿私所好之故，宋武帝刘裕，甚至荡涤清议，与人更始《通鉴》一一九。要亦有激而然。且豪族把持，其力至强。俞正燮云：“魏之立九品中正也，上品无寒门，下品无世族。法如此，非弊也。时人安之，而后人不能安者，所以用之者不同。……自汉至唐，科目多矣。大权美仕，俱在豪族。任豪族而以功臣之弟间之，议选举者，徒毛举细故，而无敢昌言以夺世家豪族之权者。”《癸巳类稿》三《乡兴贤能论》——然则由把持于世族之选举，一变而为乞灵于文字的科举，势固有不得不然者矣。

九品中正之制，其为无形助长之者，则谱牒，是赵翼论之云：“至魏行九品中正法，于是权归右姓。州有大中正，郡有小中正，皆以著姓士族为之。有司选举，必依谱牒，故贾氏王氏谱学出焉。”《陔余丛考》十七“谱学”条然谱牒之成，则非专由于九品中正者，其外兼有数端。

其一，则汉以来累世同居《陔余丛考》三九之风气，足以促族间之树立。其二，则五胡乱华时，胡冒华姓，华思澄清血统之需要，故王得臣《麈史》卷下页一，知不足斋本云：“谱牒不修也久矣，晋之东渡，五胡乱华，中原衣冠，流离而致然也……况元魏据洛，诸虏冒中国之姓，则谱不可不知也。”且如邓攸娶妾，得其兄子，终身恚憾《世说》一《德行》，则谱之需要自明。

惟有九品官人之制，故世族益盛；因而谱学益盛。高门大族，持此以傲寒素："南北皆然，牢不可破。"纪僧真虽就宋帝乞作士大夫，而江斅等拒之。侯景虽横戈跃马之雄，而梁武应其求婚之命，谓王谢名高，可于朱张以下求之《陔余丛考》十七"六朝重氏族"条。风气激扬，门阀之习成，而"侨姓"、"吴姓"、"郡姓"、"虏姓"之别严《陔余丛考》十七"谱学"条，与"郡里"之自矜清华，高标门第，"盖魏晋以门第取士，单寒之家，屏弃不齿，而士大夫始以郡望自矜。"《十驾斋养新录》卷十二盖不无渊源相同者。

> 谱学由来，《史记》已有世表，王符《潜夫论》有《姓氏》一篇，贾弼于太元中，撰《姓名谱状》，宋王宏、刘湛甚好其书。南齐王俭又广之以助铨叙。梁时，亦诏王僧儒，改定百家谱，因贾氏旧本，成书。其在北朝，魏收成书，不辞记载诸家亲姻，以弥谱牒之遗逸。则北方重此可知。其在于唐，则《唐书·柳冲传》，谓太宗命诸儒撰《氏族志》是也《陔余丛考》卷十七，又《新唐书》一九九《柳冲传》。

谱牒族望之学盛，盖自有弊。其一，则为门第可案而矜也。侯景之横，不敢求婚王、谢。周顗之母，为门第衰微，不辞作妾《世说·贤媛篇十九》，是其征也。其二，则别族里也。《新唐书》《奸臣·李义府传》云："贞观中，高士廉等修《氏族志》，天下允其议。时许敬宗不以载武后本里，义府亦耻先世不见叙，更奏删正。委孔志约等，定其书，以仕唐者，官至五品，升入士流。于是兵士以军功进者，悉入书限，更号《姓氏录》。缙绅共嗤靳之，号曰勋格。"又《柳冲传》《新唐书》一九九云："魏氏立九品，置中正，尊世胄，卑寒士，权归太姓，晋宋因之，始尚姓已。……夫文之弊，至于尚官；官之弊，至于尚姓；姓之弊，至于尚诈。”亦其征也。其三，则阻碍婚嫁也。“自宋以前，氏族之品最核。故侯景欲婚王、谢，武帝以非偶抑之。崔卢李郑，虽累世陵夷，犹恃世望，嫁娶必多取资。李义府既贵，乃与赵郡叙昭穆。后魏太和定望族，以陇西李宝等七姓，唐以荥阳等四姓为鼎甲，皆不与百姓婚嫁。族望之习，于斯为盛。故李桢谓爵位不如族望，官至方岳，惟称陇西”谢肇淛《文海披沙》三。即如北朝，游雅因有高材，将娶于邢氏，高允劝以婚其族。雅曰：“人贵河间邢，不胜广平游，人自弃伯度雅字，我自敬黄头雅小名贵己贱人”如此《魏书》五四《雅传》。——凡此三弊。南北皆然，隋虽加以刬削，而余风嫋嫋，且沿至于赵宋也。

隋创进士科，“罢乡举，离地著，尊执事之吏，于是乎士无乡里，里无衣冠。人无廉耻，士族乱而庶人僭矣”《柳冲传》。然唐人犹重氏族，刘鼎卿《隋唐佳话》云：“高宗朝以太原王、范阳卢、荥阳郑、清河博陵二崔、陇西赵郡二李七姓，恃其望族，不与他姓为婚。乃禁其自相婚娶，于是不敢行札，饰其女以送夫家。”卷中页二〇，顾氏文房本又云：“旧有《山东士大夫类例》三卷，其非士族及假冒者，不见录署，云相州僧昙钊撰。后柳常侍冲，亦明于族姓，中宗朝为相州刺史，询问耆老，云自隋以来，不闻有僧昙钊。盖嫉于时，故隐名氏云！”卷下页二八则谱牒衰后，士族之愤激可知。故费衮《梁溪漫志》卷九谓：“唐自太宗，命高士廉等撰《氏族志》，本恶山东人氏，崔、卢、李、郑，自矜地望；乃更以皇族为首，是亦自矜族望也；然魏徵、房元龄家。皆与山东士家为婚。由是旧望不减。”是唐时仍重氏族也。其在于宋,“宋颇不讲,至今日而撕尽”。明人之说如斯《文海披沙》卷三。

此种论族骄人之制,原无可取,惟其副果所生之《百家姓》,为昔时平民教育之助者,则不得不谓产于谱牒之制。《南史》五九《王僧儒传》谓晋太元中,贾弼好写谱状,其后王宏、刘湛,并好其书;湛亦撰百家以助铨叙,僧儒又补充之,百家之名殆始此。入唐则有孔至之《百家姓》。屡经演化,而《百家姓》始用以训蒙,又岂谱牒学者,初料所及者哉?

封演《封氏闻见记》云:“孔至撰人家类例,品第海内族姓,以燕公张说为近代新门,不入百家之数。驸马张垍,燕公之子也,盛称宠眷,见至所撰,……(怒之)。时工部侍郎韦述,谙练士族,……至闻垍言,惧将改之,以情告韦。韦曰:‘孔至休矣。大丈夫奋笔,将为千载楷则,奈何以一言而自动摇,有死而已,改不可也。’”卷十“讨论”条是唐仍百家之目也。《癸巳类稿》卷七《百家姓书后》云:“《南史·王僧儒传》云:‘……’《旧唐书·高士廉传》云:‘作《氏族志》二百九十三姓,一千六百五十家,为九等。’《李义府传》:‘士廉氏族,勒为百卷。’宋沈括《笔谈》云:‘唐时士族,大率高下,分五等,通百家,皆为士族,此外悉为庶姓,婚宦者不敢与百姓等。’按《尧典》,百姓与黎民各称。郑康成云:‘百姓群臣之父子兄弟也。’故古人所谓百家,专以仕宦言之。汉时则百姓以五律相杂,二十有五,配以四时,见《白虎通》。《明文衡》载胡吕沈《进千家姓表》云:‘约为韵语,凡为姓千九百六十人,名曰千家姓。’……其书今不行。宋陆游《秋日郊居》诗云：'儿童冬学闹比邻，据案愚儒却自珍，授罢村书闭门睡，终年不着面见人。'自注云：'农家本月，乃遣子弟入学，谓之冬学。所读《杂字》、《百家姓》之类，谓之村书。'今其书通行，授者自为一家言。"参看上古卷二节——可知氏族虽衰于宋，而《百家姓》为平民千字课，却亦始于宋也。

二五　佛道之隆盛

谱牒之学，世态混乱，有以促成之，九品中正有以促成之，然世态混乱，则佛教尚矣。东晋恭帝，尝大造佛像《晋书》十《恭纪》，遇刘裕之弑，又云自杀不得复人身《通鉴》一一九。而北魏孝庄帝为尔朱兆所杀，亦"临崩礼佛，顾不为国王"《洛阳伽蓝记》卷一，而南齐江泌"衣弊虱多，绵裹置壁上。恐虱饿死，乃复置衣中。遇鲑不忍，食菜不食心，以其有生意"《南史》七三《江泌传》。"何次道礼拜甚勤，阮思旷语之曰：卿志大宇宙，勇迈终古。何曰：'卿今日何故忽见推？'阮曰：'我图数千户郡，尚不能得；卿乃图作佛？'"《世说》二五《排调》胥六代人崇佛之确证焉。

何以崇佛，盖有四因。

一则曰时代的风趣也。自朱士行以后，佛教徒之求法运动甚张。于法兰以东晋穆帝中出征，盖由"大法虽兴，经道多阙。若一闻圆教，夕死可也"《高僧传》卷四。而法显于东晋刘宋之间三三九至四一六年，往来中印，留中印度者三年。陆去海归，归则译诸经论，百余万言，其同伴道整，且老死印度不归。而其西行之动机，则以"经律舛缺，誓志寻求"《高僧传》卷三。至如以身殉教，有如释法进，与沮渠蒙逊同时。“屡从求乞，以振贫饿。国蓄稍竭，进不复求，乃净洗浴，取白盐，至饿人所聚处，投身饿者，前云施汝共食。众虽饥困，犹义不忍受。进即自割肉柱盐以啖之。两股肉尽，心闷不能自割。因语饿人云，汝取我皮肉，犹足数日食，饿者悲悼，无能取者”《高僧传》卷十二。或为远行，或以身殉，此可以表示时代之风趋矣。

梁启超云：“求法运动，起三国季，至中唐前后五百年，区年代以校人数，则第三世纪后半二人，第四世纪五人，第五世纪六十一人，第六世纪十四人，第七世纪五十六人，第八世纪前半三十人。”《近著》中卷页五八第五世纪者，东晋之末安帝隆安四年以至于南齐季年东昏永元元年也。法显著《佛国记》，有英、法文译本。

其二，则西僧之迭至也。慧皎《高僧传叙》曰：“洪风既扇，大化斯融。自尔西域名僧，往往而至。或传度经法，或教授禅道。或以异迹化人，或以神力拯物。自汉之梁，纪历弥远，世践六代，年将五百。此土桑门，含章秀发，群英间出，迭有其人。”——可知所谓高僧，乃“释”“竺”之结合也。

其三，则罪恶之反映也，如：“‘忏之始，本由南齐竟陵王因，夜梦往如来所，听彼如来说法。后因述忏悔之言。觉后’即宾席，梁武王融谢朓沈约，共言其事。王因兹乃述成《竟陵集》二十篇，忏悔一篇。后梁武得位，思谶六根罪孽，即将忏悔一篇，遂召真观法师慧式，广演其文，述引诸经而为之。”钱希白《南部新书》卷庚，参上古十一节时在乱世，事多违心，可知梁武之舍身同泰，非全伪也，盖亦有悔过意。正如佛图澄，乃为害沙门甚众者之石勒所信任也。

其四，则政治者之利用也。刘谧《三教平心论》云："儒者阐诗书礼义之教，而辅之以刑政威福之权，然固有赏之不劝，罚之不惩，耳提面命，而终不率教者。及闻佛说，为善有福，为恶有罪，则莫不舍恶而趋于善。是佛者之教，何殊于儒者之教哉？宋文帝谓何尚之曰：适见颜延年，著论发明佛法，甚为有理，若使率土之滨，皆感此化，则垂拱坐致太平矣。尚之曰：百家之乡，十人持五戒，则十人淳谨；千室之邑，百人修十善，则百人和睦；……则陛下所谓坐致太平者也。"卷上页十七，琳瑯秘室丛书政治者利用之心，昭然若揭矣。

然而魏晋六代之中，道教非不盛也。

会稽王氏，世称望族。而羲之之子凝之，"世事张氏五斗米道，凝之弥笃"。故孙恩攻会稽，迷于鬼兵相助，不设备；为恩所害《晋书》八十《王凝之传》。而南齐萧道成之篡位也，亦托于张道陵诣阙起居之木简《南史》四"建元四年"条。《十驾斋养新录》卷十九《天师》言："晋南渡后，士大夫多有奉五斗米道者，或谓之天师道。《晋书·何充传》：'时郗愔及弟昙，奉天师道。'《殷仲堪传》：'少奉天师道。'《王恭传》：'淮陵内史虞珧子妻裴氏，有服食之术，常衣黄衣，状如天师。'由是妖妄之称，始登正史。"可知当日缁流之势，不亚于当日之道人和尚焉。

参看钱大昕《十驾斋养新录》卷十八"释道俱盛于东晋"条。

叶梦得《石林避暑录话》卷下云："晋宋间佛道盛行，其徒犹未有僧称。通曰道人。"《十驾斋养新录》卷十九云："六朝以道人为沙门之称，不通于羽士《晋书·佛图澄传》，石勒称澄为道人是也。"道佛俱盛，其名目亦殊舍混也。

于是乎有道佛之冲突，其最著者，则如崔浩不信经典取妻之佛经，焚投诸厕。浩师事寇谦之，而北魏太武因有灭沙门之事《魏书·释老志》。其谓老子化胡者，更可证道佛之不相容已。

> 《老子化胡经》，晋道士王浮撰，今存者残甚。在《鸣沙石室丛书》中。大致造为老子出关，西渡流沙，训诲佛陀之说。六朝、隋、唐，历次焚毁。此说——老子化胡——初见于范《书·襄楷传》，继见于《晋书·陶侃传》，又见于《南史·顾懽传》《十七史商榷》六四备言之。《唐书·傅奕传》、《李蔚传》赞、范《书·西域传》论，则暗示其意云看《困学纪闻》二〇“傅奕排释氏”条。

在此道佛相争之局面中，佛徒曾一度遭殃《魏书·世祖纪》太平真君三年、宋文帝元嘉十九年（四四二），又太平真君七年、元嘉二十三（四四六），其详见于《魏书·释老志》。然佛教之势，初不稍减。其在南朝，则袁何诸贤，讽刺时政，发五横之论，以为“世有五横，而沙门处其一焉。大设方便，鼓动愚俗，……上减父母之养，下损妻孥之分。会同尽馐膳之甘，寺庙极壮丽之美。割生民之珍玩，崇无用之虚费。罄私家之年储，阙军国之资实”《弘明集·释驳论》。其在北朝，则赵绍祖《金石跋》卷二《魏浮屠惠猛墓志铭》云：“呜呼，佛法之盛，莫极于魏凿山为窟，范金为像。正光以后，僧尼大众，二百余万。其寺三万有余，而沙门惠始之死，送葬者至六千余人。乃崔浩区区，志在毁灭，可谓不量力矣。然浩毁佛而崇道，其中非有真见……而史氏无识，于浩非毁佛法，叹息痛恨，以为报应之验，不亦怪欤？此惠洪者，一无识沙门耳，而其文有曰升帝床，入紫幕，亦可慨矣。”——南北二方之佛教，可见其势之一斑也。

佛学兴盛之结果，则经学之消沉也。清谈之复炽也，玄学之成立也。

《颜氏家训》卷三《勉学》云："清谈……济世成俗，终非急务。洎乎梁世，兹风复然。《庄》、《老》、《周易》，总谓三玄。武皇、简文，躬自讲论……"以视夫初期之蔑弃礼法之徒，精粗有别，盖已近乎佛徒之讲经，而失其厌世消极之风致，差与佛教为近矣。

玄学之名，《宋书·何尚之传》云：元嘉十三年，尚之为丹阳尹，"立宅南郭外，置玄学聚生徒"《宋书》六六。而何承天之史学，谢元之文学，雷次宗之儒学，与合而为四学《通考》张讥亦"笃好玄言，讲《周易》、《老》、《庄》而教授焉。……沙门法才，……沙门慧拔……道士姚绥，皆传其业……"《南史》七一——睹于尔时释子之治《庄》、《老》玄言，而知佛理与清谈，构组以成玄学焉。

> 《世说》《文学第四》云："支遁与许询、谢安，共集王濛家。谢顾谓诸人，今日可谓彦会，时既不可留，当共言咏，以写其怀。许乃问主人，有《庄子》否？正得《渔父》一篇，谢看题便各使四座通。支道林先通，作七百许语，叙通精丽，才藻秀拔，众咸称善。"可知玄言与佛理，打成一片，支盖佛徒也。

至于经学方面所受之影响，北方虽以推行华化而经学昌明，然在南方，"其经学本不如北。兼以上之人，不以此为重，故习业益少，统计数朝，惟萧梁之初，及梁武四十余年间，儒学较盛"《廿二史劄记》卷十五。焦循曰："正始以后，人尚清谈，迄晋南渡，经学盛于北方。大江以南，自宋及齐，遂不能为儒林立传。梁天监中，渐尚儒风，于是《梁书》有《儒林传》，《陈书》嗣之，仍梁所遗。"皮锡瑞《经学历史》页三九盖幸有北朝之推行华化耳，否则在道释俱盛之际，不将有儒学消沉之痛乎。

后世有三教论衡，盖盛于唐，如优人李可及，戏三教是也高彦休《阙史》卷下，页七。然以唐人重儒耳，如在六朝之时，儒实未堪当释道一击。故《隋书·李士谦传》，有"佛日也，道月也，儒五星也"之月旦。使在后世，则岂不殆哉？

思想方面，受佛学之影响如此，具征佛教之盛。然福之所在，祸亦倚焉："放翁载长芦宗赜法师颂云：'天生三武祸吾宗，释子还家塔寺空。应是当年崇奉日，不能清俭守真风。'"详《困学记闻》卷二十《杂识》则佛教徒在一帆风顺之际，不自修饰，因以启世人之反讥，其毁之者，似为道教徒也，似为儒者也；然亦佛徒本身已。

道教自寇谦之时，战胜佛徒后详《魏书·释老志》，如北宋宣和中，以徽宗好道，乃令沙门冠簪邵博《闻见后录》二九，且改僧名为德士。一时浮屠，有以违命被罪者费衮《梁溪漫志》。故三武之劫，亦大致由道教徒挑成者。沈德符《野获编》《补遗》劵四"废佛氏"条云："除佛之禁，莫酷于元魏太武帝时，用崔浩言，尽诛沙门，焚毁经像，下令人间不出沙门者门诛，浩至以妻所诵经，投厕中……次则唐武宗会昌中，用李德裕议，毁寺四千六百，招提兰若四万余区，归俗僧尼二十六万人案唐武毁佛详赵德麟《侯鲭录》卷二，而唐文宗亦尝毁佛见《宣室志》卷七页十一（俱稗海本）。……次则周显德中，毁天下寺院三万三千奇，并毁佛像铸钱，又次则宋宣和中，除佛教，改佛为大觉金仙，佛寺为神霄宫，僧加冠簪为德士。……本朝嘉靖十五年，上既敕废禁中大善佛殿，建太后宫矣。夏言以殿中有佛像佛骨佛头佛牙等，乃建议请敕有司，俱瘗之中野，以杜愚冥之惑。上曰：'今虽埋之，恐有窃发。'于是言复议投之火。从之。凡毁金银佛像一百六十九座，金银函贮佛头牙等一万三千余斤，燔之通衢。"案崔浩信道，唐武亦宠道士赵归真，明世宗亦宠道士，毁佛云云，俱得谓佛道争斗之余。惟周武《周书·武帝纪》建德三年断佛道两教经像，悉毁罢沙门道士，并令还民。则沈氏所漏列，而不由于道教士之挑弄者。

二六　佛典翻译与六朝文

佛教之盛之表见于三国两晋南北朝者，其另一方面，则佛典之翻译也。

翻译之事，古固有之："译者之称，见《礼记》，云：'东方曰寄，曰传寄内外言语；南方曰象，曰放象内外之言；西方曰狄鞮，鞮知通传夷狄之语，与中国相知；北方曰译，译陈也，陈说内外之言，'皆立此传语之人，以通其志。"宋元之交，"北方谓之通事，南番海舶谓之唐帕，西方蛮猺，谓之蒲义，皆译之名也"俱详周密《癸辛杂识》后集，页三十八。

《班书》十九上《百官公卿表》大鸿胪之"属官，有行人、译官、别火三令丞"。又史称越裳重译来朝，此皆以外译中者。至如《史记·夏本纪》，译取《尚书·禹贡》；《五帝本纪》译取

《尚书·尧典》，此则以今译古者。

然古译事之盛，要当盛于佛典之翻译。梁启超云："……论译业者，当以后汉桓、灵时代始托，东晋、南北朝、隋、唐称最盛，宋元虽微有赓续，但微末不足道矣。"《近著》中卷页八十六盖自安世高、支娄迦谶桓灵时人鸠摩罗什、觉贤东晋时人义净、玄奘唐人译经高僧，代有其人，洵盛事也。

译之方式，既由简而为复；译之人材，亦由梵而为汉；而译场组织，亦复纷赜。

以方式言之，最初则为直译：如桓帝时之安世高，"世高出经，贵本不饰；天竺古文，文尚通质，仓卒寻之，时有不达"《出三藏集记》卷十。灵帝时之竺佛朔，"赍《道行经》来适雒阳，即转梵为汉，译人时滞，虽有失旨，然弃文存质，深得经意。"《高僧传》一，页八，海山仙馆本维只难"以吴黄武三年二二四与同伴竺律炎，来至武昌。……时吴士共请出经，难既未善国语，炎亦未善汉语，颇有不尽。志存义本，义存朴实"《高僧传》卷一。——皆直译也。其次则如法护，以晋武末年，隐居深山，"终身写译，劳不告倦"，其译经也，"虽不辨妙婉显，而宏达欣畅；特善无生。依慧不文，朴则近本。"《高僧传》一，页十七盖护"游历诸国，外国异言三十六种，书亦如之，护皆贯综，训诂音义，无不备识。遂大赍哲经，还归中夏，沿途传译，写为晋文"。《高僧传》卷一曰欣畅，曰近本，则盖半意译矣。而最后则有尚意译者，如鸠摩罗什，客于苻坚，其言译事也，"但改梵为秦，失其藻蔚，虽得大意，殊隔文体，有似嚼饭与人，非徒失味，乃令呕哕。"《高僧传》卷二，页十则显然主张意译者。——此盖异日信达雅之本，而鲁迅、周作人辈所讨论者也。

以译人言之，则宋赞宁《高僧传》三集论曰：“初则梵客华僧，听言揣意，方圆共凿，金石难和，咫尺千里，觌面难通。”梵僧译而汉人受，安世高其代表也。“次则彼晓汉谈，我知梵说，十得八九，时有差违。”高坐道人虽“不学晋语，诸公与之语言，纵因传译，而神领意得，顿尽言前。莫不叹其自然”《高僧传》卷一，页二〇。两相悟通，而微欠焉，鸠摩罗什其代表也。“后则猛智猛显法显亲往，奘玄奘空不空两通，器请师子之膏，鹅得水中之乳。印印皆同，声声不别。”玄奘其代表也。——则译学大进步矣，虽其时已至于唐。

案朱士行以竺佛朔《道行经》“文句简略，意义未周”《高僧传》四西行，法显以经律舛缺西行《高僧传》三，则初期译事之不满人意，所以激有志之士，誓志求法，亦明甚矣。显“学梵语三年，方躬自书写”，可见其蓄志之诚。即译场组织，亦有进步：“其始不过一二胡僧，随意约一信士，私相对译。其后渐为大规模之译场组织，有译主，单受，度语，证梵，润文，证义，总勘等之人。”梁著中卷，页一〇四即以僧侣之姓言之，亦足表示进步。释道安与苻坚同时，“初魏晋沙门，依师为姓，故姓各不同。安以为大师之本，莫尊释迦，乃以释命氏。”叶梦得《石林诗话》卷一云：“晋初为佛学者，皆从其师姓。如支遁本姓关，从支谦学，故为支。道安以佛学皆本释迦，请以释命氏，遂为定制”云。

译学之渐展，其影响于中国学术者，则文学已。

两汉文学，除史学家及哀感者外，类多受政治之熏炙而致力于京邑游观之描摹，《诗品》叙谓东京一代，惟班固之诗略有可取，此语过激；然东京文人，为呆板的辞赋，为无聊的骈偶，则人所同感。

吾生平读《文选》,爱《楚骚》而恶汉赋,吾亦无以自解也。

汉魏间之"文",实包散韵二体而言。江盈科《雪涛谈丛》页四记张伯起刻《文选》赠一士夫,士夫曰:"既云文选,何故有诗?"伯起答以昭明原如此,士夫问其人安在?且继曰:"已死不必究他。"诚无怪其然也。

三国之初,魏武帝宏奖风流,一时才士,盛于邺下。设天网以罗之,顿八弦以该之,而武帝本人,"不特句法高迈,而识趣有道,可谓文奸"杨慎《丹铅总录》二一。良以"东汉之末,猥杂甚矣;魏武雄材崛起,无论用兵;即其诗豪迈纵横,笼套一世,岂是衰运人物"胡应麟《诗薮》外编卷一。其子曹丕、孙曹叡,史人所称为"三祖"者钟嵘《诗品》卷下,洵足以振文风矣。然而,亦陷于登高作呼,贵族文学之讥也。

魏以后文学,多受君主之洗礼,可于"齐梁之主多文学"《廿二史劄记》卷十二见之。当时即有民间诗歌,如《孔雀东南飞》古诗为焦仲卿妻作,亦受陈思王一派之影响。所谓"东西植松柏,左右植梧桐,枝枝相覆盖,叶叶相交通"者,实相当于《曹子建集》卷六《艳歌行》之"出自蓟北门,遥望池上桑;枝枝自相直,叶叶自相当"。所谓"中有双飞鸟,自名为鸳鸯",实相当于《阮嗣宗集》卷下《咏怀》"林中有奇鸟,自名为凤凰"也。

建安以下,诗品愈靡。"永嘉时稍尚清谈,于时篇什,理过于辞。淡平寡味,爰及江表,微波尚传"《诗品》上叙。区其类别,可分为三,个人之幽怨,陆机《辨亡》,江淹《恨赋》是已。书翰之赠与,应制、酬友诸作是也。其有飘逸之神致者，惟渊明《归去来辞》，及采菊东篱诗。观于谢灵运之诗梦，而可知也。

王楙《野客丛书》卷十九云："《石林诗话》云：'谢灵运诗"池塘生春草，园柳变夏禽"，此句之工，正在于无心猝然，与景相遇，备以成章。不假绳削，故非常情之所能到。'仆谓灵运制此诗于西堂，致思竟日，不就。忽梦惠连，得此句，遂足其诗。非登楼时仓卒对景而就者。"叶、王之说，均得其偏。实则苦思焦作，忽有猝然对景之句，斯其所以可贵耳。大抵南方之文，华靡已极，反不如北朝质直有致。李延寿所谓"永齐南齐武帝天监梁武之际，太和北魏孝文天保北齐文宣之间，洛阳、江左，雅有异同。江左宫商发越，贵于清绮；河朔词义贞严，重乎气质"。《北史》八三《文苑传》叙此正谓厚实之风，反在北部。以今考之，则风吹草低见牛羊之歌，允为一代绝唱，而易见事，易识字，易读诵之主张，亦见于北齐颜之推《家训》卷四《文章》也，岂偶然哉？

当时诗笔虽有分详《十七史商榷》六十三"诗笔"条，然大致"发五声之音响，写万物之情状"《南史》七十二《文学传》，骈俪之作，文诗不无相染。盖幸有佛教文学之输入，而使一部分之文学作品，尚得遂其朴茂之生机尔。严羽云："禅道惟在妙悟，诗道亦在妙悟。"《沧浪诗话》页一佛道之影响文学如斯。

佛教文学之濡染，其一，则令作者之门户放大，题材典故，均受佛经之赐。如因果报应之收入小说是也。《汉书·艺文志》所谓小说，严格言之，无非街谈巷议之流，及六朝则有干宝《搜神记》、刘义庆《幽明录》等书，前者犹可谓为虞初之流，而后者则确受佛教之沾溉者。其二，则令文体变化如倒装句也，提掣句也，复杂句也，散韵交错之句也，胥译经诸作之所启露以撼振于世者梁著中卷，页一二八。其三，则译经诸公，原求梵汉均解，故立意名词，往往力求通俗梁著，页一三〇。其四，则令文学之情趣横生于哲理之中，与六朝诸汉文学作品比量，惟古乐府可与比拟耳。其他赋颂诗篇，未足拟比。

乐府之起源，已详本卷第十一节。吴兢曰："乐府之兴，肇于汉魏，历代文士，篇咏实繁。赠夫利涉，则述《公无渡河》；庆彼载诞，乃述乌生八九子；赋雉斑者，但美绣颈锦臆；歌天马者，惟叙骄驰乱蹋。类皆若兹，不可胜载。"津逮秘书一六七册盖文士取民间之题材，被乐府之音律，如《子夜歌》本为女子子夜所作之哀声，"后人依四时行乐之词，谓之子夜四时歌"也吴兢《乐府古题解》，页十四。六朝所作，惟此稍为朴远，有诗人之致尔。

梁任公云："试细检《藏》中马鸣著述，其《佛本行赞》实一首三万余言之长歌。今译本虽不用韵，然吾辈读之，犹觉其与《孔雀东南飞》等古乐府相仿佛。其《大乘庄严论》则直是《儒林外史》式之一部小说。"《近著》，页一三二然朴茂之词，一在民国，一在佛经，则俱可以反征当时贵族文学之靡靡焉。

二七　音韵与建筑

但佛教之影响于文学，最显著者，则音韵也。

沈括《梦溪笔谈》卷十四云："音韵之学，自沈约分为四声。及天竺梵学入中国，其法渐密。"《高僧传》卷十三谓释昙迁"善谈《庄》、

《老》，并注《十地》。常布施题经，巧于转读。有无穷声韵，梵制新奇，特拔终古”。其人盖与沈约同时。考约撰《四声谱》，自谓出神之作，且告梁武帝以“天子圣哲”《梁书》十三《约传》。盖缘“齐永明中，王融、谢朓、沈约文章始用四声，以为新变。至是转拘声韵，弥为靡丽”《南史》五十《庾肩吾传》。盖由于梵而转相祖述，故大行焉。

《南齐书》四一《周颙传》，颙好与方外交，“以玄言相滞，弥日不懈”。《封氏闻见记》云：“周颙好为体语，因此切字皆有纽。纽有平上去入之异，永明中沈约文词精伎，感解音律，遂撰《四声谱》、《文章八病》，有平头、上尾、蜂腰、鹤膝，自以为灵均以来，此秘未睹。时王融、范云之徒，皆称才子，慕而效之。由是远近文学，转相祖述，而声韵之道大行。”《闻见记》卷二则音韵由于佛徒，明甚。

四声之别，固渊源已久。周必大《二老堂诗话》页十二云：“四方声音不同，形于诗歌，往往多碍，其来允矣。如北方以‘行’为‘形’，故《列子》直以太行山为大形。”杨慎《丹铅总录》卷十九《音韵之原》则谓：“音韵之原，唐虞之世，已有之矣。《舜典》曰，声依永，律和声是也。元首喜哉，股肱起哉，百工熙哉；元首明哉，股肱良哉，庶事康哉，熙之叶喜起，明之叶良康，即吴才老《音韵》之祖哉。‘日出而作，日入而息，凿井而饮，耕田而食，帝于我有何力原注：依王充《论衡》改哉。力与上文息、食为韵原注：《列子》作‘帝力于我何有哉’，恐是传写之误。”王楙《野客丛书》云：“仆谓晋魏以前，对偶之语，不期然而自然，不为无之。非如后人，牵强组合，以为工也。”卷二十五叶梦得《石林诗话》页四一，津逮本亦谓：“晋魏间诗，尚未知声律对偶。

然陆云相谑之辞,所谓‘日下荀鸣鹤,云间陆士龙’,至于‘四海习凿齿,弥天释道安’之类,不一。乃知此体出于自然,不待沈约而后能也。”——诸家之说,胥谓音韵不始于沈约,然四声之意识地分别,要不得不谓始于齐梁焉。

四声不始于沈约,赵翼《陔余丛考》卷十九言之;顾亭林《音论》一“古人四声一贯”条亦引公羊庄二十八年《传》长言短言之别。钱大昕《潜研堂集》云:“……翻谓七音之辨,始于西域;岂古昔圣贤之学,乃出梵僧下哉?四声昉于六朝,不可言古人不知叠韵;字母出于唐季,不可言古人不知双声。”卷六,清经解本然音韵大备于六代之时,则无以否认也。段玉裁云:“考周秦汉初之文,有平上入而无去。洎乎晋魏,上入声多转而为去声,平声多转为仄声,于是四声大备。”《六书音韵表》一则大备固非备于古也。且大昕自云:“唐人所撰三十六字母,实采涅槃之文,参以中华音体。”《养新录》卷五“西域四十七字”则钱氏固认音韵与佛学有关。

反切者音韵之主干也,盖亦盛于斯时。史称孙炎为翻语,《颜氏家训》《音辞篇》云:“汉末独知翻语,至于魏世,此事大行。高贵乡公不解反语,以为怪异。自兹厥后,音韵锋出。”此与顾炎武谓反切自西域来《音论》一,清经解本者,同可征反切之学,得胡人接踵,佛典盛诵之推波扬澜者,不细也。

《音论》曰:“反切之学,自西域入中国。至齐梁盛行。然后声病之说详焉。”《音论》一盖亦举其大体者然。急言缓言,岂古人之不能。故《宋景文笔记》上页二云:“孙炎作反切语,本出于俚俗常言者,尚数百种。如谓孔为窟窿,不可胜举。”钱大昕《十驾斋养新录》卷五亦有“孙炎翻语”一条,谓此非始于炎。俞理初《癸巳类稿》卷七《反切证议》云。“三国时,孙炎作翻语,以双声字读就叠韵字,即得。后人因恶反字,乃名之曰切。盖两合读法,缓呼之则两字,急呼则一字也。论者谓反切自西域入中国,且分别反切异义乃下思之过。……《左传》先言寺人披僖二十四后言寺人勃鞮僖二十五,勃鞮,披也。《左传》先言公子鉏哀五后言且于,且于,鉏也。是皆一字。古人缓读之,则两字;以反言切之,即是反切。注谓地之一名,人之不名者,未明反语义也。以此推之,大祭为禘,丁宁为钲,蔽膝为韠,茅蒐为韎,行人为信,……皆中土自然之言。急读之,则反切也。”俞氏之说如斯。然反切之正式成学,固非始于上古尔。

四声之别,反切之学,既昌明于齐梁,其受影响者;则文学也。

如谓律诗之起,普通谓:“风雅颂既亡,一变而为《离骚》,再变而为西汉五言,三变而为歌行杂体,四变而为沈、宋律诗。”《沧浪诗话》页五《诗体》然“日下荀鸣鹤,云间陆士龙”,已有声韵对偶之律。故王东溆云:“律诗起于初唐,而实胚胎于齐梁之世。《南史·陆厥传》所谓五字之中,音韵悉异;两句之内,角徵不同者,此声病之所自,亦即律之所本。”《柳南随笔》卷三且不特后人言之也,《宋书》六七《谢灵运传》论固已言之。

《灵运传》论:“欲使宫羽相变,低昂互节。若前有浮声,则后须切响。一简之内。音韵尽殊;两句之中,轻重悉异。”《蔡宽夫诗话》云:“声韵之兴,自谢庄、沈约以来,其变日多。四声之中,别清浊以为双声,一韵者以为叠韵。所谓前有浮声,则后须切响是也。王融双声诗云:‘园蘅眩红蘤,湖荇晔黄华,回鹤横维翰,远越合云霞。’以此求之可见。”《渔隐丛话》卷一意同。盖已谓灵运辈知此声律之旨矣。

知文学声韵之导源自古,而匪单纯的发原于佛学,则建筑亦不能例外也。

其一例,则如精舍也。吴曾《能改斋漫录》云:“王观国《学林新编》云:‘《晋书》孝武帝初奉佛法,立精舍于殿内,引沙门居之。因此,世俗谓佛寺为精舍。观国案,古之儒者,教授生徒,其所居皆谓之精舍。故《后汉·包咸传》云:咸往东海,立精舍讲授。又《刘淑传》云:隐居立精舍讲授。又《姜肱传》云:盗诣精庐求见。注曰,精庐,即精舍也。以此观之,精舍本为儒士设。……’余按《三国志》注引《江表传》云:‘于吉来吴立精舍,烧香读道书。’然则晋武以前,道士亦立精舍矣。”《能改斋漫录》卷四“精舍”条夫精庐之设,固由讲读之风,然其盛而为一组织,则未始匪佛教隆盛之助也。

精舍为汉儒讲读之所,诚有如吴曾所记,如《魏志·武纪》注述曹公欲于谯东五十里筑精庐以读书是也。第佛学兴时,此项建筑益盛,汉儒讲经之风如石渠白虎故事见于汉,《魏志·高贵乡公传》亦有讲经事,其在南北朝则崔灵恩、严植之、刘献之、张吾贵均聚徒,见《南、北史》各传,渐渗入佛教成分,故李善注《文选》,至以精庐作寺观解,王应麟《困学纪闻》卷十三非之。初不知尔时之时世,精庐固与佛徒有关也。

其更与建筑以影响者，则佛寺是，而雕像属之。

在北朝之佛寺，则洛阳永宁寺之伟，“殚土木之功，穷造形之力”，《洛阳伽蓝记》卷一言之。而释道安在苻坚时，得“一外国铜像，……形相致佳，髻形未称。令弟子炉冶其髻，而光炎炳耀”，则见于《高僧传》卷五《释道安传》所记。——稍后则有石刻佛经佛像矣。

叶昌炽《语石》云：“自白马东来，大启浮屠精舍。至魏太和中，始有造像，然尚未刻经也。……佛经之有石刻也，其在高齐宇文周之时乎。阳曲一石，齐刻之最先者也；邹峄四山，周刻之最先者也。”《语石》卷四盖精舍寺院之立，匪特有关于建筑，兼亦有关于艺术也。

其在于南，则宋文帝时，“丹阳尹萧摹之上言，佛化被于中国，已历四代。形像塔寺，所在千数。自顷以来，情敬浮末。不以情诚为主，更以奢竞为重。材竹铜彩，糜损无极。请自今欲铸铜像，及造塔寺者，皆当别言。得报，乃许为之。”《通鉴》一二二则汉季三国第十五节之佛教建筑，至此益得进步，可知已。

由此观之，佛教所以赐与于思想文艺者何限？江南虽屈辱之邦，然以士夫之放诞旷达二十三节，重之以高门大族之雍容令仆二十四节。申之以玄学谈麈之习二十五节，加之以浮声切响之文，与烟雨楼台，松风寺院，缀文载笔之夫，踯躅于江天一望，徘徊于精舍浮屠，斯南朝所以为新霁之域，而江南文物之所以不朽也。其在北朝，则非无放诞也，非无族阀也，非无文学玄谈佛学也，第新造之邦，以规摹中国政治为重，故蓄意华化，与经学明盛，反有以殊于新霁后之南方也。

南方繁盛，据胡仔《苕溪渔隐丛话》卷十二后集及《景定建康志》卷十六云："马野亭诗：'依依燕子可怜生，相向于人真有情。不道华堂曾止息，如今穷巷莫经营。六朝盛事空流水，千载遗踪只旧城，白日飞忙难话此，话时须待夕阳明。'"此正与杜牧之诗"南朝三百六十寺，尽在楼台烟雨中"，均于坠废之余，凭吊南朝之文物也。

二八　两晋六朝之科学

然东晋之百年三一八至四二〇，南北朝之百五十年四三九至五八九，江南文物，固亦有务实足诩者，匪限于玄谈佛学及因佛学而生者也参看第二十一节。如荀济北辈之善画《世说·巧艺二三》，王羲之辈之工书，且勿屑数也。

魏晋之时，书法甚精，殆亦笔墨进步之征。钟繇、王羲之无论已，而北朝若张景仁、冀儁、赵文深等，亦各善书《北史》各传。《语石》且称郑道昭诸刻，"自有真书以来，一人而已。"《颜氏家训》《杂艺》十九称王逸少举世惟知其书，萧子云以笔迹得名，王褒崎岖碑碣之间，辛苦笔砚之后，致之推有"慎勿以书自命"之叹，可知当日楷隶之盛也。

如以方士之炼丹言之，此固汉俗之遗，汉武帝时，"言神怪奇方者，已万数。”《史记》二十八《封禅书》然东晋之初，《抱朴子内篇》二六言黄白云：“以铁器硝铅，以散药投中，即成银。以鸡子白化银，银黄如金，此皆外变而内不化也。”散药且莫论，其鸡子白化银，则有合于 $H_2S + 2Ag \rightarrow Ag_2S + H_2$，因 Ag_2S 固黝黄者也。

朱一新《无邪堂答问》卷四云：“西人重光电化之学，近人以为皆出《墨子》，其说近之。《关尹》、《亢仓》、《吕览》、《淮南》、《论衡》皆有之。《列子·汤问篇》有重学，《仲尼篇》有光学，《抱朴子·金丹篇》合诸药及水银以成黄金，即化学之理。西人亦自言化学之法，本于炼丹。”案炼丹之术，宋人亦盛行之矣《庶斋老学丛谈》卷下页二十二。但西人由炼丹而进为化学，我则始终如故，则又后之时世为之也。

如以地理学言之，裴秀《晋书》三五、谢庄《宋书》八五之地图无论已。北魏张楫之《广雅》卷九上所言“九天”，固未免荒谬不经《广雅》九上，然张华《博物志》卷一已信《考灵曜》之说谓：“地常动不止，如人在舟坐，舟行而人不觉。”以较汉人之言地者无逊色也。

汉人言地，如《大戴礼》五八《天圆》云：“单子离问于曾子曰：‘天圆而地方，有之乎？’曾子曰：‘离，而闻之云乎？’单子居曰：‘……如诚天圆而地方，则是四角之不揜也。’”此亦可以证明汉人之科学观也。

如以历家言之，当时人亦能推陈出新。东汉“顺帝时，张衡制浑天仪象，其后陆绩亦造浑象，至吴时王蕃，尤善数术。刘洪依其法，而制浑仪”《晋书·天文志》。张华亦知“削木成圆盂，举以向日，以艾于后承其景，则得火”。《博物志》卷四而梁时则重云殿前所置铜仪，“其运动得东西转，以象天行”。“南北低仰，所以占验辰历，分考次度”《隋书·天文志四》。自陈入隋，一代之巨制也。

如以算经言之，《九章算术》，固汉人之遗。以书中有长安、上林知之《四库提要》百七《九章算术提要》。《孙子算经》，亦东京人所改作，以书中有长安、洛阳相去几里，佛书二十九章，章六十三字知之同上《孙子算经提要》。然《海岛算经》确系晋人刘徽所撰同上《海岛算经提要》。而《五曹算经》，分田曹、兵曹、集曹、仓曹、金曹者，撰人虽不明，得北齐邢鸾之注，而益明。虽所述不过加减乘除之理，而使算术列于规矩，要不得谓非尔时之进步也。

如以圆周率言之，《五曹算经》之算弧田卷一，固仅知折半乘矢。然祖冲之之周率，《隋书》卷十六《律历上》云：“古之九数，圆周率三，圆径率一，其术疏舛。自刘歆、张衡、刘徽、王蕃、皮延宗之徒，各设新率，未臻折中。宋末，南徐州从事史祖冲之，更开密法，以圆径一亿为一丈，圆周盈数三丈一尺四寸五厘九毫二秒七忽；朒数三丈一尺四寸一分五厘九毫二秒六忽。正数，在盈朒二限之间。密率圆径一百十三，圆周三百五十五，约率圆径七，周二十二。”与此时东西洋人所能知之圆率，比长较短，则岂但冲之之荣，亦六代之光；岂特六代之光，亦吾民族之华誉也。

茅以升曰：“此第五世纪世界最精之圆率也。其时印度仅有三一四一六，欧人亦仅仅至三一四一五五二之率，视此自有愧色。祖率睥睨天下，九原有知，亦自豪矣。”《东方杂志》十五卷十四号《中国圆周率略史》

如以机器言之,《南史》七二称冲之造记里车,造千里船,造攲器,已尽人工之能。记里车之造法,详前二十一节至冲之千里船,后世匪无遗者。“唐王皋为洪州观察使,多巧思,尝为战舰,挟以二轮,令蹈之,其疾若挂帆席。”《册府元龟》卷九〇八《新唐书》卷八十《旧唐书》卷百三一记此,为李皋事。且言皋攲器,则皋殆亦承冲之之遗耳。

冲之千里船之制,宋时犹有存者。陆游《老学庵笔记》谓湖寇杨么有车船是也《笔记》一,页二二。杨么用车船,亦见于《宋史》三六五《岳飞传》。李心传《建炎以来系年要录》卷五十九绍兴二年十月则载为杨太。“车船者,置人于前后,踹车进退。”又绍兴三十一年,虞允文与金主亮战于瓜州,允文以车船三周金山,上下如飞,众皆骇愕,亮曰:“纸船耳。”《宋史》三八三《允文传》则冲之遗制,尚有用者。其在宋末,惟吴自牧《梦粱录》卷十二“湖船”条云:“贾秋壑府车船,船棚上无人撑驾,但用车轮,脚踏而行,其速如飞。”盖纯然用于游观矣。宋以后未详。

朱新仲《猗觉寮杂记》云:“诸葛木牛之制见于注,刘晏之孙濛,宣慰灵夏,始议造木牛运。《南史》祖冲之造千里船,不因风水,施轮自运,亦因木牛流马之制。”卷下页三十五,知不足斋本未知其何所据而云然。

昔《庄子》《天地篇》寓言谓汉阴丈人为农圃,凿隧入井,拥甕出灌,子贡劝以桔槔之用,可日浸百畦。丈人以有机事者,必有机心。吾非不知,羞而不为对。近世如欧阳泉《省堂日记》页二,申聚珍本亦谓:“古人以机巧为耻,成汤破坏飞车,汉阴丈人,不屑桔槔。公输欲以机封,公孙假责以毋尝巧,盖浑沌未尽凿也。后世去古日远,机事渐多,有明末造,西洋人入中国,一切器物,竞以机巧相炫耀。济日用者,十之一,助荡佚者十之九。不惟虚耗物力,必且深陷人心。”求如颜黄门之劝其子弟,“医方之事,取妙极难,不劝汝曹以自命也。微解药性,小小和合,居家得以救急,亦为胜事”《家训》卷七《杂艺篇》。盖亦不可多得。则上古近世之论科学者,殆无以愈于六代清谈混乱之世也。后魏贾思勰著《齐民要术》,序称:“起自耕农,终于酝醢,资生之乐,靡不毕书。”《直斋书录解题》又引贾语谓:“治生之道,不仕则农。”《提要》一〇二王叔和注《伤寒论》,宋高保衡亦誉为“仲景于今,八百余年,惟叔和能学之”《提要》一〇三。斯数人者,盖六代之菁英,岂当时政治混乱,思想尚未集一;故不尚伎巧,不为老圃之毒训,未深印于人间。即有维持传统思想者,亦仅仅顾颉之一流人,故南北朝之科学家,乃能有祖冲之一流人之不朽耶?

余继登《典故纪闻》卷二称:“司天监进元主所进水晶宫刻漏,备极机巧。中设二木偶人,能案时自击钲鼓。太祖曰:废万几之务,而务用心于此,所谓作无益而害有益也,命碎之。”可见一统时之禁止奇器政策,名为帝王至德。而其实则中伤科学者矣。

《宋书·顾觊之传》记沛人唐赐饮邻人酒,得病,吐蛊二十余物。将死,命其妻及子,以刳验脏腑,则果糜碎矣。觊之议,母子忍行刳腹,从父乱命,当俱弃市。刘勰力争不得《宋书》八一。腐想如此,故生理解剖之学,古今来直同痴人说梦。清人王清任《医林改错》云:“自恨著书,不明脏腑,岂不是痴人说梦，治病不明脏腑，何异于盲子夜行。十年之久，念不久忘。嘉庆二年丁巳，年三十，四月初间，游于滦州稻地镇。彼处小儿，正染瘟疹痢症，十死八九。无力之家，袋席裹埋，彼处乡风，更不深埋，意在犬食，利在下胎不死。故各义塚中，破腹露脏之儿，日有百余。余每日压马过其地，未尝不掩鼻。后因念及古人所以错论脏腑，皆因未曾亲见，遂不避污秽，每日清晨，赴义塚取群儿之露脏者，细视之。大抵有肠胃者多，有心肝者少。互相参看，十人之中，看全不过三人。连视十日，大约看全不下三十余人。始知医书中所绘之脏腑形图，与人之脏腑，全不相合。即件数多寡，亦不相符。”《大公报》二十二年十一月二十二日——因觊之事附及之。

第九章　北方开明

二九　北方华化之初期

现于《齐民要术》之作者为后魏人，知北方未尝无人。

盖自永嘉已后，北方固混乱已极；然五十年后，苻坚兴起三五七至三八三，则北方小康者二十余年。坚固“跨三分之二，居九州之七，遐荒慕义，幽险宅心”《晋书·坚载记》者也。坚败于三八三年东晋孝武太玄八年；又五十年而北魏并吞北方，与宋对峙四三九年；北魏则版图较南为大者也详《方舆纪要》卷四。又百年而魏分东西五三四年梁武中大通六年，中经北齐、北周，北周灭齐，至隋而篡周平陈五八九年，盖又五十年也。上下三一〇至五八九二百七十余年，南方经东晋、宋、齐、梁、陈，北方局势，亦浸浸变昔矣。

永嘉至苻坚三一〇至三五七乃刘石用兵之第一个混乱。苻坚之治三五七至三八三，则第一次小康。苻坚败至后魏兴三八三至四三九，乃沮渠蒙逊、赫连勃勃之第二个混乱；至后魏开国，至魏分东西四三九至五三四，则第二期承平。自东、西魏经齐、周以至隋之平陈五三四至五八九，则第三次混乱也。总计第一个混乱五十年，第一个小康半五十。第二个混乱五十年，第二期承平百年。第三个混乱五十年，而后有隋唐之统一——混乱之程度，第一期最甚，二三次之；承平之时间，苻坚、北魏、隋唐、亦随次而长；读北史者，要当知此。

永嘉之前，曹操谓魏“种不南走越，北走胡，不汝贷也”《魏志》一《武纪》。明胡越不足与中原齿。然在苻坚小康中，民歌云：“长安大街，夹树杨槐，下走朱轮，上有鸾栖。英彦云集，诲我萌黎。”《晋书》一一三《坚载记》则胡之为胡，不殊于南方开化时之越之为越参看本卷二一节。而“利鹿孤欲称帝”，其从谏曰：“吾国自上世已来，被发左衽，无冠带之饰，逐水草迁徙，故能雄视沙漠，抗衡中夏。且虚名无实，徒为世之质的，将安用之？”《通鉴》一一二则异族之慕我政制，又岂限于一苻。在北魏承平中，则陈庆之曰：“自晋宋以来，号洛阳为荒中。此谓长江以北，尽是夷狄。昨到洛阳，始知衣冠士族，并在中原；礼仪富盛，人物殷阜。”《洛阳伽蓝记》卷二则魏之风教，不下于宋、齐、梁之文物也。再下则西魏宇文泰，知仿《周礼》《困学纪闻》卷四，亦不下于梁、陈之治也，可知南越固新霁之邦，北胡亦开明之域，——所惜者，在第一、第二、第三次混乱中，不能不有劫燹尔。

此二百余年之兵燹，《困学纪闻》卷二十，曾举户口较数，以征兵祸之惨。

然兵祸虽惨，而代价亦有。一则诸胡多治中国学问《晋书》刘渊、刘和、刘曜、石勒、慕容皝、苻坚、姚襄、姚兴、沮渠蒙逊载记，二则诸胡多仿中国教学《晋书》刘曜、石勒、石虎、慕容皝、苻坚、姚苌、姚兴、冯跋各载记，三则当时为政者，大抵中土旧人：如石勒用张宾《石勒载记》，苻坚用王猛《坚载记》，慕容廆用裴嶷《廆载记》，此皆昭昭大者。异日元魏建国，如高祖用王肃，肃以“太和十八年四九四年归顺，时高祖新营洛邑，多所造制。肃博识旧事，高祖甚器之”《伽蓝记》卷三。即在高祖以前，崔浩虽称“太祖用漠北淳朴之人，南入中地，变风易俗，化洽四海”。然浩本人“才艺通博，究览天人，政事筹策，时莫之二。属太宗为政之秋，值世祖经营之日，言听计从，宁廓区夏”《魏书》三五《崔浩传》。则浩亦不无功于魏尔。

与东晋对峙之苻坚，其于佛教也，则嘱吕光于西伐龟兹之役，罗致鸠罗摩什，谓：“贤哲者国之大宝。”《高僧传》卷二则坚能迎新也。其于内政也，“广修学宫，召郡国学生，通一经者充之。公卿已下子弟，并遣受业。其有学为通儒，才堪干事，清修廉直，孝弟力田者，皆旌表之。于是人思劝励，号称多士。盗贼止息，请托路绝。田畴修辟，帑藏充盈，典章文物，靡不悉备”《晋书》一一三《坚载记》。则坚能整旧也。其于市政也，“自长安至于诸州，皆夹路树槐柳，二十里一亭，四十里一驿。百姓歌之曰：‘长安大街，夹树杨槐，下走朱轮，上有鸾栖，英彦云集，诲我萌黎。’”《坚载记》则坚能集新旧于一炉，而开展之也——坚之作为，其有益利于第一期之混乱以后者，岂仅跨三分之二，据九分之七而已。

《高僧传》卷五《道安传》云：“初坚承石氏之乱，至是民户殷富，四方略定，东极沧海，西并龟兹，南包襄阳，北尽沙漠。惟建业一隅，未能抗伏。坚每与侍臣谈话，未尝不欲平一江左。以晋帝为仆射，谢安为侍中。”此虽坚之豪语，然淝水之役，晋果覆亡，于中国固未始无益也。且此时之南朝，正在以族举官；故桓温入关，王猛被褐谈当世之事，而温默然无以酬之，猛由是投于苻坚。而坚一见之后，拟以玄德之于孔明；后世惟张元遇夏主元昊详《容斋随笔》卷十一记张元事差为近之尔。

苻坚半五十年之小康以后，又有五十年之混乱三八三苻坚亡年至四三九南北分治。然此期之混乱，视永嘉时之刘渊、石勒，则有间矣。夏主赫连勃勃者，杀人以为京观者也。然义熙十三年四一七，“刘裕遣使遗勃勃书，约为兄弟。勃勃使皇甫徽为报书，而阴诵之，对裕使者，口授舍人使书之。裕读其文叹曰：‘吾不如也！’”《通鉴》一一八其援华文以自重，昭昭然明。盖亦“法玄象而开宫，拟神京而建社，窃先王之徽号，备中国之礼容”者《晋书》一三〇《勃勃载记》论，视石勒亦悬殊矣。

当时北方风气，殊有更易。故潘崇和曰：“汝颍之士利如锥，燕赵之士钝如锤，信非虚焉。”《洛阳伽蓝记》卷三勃勃都城，在今榆林西北，古曰统万《方舆纪要》卷三。然能“高构千仞，崇基万寻，玄栋镂槛，若腾虹之扬眉；飞簷舒咢，似翔鹏之矫翼”《渤勃载记》，则勃勃亦有功于燕赵者已。

至于南北分治之北魏百年四三九至五三四，则北族之吸收汉人文明，以开发乱后之北方者，更为明显矣。

魏在道武帝三八六至四〇九时，固知兴学。其都平城，“已有学官，置尚书曹”《宋书》九五《索虏传》。明元帝四〇九至四二四后，已娶汉女为妃《魏书》一三。世祖始光二年四二五，宋元嘉二年诏曰：“篆隶草楷，并行于世。然经历久远，传习多失其真。故令文体错谬，非所以示轨则于来世也。孔子曰：名不正，则事不成，此之谓矣。今制定文字，世所用者，颁下远近，永为楷式。”《魏书》四上此其时固犹在高祖孝文帝之前也，而经国规模如斯。

此等经国规模，当由中士旧族擘画，崔浩谓“太祖用漠北淳朴之人，南入中地？变风易俗，化洽四海”，疑非实录。但明元太宗已召诸儒术士，世祖亦能尽崔浩之才，“言听计从，宁廓区夏”《魏书》三五《浩传》。其在高祖孝文时，则王肃于“太和十八年四九四年南齐明帝归顺，高祖甚为器重”《洛阳伽蓝记》卷三。则后魏之所以为后魏，盖自有旧民族之优秀者，为之助也。

即如制造杂体文字，颁之民间，固亦为能活用中国旧时文物之征。《语石》卷八页三十一云：“顾亭林《金石文字记》曰：后魏孝文帝《吊比干文》字多别构。《颜氏家训》言：‘晋宋以来，多能书者，不无俗字，非为大损。至梁大同之末，讹替滋生。北朝丧乱之余，书迹鄙陋。加以专辄造字，猥拙甚于江南。乃以百念为忧，言反为变。’今观此碑，为知别体之兴，自是当时风气。而孝文之世，即已如此，不待丧乱之余也。江式《书表》云：‘皇魏承百王之季，世易风移，篆形错谬，隶体失真。俗书鄙习，复加虚巧。谈辨之士，又以意说，炫惑于时，难以厘改。’《后周书·赵文深传》，太祖以隶书纰缪，命文深等依《说文》及字体，刊正六体，成一万余言，行于世。盖文字之不同，人心之好异，莫甚于魏、齐、周、隋之世。《说文》所无，后世续添之字，大抵出此。”亦可见后魏治国之能推陈出新，不为华化所拘也。

至于高祖孝文帝，则其迁都一事，足以表白向治之诚，华化之烈。其谓任城王澄，则曰："国家兴自北土，徙居平城。富有四海，文轨未一，此间用武之地，非可文治；移风易俗信为甚难。崤函帝宅，河洛王都，因此大举，先宅中原。"《魏书》一九《澄传》其语陆叡，则曰："朕修百官，兴礼乐，其志固欲移风易俗。朕为天子，何必居中原？正欲卿等子孙，渐染美俗，闻见广博，若永居代北，复遇不好文之主，不免面墙耳。"《通鉴》一三九——迁都盖太和十九年四九四也，此可以见孝文之渴思华化矣。

《魏书》卷七记太和十九年，诏改长尺大斗，依《周礼》制度。又诏求天下遗书秘籍，有裨益时用者，加以优赏。此皆渴近徙都间事，可知孝文之作为矣。

东莱《史论》云："以夷狄之姿，骄淫之性，而入中国，纷华之域，必至于子女盛矣，土木兴矣，此慕容、苻、姚之所以不能久也。元魏居于云中，……迁洛之后，其国衰矣。夷狄，鸷鸟也，去其利爪而傅之以凤凰之羽，则无德可照，无威可畏，取死于虞罗必矣！"《郡国利病书》卷十三引案北魏迁都之后，以较南朝，势未稍衰。而因其利爪，傅以凤毛，故不至如石勒、刘渊之终于土崩瓦解。而异日番胡之袭姓李者，终为中国文明——唐人——之助，未始非元魏华化，有以先导之也。

唐朝实北朝之余，说详《北平女师大学术季刊》一卷四期刘盼遂《李唐为蕃姓考》、《历史语言研究所纪念论文集》陈寅恪《李唐氏族之推测》。

三〇　华化推行与经学昌明

北魏高祖孝文帝，正当南朝南齐时也。

然孝文之作为，又岂止于自平城徙都洛阳一事哉？太和四年，罢烦祀建太庙《魏书》一〇八《礼志》**，太和七年，禁同姓为婚**《魏书》七《高祖纪》**。八年，置官班禄。又许"百辟卿士，工商吏民，各上便宜"**帝纪**。十年，定车服礼乐，十四年立史官，十七年耕籍田，而其禁胡服胡语，奖汉胡通姻，其事尤伟。不亚于改蕃姓为汉姓也。**

魏立史官，殊异于南朝史官之久受压制，噤不敢言《廿二史劄记》卷九《宋书》"革易之际"。魏之崔浩，反能以直笔自诩详《魏书》四八《高允传》。后虽得罪，要所见北方新造之邦，箝制反宽也。禁胡语事，详《魏书》二一《咸阳王禧传》，案此时，南方固有学北语者《抱朴子·讥惑篇》，又不少有北方残民，学鲜卑语者《颜氏家训·教子篇》。而孝文则"欲断诸北语，一以正音。年三十以上，习性已久，容或不可卒革。三十以下，见在朝廷之人，语音不听仍旧。若有故为，当降爵黜官，各宜深戒。如此渐习，风化可新；若仍旧俗，恐数世之后，复成被发之人"《魏书》二一上《咸阳王禧传》。则孝文坚决之致可想。改北姓为汉姓，如改拓跋为元，步六孤为陆，独孤为刘。又诏诸王聘汉人华族之女，其前室则降为妾媵，俱详《通鉴》卷一四〇太和二十年。考姓氏之学，《白虎通》云："姓生也，人所禀天气，所以生者也。所以有氏者何？所以贵功德，贱使力，或氏其官，或氏其事，闻其氏，即可知其所以；勉人为善也。”卷三《姓氏篇》此殆古代阀族之遗。经北魏大批混杂，在当时南人言之，自多隐痛。然以此隐泯华贱之别，则其功岂不大哉？

考孝文前后魏主立法垂制，颇得中华体意。太和十四年诏云："隐口漏丁，即听附实朋比豪势，陵抑孤弱，罪有常刑。"帝纪此即南朝抑制富人详《太炎文录》卷一页七二之风也。然前乎孝文，世祖太武帝时，已诏"民官多贪，诏吏民得举告守令不如法者"。《通鉴》一二三元嘉一四年古弼奏事太武，"世祖与刘树棋，志不听事。弼侍坐良久，不获申闻，乃捽树头，掣下床，以手搏其耳，以拳殴其背。曰朝廷不治，实尔之罪，世祖失容放棋"《魏》二八《弼传》。前者，则汉世禁奸之遗，后者亦古者君臣不相隔绝之意也。

古者君臣不相隔绝，如樊哙排闼以见高祖《史记·哙传》，至于禁锢奸赃，已见于《后汉书》六九《刘恺传》。后魏禁奸之令，《魏书》六四《郭祚传》亦有"奸臣逃窜，徙其兄弟，罪人妻子，复应徙之，一人之罪，祸倾二室"之语。则魏法之困汉，殆亦不谋而合耳。此实《日知录》卷一三"除贪"条、"禁锢奸臣子孙"条所未及者。

且不仅慕中国之政制风教而已。兼亦利用汉人。

世祖用崔浩，此诸张良《魏书》三五《浩传》。而其用王慧龙也，其事尤盛。慧龙以阖家为刘裕所诛，只身奔北。宋帝曾致反间，世祖曰："此齐人忌乐毅耳。乃赐慧龙玺书曰：'义隆畏将军如虎，欲相中害，朕自知之。风尘之言，想不足介意。'"《魏》三八《慧龙传》王肃于高祖太和十八年归顺，则尚公主《伽蓝记》卷三。盖肃之来奔也，“高祖雅相器重，朝野属目”《魏》五五《刘芳传》。此等南材北用之事，虽吴用子胥、晋用胥臣，无以远过也。

即以学术而言，盖亦步趋南朝之盛者。

佛教盛于江南，而洛阳伽蓝，如永宁寺者，“九层浮图，高九十丈。有刹。复高十丈。合去地一千尺，去京师百里遥，已见之”《伽蓝记》卷一。故于孝宗“入夜迷道，乃依佛塔而行”《魏》五六《孝宗传》。“造像莫先于元魏，青阳吴氏有太和二年不刻，世无拓本，千金敝帚”《语石》卷五页二。其在“龙门，自元魏以来，依山镌佛，魏造者十之三，唐造者十之七。间有高齐所刻，隋刻仅开皇一通”。《语石》卷五页一佛行于南，而佛之盛于北也可知。道教虽昌明于南，而魏时寇谦之之学，“世祖至亲至道坛，备受符录”《魏》一一四《释老志》。则道教亦盛于北耳。

至于经学之盛，如崔浩曾注经书《魏》四八《高允传》，显祖亦尝兴学同上。刘芳在高祖时，时人有刘石经之目《魏》五一《芳传》，李彪“手抄口诵，不暇寝食”，“辖轩骤指，声骇江南。秉笔立言，足为良史”《魏》六二《彪传》。游肇在世宗时，亦“耽好经传，手不释书，治《周易》、毛《诗》，尤精三《礼》”《魏》五五《肇传》。《魏书·儒林传》卷八四序云：“永嘉之后，运钟丧乱，宇内分崩，群凶肆祸，生民不见俎豆之容，黔首惟睹戎马之迹。礼乐文章，扫地将尽。太祖初定中原，虽日不暇给，便以经术为先。……高祖钦明稽古，笃好坟典。坐兴据案，不妄讲道。刘芳、李彪诸人，以经史进；崔光、邢峦之徒，以文史达。斯文郁然，比隆周、汉。”夫永嘉丧乱之后，刘曜、石勒、石虎、慕容皝、儁、苻坚、姚苌、姚兴、冯跋之徒，何尝不修庠序，讲经史？详《晋书》各载记但好之不如魏主之笃，行之无如魏世之长。《廿二史劄记》云："六朝人虽以词藻相尚，然北朝治经者，尚多专门名家。……固由于士习之古，亦上之人有以作兴之。卢丑当太武帝监国时，入授经后，以师傅恩赐爵济阴公。张伟当太武时，以通经官中书侍郎。孝文尤重儒学，尊三老五更，又开皇子之学。刘芳、李彪诸人，皆以经书进用。此元魏之崇尚经学也。可见北朝偏安窃据之国，亦知以经术为重；在上者既以此取士，士亦争务于此，以应上之求。故北朝经学，较南朝稍盛。"卷一五——此胥可证北朝华化之有裨于学术者。

《北史·儒林传》云："南人约简，得其英华；北学深芜，穷其枝叶。"然南人约简如"皇侃之《论语义疏》，名物制度，略而勿讲，多以《老》、《庄》之旨，发为骈俪之文"《经学历史》页三七。焦循曰："魏儒学最隆，历北齐、周、隋以至唐武德、贞观，流风不绝。故《魏书·儒林传》为盛。"《经学历史》页三九经学诚不足以代表文物，如昔贤所斤斤，然亦足见北方开朗，与隋唐思想之关系矣。

顾北方经学，要不得不言以南国为母者。平恒在世祖时，"别构精庐，并置经籍于其中，一奴自给，妻子莫得而往"《魏书》八四。则北朝讲经者，亦学南方有精庐焉。推而广之，中国经永嘉丧乱之后，东晋萧梁，固曾搜罗文献详《隋书·经籍志》。然魏时固亦因儒生之言，而及此。如太祖问李先以"天下书籍，凡有几何"？因定班制经籍之制《魏》三三《李先传》。世宗时，孙惠蔚亦请"广加推寻，搜求令足"《北史》八四。则北朝保障文物于刘石陵之劫后，自亦规抚南朝。

然所谓华化者，固亦有受南朝之恶习者。如南朝矜尚门第，北方亦尤而效之。如游雅字黄头，世祖时，与高允俱知名。“好自矜诞，陵猎人物。高允重雅文学，而雅轻薄允才。允将婚于邢氏，雅劝允娶于其族。允不从，雅曰：‘人间河间邢，不重广平游。人自弃伯度，我自敬黄头。贵己陵人，皆此类也。’”《魏书》五四贵己陵人，此异日魏收之撰《魏书》，所以多娶族而传也。

《十七史商榷》卷六八云：“北史一家之人，必寓于一篇，而昆弟子孙后裔，咸穿连之，使国史变作家谱，此最谬妄。”《廿二史劄记》卷十云：“一人立传，而其子孙兄弟宗族，不论有官无官，有事无事，一概附入，竟似代人作家谱，则自魏收始。”则北朝沾染南风，亦重阀族；可见。

综言之，北朝之开启，全在仿摹中国旧物。变政也，立法也，用人也，修学也，胥无不受故中国之锡予。其有自创革者，则仅崔亮创停年格一事。停年格者，“不问士之贤愚，专以停解日月为断”。亮外甥刘景安规亮曰：“殷周由乡塾贡士，两汉由州郡荐才。魏晋因循，又置中正。谛观在昔，莫不审举。虽未尽美足，应十收六七。而朝廷贡材，止求其文，不取其理。察孝廉惟论章句，不求治道。立中正，不辨人材，空论氏姓。如之何反为停年格以限之，天下之士，谁复修厉名行哉？”《魏书》六六《崔亮传》观亮之所立，刘之所言，可知“中正”之弊，势必更易。然为此停年格，而“贤愚同贯，泾渭无别”者，则亦征北魏政教之善于华化，而不善于自辟蹊径矣。

所谓停年者，即今人崇尚资历之始。亮虽有其不得已，盖由魏季武人乱政,“羽林之变,既姑息于前;武人之除,复滥开于后,不得已而为此例”《日知录》卷八“停年格”条。易言之,即由于后魏政治环境之特殊出品,非华化也。而其制度之不良,则当日辛雄已谓:“士无善恶,岁久先叙;职无剧易,名到授官。”《魏书》七七《辛雄传》深非之矣。

三一　均田制度

自“经学”“华化”而来,则均田制度,亦其一也。

盖自王莽“王田”失败以还,东京诸思想者,如崔实《政论》则以“立井田之制”为“多为累”《后汉书》八二《实传》。荀悦《汉纪》,虽谓可行于地旷人稀之时《通考》一,仲长统虽谓欲立太平,舍井田其道无由《后汉》七九《仲传》。然仲氏固愿场圃筑前,果园树后者,且东汉一代之地主,其势固甚烈焉。东京以后,则荒乱继焉。

《东观汉纪》卷二谓光武时垦田不实,明帝以近臣近亲对。盖开国之时,樊崇好货殖《后汉》六二《樊宏传》,桓谭谓富豪之徒,“中家子弟,为之保役。趋走与臣仆等勤,收税与封君比入,是以众人慕效,不耕而食”《后汉》五三《桓谭传》。仲长统斥豪人货殖,谓:“荣乐过于封君,势力侔于守令。”《长统传》以曹操之雄,亦为雄豪所疾,恐致家祸《魏志》一注引《述志令》。粤在三国,孙休谓租入过重,农人利薄《吴志》三《休传》,至于兵燹以后,荒地之多,则《魏志·卫觊传》、《高堂隆传》、《陈群传》均言之。晋略一统,而未几东渡。庾峻谓:“鄢陵旧五六万户,今裁数百。”

《晋书》五〇《峻传》魏收《魏书》九六述司马叡东晋元帝谓："割有扬荆梁三州之土，因其故地，分置郡县，户口至有不满百者。"虽或诋毁过甚，然非漫无所因也。

晋时，虽定户调之制，"丁男岁输绢三匹，绵三斤，女及次丁男为户者半输。男子一人，占田七十亩，女子三十亩。其外，丁男课五十亩，丁女二十亩，次丁男半之，女则不课"。又定贵贱占田之制，品第一者五十顷，五顷为差，至九品而为十顷。而又以品之高卑，荫其亲族，多者及九族，少者三世，其荫佃客者，亦以官品大小有差《晋书·食货志》。然当时石崇已豪富《晋书·石苞传》，而过江之后，刘弘已谓"公私兼并"《晋书》六六《刘弘传》，应詹亦斥："贫富兼并，虽皋陶不能使强不陵弱。"《晋书》二六《食货志》而洪迈《容斋随笔》续笔卷一又载渡江以后，货卖牛马田宅者，百分抽四，卖三买一，契税牙税之制。——土地属于私有，盖如日而中天，占田限田云乎哉？东晋以后之南朝，更无论已。

《宋书》五四称孔灵符产业甚广。《南齐》三四《虞玩之传》称黄籍失注，毫不可问。梁武帝大同七年，谓豪家富室，多占取公田，贵价僦税，以与平民《梁书》二《武纪》。徐勉谓创辟田园，货殖聚敛，皆距而不纳，以省息纠纭《梁书》二五《徐勉传》。陈后主亦下令曰："诈伪日兴，簿书岁败。辍耒成群，游手为伍。"《陈书》六《后主纪》亦可征南朝之毫无土地制度矣。

其在北方，慕容皝以牛给民，田苑中而公收其人，二分入私《晋书》一〇九载记。苻坚号称思治，然亦计未及于田制。而北魏肇兴以前，丧乱多年，户口凋敝，王应麟《困学纪闻》卷二十言之，马氏《通考》言之，赵德麟《侯鲭录》卷八言之。黄震孙《限田论》曰："盖北方本土旷人稀，而魏又承十六国纵横之后，人民死亡略尽，其新附之众，土田皆非其所固有；而户口复可得而数，是以其法易行也。"《切问斋文钞》卷一五引——此后魏均田制度未行以前之历史的背景也。

然魏在世祖以前，如恭宗四二七至四五一则颇喜营田宅，高允以所在田园分给贫下为谓《魏书》四五《允传》。太祖虽有徙民实京师，给牛计口授田之事，要亦施诸一时，行之一处《魏书·食货志》。世祖孝文帝雅好经术，又以三长立后，民人"始返旧墟，庐井荒毁，桑榆改植。事已历远，易生假冒，争讼迁延，连纪不制"《魏书》五三《李安世传》，激于荒地之认主相争，故"均田之制起此"。——此后魏均田制将行时之事实背景也。

三长者户籍也，《李冲传》称："旧无三长，惟立宗主督护，所以民多假冒。五十三十家方为一户，冲以三正治民，所由来远，于是创三长之制而上之。"《魏书》五三，案"三正"盖指《周礼》之党正、闾正《通鉴》系此于南齐永明四年，云："冲上言，宜准古法五家立邻长，五邻立里长，五里立党长。取乡人强谨者为之。……初立党里邻之长，定民户籍，民始皆愁苦，豪强者尤不愿。既而课调省费十余倍，上下安之。"案永明四年为魏太和十年，《魏书·李安世传》云："安世上疏曰：窃见州郡之民，或因年俭流徙，弃卖田宅，漂居异乡。三长既立，始返旧墟，庐井荒毁，桑榆改植，事已历远，易生假冒。……争讼迁延，连纪不制。良畴委而不开，柔桑枯而不采。……今虽桑井难复，宜更均量，审其经术，令分艺有准，力业相称。……高祖深纳之，后均田之制起于此。”《魏书》五三《安世传》是立三长，在均田之前，《通鉴》系此于太和十年，疑误；因均田乃在九年下令也。

“太和九年，下诏均给天下民田。诸男夫十五以上，受露田四十亩。妇人二十亩。奴婢依良丁，牛一头，受田三十亩，限四牛，（再易之田）所授之田，率倍之。三易之田，再倍之。以供耕作，及还授之盈缩。诸民年及课，则受田。老免及身没，则还田。奴婢牛随有无以还授，诸桑田不在还授之限，但通入倍田分。于分虽盈，没则还田，不得以充露田之数。不足者，以露田充倍。有盈者无授无还，不足者，受种如法，盈者得卖其盈，不足得买所不足，不得卖其分，亦不得买过所足，……诸地狭之处，有进丁受田，而不乐迁者，则以其家桑田为正田分；又不足，不给倍田。又不足，家内人别减分。无桑之乡，准此为法。”《魏书》一一〇《食货志》——细察条文，盖亦因已有之事实，而文饰以预防之政制，故其制较王莽为可行也。

案顾亭林虽痛斥胡虏，然颇赞后魏田制《日知录》卷一。后魏之制，何以可行？“观其立法，所授还者，均为露田，皆荒闲无主之田。桑田，必是人家世业，故不供授受，不致夺富与贫也。又于人民盈虚之数，以不得卖买之方式，俾合其均给之数，意非夺人田，以使即时均平也”说详《通考》卷二。又在地狭人稠之处，分田减分，其制度固有弹性者也。

然均田制度实行之长度何若，则殊有问题。太和十一年韩麒麟言：“耕者田少，田有荒芜。”《通鉴》永明五年世宗时，夏侯道迁之子，“多所费用，田园货卖略尽”《魏书》七七《道迁传》。肃宗时拓跋晖论户籍，亦言："出缩老小，妄注死亡。"《魏书》一五《昭成子孙传》而李世哲在孝明帝时，"非法逼买民田宅"《魏书》七七《杨恭之传》。至孝庄帝时五二八至五三〇，魏垂垂亡矣，而史底与杨椿争田《周书》三七《寇儁传》。其必谓均田制度行于魏末，而有依稀之可征者，惟孝静帝时，穆子琳为征东将军，以占夺民田，免官爵乎？《魏书》二七《穆子琳传》

其尤可非议者，令文曰"奴婢依良"，则豪家之有奴婢者，安得不多占田亩而为大地主乎？牛一头受田三十亩，限四牛，则有牛者，安得不多占田亩而为小地主乎？参看陈登元《中国土地制度》页一〇〇至一一五其在北齐，则"奴婢受田者，亲王止三百人，嗣王二百人，嗣王以下至庶姓王，百五十人。三品以上，及皇宗百人。七品以下，八十人；八品以下至庶人六十人"《隋书·食货志》。是庶人有资产者，仍可以拥六十夫之田。何况后魏，并奴婢之数而不限之乎？——然则后魏均田，殆亦垦田之要求大，故法许奴牛受田；均平之要求小，故桑田不在还授之限。而有奴者可以为大地主，有牛者可以为小地主焉。

第吾人所当明认者，则均田制之沾溉，要不得谓为不远。北齐之制，"一夫受露田八十亩，妇四十亩。奴婢依良人，丁牛一头，受田六十亩。限止四牛。又丁男一人，给永业田二十亩为桑田"。北周则"有室者田百四十亩，丁者田百亩"《隋书·食货志》。盖齐之一夫八十，一妇四十，即指北魏夫四十妇二十之倍田而言。而丁男别给永业田二十亩为桑田，合而计之，仍不殊于北周之百四十亩也。

齐周之制，亦未必能一一实行。北齐元友及，谓乡间之间，羊少狼多，复有蚕食《北齐书》二八。又有乙普明兄弟争田之讼，牵引至百人《北齐》四六《崔伯谦传》。《关东风俗传》云："强弱相凌，恃势侵夺，富有连畛亘陌，贫无立锥之地。"《图书集成·食货典四三》则当时田之不均可想。隋之兴也，高颎议括浮户详《通典》七，而杨素田宅以千百数《魏书》四八《素传》。苏威且议减功臣封地，以给民田《隋书》四〇《王谊传》。而文帝开皇十三年，"发使四出，均天下之田，狭乡每丁，只二十亩，老小又少焉"《隋志》。既有浮户，则盖有未受田者矣。杨素一流功臣，多田如斯；则地主之势，可见一斑。浮户既出，土地又不公有，故开皇十五年五九二年，上距后魏均田，为时仅百；而制度本身，岌岌可危若斯。《隋书》二四《食货志》谓隋之"永业露田，皆依后齐之制"。疑其为具文尔，未必可行也。章炳麟徒知"后魏至唐虽有均田，然无公私之别；又世业在口分外，此终与井田异旨"《检论》卷一。而不知口分之均授，实未尝久也。

三二　南北朝之妇女

然北朝有与南朝相似者一事，则对妇女人格之低视焉。

考古者妇节，似不甚重，自秦《泰山刻石》始有"夫死而嫁，倍死不贞"之语见上古卷二十七节引谢肇淛《五杂俎》卷八，又《史记》六"始皇三十七年"条，终西汉一代，男子玩弄女子，如成帝有温老温柔乡《飞燕外传》之语。而女子在社会之遭遇，未有残酷如后世者。

《汉书·淮南王传》，安为太子取皇太后外孙修成君女为妃，应劭曰："修成君，皇太后先适金氏之所生也。"其甚者，如昭帝之妻盖主夫亡后，私近丁外人，而诏丁外人尚主。又如《搜神记》引宣帝之世，燕、代之间有三男共娶一妇，生四子。及至将分妻子而不可均，乃致争讼。廷尉范延寿断曰："此非人当从禽兽，从母不从父，请戮三男，以儿还母。"则当时上自贵族，下至平民，不重妇节可想。

其在东汉，迂儒导淫，虽进三纲之说："君为臣纲，夫为妻纲，父为子纲。"《白虎通》卷三《三纲六纪篇》又有后妃轮夕之说，谓"后当一夕，三夫人当一夕，九嫔当三夕。……"《礼·昏义》注然光武之姊，尚可再嫁范《书》五〇《宋弘传》。训妻为齐，语见樊英范《书》一一二《英传》。而梁鸿夫妻，举案齐眉范《书》一一三《梁鸿传》。故异时蔚宗收《列女传》，无憾于困入胡中，狎生二子之蔡文姬也。

蔚宗传列女，而所收者，均庸德庸行。《曾文正集》卷一《曹颖生母寿序》云："往予读《后汉书·列女传》，窃怪范氏自夸体大思精，而不达于修史之义。……天地间独赖有伟人耳。……而范氏乃取数女子厕其间，所载如桓孟之流，皆闺内庸行，无奇特可惊之迹。……继而思之，天下者，合亿万家以成天下者也。一家之中，男外女内，轻重略等。"此盖原范氏立传之是者。谢肇淛《五杂俎》卷八言："范蔚宗传列女，而及文姬，宋儒竭力诋之，此不通之论。士有百行，史兼收之。……今史乘所传列女，必皆早寡守志，及临难捐躯者，其他一切不录。则士亦必龙逄比干而后可，何其薄责缙绅，而厚望荆布也？……即鱼玄机、薛涛之徒，亦可传也，而况文姬乎？"此则原文姬入传之是者。

然东京之季，女子之地位，殆亦降矣。当时谚云："盗不过五女门，以女贫家。"范《书》九六《陈蕃传》许慎作《说文》，"奻"下云："两女同居，其志不同行，相互诟厉。"《说文》二下东京之初，妇女固"衣绮缟，傅粉墨"范《书》一一三《梁鸿传》，而三国之际，又有穿户附珠之习《三国志》六四《诸葛恪传》注，至于帝皇淫欲，宫女如花；竭人之爱，以逞己之欲，更无待论矣。

陈蕃谏桓帝云："采女数千，食肉衣绮，脂油粉黛，不可赀计。"范《书》九六周举谏顺帝云："内积怨女，外有旷夫，竖宦之人，亦复威侮良家，取女闭之，至有白首殁无配偶者。"范《书》九一《举传》荀爽谏桓帝云："臣窃闻后宫采女五六千人，从宦侍使，复在其外。"范《书》九二《荀传》故雄如魏武，临死时亦不忘铜雀故伎也详《魏书》卷一注。

其在六朝，则荀奉倩妇死丧神，反谓"妇人德不足称，当以色为主"《世说》三五《惑溺》。许允娶丑妇不欲入房，谓："妇有四德，卿其有几。"而自谓百行皆备。妇曰："夫百行以德为首，君好色不好德，何谓皆备？"《世说》一九《贤媛》此则男子玩弄之甚也。《抱朴子外篇》二五《疾谬篇》云："俗间有戏妇之法，于稠众之中，亲属之前，问以丑言，责以慢对。其为鄙亵，不可忍论。或蹙以楚挞，或紧脚倒悬，酒客酗醟，不知限齐，至使有伤于流血，踒折肢体者，为可叹也。"此则习俗翫弄之甚也。又云："食言无信，与夺任情，严防峻制，未之能弭。今猥恣之，唯责媵倍。贫者所惮，富者则适所愿矣。傥令女有国色，倾城绝伦，而值豪右权臣之徒，目玩冶容，心忘礼度，资累千金，情无所吝，十倍还聘，犹无所惮。”《外篇》二三《弭讼》则婚姻受金钱之支配也。又如李女络秀屈节为周浚妾，以救门户殄瘁《世说》一九《贤媛》，侯景欲婚王、谢，而梁武不许，则婚姻受门阀之牵制也。至于妇女之自居于装饰，与不可究诘之贱视妇女，要皆一一而现于六朝之世矣。

王士正《五代诗话》卷四引《西神脞说》云：“妇人匀面，古惟施朱傅粉而已。至六朝，乃兼尚黄。《幽怪录》，神女智琼额黄。梁简文诗，异作额间黄，此额妆也。北周静帝令宫人黄眉额妆，温诗‘柳风吹尽眉间黄’，此眉妆也。段氏《酉阳杂俎》所载有黄星靥。辽时燕俗，妇人有颜色者，目为细娘，面涂黄，谓之佛妆。宋彭汝励诗，‘有女夭夭称细娘，真珠落髻面涂黄’，此侧面妆也”。——此面妆与六朝之关系。案妇女妆饰，固非初起于六代者。《盐铁论》谓傅白黛青者众，《尔雅·释名》有染粉令赤以著颊“粉”下。则傅粉殆自汉即有。但古时傅粉不限于面，前汉《广川惠王传》有“里卿袒裼，傅粉其旁”；又不限于女子，如《佞幸传》称孝惠时，侍中皆傅脂粉是也。汉时妇人有眉黛，《释名》：“黛，代也。灭眉，而去之，以此画代其处也。”《张敞传》“为妇画眉”即是类。——综上，可知傅面弄姿之专于女子，盛于女性，盖始于六代时。匪然者，东昏侯之遇潘淑妃也，“鑿为莲花，贴地上，令潘妃行。曰：步步生莲花”陆龟蒙《侍儿小名录》卷下。饰女性而弄玩之，此岂两汉人所有哉？案《论衡》二三《四纬》云：“妇人乳子，以为不吉。将举吉事，入山林远行，度山泽者，皆不与之交通。乳子之家，亦忌恶之。”对于女性之秽视，与对于女性之玩弄，亦如傅粉之类也。

然南方妇女，在清谈之积习以下，究为比较的享有自由。故阮籍嫂归家，而与之别，则谓礼岂为我设？《晋书·阮籍传》而孙楚除妇服作诗，王武子鉴之曰："未知情生于文，文生于情，览之凄然增伉俪之重。"《世说》四《文学》则男女间乃重情也。温峤下玉镜台一枚，以婚其姑之女《世说·假谲二七》，王浑之妇见浑弟王伦之子，笑曰："若使新妇得配参军，生儿故可不啻如此。"《世说》二五《排调》则男女间之婚嫁，尚自由也。王楙《野客丛书》卷十二《男子傅粉》："《世说》载何晏洁白，'魏帝疑其傅粉，晏自喜清净，粉白不去手'，则知晏尝傅粉矣。《前汉·佞幸传》，'傅脂粉以婉媚幸上'，此不足道。《东汉·李固传》云：'大行在殡，路人掩涕。固独胡粉饰貌，搔头弄姿，盘旋俯仰，从容冶步，略无惨怛之心。'《颜氏家训》谓梁朝子弟，'无不熏衣剃面，傅粉施朱。'以是知古者男子多傅粉者"。则男女间之装饰，尚不大异也。至于面首男左右云云，虽六代人之淫佚，固亦不失为男女平等之言。

宋山阴公主谓前废帝曰："妾与陛下，虽男女有殊，俱托体先帝。陛下后宫数百，妾惟驸马一人；事不均平，一何至此？"帝乃为立面首左右三十人《南史》卷二，而南齐郁林王为文安王皇后亦"置男左右三十人"《南史》一一，盖男子虽自图淫佚，而尚不至强女子以所难也。

其在北朝，则淫佚不减于南方，而男子之自私自利过之。

汉武帝尝以太子故而斥钩弋夫人死，然两汉母后乱政，事卒常有。魏文帝黄初三年，始明令禁妇人预政《通鉴》六九。其在元魏，则以预防母后乱国，竟有子贵母死之制详《陔余丛考》卷一六。则否认女子在政治上之地位也。《北齐书》二八《元孝友传》："妇女不幸，生逢今世，举朝既是无妾，天下殆皆一妻。"而孝友反援引古制，规定各级人士纳妾之数，则否认女子在家庭上之地位也。《颜氏家训》："世人多不举女，贼行骨肉，岂当如此，而望福于天乎？吾有疏亲，家饶妾媵，诞育将及，便遣阍竖守之。体有不安，窥窗依户。若生女者，辄持将去。母随号泣，莫敢救之，使人不忍闻也。"卷一《治家》则否认女子在社会上之地位也。至如"高泽凶暴，贵嫔薛氏，有小过，遽杀支解之，抱其股为琵琶，弹之。复叹曰：佳人难再得！"李冗《独异志》卷下则更可勿论矣。

《陔余丛考》："汉武帝将立昭帝为太子，先赐其母钩弋夫人死，盖惩吕后之祸也。元魏，则遂以此为定制。道武帝晚而生明元，将立为太子，则赐其母刘贵人死。……明元帝杜后亦如此。又明帝妃李氏，初为宫嫔，生宣文帝，将立为太子，冯太后依故事，令其条记南中兄弟。临决，拊胸恸哭而死。孝文帝妃林氏，生太子恂。帝仁恕，不欲袭前事，亦因冯太后意，仍依旧制惨死。惟世宗后胡氏，肃宗时宫庭以故事惟祈生诸王公主，不愿生太子。独胡氏言，天子岂可无太子？何可畏一身之死，而令皇家不育宗嗣乎？及生肃宗，后竟不赐死。肃宗立，尊为皇太后，遂临朝称制，咨行秽浊，并酖肃宗，魏随以亡。防患虽严，而偶一破例，前此数代之冤祸，即中于此一人以报之。驯至破家亡国，是知灭天性以防祸者，未有不转以召祸也。"卷十六《元魏子贵母死之制》此制可谓凶蛮已极，而不知天道好还，胡后反亡后魏也。

综上言之，南朝之狎弄妇女，与北朝之虐视妇女，虽有小异。为妇女者，既自弄姿首以居于玩物之位置，而男子又从而狎弄虐视之，则南北皆然也。惟犹得为南北朝之妇女，留一线之生机者，则尚不必守节，而社会风尚，亦不强之以事夫无二。此在隋时犹然。

如宇文化及弑炀帝，其弟士及尚南阳公主。乱后相见，士及请公主复为夫妇，公主曰："'与君仇家，今所以不手刃君者，以谋逆之日，察君不预知耳。'诃令速去。"《通鉴》一八九古者郑伯欲杀祭仲，使其婿雍纠图之，祭女（即纠妻）知而问"母曰：'父与夫孰亲'，其母曰：'父一而已，人尽夫也，胡可比也？'遂告祭仲"而雍纠以死《左》桓十五年。公主盖犹有古风者。

南阳公主之绝其夫，要为有激而然。然如隋文帝女兰陵公主，初字萧汤，继配柳述，炀帝怒述，将改嫁之，主以死自誓，卒以身殉《隋书》八〇《列女传》。纪昀谓"《隋书》载兰陵公主死殉后夫，登于《列女传》之首，颇乖史法。（祖君彦檄隋文称兰陵公主逼幸告终，盖欲甚炀帝之恶。当以史文为正。）"《阅微草堂笔记·槐西杂志一》初不知兰陵意别豫让国士众人之报，固甘殉其后夫。而当时时世，亦不以为非也。时势如斯，异日武后之以女乱唐，非全然一人的或然焉。

第十章　南北混合

三三　南北混合的各方面

述新雾之南方，及北方之开明，盖限于开皇九年五八九**隋之灭陈。斯时也，离西晋永嘉之乱**三一〇**，盖历时二百七十余年，此二百七十余年，南北之两两对抗**四三九至五八九**，盖阅时百五十年，及隋而混合。然文化上的混合，则固非始于隋之一统也。隋者，仅足表示政治上之南北混一而已。**

政治之混一，如《隋书·食货志》，称文帝均田，则是田制袭北朝也。北朝如宇文氏，颇钞袭周官。《周书》《太祖纪》一载魏恭帝之年，"初，太祖以汉魏官繁，思革前弊。大统中，乃命苏绰卢辩依周制，改创其事。寻亦置六卿官，至是乃命行之"。然至隋篡周而灭陈，"高祖践极，百度伊始，复废周官，还依汉魏"《隋书》二六。则官制袭南朝也。隋虽承周，而"高祖命牛弘辛彦之等，采梁及北齐仪注以为五礼"《隋书》六《礼仪志》。则礼仪袭南北两朝也。

至于隋之一统，表示南北混合以外，其一，则语言之混合也。

案南北语言之混合，东晋之初，《抱朴子》《自叙》谓建武中写定《内篇》二十卷、《外篇》五十卷，建武为三一七年已谓：“君子求礼，不求变俗，谓违本国之他邦，不改其桑梓之法也。……余谓废已习之法，更勤苦以学中国之书，尚可不须也。况于乃有转易其声音，以效北语，既不能便良，以可耻可笑。”《外篇》二六《讥惑》是南人有学北语者。《南齐书》五七谓魏虏谓：“诸曹府有仓库，悉置比官，皆使通虏汉语，以为传译。”则北人有学汉语者。颜之推《家训》：“齐朝有一士大夫，尝谓吾曰：我有一儿，年已十七，颇晓书疏，教其鲜卑语及弹琵琶，稍欲通解，以此伏事公卿，无不宠爱，亦要事也。吾时俛而不答，异哉，此人之教子也！”《家训》一《教子》，则南人学北语之风，又讫齐世。颜又谓：“南方水土和柔，其音清举而切诣，失在浮浅，其辞多鄙俗。北方山川深厚，其音沉浊而钝，得其质直，其辞多古直。然冠冕君子，南方为优；闾里小人，北方为愈。易服而与之谈，南方士庶，数言可辩；隔垣而听其语，北方朝野，终日难分。而南染吴越，北杂夷虏，皆有深弊，不可具论。”《家训》七《音辞篇》则南北语言之互有变化，当时亦不无也。而其要至，则在混合折中中。故异日隋炀，乃“好为吴语”《通鉴》一八五矣。

《家训》《音辞篇》“玙璠，鲁之宝玉，当音‘余烦’。江南皆音藩屏之藩。岐山当音为寄，江南皆呼为神祇之祇。江陵陷没，此音被于关中”。则南音混入北音也。《北齐书》二一《高昂传》：“于时鲜卑，共轻中华，朝士惟惮服于昂。高祖每申令三军，常鲜卑语。昂若在列，则为华言。”则北音亦尝不通用也。

其二，则人种之混合也。

《高僧传》卷四《康僧渊传》谓："僧渊，本西域人，生于长安，貌虽梵人，语实中国。举止详正，……瑯琊王茂宏与桓温同时以鼻高眼深戏之。渊曰：鼻者面之山，眼者面之渊。山不高，则不灵；渊不深，则不清。时人以为名答。"是南方杂有胡人也。《伽蓝记》称："四夷来附者，处崦嵫馆。自葱岭以西，至于大秦，百国千城，莫不款附。商胡贩客，日奔塞下。所谓尽天地之区已，慕中国风土，因而宅者，不可胜数。是以附化之家，万有余家。"卷三是北方杂有胡人也。又谓洛阳小市北，"有张景仁宅。景仁，会稽山阴人也。正光初，从萧保寅归化，赐宅城南归正里。民间者为吴人坊。南来投化者，多居其内"卷二"景宁寺"条。是北方杂有南人也。《南史》卷八〇《侯景传》称："武帝敕斩景者，不问南北人，同赏封二千户。"则是南方固杂有北人也。至于北周隋唐，皆武川之蕃族《廿二史劄记》一五，更无论已。

考《南齐书》五七谓刘思忌于永泰元年，为魏所禽，"今欲降未？思忌曰：'宁为南鬼，不为北臣。'乃死。"然其实，则隋以后，中国之为北臣者，几三百年六一八至九〇六。何也，李唐固蕃姓也。唐修《晋史》，谓唐之先人李暠，乃李广十六世孙《晋书》八七。此实冒伪，参看刘盼遂《李唐为蕃姓考》《北平女师大学术季刊》一卷四期二卷一期。

其三，则装饰之混合也。

王国维《胡服考》云："北朝起自戎夷，此服尤盛。至施之于妇女，后魏之初，以为常服及朝服。后虽服古衣冠，而此服不废。"《观堂集林》卷二二盖孝文帝虽禁胡服，而太和十九年，帝犹责洛阳守官："昨望见妇女，犹服夹领小袖，卿等何为不遵前诏？"二十三年犹谓："车上妇人，犹戴帽著小袄。"《通鉴》一四〇又一四二则胡服之盛于中国，要当以斯时为盛。然"南朝衣冠礼乐，文采风流，北人尝称羡之。高欢谓萧衍老公，专事衣冠礼乐。中原士大夫，望之以为正朔所在"《经学历史》页四一。则南冠殆未尝不北戴欤。

其四，则风尚之混合也。

南人柔弱，颜之推谓："梁世士大夫皆尚褒衣博带，大冠高履，出则车舆，入则扶持，郊郭之内，无乘马者。"卷四《名实》又谓："江南以世之常射，以为兵射，冠冕儒生，多不习此。河北文士，率晓兵射。"卷七《杂艺》——此当得北方刚毅之气，以调和之。然北方虽刚毅，而隋炀以空梁落燕泥，杀薛道衡王得臣《麈史》卷中。史称"帝善属文，不欲人出其右。薛道衡死，帝曰：'更能作空梁落燕泥否？'王胄死，帝曰：'庭草无人随意绿，复能作此语耶？'"《通鉴》一八二则南方文柔之气，固已染遍北方矣。即南方主奴异阀之风味，固亦布之于全中国也。

《通鉴》一八七："滑州刺史王轨奴，杀轨携其首诣建德降，建德曰：'奴杀主大逆，吾何为受之。'"又卷一八四云："军吏疑奴应募者，不得与良人同，（李）渊曰：'矢石之间，不辨贵贱。'"又云："上太宗曰：'比有奴告主反者，夫谋反不能独为，何患不发，何必使奴告耶？自今有奴告主者，皆勿受，仍斩之！'"卷一九三考蓄奴盛于六朝，意者，唐初天下人群蓄奴，而致数年之内，奴变至成为律例焉。

其五，则艺术之混合也。

五胡乱时，古乐沦亡《晋书·乐志》。后魏道武帝获晋乐器，不知所用，乃委弃之《隋书·乐志》。颜之推谓礼坏乐崩，其来自久，太常雅乐，并用胡声《隋书·乐志》，是也。其在于唐，则“祖孝孙以梁陈之音多吴楚，周齐之音多胡夷，于是斟酌南北，考以古声，作唐雅乐”。《通鉴》一九二可征混合矣。又如东晋之时，王羲之以能书名海陬《晋书·羲之传》，而在北朝，亦有赵文深“少学楷隶，雅有钟王之则”。《北史·赵文深传》则书法由南入北也。其在于唐，综南北之长，而书法益进步矣。

> 朱翌《猗觉寮杂记》云：“唐《百官志》有书学，故唐人无不善书。远至边裔书史，里儒，莫不书字有法，至今碑刻可见也。往往胜于今之士大夫，亦由上之所好，有以劝诱之。正观中，集王羲之书为一百五十卷，选贵臣子弟，有性识者，以为宏文馆学士，内出法书，命之习学。人间有善书者，亦召入馆。海内向风，工书者众。”卷上页五二即此，可见唐之承受。

其六，则文艺之混合也。

以经学言之，则南学与北学合，而后唐人义疏之学生焉。“隋平陈而天下统一，南北之学，亦归统一。自正朔不一，将三百年。师训纷纶，无所取正。隋文平一寰宇，顿天网以掩之，四海九州，强学待问之士，靡不毕集。齐鲁赵魏，学者尤多。负笈追师，不远千里。”《经学历史》页四一则孔颖达、贾公彦等殆亦受南北混一之赐者。《隋书·文学传》叙：“彼此好尚，互有异同；江左宫商发越，贵于清绮。河朔词义贞刚，重乎气质。若能操彼清音，简兹累句，各去所短，合其两长，则文质彬彬，尽善尽美。”《隋书》七六盖唐初虽承六代余习，而异日“古文”之始，未尝不渊源于斯时之南北混一。

宋神宗谓：“如唐太宗，亦英主也。乃学庾信为文，此亦识见无以胜俗，故也。”《续通鉴长编》卷二七五：“郑毅夫谓唐太宗功业雄卓，然所为文章，纤靡浮丽，嫣然妇人小儿嬉笑之声，不与其功业称。甚矣，淫辞之溺人也。”《困学纪闻》一四则唐初，承受六朝文学可见。

积此六种，可概综评。大抵政教刑法，北朝之成分居多，士夫风习，南方之留遗不少。《隋・礼仪志》谓：“高祖命牛弘辛彦之等采及北齐及梁仪注，以为五礼。”《隋》六此则介乎政教风习之间者也。读史者但知姬汉旧邦，竟为北并，有感于庾信之哀江南，而不知江南可哀，以文化言之，则兼收并蓄，殆不甚可哀也。

庾信自梁奔北后，尝有乡国之思。乃作《哀江南赋》以致其意云：“江淮无涯岸之阻，亭壁无藩篱之固。头会箕敛者，合从缔交。鉏耰棘矜者，因利乘便，岂非江表王气，应终三百年乎？是知并并六合，不免轵道之灾。混一车书，无救平阳之祸。”《周书》四一《信传》然江表之王气，虽终于三百年；而江表之文明，则远垂于三百年以后也。

三四　大一统的前晚

江表王气三百年三一七至五八九之终，则隋之兴也。亦犹战国之纷缤，而有秦之统一。隋犹秦也，隋之恶，固亦大一统之前驱所必有者乎；"自三代讫于五季，为天下君，而得罪于民，为万世所麾斥者，莫若秦与隋。岂二氏之罪，浮于桀纣哉？盖秦之后即为汉，隋之后即为唐，皆享国久长，一时论议之臣，指引前世，必首及之。且以其事暴白于方来，弥远弥彰，而不可盖也。"《容斋续笔》四"秦隋之恶"条前有大纷乱，后有大统一，此秦、隋之同遭也。

祖君彦《檄隋炀帝文》云："罄南山之竹，书恶无穷；决东海之波，流毒难尽。"《通鉴》一八三然炀帝也，文帝也，实六朝之出品，隋文帝杀宇文氏子孙《廿二史劄记》一五，则六代篡杀之余也。炀帝谓"萧后：'侬不失为长城公（陈后主），卿不失为沈后，且共乐饮耳。'又尝引镜自照，顾谓萧后曰：'好头颈，谁当斫之？'后惊问故，帝曰：'贵贱苦乐，更迭为之，亦复何伤。'"其为宇文化及所弑也，曰："我自负百姓，至于尔辈，何乃如是？"同见《通鉴》一八五则又南朝放浪之余也。

其尤可异者，秦在大统一之前晚，以战国横议而焚书，隋在大统一之前晚，以六朝符瑞而焚纬。殆亦势有必至者也。六朝受禅，好文纤纬，以言符瑞。故沈约《宋书》，特志《符瑞》，《十七史商榷》卷五四、《容斋随笔》卷十六征引甚详。然所以贵赵孟者，则赵孟岂不欲贱之？故《隋志》称："炀帝即位，乃发使四出，搜天下书籍，与纤纬相涉者，皆焚之。"《隋书》三二《经籍志》其后，宋欧阳修又有《请删去九经正义中谶纬劄子》《永叔集》一一二，——此与秦之焚书，均基于天下为私之一念焉。

> 第秦隋不同处，则隋人亦收书也。文帝时，牛弘请开献书之路，以为秦火莽乱，考献移都，刘石凭陵，梁元帝江陵之败，书经五厄，散佚已多。文帝从之，乃定献书之奖详《隋书》四九《牛弘传》，且录正副二本，"炀帝即位，秘阁之书，限写五十副本，上品红瑠璃轴，中品绀瑠璃轴，下品漆轴。于东都观文殿东西厢，构屋以贮之。东屋藏甲乙，西屋藏丙丁，其后王世充之乱，书始残焉"隋三二《经籍志》。——斯实杨氏之休美。

其次，则隋人亦务远略，如招致琉球《通鉴》一八〇大业三年，则吴人泛海求夷州以后之盛事也。如应接日本人之来学佛法者《隋书》八一《倭国传》，则汉人教育胡王太子之旧事也。又如屡征朝鲜三韩，招致西域，则尤与秦、汉相似。征三韩高丽、百济、新罗之役，则马文举斥之曰："陛下（炀帝）违弃宗庙，巡游不息。外勤征讨，内极衰淫。使丁壮尽于矢刃，女弱填于沟壑。"《通鉴》一八五招致西域之盛，则裴矩"为《西域图记》，共成三卷。合四十四国，仍别造地图，穷其要害，从西海以去，北海之南，纵横所亘，将二万里。谅由富商大贾，周游经涉诸国之事，罔不遍知。"炀帝幸燕支山，"西蕃胡二十七国，谒于道左。皆令佩金玉被锦罽，焚香奏乐，歌舞喧噪，复令武威张掖士女，盛饰以观，骑乘填咽。"《隋》六七《裴矩传》——惟秦惧于亡秦者胡，而隋亦不能北灭突厥耳。

北匈奴衰徙于汉，南匈奴混泯于晋，鲜卑盛于曹魏，而混合于北魏之时，突厥本杂胡，以金山状如兜鍪，俗呼兜鍪为突厥得名。北魏鲜卑以华化而弱，而彼则寝大，故北周宇文氏至以“岁币”饵之《读通鉴论》卷一八以为即宋人“岁币”之始。隋高祖谓突厥可汗沙钵略“称雄漠北，多历年所。百蛮之大，莫过于此”《隋书》八四《突厥传》。突厥虽在高祖时，自不统一，分为东西，然其“倏来忽往，云飞鸟集”，则非隋之所能削平也。异日唐祖开国，犹不得虚与委蛇焉。

其又与秦同者，则秦筑长城，隋炀大业三年，亦筑之，“诏发丁男百余万，筑长城，西距榆林，东至紫河”《通鉴》一八〇案秦后对长城常有修筑，魏、齐、周皆然，非特隋也，详《日知录》三二“长城”条。秦修驰道《汉书·贾山传》，隋则亦开御道，“自突厥牙东达于蓟，长三千里，广百步，举国就役，开为御道”《通鉴》一八〇。然秦不曾开运河，而隋则开河，大一统之局，盖视秦进步已。

运河之开，当远溯吴时。《春秋大事表》卷八十五口号第九十三个云：“连属江淮沂济波，积成今日转漕河。夫差争长黄池岁，却已功成半又过。”案《左传》哀九年“吴城邗沟通江淮道”，杜注：“通粮道也，今广陵邗江是。”又哀十三年“会于黄池”，杜注：“近济水”。《国语》“夫差起师北征，为深沟于商鲁之间，北属之沂，西属之济。……”案邗沟今曰漕河，自江达淮，南北共长三百余里，自淮入泗，自泗入沂，复穿鲁宋之境，连属水道。有不通者，凿而通之，以达于济。《漕河沿革考》曰：“漕河之北段，即元人之会通河。其南段，《春秋》吴子所开之邗沟也。至明而大备。”此言纵贯江淮河白之运河也。隋之开运河，所以异于他时者，则以其分四部分也，其一，曰整旧。“吴开邗沟通江淮，汉吴王濞开邗沟，自扬州极海陵如皋，以通煎盐之利。炀帝幸江都，发兵丁十万余开邗沟”顾炎武《郡国利病书》二八，《通鉴》卷一八〇系此于大业元年。是因所有而开整之也。其二，曰西段。《方舆纪要》卷四云：“炀帝即位，发丁男开永济渠，自洛阳西苑引谷洛水，复自板渚引河历荥泽入汴，又自大梁之东，引汴水入河，达于淮。”《通鉴》系此于大业元年一八〇卷是通河洛也案《通鉴》卷一一八谓刘裕平姚泓后，“裕发长安自洛入河开汴梁而归”，则刘裕已先有为之。其三，曰北段。“又复穿永济渠，南达于河，北达涿郡”《通鉴》卷一八一系此于大业四年，是由黄河流域通入白河流域也。其四，曰南段。“又穿江南河，自京口至余杭八百余里”《通鉴》一八一系此于大业六年，是通苏浙也。

开运河事，固属劳民，如筑长城然，《诗话总龟》云：“江遵《咏史》云：‘秦筑长城比铁牢，番戎不敢过临洮：纵然万里连云际，不及尧阶三尺高。’”前集一五《总龟》又记一神秘事，“隋炀帝游广陵，恍惚见陈叔宝来谒曰：‘开已开隋渠，……’因作诗以献曰：‘隋室开兹水，初心谋太奢。一千里力役，百万民吁嗟。……莫言无利役，千古壮京华。’炀帝愠曰：‘尔岂知为后人之利耶？’”前集四七——语意正同。冯犹龙辑《唐人小说》第十五册有缺名《开河记》云：“萧后曰：‘帝意在广陵，何如一幸？’后弟萧怀静奏曰：‘臣闻秦始皇时，金陵有王气，始皇使人凿断。大梁西北，有故河道，乃秦时水灌大梁处。欲乞陛下广集兵夫，于大梁起首开掘：一则路逢广陵，二则凿穿王气。’乃始发天下丁男年十五以上，五十以下者皆至，计三百六十万人。更五家出一人，或老或幼，或妇人等供馈饮食。……帝在观文殿读书，因见《史记》秦始皇筑长城之事，乃诏舒国公贺若弼等，为修城都护。……运河工既毕，决下口水注入汴梁。龙舟成，泛江沿淮而下。又取吴越民间女年十五六者五百人，谓之殿脚女，至于龙舟御楫，即每船用彩缆十条，每条用殿脚女十人。虞世基献计，请用垂柳栽于汴梁两堤上；又为铁脚水鹅，长一丈二尺。上流放下，如水鹅住，即知水浅。”更可征炀帝掘河时，固亦有长城之一念也。然炀帝谓后人之利，亦是实话。元时郭守敬筑通惠河，“往往于地中，偶值旧时砖木”，成后，“舳舻蔽日，上心大悦”《春明梦余录》卷八十五记之甚详，参《元史·郭守敬传》，未必不受隋炀之赐也。

其尤可异者，则为刑法之重，与秦如出一辙。“政刻刑烦，上怀猜阻，下无和畅，故使朋友游好，庆吊不通。乡士联官，请问斯绝。”刘肃《大唐新语》卷十引唐太宗语斯虽由于元魏之重刑《陔余丛考》十六“元魏族诛之法最惨”，及隋文帝之猜忌《廿二史劄记》卷十五“隋文杀宇文氏子孙”，然或亦南北大混乱新结束后所必需之政略，有如秦之衡石量书耶？

淮浮靡之习，则隋炀固亦有染于南朝者。史称“梁武帝君臣，惟爱告空。侯景之乱，百官不能乘马。元帝为周师所围，犹讲《老子》，百官戎服以听”《通鉴》一九二。又称“炀帝美丰姿，少敏慧，好学善属文，沉深严重，朝野属望”《隋书》三《炀帝纪》。斯则六代之余波，所以有异于秦帝者已。

大混乱之后，盖必有大统一，然其间必有一小反折，秦末之乱无论已，而隋末朱粲之杀人也，“烹妇人婴儿啖之，曰肉之美者，无过于人，但使他国有人，何患于馁”《通鉴》一八七？则又与楚汉兵争时相仿佛焉。张玄素告唐太宗云：“臣观自古以来，未有如隋室丧乱之甚！岂非其君自专，其法日乱？向使君虚受于上，臣弼违于下，岂至于此。且万乘之主，欲使自专庶务，日断十事，而有五条不中者，何况万务乎？以日继月，乃至累年；乖滥既多，不亡何待。”《大唐新语》卷一则隋之专制，又无以异于秦也。

第十一章　国力充盈

三五　唐初之政治经济

非徒隋似秦也，唐固甚似汉者。以其享年各长，而又承大乱之后，人心厌乱；易为满足。略有开明的专制，人民乃心许之。

考唐制非不专制，开国之初，制度未立，故高祖每与重臣并食，刘文静至以太阳俯同万物为言《旧唐书》五七《文静传》。然制度既树，则相权分于三省，主势统于一尊。所谓中书尚书门下之制，则开明专制之好例也。李心传《建炎以来朝野杂记》甲集卷十云："丞相，秦官也。自汉末改为大司徒，历代不能正。初循唐制，然中书揆而议之，门下审为覆之，尚书承而行之，则是首相不复与朝廷议论矣。"——观乎太宗"谓群臣曰：中书门下，机要之司。诏敕有不便者，皆得论议。比来惟睹顺从，不闻违异。若但行文书，则谁不可为？何必择材也？房元龄等皆顿首谢。故事：凡军国大事，则中书舍人各书所见，杂署其名，谓之五花判事。中书侍郎中书令省审之，给事中黄门侍郎案《唐书》四三，此属门下省驳正之，上始申明旧事"《通鉴》一九三贞观二年。可知在太宗六二七至六四七之世，而已有惟睹顺从，不闻违异之弊矣。

然三省之制，门下犹有封驳之权，足以抵御主上乱命，宋明以后，则此制渐泯，语详《日知录》卷九“封驳”条。

又世称唐制，熹言租庸调。《通鉴》系此于高祖武德七年：“初定均田租庸调法，丁甲之民，给田一顷，笃疾减十之六，寡妻妾减七，皆以什之二为世业，八为口分。每丁岁入租粟二石，调随土地所宜，绫绢絁布。岁役二旬，不役，则收其庸，日三尺。”《通鉴》一九○此盖继周齐之末，徒以纷饰一统，未必能笃行，与汉之减租，无以异焉。

案《新唐书》五四《食货志》谓授田以后，“庶人徙乡及贫无以葬者，得卖世业田；自狭乡而徙宽乡者，得并卖口分田，已卖者不复授”。则土地仍得卖买，而仍有无田之户。且开国之时，豪族争田甚烈，见《新唐书·裴寂传》、《李勣传》、《高祖诸子传》、《萧瑀传》、《长孙顺德传》、《贾敦颐传》、《韦嗣立传》、《毕构传》。赵翼《陔余丛考》卷一六《汉唐食封之制》，又细言之。故《唐律》虽定“诸卖口分田者，一亩笞十，二十亩加一等，罪止杖一百，地还本主，财没不追”《唐律疏议》卷一二。然《册府元龟》四九五载玄宗二十三年诏曰：“天下百姓口分永业田，频有处分，不许卖易典贴。如闻尚未能断，贫人失业，豪富兼并，宜更申令处明，切令阻止。”又载天宝十一年七五二诏曰：“口分世业，违法卖买，或改簿书，或云典贴。……远近皆然，因循亦久，不有厘革，为弊虑深。……自今以后，不得违法卖买口分永业田。”卷同上可知实行之程度，实至浅微也。

唐制之在大一统以下，而有以超越于六代者，或不在中枢颁法，而在地方行政乎？其一，市政之修也，《日知录》言：“予见天下州之为唐人旧治者，其城郭必皆宽广，街道必皆正直。廨舍之为唐旧者，其基址必皆宏敞，宋以下所制，时愈近者，制愈陋。”卷十二《馆舍》又称其官树之制，谓：“官槐官柳，多见之诗篇，有人存政举之效。”卷十二“官树”条此其征也。其二，则乡里之饬也。《唐六典》云：“四万户以上为上州，三万户以上为中州，不满为下州。六千户以上为上县，二千户以上为中县，不满一千户皆为下县。百户为里，五里为乡，郊外为村里及村坊，皆有正以司督察。四家为邻，五邻为保，保有长，以佐州县禁约。”此其征也。其三，则户籍之修也。唐制分民为“始生为黄，四岁为小，十六为中，二十一为丁，六十为老”《新唐书》五四《食货志》。又踵隋制大索貌阅详《隋书》二四《食货志》之法，武后延载元年六九四亦“敕记户口，计年将人丁老疾，应免课役及给事者，皆由县亲貌形状，以为定簿；定一之后，不得更貌”《唐会要》八五“团貌”条。又为籍帐之法：“旧制，凡丁新附于籍帐者，春附则课役并征，秋冬则科役俱免。武德六年三月，令每岁一造帐，三年一造籍，仪凤二年敕，自今以后，装潢省籍，及州县籍。开元十八年十一月，敕诸户籍，三年一造”《唐会要》八五“籍帐”条。——此其征也。其四，则州县之官，犹得自由行政也。“《唐书》刘仁轨为陈仓尉，有折冲都尉鲁宁暴横，仁轨榜杀之。太宗以其刚正，擢为咸阳正。《封氏闻见记》，崔立为雒县，有豪族陈氏，为县录事。向来县令以下，与之平交。立到任，陈氏以故态见，立命伍伯曳之，杖死。陈氏子弟，相率号哭，立一一尽杀之。是唐时县令县尉，犹得专杀人也”《陔余丛考》卷十六。——此其征也。至如《唐六典》所叙者，亦足以粉饰一代正统之规模，惜其中未得能一一实行耳。

《唐六典》盖有《周礼》之性质者，朱子谓“《周礼》未必是周公自作，恐是当时如今日编修官之类为之。……亦如《唐六典》今存，唐时元不曾用”《朱子语类》八六。然唐人立政之规模，犹可略窥一二。

政治之外，以经济状况而言。《通鉴》言贞观“二十年间，风俗素朴，衣无锦绣，公私富给”《通鉴》一九二。则是言太宗之治也。即以高宗之闇、武氏之淫（武后第淫欲而已。未尝虐民，即其所用酷吏，大抵箝制士夫，非以虐民也，宋太祖谓陶谷曰：“则天一女主耳，虽刑罚多枉，而终不杀狄仁杰，所以能享国者，良由此也。”李焘《续资治通鉴长编》卷七引此聊附记之）中宗之庸，然“神龙七〇五至七〇六之际，正月望日，盛饰灯影之会，金吾弛禁，特许夜行。贵游戚属，及下隶工贾，无不夜游。车马填骈，人不得顾。王主之家，马上作乐，以相夸竞”刘肃《大唐新语》卷八。视夫隋哀之世，“钱币滥薄，至裁皮糊纸为之，民间不胜其弊”《通鉴》卷一八九者，相去盖有间矣。盖所谓裁皮糊纸者，原有纸币之意，纸币为衰世之物，此盖睹于唐季之飞钱，而事可知已。

案纸币之兴，终以国家财力困疲，故以政治势力，逼人行钞云。孙承泽《春明梦余录》卷三十八云：“汉武制皮币，唐宪宗时，令商贾委上诸路进奉院，以轻装趋四方，合券乃取之，号飞钱，然犹钱与券为二也。张咏镇蜀，以铁钱重，不便贸易。设质剂之法，一交一缗，以三年为界，而换之。谓之交子。后官为置造，谓之交子务。后用交子会子，会价愈低。贾似道改为关子，而愈不可行。金人循交子法，置交钞。自一贯至十贯，五等，谓之大钱；自一百至七百，五等，谓之小钱。以七年为限，纳旧迎新。”由武帝、宪宗二帝观之，可知皆起于国力衰耗时也。孟麟《泉布通志》卷五上有唐高宗“大唐宝钞十贯，下书吏部奉旨印造，大唐宝钞，与钱通行，伪造者立斩治罪，首告者给银三十两，颁发天下，永徽年月日行”。则盛世固宜有钞矣。但案孟氏《通志》卷首钞目有“唐武宗会昌钞，唐宣宗大中钞，唐懿宗咸通钞，唐昭宗龙纪钞，宋太祖建隆钞，宋钦宗靖康钞，宋高宗建炎绍兴钞，宋孝宗乾道钞，金太宗天会钞，辽邪律康国钞，元泰定天历钞，元顺帝至正钞，明太祖洪武钞，明成祖永乐钞，明仁宗洪熙钞”，——钞币之盛，非大乱以后则衰世之季，故于唐之飞钱之行，而可证太宗、高、武之唐，与宪宗以后之唐，国家财力，有不同也。

三六　国力发展时海陆

然国力之发展，匪仅发展于政治经济方面者，兼亦有在海在陆者。

盖五胡乱华之前，中国所苦之外族，羌也，匈奴也，鲜卑也。及至五胡乱华，东晋南渡，而匈奴鲜卑，时世推移，华化浸渍，已混而为汉，李唐即蕃胡也详本卷三三节。然新旧更迭，后之视今，今之视昔。而突厥、回纥、吐蕃、契丹等族，渐兴于唐之始末矣。此唐之迫于经营者焉。

突厥为平凉杂胡，慑于后魏，世居金山，“金山状如兜鍪，俗呼兜鍪为突厥，因以为号”隋八四《突厥传》。魏之蛮力既衰，突厥遂盛。契丹先时，慑于燕慕容氏，隋初为突厥所逼，势尚微隐隋八四《契丹传》。回纥即回鹘、畏兀儿，吐蕃即吐鲁蕃《日知录》二九“吐蕃回纥”条。回纥在魏时曰铁勒，魏时依附突厥《旧唐书》一四五。吐蕃即故汉羌地，或曰十六国南凉后。南凉姓秃发，吐蕃盖由秃发音转云《旧唐书》一九六。后魏华化而突厥盛，突厥衰而吐蕃强，吐蕃衰而契丹大，斯盖与唐相终始。契丹衰而女真强，女真弱而蒙古大，则与宋相终始；蒙古自元末明初，而出中国；明中叶时，瓦剌盛；而后满洲继之，此则与明相终始者。因书唐事顺及之。

唐初突厥，其势甚张，太宗固依之以成事，而其后受其迫胁，高祖至欲迁都以徙，卒以太宗言：“夷狄自古为中国患，未闻周汉为迁。”《新唐书》二一五《突厥传》贞观二年“突厥寇边，朝臣或请修古长城。上曰：突厥灾异频仍，颉利暴虐滋甚，骨肉相攻，亡在朝夕。朕方为公扫清沙漠，安用劳民，远修障塞乎”《通鉴》一九三。然太宗虽能平突厥，而亦甚战兢之。

高祖初起兵时，屈辱于突厥详《旧唐书》五七《刘文静传》。贞观四年，太宗遣李靖俘颉利可汗，高祖曰：“汉高祖困白登不能报，今吾子能灭突厥，吾付托得人，复何忧哉？”《通鉴》一九三此汉唐武功之比语也。然颉利虽灭，部落仍在。《大唐新语》卷七云：“李靖既平突厥，倾其种族，言于太宗：‘陛下五十年后，当忧北边。’至高宗末，突厥果为患。突厥初平，温彦博议迁其人于朔方，以实空虚之地。魏徵不可，曰：‘夷不乱华，非长久之计。'开元中,六胡果叛,咸如徵言。"且太宗以后,突厥可汗默啜,仍为唐患。至玄宗天宝间始亡,盖由于回纥的胁迫焉。

唐于北征突厥以后,则东有事于三韩。

朝鲜自汉时曾一度平定以后,曹魏时曾入寇,其与后魏,亦仅仅略有使节之关系。隋高祖炀,曾征其主来朝,且数度用兵,卒未得志,而隋亦丧乱《隋书》八一《高丽传》。唐初,率师往征。以破东突厥之余威,东征三韩,苏定方镇百济,李勣破高丽,而高宗龙朔三年六六三,日本兵之来援新罗者,又为刘仁轨大破之白江口。盖缘新罗往"倭国请兵以距官军,诏孙仁师率兵浮海以为之(仁轨)援。……仁轨乃率水军及粮船自熊津江往白江,遇倭兵于白江之口,四战四捷,焚其舟四百艘,烟焰涨水,海水皆赤"《旧唐书》八四《仁轨传》。伐三韩而慑日本,盖不特唐之盛誉而已;亦邦家之光也。

异日以元之强,尚熸师于日本。周密记之云:"至元十八年,大军征日本,船军已至竹岛,与其太宰府甚迩。方号令翌日分路以入,夜半,忽大风暴作,诸船皆击撞而碎。四千余舟,所存二百而已。全军十五万人,归者不能五之一。凡弃粮五十万石,衣服器械称是。是夕之风,木大数围者皆拔,盖天意也。"《癸辛杂识》续集下然则唐于日本,真可谓空前之举矣。且唐不仅以武力上日本焉。开元初,日使副"臣仲满,慕华不肯去,易姓名曰朝衡"《新唐书》二二〇《日本传》。日本又常置遣唐使,《今是堂手录》云:"日本使者过海,有诗云:'水鸟浮还没,山云断复连。'贾岛联其下云:'棹穿波底月,船压水中天。'使者嘉叹久之,自是遂不敢言诗。"胡仔《渔隐丛话》卷一九引然则唐于日本，又以文教上之已。

不仅北征突厥，东事三韩而已，其西征于西域，盖亦赫赫然。自两汉经营西域后，苻坚元魏，亦尝致力。隋则《裴矩传》载之《隋》六七。而唐太宗时，则姜行本等征西，“得汉班超纪功碑，行本磨去古刻，更刊颂陈国威灵”《唐书》九一《行本传》。《语石》卷二页二五云：“和林，成吉斯汗故都也。唐贾耽《地志》谓之富贵城。其地远在漠北，流人戍士，亦所罕至。俄人于娑陵水上，访得回鹘故都，又于鄂勒浑河，访得突厥旧庭，又访得唐碑三元碑十三。”又卷二页二九云：“平百济碑，贺遂亮文，权怀素书。……厂估王某渡海精拓，……同时并拓得刘仁愿记功碑，此二碑皆在忠清道扶余县。”记功碑版，焜耀绝域，盖不止西方已也。

唐时之经营国外，又与其经营边疆，相得益彰。如武后时之经营蜀土，虽陈之昂以为不可，而所系甚大详《郡国利病书》六八又《新唐书》一〇七《子昂传》。其在云南，自汉与蜀，汉经营以来，酋长世其官，分为六诏诏即“王”，意见《唐书》。“唐置姚州，册六诏为一，曰云南王。天宝之间，鲜于仲通击之。即此，韦皋以南诏兵破吐蕃，五诏献地图焉”节《郡国利病书》一〇七《云南沿革论》。此盖为元、明经营云南之先声，为汉世经营滇黔之后继，其功尤不可埋没之。

南诏于宋时，太祖画地图曰：“大渡河西，非吾有也。”元时始灭其裔大理，及明而改为云南布政司，唐之经营，适介乎汉、元、明之中也《利病书》一〇七。

至于经营海陬，其事亦至可称。史称“唐韦宙善治生，江陵田产甚盛，除广帅日，宣宗戒之曰：‘番禺珠翠之地，当垂贪泉之戒。’宙曰：‘臣江陵庄积谷七千堆，无所用泉。’宣宗曰：‘此所谓足谷翁也。’”《侯鲭录》卷六而黄巢乱时，广州有回教徒阿拉伯人十余万梁任公《历史研究法》页一〇二。斯则广州海口之繁荣也。王楙《野客丛书》云：“唐时扬州为盛，故当时有扬一益二之语。十里珠帘，二十四桥。其气象可知。张祜诗曰：‘十里长街市井连，月明桥上有神仙。人生只合扬州死，禅智山光好墓田。’”《丛书》卷一五页七，稗海本斯则扬州海口之繁荣也。

> 广州于汉为南粤旧封，两晋时，刘裕曾遣孙楚浮海以袭广州之卢循《通鉴》一一五。而唐时，则繁盛如斯。广州以外，则推交州。《国史补》李肇著，卷下云：“南海舶，外国船也。岁至安南广州。”《宣公奏议》卷十八有《安南置市舶使状》，亦推扬州。《新唐书》一四《邓景山传》，又一四四《田神功传》，谓当时扬有大食波斯贾胡。文宗又谕地方官，于岭南福建扬州胡蕃，当加存恤《全唐文》七五。又其次，则曰泉州。《五代史》六八谓王审知“招来海中蛮夷商贾”。《文苑英华》四五七《授王潮制》，谓“闽越之间，岛夷斯杂”是也。又有潮州，《全唐文》五一五有《王虔休进表》云“海阳旧馆，前临广江，波斯古罗，顺风而至。宝舶荐臻，法于恒世”是也。

唐曾平靺鞨，玄宗时，设黑水府都督《唐书》二一九，又尝深入安南，复“交州汉之故封”《唐书》二二三中。《大唐新语》云：“开元十二年，沙门一行，造黄道游仪以进。玄宗亲为之序，因遣太史官驰往安南，测候日影，经年乃定。”《新语》卷九古人以正朔为国家之权力代表，如唐斯事，其庶几乎？又岂止市舶使之收关税，招远人而已。

市舶使之初见，时为玄宗开元二年。《新唐书》一一二《柳泽传》有“开元中市舶使周庆立献奇器”语。《册府元龟》五四六云：“柳泽，开元二年，为殿中侍御史，岭南监选使。会市舶使周庆立波斯僧及烈等，广造奇器异珍以进。”则周庆立事，乃开元二年事也。

市舶使，完称当曰提举市舶使，更简则曰舶使《癸辛杂识》别集上，又称押蕃舶使《柳河东集》卷十。又称监舶使《全唐文》卷七六四。其职掌，除征收进入口关税外，检查船只有无违禁品，保管进口货，收受政府专卖品，如香料等《宋史》一六七《职官七》，桑原骘藏《蒲寿庚考》，页十。顾炎武《郡国利病书》卷一二〇云：“唐始置市舶使，以岭南帅臣监领之，设市区，令蛮夷来贡者为市。稍收利入官。凡舟之来，最大者，为独樯舶，能载一千婆兰；次曰牛头，比独樯舶得三之一；又次曰三木舶，曰料河舶，递得三之一。贞观十七年，诏三路市舶使，番商贩到龙脑沉香丁香白豆蔻四色，并抽解一分。”然顾氏所述，显系宋时事明影钞《宋史》一八六《食货志下》“互市舶法”条，且宋始称“路”，唐乃称“道”，则“贞观十七年”云云，又明系绍兴十七年事《粤海关志》三引《宋会要》。盖市舶使兆于唐代而盛于宋，宋时曰市舶司，正式见《食货志》互市舶法《宋史》一八六，及《职官志》《宋史》一六七矣。如宋开宝四年，即置市舶司于广州是也详《郡国利病书》一二〇《海外诸蕃》。《任中师传》《宋史》二八八述中师于真宗时“知广州，兼市舶使，市舶置使自此始”，又明见于史矣。

朱彧《萍洲可谈》卷一云:“汉威令行于西北,故西北呼中国为汉。唐威令行于东南,故蛮夷呼中国为唐。”又卷二云:“诸蕃国人至广州,是岁不归者,谓之住唐。”《明史》三二四《真腊传》云:“唐人者,诸蕃呼华人之声也。凡海外诸国皆然。”以汉唐二字而论,可以知唐之海陆发展矣。故《陔余丛考》卷十七盛道唐初武功之盛云。

三七　新旧宗教之繁盛

以国力充盈而来之海陆开展,其间又便利新旧宗教之繁华。如述市舶司时,《册府元龟》曾述及市舶使周庆立及波斯僧及立。《大秦景教流行中国碑》云:“有若僧首罗含,大德及烈,物外高僧,共振玄纲。”则及烈乃景教僧,可以见景教与海之关系已。

考唐初,以姓李故,甚重道教。封演《闻见记》云:“国朝以李氏出自老子,故崇道教。高祖武德三年,晋州人吉善行于羊角山,见白衣老父呼善行谓曰:‘为我语唐天子,我是老君,即汝祖也。今年无贼,天下太平。’高祖遣使致祭,立庙于其地。遂改浮首山为神山,拜善行为朝散大夫。高宗乾封元年,还自代岳,过真源县,诣老君庙追尊为玄元皇帝。玄宗开元二十一年,亲注《老子道德经》,令学者习之。二十九年,两京及诸州各置玄元皇帝庙,号玄元宫,诸州号紫极宫,寻改西京玄元宫为太清宫,东京玄元宫为□□宫……”卷一页二是道教因唐而盛焉。

以此,唐人甚重老子。如刘知幾欲退河上公注而进王弼是也《唐书》一三二《子玄传》。其后,宋徽宗亦重道教,“道君崇道教，至有道家二府之目。谓其尊贵如中书省枢密院也”《野获编》补遗卷四。《清波杂志》卷三云：“宣和崇尚道教，黄冠出入禁闼，号金门羽客，气焰赫然。”——惟不如唐之有意重之尔。

然佛教固亦隆盛于唐，玄奘其最著者。

玄奘以隋末出家，以佛典翻译有误，故经百余国，而在印度十七年，以贞观十九年归，大弘佛典。其卒也，士女送葬者数万人详《旧唐书》一九一《玄奘传》，《慈恩法师传》可案也。《五色线》云：“沙门玄奘姓陈，偃师人，武德初，往西域，取经，行至罽宾国，因道路多虎豹，不可过。遇一老僧，口授多心经一卷，令诵之，遂得出于平易，道路开通，乃至佛国。取经六百部，归而，《多心经》至今诵之。”下，页七，津逮本则其出行之苦焉。《酉阳杂俎》云：“国初唐玄奘往五印取经，西域敬之。成式见倭国僧金刚三昧言：尝至中天竺，多画玄奘麻屩及匙筯，以彩云束之。盖西域所无者。每至斋日，辄膜拜焉。”《酉阳杂俎》卷三则其游学之荣也。《大唐新语》云：“沙门玄奘，俗姓陈，偃师人。少聪敏，有操行。贞观三年，因疾而挺往五天竺国，凡经十七岁，至贞观十九年二月十五日，方到长安，足所亲践者，一百十一国。探求佛法，咸究根源。凡得经论，六百五十七部。佛舍利并佛像等，甚多。京城仕女，迎之填城溢郭。时太宗在东都，乃留所得经像于宏福寺，有瑞气徘徊像上，良久始灭。遂诣驾，并将异奇方物，朝谒。太宗谓之曰：‘法师行后，造宏福寺其处虽小，禅院清净，可为翻译之所。’太宗时为《圣教序》，高宗时为太子，又作《述圣记》并勒于碑。”卷一三《纪异二八》此言其回后之誉也。——唐初佛教之盛如斯，虽有傅奕、韩愈之攻，武宗会昌之厄，读史者可知迎佛骨之复现于唐代，非无故已。

唐初诽佛,始于傅奕。《大唐新语》卷十云:"太史公傅奕上疏,请去释教。其词曰:'佛在西域,言妖路远。汉译胡书,恣其假托。故不忠不孝,削发而揖君亲。游手游食,易服以逃租税。凡百黎庶,不究根源,乃追既往之罪,虚觊将来之福。布施一钱,希万倍之报;持斋一日,期百日之粮。'"参《唐书》一〇七《傅奕传》此即他日《昌黎集·谏佛骨表》所本。详邵博《闻见后录》卷八但终唐一代,除会昌废佛外,佛势仍盛。考德宗、懿宗、僖宗,迎佛骨者三详《困学纪闻》一四。代宗曾造万佛山,召僧徒入内道场,懿宗咸通中,迎佛骨,夹道佛声震地,一军校断左臂于佛前,以手持之,一步一礼,血流洒地详苏鹗《杜阳杂编》卷上页四至五,又卷下页一四至一六。武宗斥佛,见赵德麟《侯鲭录》卷二,文宗斥佛,见《宣室志》卷七,页一,别详予所著《韩愈评》《金陵学报》二卷二期。然此等禁斥,于佛教根本,初无所与。故宪宗元和迎佛骨时,"有火其顶刃其臂者",而"懿宗咸通迎佛骨,兆众涕泗,感动左右,竭家产,断肌骨,以表诚志者,不可胜记"详高彦休《阙史》卷下。懿宗本人,亦"于禁中设讲席,自唱经,手录梵夹"《通鉴》二五〇。可见唐时佛教之上入宫禁,下入民间已。

其与佛教同盛于唐,而又初来于唐时者,则回教已。

何乔远《闽书》卷七云:"吗哈叭德,圣人门徒,有大贤四人。唐武德六一八至二六来朝,遂传教中国。一贤传教广州,二贤传教扬州,三贤四贤传教泉州,卒葬此山泉州东南郊外灵山。"然则唐初已有回教已。就广、扬、泉地名言之,可知水道交通之进步,有以促回教之传播也。桑原骘藏云:"所谓武德中者,非有确证。不过得自传说,余最近推究此传说，盖出于北宋以前，大约唐中叶以后详大正九年十月《史学杂志》，页四二，但唐人传说，叙中国最初回教宣传地，何以数及泉州？则泉州当时，必有伊斯兰教徒不少，此亦间接之证。”《蒲寿庚考》，页一九《唐书·回鹘传》云：“元和初以摩尼至。”可知谓回教初盛于唐，实无疑也。

道教以李故而得唐敬，回教则以猪故而见礼于明，可哂也。《萍洲可谈》卷二云：“至今蕃人但不食猪肉。”杜环《经行记》：“大食法者，不食猪肉。”《通典》一九三引则唐、宋人已知回徒之习俗也。回徒在元时甚多，故周密《癸辛杂识》续集卷下谓：“至元癸巳一二九三村落间忽伪传官司，不许养猪”是也。其在明武宗则正德十四年十二月，“兵部左侍郎王，抄奉钦差总督军务威武大将军总兵官后军都督府太师镇国公朱钧帖：照得养豕宰猪，固寻常通事，但当爵本命，又姓字异音同。况食之随生疮疾，深为未便。为此省谕地方，除牛羊等不禁外，即将豕牲不许喂养，及易卖宰杀。若如故违，本犯并当房家小，发极边永远充军”沈德符《野获编》卷一，页四五“禁宰猪”条。俞正燮谓：“武宗豹房，实多回人，又未有子嗣，孙真人《千金方》言猪肉久食，令人少子。武宗有所感，回人怂恿之，国姓朱，武宗亥生，故有此钧帖也。”《癸巳存稿》八《正德禁杀猪》此与唐以姓李而奉道者，相映成文，故附存之。

其与回教并行于世者，则景教是已。

景教之来，明明由于市舶见本节上所引《册府元龟》五四六。僧景净于德宗建中二年立《景教流行中国碑》云：“大秦国有上德，曰阿罗本。贞观九祀，至于长安，帝使宰相房玄龄，宾迎入内翻经书殿，问道禁闱，深知正真，特令传授。贞观十有二年，秋七月诏曰：大秦国大德阿罗本，远将经像，来献上京。详其教旨，宏妙无为，济物利人，宜行天下。所司即于京师义宁坊，造大秦寺一所，度僧二十一人。”说者亦以此以为基督教之始。虽未必然，然回教、祆教、罗婆门教相率而来，可知唐初四裔向化之诚，国力充盈之盛也。

朱一新《无邪堂答问》卷一云：“景教流行之事，见《两京新记》、《通典》、《长安志》、《西溪丛话》、《墨邦漫录》诸书。景教即火教，丙丁属火，文言之则曰丙教，避唐讳则曰景教。唐时夷教入中国者有三，《唐文粹》载舒元舆《重岩寺碑》云有摩尼焉，大秦焉，祆神焉。大秦则火教也（宋次道《东京记》宁远坊祆神庙注：‘康国有神名祆。唐贞观五年有传法穆护何禄将经教诣阙，敕令长安崇化坊立祆寺，号大秦寺，又名波斯寺。’一新谓，何禄即阿罗本之异译），摩尼则回教也朱氏引《旧唐·宪宗纪》元和六年、《穆宗纪》长庆元年、《唐会要》贞元一五年、《宋史·外国传》于阗国为证，祆神则婆罗门教也朱引《西溪丛语》、《墨庄漫录》为证。”朱氏之言如斯。案《西溪丛语》卷上页二三至二七又谓：“会昌五年，敕大秦穆护火祆等六十余人，并放还俗。”卷上页二五则当时异教之盛可想。且大秦景教，固与基督教有相似处：周去非《岭外代答》卷三《大秦国》云：“王所居舍以石灰代瓦，……屋下开地道，至礼拜堂一里许。王少出，惟诵经礼佛，遇七日即由地道往礼拜堂拜佛，……”故俞樾断之曰：“按此，则钱竹汀《金石文跋尾》谓今欧罗巴奉天主耶稣是大秦遗教，其说信矣。”《茶香室丛钞》卷一五“礼拜堂”条录此以备一说云尔。

旧宗教之发扬，新宗教之传入，胥国家威灵所间接招致。唐太宗贞观四年，西北边障诸胡，曾欲奉太宗为王可汗《通鉴·唐纪》九。《萍洲可谈》云："汉威令行于西北，故西北呼中国为汉；唐威令行于东南，故蛮夷呼中国为唐。徽宗崇宁间，臣僚上言，边俗指中国为汉唐，形于文书，乞并改为宋，诏从之。"卷一是宋时海外犹敬唐也。《明史·真腊传》谓诸蕃呼华人为唐《明史》三二四，是明时海外犹敬唐也。然则新宗教之所以踵来沓至，岂偶然哉？

三八　唐律与府兵

政治经济须有法律以护之；海陆进展，以致新旧宗教，纷至沓来，盖由于武功；而武功而兵之属也。兵刑之秩然有序，立国之要在斯。班固志《刑法》，以为"圣人因天秩而制五礼，因天讨而作五刑"。故先叙兵制，继述刑法，异日王源作《立国论》，亦谓："立国之道五，曰德曰法曰武曰教曰文。义得之，仁守之，曰德。立纪纲，明政刑，曰法。武者克敌乱，威立而民服也。"戴望《颜氏学记》卷八然则唐律与府兵，固唐为唐之所以也。

《通鉴》一九三贞观二年："上问王珪曰：'近世为国者，益不及前古，何也？'对曰：'汉世尚儒术，故风俗淳厚；近世重文轻儒，参以法律，此文治之所以益衰也。"案汉人尚法，语详本卷第七节，珪之言，已露以法治国之意矣。

唐律之所以可贵者何也。

一曰法律为经验案例之累积，而唐律者，实承受之。如汉律准许犯人在狱生子，一见于范《书》《刘宠传》、《吴祐传》，再见于《魏书》六七《崔光传》，三见于《北史》七七《裴政传》，则后世因之也。《汉律》诏孕妇缓决汉《刑法志》，《魏书》一一一《刑法志》亦谓崔浩定令“妇人当刑而孕，产后百日乃决”。而《唐律疏议》三〇亦云：“诸妇人犯死罪怀孕，当应行决者，听产后一百日乃行刑。若未产而决者，徒二年。产讫限未满，而决者，徒一年。”则后世因之也（赵翼谓：“孕妇缓刑，本汉魏之制；岂元魏时，此律已废，而浩而又著为令？”又谓：“此皆听重囚妻孥入狱之故事，特其时尚未有定制。故长吏法外行仁，后世著为成例，其即仿此。”俱详《陔余丛考》卷二七意亦同此）。重囚妻孥入狱之制如此，而惩治贪吏亦然。

汉世常有惩奸之单行法，如禁锢奸臣子孙见范《书》六九《刘恺传》。北魏踵之见《魏书》六四《郭祚传》，即唐亦有此法详《日知录》一三《禁锢奸臣子孙》。然唐律亦有变前世者，《唐律》卷二六称：“诸于城内街巷及人众中无故驰车马者，笞五十，以故杀伤人者，减斗杀伤一等。”然五朝律，则走马城市杀人者，不得以过失杀人论也详《太炎文录》卷一《五朝法律索隐》。

二曰汉唐之间，法典已夥，惟唐则统一之也。“周衰刑重，战国异制，魏文侯师于李悝，集诸国刑典，造《法经》六篇。一盗法，二贼法，三囚法，四捕法，五杂法，六具法。商鞅传授，改法为律；汉相萧何，更造悝所造户、兴、厩三篇，谓九章之律。魏因汉律，为十八篇。改汉具律，为刑名第一。晋命贾充等增损汉魏律，为二十篇。于魏刑名律中，分为法例律。宋齐梁及后魏，因而不改。爰至北齐，并刑名法例为名例，后周复为刑名。唐因于隋，相承不改。”《唐律疏议》卷一《名例一》盖集中唐以前之法典，而唐律斯生。

关于唐以前之法典，参看《晋书》三〇《刑法志》、《隋书》二五《刑法志》，《唐律》以高宗永徽中修成，其前固多有修律令者。以隋言之，则裴政修律《隋》七七，刘炫与牛宏修律《隋》七五《刘炫传》，王夫之且谓裴政之律，泽及后世详《读通鉴论》卷一九。第前此法典，文献难征。章炳麟不以唐律为是，独叹“文帙完具者，独有唐律”《文录》一，页七一，非无以也。

三曰在唐以前，律令混乱，惟唐则结束之也。盖“前主所是著为律，后主所是疏为令”《汉》六〇《杜周传》，则律令因帝主而致乱也。陈宠谓：“汉兴以来，三百二年，宪令稍增，科条无限。又律有三家，其说各异。宜令三公廷尉，平定律令。”《后汉书》七六《宠传》则律令因时而紊也。章炳麟云：“余观汉世法律，贼深张汤。仲舒之徒，益以‘《春秋》诛心之法’，又多为决事比，转相贸乱，不可依准。”《文录》一《五朝法律索隐》则律令因例而紊也。——而五胡之乱，石勒、赫连勃勃辈以杀人为治典，即元魏亦淫刑以逞详《陔余丛考》一六“元魏族诛之刑最惨”。则律令因胡而紊也。四紊之相踵，固唐律所以取重于人者矣。

四则曰，唐律之沾溉于后世不少也。《宋史》一九九《刑法志》云：“宋法制。依唐律令格式，而随时损益，”则宋律有藉于唐也。《春明梦余录》四四《大明令》云：“洪武元年，定《大明令》百四十五条，颁示天下。……洪武元年，命中书省详定律法，律成，宋学士濂具表言，臣以洪武六年冬十一月受诏，明年二月书成，篇目一准唐旧。名虽沿唐，而因时定制，缘情制典，自有法律以来，所未有。”则明律有藉于唐也。

即以十恶之刑而言：“汉律无十恶名，然大不敬罪辄逾等。”《太炎文录》卷一《五朝律》唐有十恶之目：“谋反、谋大逆、谋叛、恶逆、不道、大不敬、不孝、不睦、不义、内乱。”《唐律》卷一《名例》“原夫厥初，盖起诸汉。梁陈以往，略有其条。周齐虽具十条之名，而无十恶之目。开皇创制，始为此科。大业有造，后更刊除。十条之内，惟存其人，自武德以来，仍遵开皇，无所损益。”《唐律》一《疏文》则唐固承前者。然《大明令》所载十恶详卷一，与唐律一字无殊，则犹可征唐律之沾溉于后世焉。

唐律之所以为世重者如斯，固不仅有助于唐之国力也，府兵亦然。府兵之制固介于征兵募兵之间；有承于前，而有启于后者。《新唐书》五〇《兵志》云：“盖古者兵法，起于井田。自周衰，王制坏而不复，至于府兵，始一寓之于农。……此高祖、太宗之所以盛也。至其后世，子孙骄弱，不能谨守，屡变其制。夫置兵所以止乱，及其弊也，适足为乱。又其甚也，至困天下以养乱，而遂至于亡焉。……府兵之制，起于西魏、后周，唐兴因之。……太宗贞观十年，置折冲府，凡天下十道置府六百三十四，皆有名号。而关内二百六十有一，皆以隶诸卫。凡府三等，兵一千二百人为上，千人为中，八百人为下。”《春明梦余录》四二云：“府置折冲都尉一人，左右果毅校尉各一人，长史兵曹、别将各一人。校尉六人，士以三百人为团，团有校尉，五十人为队，队有正，十人为火，火有长，史称其平居无事时，耕于野，其番上者宿卫京师而已。若四方有事，则命将以出，事解辄罢。兵散于府，将归于朝，故士不失业，而将帅无握兵之权。此唐初所以兴，由兵寓于农也。至开元中，承平日久，府兵法坏，张说、李林甫，始募长征，兵谓之彍骑，卒启方镇跋扈之祸。李泌谓其兵不土著，又无宗族，不自重惜，忘身徇利，祸乱遂生。”——此渭古者兵农不分，后者兵与农离，而府兵者，适承上启下，介乎其间，以开唐初之治者。

案所谓折冲府六百三十四者，诸书所记，略有不同。详王氏《困学纪闻》卷一四“府兵缘起”条。

古者兵农固有合一之制，然汉时，亦有“弛刑”、“私从”、“恶少”、“亡命罪人”钱白石《补汉兵志》，页一七至一九。则汉时有募兵也；《通鉴》一一五义熙六年卢循叛，“刘裕募人为兵，赏之，同京门赴义以讨桓玄之科”。盖京口赴义日，桓玄“士卒多北府人，素畏服裕。……玄走意已决，……胡藩谏曰：‘今羽林射手，犹有人百。皆是义故西人，受累世之恩。’”《通鉴》一一三则东晋时固行募兵矣。《新书》一二五《张说传》云：“时卫兵贫弱，番休者亡命略尽。说建请，一切募勇强士，优其科条，简邑役。不旬日，得胜兵十三万，分补诸卫，以强京师。后所谓彍骑者也。”然汉、晋已有番兵，奚必待张说、李林甫之募长征彍骑而始然哉？

《汉书》卷七《昭帝纪》如淳注：“古者正卒无常，人皆当迭为之。一月一更，是谓卒更也。实者欲得顾更钱者，次直者出钱，顾之。月二千，是谓践更也。”是募兵渊源甚早。且隋炀

"募人伐高丽，窦建德以勇敢选为二百人长"《通鉴》一八〇，则府兵以前，曷尝无募兵哉？

《朱子语类》："因论唐府兵之制，曰：永嘉诸公，以为兵农之分，反自唐府兵始。却是如此。盖府兵家出一人，以战以戍，并分番入卫，则是一人便不复为农矣。"卷一三六诋府兵为募兵，未免措论太迂。然观于府兵之前后，募兵已如是其盛行，则府兵为征募两制中间之媒介，固不易之论也，宋以后则无公然为征兵之制，如府兵者已。

沈作喆《寓简》云："韩魏公在中书，同列议养民之弊，无术以革之。魏公沉思良久曰：'养兵虽非古，然积习已久，势不可废。'"卷五，页七，知不足斋本此其征也。

府兵也，唐律也，事虽可称，然其扶助专制丝迹可寻，唐律之十恶，固八九为忠君而设，即府兵之制，殆亦有弱天下之意。王夫之所谓："贞观十年，定府兵之制，大约与秦隋销兵，宋罢方镇之意略同。府兵者，犹之乎无兵也。而特劳天下之农民于番上之中，是以不三十年，武氏以一妇人，轻移唐祚。……非玄宗罢府兵，改军制，则安史朱泚之起，唐久为秦隋续，恶能待懿僖之昏乱，黄巢起而始亡哉？府兵之制，散处天下，不论其风气之刚柔，任为兵也与否。多者千二百人，少者百人，星列棋布于陇亩，乃至白首而不知有行阵。季冬习战，呼号周折，一优人之戏而已。……详考府兵之制，知其为戏也。太宗之以弱天下者也，欲弱天下以自弱，则师唐法焉可尔？"《读通鉴论》卷二〇此其言，正如章炳麟之议唐律也，斥其自私也。

《太炎文录》卷一《五朝法律索隐》谓五朝之法：重生命者有二，一父母杀子者同凡论，二走马城市杀人者不得以过失杀人论。恤无告之法有一，诸子姓复仇者勿论。平吏民之法有二，一部民杀长吏者同凡论，官吏犯杖刑者论如律。抑富人之法有二：一、商贾皆殊其服，二、常人有罪不得赎（《通鉴》百十一卷燕主盛下诏曰："法例律，公侯有罪，得以金帛赎。此不足以征恶，甚无谓也。自今皆令立功以赎。"章氏不举此，因补及之）。因结言于"故汉、唐二律，皆刻深不可施行。求宽平无害者，上至魏下讫梁五朝之法而已"。附记于此，余则原书可案也。

第十二章　郡县制度改进后之景相

三九　汉唐间之郡县

所谓唐之盛世，如其政治经济，海陆发展，新旧宗教兵刑之制，皆唐所以维持其郡县之制；不则郡县制度所产生者也。郡县制度者，盖帝皇所以自护其“业”，而整顿其业者耳。

自秦分三十六郡后，汉分十三部，东汉仍其旧，孙、刘、曹则专用州区分，而郡县之。五胡乱时，东晋创侨寄州郡之制，“自晋成帝以来，州郡类多侨置。增损离合，不能悉详”。后魏之制，亦分州郡。及隋混一中国，有郡一百九十，县一千二百五十五，此唐前郡县分划之大概也语详《方舆纪要》卷四。

“自隋季群雄竞起，互相分割，建置纷然。唐兴因而不改，其纳地来降者，亦往往割置州县以笼络之。由是州县之数，倍于开皇大业间。贞观元年，以民少官多，思革其弊，命大州并省。因山川形便，分为十道。曰关内，曰河南，曰河东，曰河北，曰山南，曰陇右，曰淮南，曰江南，曰剑南，曰岭南。及玄宗而增饰旧章，分为十五。京畿、都畿、关内、河南、河东、河北、山南东、山南西、陇右、淮南、江南东、江南西、黔中、剑南、岭南是也。而边境之地，国力拓殖所至，则自贞观至开元，即其部落，置羁縻州县。于沿边州郡，设六都护分统焉”《读史方舆纪要》卷五，参《新唐书·地理志》。

六都护者，一曰安北，二曰单于，三曰安西，四曰北庭，五曰安东，六曰安南。其余蛮荒之地则统于营州、松州、戎州、黔州等都督府焉。

十道、十五道以后，在宋则曰“路”，在元则曰“行中书省”。详《元史》九一《百官志》省本为官署之名，“《唐书·杨收传》，汉制总制群官曰‘省’是也。至元，遂设行中书省，遂又移为方州之名。然行省之称，亦不自元始。陆放翁诗：‘往者行省临秦中，我亦结服叨从戎。’又云：‘行省当年驻陇头，腐儒随牒欲西游。’是南宋已有行省之称。”详《陔余丛考》二七《省》盖元明地方之省，即唐宋中枢之官；明清中枢之“道”，乃唐时分域之称。因循假借，非一端矣（明分中国为十三部，然《双溪杂记》云：“国初在内设中书省，置左右丞相，在外设行中书省。”《孤树裒谈》卷一引叶子奇《草木子》卷三云：“元代分天下为十一省，二十三道。每州皆为路，在内曰中书省，在外曰行中书省。按历代疆理天下，三代分天下为九州，或十二州；秦分天下为三十六郡；汉分天下为十三部；一部六郡。晋分天下为十五道。唐为十道。宋分天下为四京二十三路，此其大较也。”是郡县之制，列代大致无殊。即行省之名，明初固亦踵元之旧也）。

然郡县制度之后异于前，非在乎州路道省之名殊，而在于组织状况之或异，换言之，则中央操纵地方，前后之势异焉。

其一，以地方政府之辖境言之，愈分愈析。以单位数字而言，秦三十六郡，汉七十八郡，至唐则有百九十郡矣。赵翼谓汉初分郡之大以为至“三国时则渐分裂。如《吴志》言孙策自领会稽太守，以朱治为吴郡太守，则汉时会稽一郡之地，已分为二。又《夏侯玄传》，万户之县，名之郡守；五守以上，名之都尉。千户以上，令长如故，则地之小益可见矣”《陔余丛考》卷十六。十羊九牧，夹制益严，此则汉唐郡县之异一也。

羊固未尝多也，赵德麟《侯鲭录》卷一引今国史云：“天下生齿之数，举其成数，前汉一二二三万。后汉一六〇七万，魏九四万，晋二四五万，宋九〇万，后魏三二七万，北齐三〇三万，北周三五〇万，隋八九〇万，唐九六〇万。国朝艺祖二五〇万，太宗三五七万，真宗八〇六万，仁宗一九〇九万，英宗一二四八万，神宗一七二九万。”此数虽不十分可靠，然以见羊不致于多至有多牧之必要焉。

其二，汉时郡国守相得自置吏，杀人亦不待奏详《陔余丛考》卷十六。此则以地方政府之职权言之，而知古今郡县，今昔异制也。唐制且莫论，隋刘炫之语牛弘曰：“齐氏立州，不过数十，三府行台，递相统领，文书行下，不过十条。今州三百，其繁一也。往者则唯置纲纪，郡置令丞，县惟令而已。其所具僚，则长官自辟；受诏赴任，每州不过数十。今则不然，大小之官，悉由吏部；纤芥之迹，皆属考功，其繁二也。”《隋》七五《炫传》中央削郡县之权，于唐亦然，斯则汉唐郡县之异二也。

魏玄同于高宗永淳元年六八二，论选举法弊曰：“汉制诸侯，自得置吏四百石以下。其傅相大臣，则汉为置之。州郡椽吏、督邮、从事，悉任之牧守。自魏晋以后，始归之吏部，而讫于今。以刀笔量才，簿书察行，法与世敝，其来久矣。……以陛下圣明，国家德业，而不建经久之策，但愿重魏晋遗风，臣窃惑之。愿少遵周汉之规，以分吏部选，即所用详，所失鲜矣。不纳。"《唐书》一一七《玄同传》玄宗开元九年，"敕京官五品以上，外官刺史四府上佐，各举县令一人，视其政善恶，为举者赏罚。"《通鉴》二一二究属特有之例耳。

三则曰：地方官之重要，远不如中央为浮官也。汉帝尝曰："为我治百姓者，其良二千石乎！"朱买臣为会稽太守，声采奕奕。然唐在天宝以前，则地方官不甚为人所重，所重者京官。太宗时马周疏云："朝廷独重内官，而轻刺史县令。……武后时，李峤、唐休璟，奏言朝廷重内官，轻外职。……明皇时张九龄奏言，……用牧守为斥逐之地，刺史尚尔，何论县令？古者刺史入为三公，郎官出宰百里，今朝廷士，入而不出；京师衣冠所聚，声名所出，从容附会，不动而成。是大利在内，而不在外。……"《倪若水传》亦云："时天下承平，朝廷尊荣。人重内任，虽自冗官擢方面，皆自谓下迁。班景倩自扬州采访使，入为大理少卿，若水饯之于郊。顾左右曰：'班公是行若登仙，吾恨不得为驺仆。'可知唐初以至开元、天宝，内重外轻之风也。"《陔余丛考》卷十七"唐制内外轻重前后不同"条盖政治清明，郡县之制整饬，故人自乐内向京师尔。

至于天宝以后，则内轻外重已。"《通鉴》元载当国，以仕进者，多乐京师，乃制俸厚外官而薄京官。京官不能自给，常从外官乞贷。故《曹王皋传》云：上元中，皋乞外官，不允。乃故抵微法，贬温州长史。《李泌传》亦云：是时州刺史，月俸千缗。方镇望取无艺，而京官禄薄。自方镇入为八座，至谓罢权。薛邕自左丞贬歙州刺史，家人恨降谪之晚。崔祐甫任吏部员外郎，至求为洪州别驾。其节度使府宾佐，有所忤者，荐为郎官。当迁台阁者，皆以不赴取罪去。李泌以为外太重，内太轻，请随官闲剧，普增其俸，为窦参阻而止。此距开元、天宝时，不及三四十年，而内外轻重，相反至此。亦可以观世变也。"《陔余丛考》十七

盖自贞观以至开元，中央节制地方，甚有效率，故以武后之淫虐而斯民晏然。自节度之名立，而又申之以安史之祸乱，而唐之郡县制度始变。节度使之起，原自边徼之地，军事节度，取便而然。盖"自高宗永徽以后，都督带使持节者，谓之节度使。然犹未以名官。（睿宗）景云二年，以贺拔延嗣为河西节度使，节度使之官，由此。然犹第统兵，而州郡自有按察等使，司其殿最。至开元中，朔方陇右河东河右诸镇，皆置节度使。每以数州为一镇。节度使即统此数州，州刺史尽为其所属。故节度多有兼按察安抚度支使者，既有其土地，又有其人民，又有其财赋，而方镇之势日强。安禄山以节度使起兵，几覆天下"《廿二史劄记》二〇《唐节度使之祸》。——盖即无外族之侵陵，而郡县之新弊已见矣。

郡县之制，盖为帝皇自私自营之心所倚托者。节度使之设，殆为武功边计而不得不然。故"天宝元年置十节度使，其九皆西北边徼也，惟河东一镇，治太原，较属内地。若畿辅河

洛，江淮汴蔡荆楚兖泗，咸弛武备，幸苟安而倚沿边之节镇，以冀旦夕之无虞。外强中枵，乱亡之势已成。盖自一行立两戒之说，分用文用武之国，于是居轻驭重，强干弱枝之术行。而自诧其巩固。元宗之世，吐蕃等虽倔强不宾，而亦屡挫衄以退，本无可用防御者，而若大患之在边，委专征之权于边将。惟中原空其无人，而人心离叛，偶一折丧，边兵皆为贼用。然后鼓行而入燕人之境，更无挟一矢以抗之者"。《读通鉴论》二二船山此论甚好，盖唐既立内重外轻之制，原以巩拱王室；"更外"有边疆，则又重之，以抗外夷，形势牵掣，自谓得志，而不知祸即兆于其中尔。

四〇　科举与学校

府兵也，唐律也，其起由由于帝王之自私，即郡县之制重内轻外，固亦由于自私者，其更显者则设科举以牢笼英雄是已。

案自魏晋九品官人以来，唐初犹置大中正于各州武德七年，《通鉴》一九〇。然国家为集中权力计，固不能不有取于"大小之官悉由吏部，纤芥之迹，皆属考功"也《隋书》七五刘炫语。况科举之制，足以麻醉人心也，自示私惠也，牢笼英雄也。

以牢笼英雄言之，王定保《摭言》卷一页四，雅雨堂丛书本云："进士科始于隋大业中，盛于（太宗）贞观、（高宗）永徽之际。缙神虽位极人臣，不由进士者，终不为美。以至岁贡，常不减八九百人。人共推重，谓之白衣公卿。又曰一品白衫。其艰难谓之三十老明经，五十少进士。其负倜傥之材，变通之术，苏张之辨说，荆聂之胆气，仲由之武勇，子由之筹画，宏羊之书计，方朔之诙谐，咸以是而晦之。修身慎行，虽处子若，其有老死于文场者，亦无所恨。故有诗云：‘太宗皇帝真长策，赚得英雄尽白头。’”终老英雄，则科举之所以一也。

《摭言》卷一页三又云：“（太宗）文皇帝，偃武修文，天赞神授。常私幸端门，见新进士缀行而出，喜曰：‘天下英雄，入吾彀中矣。’若乃光垂四夷，得祚三百，何莫由斯之道焉。”科举之背景甚明。

以麻醉人心言之，则孙光宪《北梦琐言》卷一云：“宣宗好儒雅，颇留心贡举。尝于殿柱上自题曰：‘乡贡进士李某。’”知宣宗之热中于斯，知唐时人之沉醉于斯，深矣。

以私自示惠言之，则“如策贡士于殿廷，自武氏始。既试之南宫，又试之殿廷，任大臣以选事，不推诚以信，而以临轩易其甲乙。徒以市恩遇于士，而离大臣之心。故至于宋，而富郑公欲请罢之，其说是已。……而自武氏以来，议选举者，言满公车，而计不及此者，后世人主之心，无以大异于武氏也。夫武氏以一妇人，而窃天下，唯恐士心之不戴己，而夺有司之权，鬻私惠于己。后世人主，作君作师，无待私恩，以固结，而与大臣争延揽，以笼络天下，不亦悖乎？”《读通鉴论》卷二一

言唐人科举之作用如斯，然唐人科举，以较后世则尚有可取者。

其一，则科目繁多，士可各秉其材以赴上之求也。赵彦卫《云麓漫钞》卷六云：“唐科目至繁，《唐书》志多不载，或略见于列传，今

裒集于此:制科及第。志烈秋霜。洞晓章程。材称栋梁。志标忠梗。政均卓鲁字俗之化均高。安心畎亩力田之业夙彰。道德资身乡里共挹。养志丘园嘉遯风远。材堪应幕。学综古今。茂材异行。消声幽薮。幽素。问赡文华。直言极谏。抱儒素。韬钤。词操文庄。孝弟梗直。临难不顾循节宁邦。长材广度沉迹下寮。文艺优长。绝伦。优邦。疾恶。龚黄。拔萃。贤材。才膺管乐。才高任下。贤良方正。材堪经邦。草泽遗材。文学优长。茂材异行。藏器晦迹。宰臣。文可经邦。文以经国。藏名负俗。怀才抱器。明大义通三经。抱一史知本末。通三教究精微。经国治人。藻思清华。道侔伊吕。才堪刺史。兴化复俗,文章俊拔越超流辈,贤良方正直言极谏,哲人奇士隐沦屠钓。良才异等。文儒异等。文史兼优博学通议。文词雅丽。武可安边。高材草泽沉沦自举。才高未达沉迹下僚。多材。宏词卓绝流辈。王霸。知谋将帅。平判入等。国子明经。上书中书同进士及第。文词秀逸。风雅古调。词藻宏丽,经学优深。高蹈丘园。军谋。孝弟力田闻于乡闾。超绝。堪任将帅。堪任县令。书判拔萃。五经。开元礼。学究。律令。明习律令。明于体用。达于吏理。三礼。达于教化。军谋宏远材任将帅。详明政术可以理人。神童。宝黄。处士。山人。日试百篇。道举。日试万言。长念九经。学究周易处士。三史。童子明经。明算。童子学究。"——视后世之限于数种。宽狭自异也。

然唐制自以进士为重,胡三省云:"唐制重进士而轻明经,故有焚香礼进士,设幕试明经之语。"《通鉴》卷二五二注文其二，则场外亦论文，亦如后世之“场外莫论命，场中莫论文”，准则无从。魏元旷《焦庵随笔》卷三云：“唐人应科目时，皆上书朝贵，及先达名辈，朝贵各以其所得士属之主司。及放榜后，犹必请于宰相，有无笃士，乃填榜。平日太守刺史，亦皆以奖拔寒畯为事。偶一诗见赏，即远近传诵。及至都下，往往甫卸装，即争造门相访，故唐时才士，无不遇之叹。”斯其征也。

其三，则折辱士子之心，以后世言之，犹为愈也。故玄宗、肃宗间，杨绾犹言：“国之选士，必藉贤良。……自叔叶狡诈，兹道浸微，争尚文辞，互相矜炫。……近炀帝始置进士之科，当时犹试策而已。至高祖朝，刘思立为考功员外郎，又加进士试杂文，明经填帖，从此积弊，展转成俗。……自古哲后，皆侧席待贤，今之取人，令投牒自举，非经国之体也。……”当时贾至亦谓“忠信之凌颓，耻尚之失所，末学之驰骋，儒道之不举，四者皆取士之失”俱详《旧唐书》一一九《杨绾传》，《新唐书》竟略此文。虽当时宰相，格而不行，而时人犹以举子怀牒自投为耻也。宋以后，则防士子如狗盗，毫不念其廉耻已。

> 折辱士子之程式，胥宋以后启之，糊名对号，以避爱憎，则详刘昌诗《芦浦笔记》卷三；禁止怀挟，则见盛如梓《庶斋老学丛谈》卷下页三；文字须加眷录，则见吴曾《能改斋漫录》卷一陆游《老学庵笔记》卷一；试官入闱，须断绝交际，名曰锁闱，则见欧阳修《归田录》卷二页七三。——此皆唐人所未尝有者也。

唐科举之可惜者，独在不能遴拔真材耳。其尤著者，如文宗时，刘蕡以直言下第，同举者谓“刘君不第，我辈登科，实厚叹矣”。《旧唐书》一九〇下《蕡传》裴度虽贤，亦无以救济。李商隐诗云：“汉庭急诏谁先入,楚路高歌自欲翻。万里相逢欢复泣,凤巢西隔九重门。”《容斋二笔》卷十六即此而可征科举之弊已。

然唐人科举,固有学校以济其穷。其出身之士,固不必尽由科举也;则亦大有异于后世之以科举为实路,以学校为虚名者。《唐书》四八《百官志》言学校教职,有国子监祭酒,从三品。国子监博士,从五品。五经博士,从五品。太学博士,正六品。国门馆博士,正七品。律学博士,从八品。书学博士,从八品。算学博士,从九品。则学校有实学,以课甲乙,教士子也。《唐书》四四《选举志》,谓唐学凡六,国子学则贵族学校也。四门学则次贵族及平民之俊异者所入也。律学、书学、算学亦然,其府州县则又有学焉。则学校有门户以迎士子也。虽“天宝后,学校益废;生徒流散,馆无定员”《新志》;而杨绾等人,犹推举学校之制,以谓可济科第之穷。

《旧书》一一九《绾传》云:“(肃宗时)贾至议曰:……今取士试之小道,而不以远者大者。使干禄之徒,趋驰末术。……请兼广学校,以宏劝诱。今州有太学,郡有小学,兵革一动,生徒流离,儒臣师氏,禄廪无向。贡士不称行实,胄子何尝讲习?独礼部每岁擢甲乙之第,谓弘奖擢,不其谬欤?……其国子博士等,望加员数,厚其禄秩。选通儒硕生,间居其职。……则青青不复兴刺,扰扰由其归本矣。”可知学校虽不修,而时论犹重之如此。当时太学,固无以愈于科举。观柳宗元《河东集》三四《与太学诸生书》云:“聚为朋曹,侮老慢贤,有堕窳败业,而利口食者;有崇饰恶言,而肆斗讼者:有凌傲长上而谇骂有司者。”可见一斑。然在科举之外,为登庸人材之一门,则固无可疑者。

其尤足为士子留一线之生机者，则书院之制，其脱胎于前世之精舍参本卷二七节者，而创于唐。《唐六典》称："开元十三年，改集贤殿修书为集贤殿书院。"《益闻总录》卷中页四〇，青照堂本云："书院之始，起唐玄宗。时有丽正书院，集贤书院。本建朝省，为读书地，后衡州李宽建石鼓书院，始为士人肄业所。白鹿洞书院，南唐所建也。应天书院，宋时富人曹诚建也。"按丽正书院之置，在唐玄宗开元十一年《通鉴》二一二。然则在科举国士未甚之际，官学教士未衰之时，而宋明书院之规模，已兆端于斯时，得无天下有心人，未甘受郡县制度以下，操纵士子之牢笼，而思有以抉破藩篱乎？故在有宋，科举仍旧也，学校有三舍也，而书院勃兴已。

四一　隋唐学术

科举也，学校也，所以牢笼英雄；所以增进天下为私之郡县制度的效力；然其间固亦足令家国暂安，民生粗遂。学术亦于是孕育焉。

家国暂安，其一能促藏书之盛，印刷未兴前，所以保存文献者，胥赖斯焉。

大凡开国之时，例必收书详本卷第九节。故隋炀帝亦从事于斯《隋书》三二《艺文志》。其在于唐，则贞观、开元两度征集。取蜀郡之纸，给上谷之墨，用河间之毫。"两都各聚书，曰部，以甲乙丙丁为次。列经史子集四库。其本有正有副，轴带帙签，皆异色以别之"。后经安、史乱离，尺简不存，更为征集，则国家在郡县制奏效之时，于文献固亦有益焉。

《新书》四八载工部尚书，亦掌纸笔墨之事；姚宽《西溪丛语》卷下云："唐初，秘书省有熟纸匠十人，装潢匠六人。"则承平与文献，有关可想。且当时印刷未起，文献征存，胥赖大力，私人蓄书，事殊艰难。《南史》七二称崔慰祖聚书万卷，邻里来假，亲自取与，未尝为辞。又称任孝恭家贫无书，常崎岖从人假借，颜之推称，借人典籍，首当爱护，以为士大夫百行之先《颜氏家训》卷一。然杜暹藏书，谓："清俸买来手自校，子孙读之知圣道，鬻及借人为不孝。"详钱氏《养新录》十九引《清波杂志》而柳仲郢为元和间人，虽在仕宦："厩无名马，衣不熏香。退公布卷，不舍昼夜。九经三史，一钞。魏晋以来南北史，再钞。"《旧唐书》一六五《柳传》达官如斯，其他可想。何薳《春渚纪闻》卷五云："杜征南与儿书言'昔人云，借人书一痴，还人书一痴。'山谷借书诗云：'时送一鸱开锁鱼。'常疑两字不同，因于孙缅《唐韵》'五之'字韵中，瓻字下注云：'酒器。大者一石，小者五斗。古借书盛酒器也。'又得以证二字之差，然山谷鸱字，必别见他说。当是古人借书，先以酒醴通殷勤，借还皆用之耳。"知古人借书之难尔尔，则统一之世，其收书之功，可知也。

其二，则有经学之盛。经学者，所以节制士夫，俾能忠顺于自私之郡县以下者也。《唐书》一九八《儒学传》叙称太宗以孔子为先圣，颜渊为先师。而颜师古、孔颖达诸人，前后登用。"唐太宗以儒学多门，章句复杂，诏国子祭酒孔颖达，与诸儒撰定《五经义疏》，凡一百七十卷，名曰《五经正义》。""因一时之好尚，定一代之规模。"

《经学历史》页四二穷巷陋儒，呫哔经年，正与考试时之帖经墨义，均为随势利用者已。

唐人试法，如进士“试时务策五道，帖一大经，经策全通为甲第”，则帖经也；“凡书学，先口试；通乃墨试《说文》、《字林》二十条”，则墨义也；“凡明经先帖文，然后口试经问大义十条，答时务策三道”，则帖经墨义兼用也《新书》四四《选举志》，此皆假经术以络士之可见者。

其三，则如史学，刘知幾之《史通》、杜佑之《通典》，其著者也。唐科举本有“史学”《新书》四四《选举志》，然当时史臣“凿枘相违，龃龉难入，其所裁削，皆与俗浮沉，虽自谓依违苟从，然犹大为史官所疾。任当其职，而吾道不行。见用于时，而美志不遂”《史通·自叙》。则史学之受影响于大一统也可知。《通典》叙云：“杜君卿雅有远度，志于邦典，采五经群史，上自黄帝，下至有唐天宝之末。以类相从，举其始终。历代沿革废置，及当时群士论议得失，靡不条载，附之于事。”《佑传》又称《通典》之作，盖补弥刘秩《政典》。而《政典》之作，效《周官》六官之法详《新唐书》一六六《佑传》，则《通典》与大一统有关焉。如贾耽之地学，更无论已。

知幾，武后时人《唐书》一三二。杜佑元和七年卒，年七十八，盖生于开元二十三年七三五，学术与时世可见。至于地学，《新唐书》四六《百官志》称职方郎中“掌地图城隍、镇戍、烽候、防人道路之远近，及四夷归化之事。凡图经非州县兴废，五年乃修”。《贾耽传》称：“耽嗜观书，老益勤。尤悉地理，四方之人，与使夷狄者见之，必从咨索风俗。故天下地土区产，山川夷阻，必究知之。又图海内华夷，广三丈从三丈三尺，以寸为百里。”《新唐书》一六六《贾传》则耽之地图，盖亦由于武功之盛也。

其四，则如书学者，盖亦受中枢提倡之影响。《百官志》有书学博士《新唐书》四六，而宏文馆之设也，“贞观元年，诏京官职事五品以上子，嗜书者二十四人，隶馆习书，出禁中书本以授之”。用知承平之时，提倡有闲阶级之艺术何如？马永卿《懒真子录》卷三，儒学警悟本云：“唐人字画，见于经幢碑刻者，其楷法往往达于精妙。非今日所能及。盖唐世以此取士，吏部以此为选官之法，故世竞学之，遂至于妙。”朱新仲《猗觉寮杂记》卷上页五二云：“唐《百官志》有书学，故唐人莫不善书。远至边裔书史里儒，莫不书字有法，往往胜于今之士大夫，至今碑刻可见也。亦由上之所好，有以劝诱之。正观中，集王羲之书，为百五十卷。选贵臣子弟，有性识者，以为宏文馆学生。内出法书，命之习学，人间有善书者，亦召入馆，海内向风，工书者众。”盖上有好之，下焉益甚，观太宗之计取《兰亭》，而唐人书学可见。

《旧小说》页一五七唐有何延之《兰亭始末记》，大略云：“《兰亭》者，晋王羲之右军所书诗叙也。遒美劲健，绝代特出。他日更书数十本，更无及者。右军亦自爱重，此书留付子孙。传至七代孙智永，与兄孝宾，俱舍家入道。禅师克绍良裘，精勤此艺，所退笔头，置大竹簏，簏受一石，五簏皆满。孝宾改名宾欣，梁武帝以智永二人，皆崇释教，故名所居之寺，曰永欣寺焉。事具《会稽志》。禅师年百岁乃终，其遗书并付与弟子辨材。贞观中，太宗听政之暇，锐志翫书，唯未得《兰亭》，寻知在辨材处。召令至京，方便善诱，辨材终称迭经丧乱，不知所在而已。房玄龄奏曰：'萧翼者，梁元曾孙，负材艺，多权谋，可以获此。'翼乃驰往，以茶酒伴辨材，僧俗混然。久之，乃谈论翰墨，翼谓弟子先世，颇爱钟、王书法。因出数迹。辨材曰：'是则是已，善未善也。'因于屋梁取柙，出《兰亭》。辨材时年八十余，每日于窗下，临学数过，笃好如此。翼往还既数，僮弟等无复猜忌。辨材偶外出，翼乃私取。乘驿以告都督，且就与辨材别曰：'奉敕取《兰亭》，今得矣，故来作别。'辨材梗绝良久，太宗以其老，不忍罪也。因命搨数本以赐皇子近臣。贞观二十三年，圣躬不豫，谓高宗曰：'《兰亭》可与我将去。'高宗流涕拜从，真迹既归鼎湖，搨本在者，尚值数万焉。"节录全文事虽不可尽信，亦有闲酸丁佳话之一焉。聊录之。

至于图画，则《封氏闻见记》卷六页八云："国初阎立本善画，尤善写真。太宗为秦王，使立本图秦府学士杜如晦等一十八人。贞观十七年，又使立本画功臣长孙无忌等于凌烟阁。立本以高宗总章元年，迁右相，即今之中书令也。时人号为丹青神。……则天朝，薛稷亦善画，位至太子少保。玄宗时，王维特妙山水，幽深之致，近古未有。郑虔又工书画，又工诗，故有三绝之目。天宝中，御史毕宏，善画古松。凡此数公，皆负当时才名，至若吴道子画鬼神，韩干画马，皆近时知名者。"画学之盛，盖亦不能不谓与内廷供奉无关也。

开国时，高祖子元婴，已善画陈鹄《耆旧续闻》卷九。中世则王维“画思入神”，“天机所到学者不及”。“开元、天宝间，豪英贵人，虚左以迎。”《新唐书》二〇二亦以见画学与统治者，与有闲阶级有关，然既得有闲阶级提倡，则艺术更又臻妙。故《山静居画论》卷上甚称唐人之点簇画，及没骨画也。

即以科学言之，亦仍有与政治不能绝缘者。如以医学言之，“唐初孙思邈作《千金要方》，以为人命至重，贵逾千金。一方济之，德无逾此。故诊治之诀，针灸之法，以及导引养生之术，无不周悉。”《四库提要》一〇三叶梦得云：“自张仲景、华佗、徐彦伯，有名一世者，其方术，皆医之六经。孙真人为《千金方》两部，固已妙尽古今，方书之要；独伤寒未之尽，似犹未尽仲景之言。后三十年作《千金翼》论伤寒者居多。盖始得之，其精审不苟如此。”《石林避暑录话》卷上，页二四王珪孙焘“亦数从高医游，遂穷其术。作《外台秘要》，讨绎详明”。《新唐书》九八《珪传》——凡此云云，似医学与一统之政制无关。顾《唐书》四八有太医署令，分医师针师呪禁按摩四科，置采药师。则医药安知与政制无关。以历算言之，《旧唐书》七九称李淳风《麟德历》精密。刘肃《大唐新语》卷九称：“开元十二年，沙门一行等造黄道游仪以进。玄宗亲为之序，因遣太史官驰往安南及蔚州，测候日影，经年乃定。”——则历象固与一统政制有关。以机械言之，苏鹗《杜阳杂编》卷中言：“飞龙卫士韩志和，本倭国人，善雕木作鸾凤鸦雀之形。饮啄动静，与真无异。以关戾置于腹内，发之则凌云奋飞，可高三尺，至三百步外，方始却下。兼刻木以作猫儿，以捕鼠雀。飞使异其技巧，遂以事奏，上（穆宗）睹而悦之。”曰“睹而悦之”者，盖仍与政治领袖有关。

按以木作捕鼠人,《梦溪笔谈》卷七页二二尝载庆历中术士李某刻一钟馗,右手执铁简,左手置香饵,鼠缘手取食,则左手扼鼠,右手运简毙之云。机制使飞,《汉书》九九下《王莽传》已记有人取大鸟翮,为衣,飞数百步堕。《北史》卷七言高洋召死囚以席为翅,从二十七丈高台飞下,或竟无恙。惟圣哲立训,不以机巧为贵,故隐湮尔因韩志和事类及之。

第十三章　中古文化史之结束

四二　藩镇与外族

但有利于帝王专断之唐郡县制，自玄宗天宝十三年七五四安史乱作以往，盖已日遂沉沦。肃七五六至七六二、代七六三至七七九、德七八〇至八〇四、顺八〇五之五十年间，朱泚、李希烈辈，倡乱相继。宪宗八〇六至八二〇虽能削平淮西，然“亦举十六道之兵，四年攻之，四年而后克”用《读通鉴论》卷二五语。藩镇之刺客，可以直入国都，盗杀宰相《廿二史劄记》卷二〇“盗杀宰相有二事”条。穆宗八二一至八二四、敬宗八二五至八二六、文宗八二七至八四〇藩镇之势加烈，而朝中宦官朋党，又相交哄。以前者言，则“自穆宗以来八世，而为宦官所立者七君”《唐书·僖纪》赞文。以后者言，则文宗语曰：“去河北贼易，去朝廷朋党难”《通鉴》卷二四五。盖有憾于牛、李之党争。驯至昭宣帝天复二年九〇五而有朱温投士浊流，以殄清流详《通鉴》二六五。未几而唐亡已九〇七年。盖自天宝以讫唐亡，中间凡百五十年，外有权藩，内有蠹宦；于斯时也，实外族可以乘机激发之时也。

裴度于穆宗时上言：“欲扫幽镇，必宜肃清朝廷。何者，为患为大小，议事有先后。河朔逆贼，只乱山东，禁闱奸臣，必乱天下。是则河朔患小，禁闱患大。”《旧唐书》一七〇《度传》可知藩镇外族，亦由中枢间接促成之，书此以志喟也。

玄宗、肃宗间之安史之乱，实可证外族与藩镇，共起而紊唐之郡县制度。安、史盖降胡也。“中原不可生强盗，强盗才生不易除；一盗未平群盗起，功臣都是盗根株”侯廷庆《退斋燕闲录》页二，说郛本，题《唐书》诗。郭子仪者，肃、代时平安史拒吐蕃者也。赵璘《因话录》卷一页四称其子“郭暧，尝尚升平公主。琴瑟不调，暧骂公主，依乃父为天子耶，我父嫌天子不作。公主恚啼，上曰：汝不知他父，实嫌天子不作。使不嫌，社稷实汝家有也。因泣下！但命公主还，尚父拘暧，自诣朝堂待罪。上召而慰之曰：谚云：不痴不聋，不作阿家阿翁。小女子闺帏之言，大臣安用听？锡赉以遣，尚父杖暧数十而已”。代宗以后，德宗之时，破吐蕃者李晟，平李希烈者李晟，而辅相之拜罢，胥出晟意详《容斋续笔》卷二“李晟伤国体”条。虽宪宗略能中兴，而嗣后则叛藩之势益炽也。

当时方镇，专其兵赋之权，而一为国家用命，即仰度支供馈《廿二史劄记》卷二〇。其殖土自荣之心，则安重荣谓：“今世天子兵强，马壮者当为之，宁有种耶。”《旧五代》九八《荣传》昭宗景福二年八九三，欲讨李茂贞。杜让能“谏曰：万一不克，悔无及矣。上曰：王室日卑，号令不出国门。此乃志士愤痛之秋，卿位居元辅，与朕同休戚，无宜避事。让能泣曰：‘……但恐他日臣徒受晁错之诛，而不能弭七国之祸也。……’……军溃，……让能言于上曰：‘臣先已言之矣，请以臣为解。上涕下不自禁曰：‘与卿诀矣，’……赐自尽。”《通鉴》二五九阮阅《诗话总龟》云：“陕郊有唐昭宗诗曰：‘何归有英雄，迎归大内中。’又云：‘纥干山头冻杀雀，不如飞去生处乐。’读之令人变色。昭宗在河东作《菩萨蛮》云：‘登楼延望秦宫殿，茫茫不见双飞燕。渭水一条流，千山与万丘，野烟生碧树，陌上行人去。何处有英雄，迎归大内中？’”前集四二专断帝王，末途如斯。

然叛藩未尝不受胁逼也，盖受胁于骄兵。“逐帅杀帅，视为常事。为之帅者，既虑其变，而为肘腋之患；又欲结其心以为爪牙之助，遂不敢制以威令，而徒恃厚其恩施，此骄兵之所以益横”《廿二史劄记》二〇“方镇骄兵”条。故王建攻蜀，至“诱其将士曰，成都城中，繁盛如花锦。一朝得之，金帛子女，恣汝曹所取，节度使与汝曹更迭为之耳。”及破蜀，“小校韩武数于使厅上马，牙司止之，武怒曰：‘司徒许我迭为节度使，上马何为？’”《通鉴》二五八大顺二年《新唐书》五〇所谓：“兵骄则逐帅，帅强则叛上，往往自择将吏，号为留后，姑息愈甚，而兵将愈俱骄。”观于“夯市”、“靖市”等名，而知兵之骄矣。

李焘《续资治通鉴长编》卷二云：“唐季以来，典刑弛废，州县掌狱吏，不明习律令。守牧武人，率恣意用事。”张舜民《画墁录》卷一云：“自唐末五代每至传禅，部下分扰剽劫，莫能禁止，谓之‘靖市’。”司马光《涑水纪闻》卷一记宋太祖将即位，谓部下曰：“近世帝王，初举兵入京城，皆纵兵大掠，谓之夯音抗市。汝曹毋得夯市，及犯府库。事定之日当厚赉汝，不然，当诛汝，如此可也。众皆曰：诺，乃整饬队伍而行。”此亦士校骄恣之征。

然骄兵未尝不受胁逼也。唐初，借助突厥以兴国《读通鉴论》卷十九“唐高祖用突厥”条，唐中安史之乱，则召回纥以平难。如“郭子仪领回纥兵马，与贼战于陕西”《旧唐书》一九五《回纥传》是也。而吐蕃亦于斯时屡岁寇边。唐季则借助于沙陀，以平黄巢。僖宗用李克用李国昌父子是也《唐书》二一八《沙陀传》。回纥之祸最前，《旧书》所谓：“郭子仪收东京，回纥遂入府库收财帛。于市井村坊，剽掠三日。”回纥破安史，而安史之徒，“伏尸三十里”《旧》一九五《回纥传》，吐蕃则“玉帛才至于上国，烽燧已及于近郊”《旧》一九六《吐蕃传》赞，稍后，回纥、吐蕃虽衰，而沙陀倔强于唐季，与黄巢余党朱温相持之李克用，号“独眼龙”，“逐豺狼于魏阙，殄氛祲于秦川”。《旧五代史》二六赞其部下李存信“果于杀戮，犯令者枭首，诸军无不屏息”《旧五代》五三《李存信传》。此则叛兵受制于悍胡之明征也。

> 悍胡之特有者，则为义儿。《通鉴》二五五云：“克用择军中骁勇者，多养为子。张信之子曰存信，振武孙重进曰存进，许州王贤曰存贤，安敬思曰存孝。皆冒姓李氏。欧阳修曰：唐自沙陀起代北，其所与俱，皆一时豪杰虓武之士，往往养为儿，号义儿军。”以此可知悍胡之自有组织也。

将则制君，兵则制将，胡则制兵，层层割据，俨然纵的封建之制。《因话录》卷二云：“郭汾阳在河中，禁无故走马，犯者死。南阳夫人乳母之子抵禁，都虞侯杖杀。诸子泣告于王，言虞侯纵横之状。王叱而遣之，明日对宾僚，吁叹者数四。众皆不晓，纷问之。王曰：‘某之诸子，皆奴才也。’遂告以故。曰：伊不赏父之都虞侯，而惜母之阿奶儿，非奴才而何？”此可以见安史乱后，军人之抹倒是非。《宝晋斋法书》载豆卢革《田园帖》云：“‘大德欲要一居处，畿甸间旧无田。鄜州虽有三两处庄子，缘百姓租佃多年，累有王公大臣，书请却给还人户，并不欲侵夺疲民。……’岳珂云：‘此帖乃与僧往还书，其畏强藩，避罪罟，盖凛凛渊冰。’”《旧五代》六七，《唐书》四三此可以见唐亡以后，外族侮侵人民之烈。此犹三层割据以外者也，——因而人民苦矣。

人民之苦可由诗人所言征之，如杜甫死于代宗大历五年七七〇，即百五十年间初期的诗人，其“《新婚别》云：‘菟丝附蓬麻，引蔓故不长。嫁女与征夫，不如弃路旁。结发为妻子，席不暖君床。晨婚暮告别，无乃太匆忙。’《工部集》卷九则离散之苦也。《兵车行》云：‘车辚辚，马萧萧，行人弓箭各在腰，耶孃妻子走相送，尘埃不见咸阳桥。牵衣顿足阑道哭，哭声直上干云霄。’《垂老别》云：‘四郊未宁静，垂老未得安。子孙阵亡尽，焉用身独完。投杖出门去，同行为辛酸。幸有牙齿存，所悲骨髓干。’《工部集》十四则于役之苦也。《无家别》云：‘寂寞天宝后，园庐但蒿藜。我里百余家，世乱各东西。存者无消息，死者为尘泥。但对狐与狸，竖毛怒我啼。’同上则荒乱之苦也。’”又如白居易，卒于大中元年八四七即百五十年间中期之诗人，其《杜陵叟》云：“杜陵叟，杜陵叟，岁种薄田一顷余。……典桑卖地纳官租，今年衣食将何如。剥我身上帛，夺我口中粟。虐人害物即豺狼，何必钩爪锯齿食人肉。”《全唐诗》白十五又如韦庄于僖宗中和癸卯八八三，感黄巢之乱，作《秦妇吟》云：“尚让厨中食木皮，黄巢机上刲人肉。东南断绝无粮道，沟壑渐平人渐少。六军门外倚僵尸，七架营中填饿殍。长安寂寂今何有，废市荒街麦苗秀！采樵斫尽杏园花，修寨斩断御沟柳。”则肃宗七五六至唐亡九〇七百五十年间，末期诗人之哀吟民间痛苦者也。

四三　幽怨哀壮以至于颓唐之文人

就上，知天宝以前六一八至七五五，为唐郡县制之见效时期，所谓小康也。天宝以后，至于宪宗、穆宗八二四为唐郡县制之破坏时期，所谓离乱也。敬文以后，以至唐亡九〇七，号令不出国门，民生益见困苦。则唐郡县制之终坏时期，所谓“大乱”也。宋祈云：“唐有天下，三百年，文章无虑三变。高祖太宗沿江左遗风。……唐兴百年，诸儒争自名家，大历贞元间七六六至八〇四，美材辈出。……于是韩愈倡之，柳宗元、李翱、皇甫湜和之。……言诗则杜甫、李白、元稹、白居易白元两氏均有……《长庆集》”盖已述小康时离乱时之文人《新唐书》二〇一《文苑传》叙。欧阳修云：“唐之晚年，诗人无复李、杜豪放之格，然亦务以精意相尚。”《六一诗话》页六则指大乱时期之文人也。

《鹤林玉露》卷十六云：“朱文公云：古今之诗凡三变，盖自书传所载，虞夏以来，下及汉魏，自为一等。自晋宋间，颜谢以下，及唐初，自为一等。自沈宋以后定著律诗，下至今日，又为一等。自然唐初以前，其为诗者，法犹未变。至律诗出，而后诗之句与法，始皆大变。以至今日，益巧益密，无复古人之风矣。”朱子，盖就六朝唐宋立论者。

小康时期之文人，非以供御，即空发哀怨。故武后之时，沈佺期、宋之问“约句准篇，如锦绣成文”《唐书》二〇二《之问传》，似有开辟律诗之功，然律诗固非初唐人所能创参看本卷二七节引王东溆《柳南随笔》卷三，沈宋者流，顾亦不过供奉应制。之问《明河》之诗，寓意求宦，而武后以有口疾丑之，其人盖权门走狗也拙著《唐人故事诗》页六至七。同时有刘希夷，其《白头咏》云：“今年花落颜色在，明年花开复谁在。”“年年岁岁花相似，岁岁年年人不同。”刘肃《大唐新语》卷八中宗时有李峤之《汾阴行》：“山川满目泪沾衣，富贵荣华能几时。”虽异日，高宗以为才子，然亦不过荣华中，略作怨苦之反省详计敏夫《唐诗纪事》卷十。感慨未深，气局未大，在小康之郡县制度以下，歌诗以发其心声者，不过尔尔。

唐人之诗，本属可歌。“《竹枝》、《浪淘沙》、《抛球乐》、《杨柳枝》，乃诗中绝句，而定为歌曲。”“李贺乐府数十篇，皆合之管弦李益诗名，与贺相埒。每一篇成，乐工争以赂求之。”故王昌龄、高适、王之涣旗亭饮酒，昌龄、高适二绝，伶人歌之。佳妓最后，唱之涣黄河直上之句，之涣大悦。“以此知李唐伶伎，取当时名士诗句入歌，盖常俗也”节录王灼《碧鸡漫志》卷一页七。——然此乃随时行乐，非创变作风之谓也。

小康时期之诗如斯，其文人亦何尝不尔。故王勃《滕王阁赋》，实类齐梁小儿之语。同时有刘知幾，其著《史通》，亦复骈四俪六。李善倾心于《文选》《唐书》二〇二《李邕传》附，正以见齐、梁人所渴诵之《文选》，唐初亦成通行《廿二史劄记》二〇《唐初文选之学》。可知小康时期之文人，无以大殊于六朝。何则，沉醉升平，所感者小，而所鸣者微也。

至于天宝以后历代宗大历，宪宗元和，至于穆宗长庆文人诗人，虽不乏供御者，不乏空鸣哀怨者，然言诗则有杜甫、李白；甫卒于代宗大历五年七七〇，其死时，韩愈已得三岁七六八至八二四。又二年而白居易生七七二至八四六，据《新唐书》一一九。离乱之时，其音哀，而旨正词宏矣。

杜甫为天宝、大历间之诗人，与李白同时。其诗律高妙，严羽所谓："李杜二公，如金鸩擘海，香象渡河。下视（孟）郊、（贾）岛辈，直虫吟草间。"《沧浪诗话》页一八然杜诗尤渊源得风人之致，阮阅《诗话总龟》后集三四之说，可以尽之。"李杜画象，古今诗人，题咏多矣。若子美甫字其诗高妙，固不待言。要当知其平生用心处，则半山老人王安石之诗得之。诗云：'吾读少陵诗，谓与元气侔。力能排天斡九地，杜颜毅色不可求。……青衫老见斥，饿走半九州。瘦妻僵前子仆后，穰穰盗贼森戈矛。吟哦当此时，不废朝廷忧。常愿天子圣，大臣各伊周。宁令吾庐独破受冻死，不忍四海赤子寒飕飕。伤钝嗟屈亦一身，嗟时之心吾所羞。所以见公像，再拜涕泗流。推公之心古亦少，愿起公死从之游。'"盖在离乱之世，杜甫诚诗史。其《石壕吏》诸篇，匪特小康时沈宋诸人所莫能，抑亦李白所不逮矣。故《渔隐丛话》诗集卷八，载李伯纪《杜工部集叙》云："自开元、天宝太平全盛之时，迄至德、大历干戈丧乱之际，凡千四百四十余篇。其忠义气节，羁旅艰难，悲愤无聊，一写于诗。"允矣。

李白似为一中酒疏狂之诗人，其作品为个人的，非家国的。姚宽《西溪丛语》卷上云："殷璠为《河岳英灵集》，不取杜甫诗。高仲武为《中兴间气集》，不取李白诗。”然吾终嫌太白才子气太重，不如子美渊深。任昉之生，母梦彩旗悬铃，江淹得郭璞笔，后梦索见还，而江郎才尽《南史》五九《任传》、《江传》。此均与唐李峤梦人遗双笔，才思大进《唐》一二三，太白母梦长庚星生《唐》二〇二，同有。“才子”鬼话况白为诗文，不尝关怀世变。故王荆公“论李、杜、韩、欧诗，以欧公居太白上。曰：李白诗词迅快，无疏脱处；然其识污下，十句九句，言妇人酒耳”《扪虱新语》卷八。《渔隐丛话》前集卷六云：“荆公次第四家诗，以李白为最下，俗人多疑之，公曰：白诗近俗，人易悦故也。白识见污下，十首九，说妇人与酒耳。”潘德舆《李杜诗话》卷一云：“荆公此论，《扪虱新语》、《冷斋夜话》皆载之。《老学庵笔记》则谓非荆公语，乃读李、杜诗未熟者，妄言之。”然予则宁愿荆公有是言也。

元和、长庆间丁宪宗不能中兴之后，为离乱之世，又有两组文人。言文则有韩柳，言诗则有元白，先后而在。韩柳古文，据赵翼《廿二史劄记》卷二十“唐古文不始于韩柳”条云：“宋景文谓唐代古文，自韩愈始倡，其实不然。……愈之先，早有以古文名家者。今独孤及文集尚行于世，其胜处有先秦、西汉之遗风，但未自开生面耳。”然柳、韩丁兹乱世，而又重之以个人之失意，则其发扬古文，终不失为元和之以文鸣时者。至于元、白之诗，其悱恻有诗人之致，固灭于杜甫，然乐天能关心国事，其《长恨歌》云：“汉皇重色思倾国，御宇多年求不得。”则荒宴之诽焉。微之《连昌宫词》云：“开元之末姚宋死，朝政渐渐自妃子。禄山宫里养作儿，虢国门前闹如市。弄权宰相不记名，依稀记得杨与李。庙谟颠倒四海摇，五十年来作疮痏。”则惩讽之戒焉。盖“居易被遇宪宗时，事无不言。湔剔抉摩，多见听可。后为当路所忌，遂摈斥。所蕴不能施，乃放意文词”。《唐书》一一九《居易传》白《与元书》云：“文章合为时而著，歌诗合为事而作。”又谓：“好其诗者，邓鲂唐衢，俱死。不知天意，不欲使下人疾苦，闻于上耶。”《日知录》二一引白言云云，而元稹作《连昌宫词》，其“词虽微，而荒纵之意，乃可考。卒章乃不忘讽箴为优，……此诗盖深讥荒淫无度也”。张邦基《墨庄漫录》卷六——此长庆间之诗人，在郡县制失坠以后，犹不忘箴规之征。虽立言或有时俚俗，而此爱国之思，则犹不失老杜之矩镬者也。

王荆公云：“天下好语，皆被杜子美道尽。天下俚语，又被白乐天道尽。”《渔隐丛话》前集卷十四彭乘《墨客挥犀》卷三又谓：“白乐天每作诗，命一老妪解之，问曰：解否？妪曰，解，则录之。不解，则又复易之。故唐末之诗，近于鄙俚。”然乐天所以不朽，正在乎斯。段成式《酉阳杂俎》卷八载有人“自头以下，遍刺白居易舍人诗”，白诗深入民间可见，况立语不忘家国乎？

其在敬文以后，藩镇愈悍，外族愈强以迄唐亡。文人亦颓唐矣。文宗之时，王建以宫词著《全唐诗·王建传》，此沉靡也。李涉《送暴客诗》云：“春雨潇潇江上村，绿林豪客夜知闻；他时不用相回避，世上于今半是君。”范摅《云溪友议》卷九此幽怨也。稍后则李商隐文宗开成二年（八三六）进士“为诗主秾艳，号三十六体”。其无题诗，大致涉及情爱《新唐书》二〇二《商隐传》。杜牧太和二年（八二八）进士虽有“铜丸走坂，骏马注坡”之誉辛文房《唐才子传》卷六，然其“落魄江湖载酒行”，为崔女紫云而发王铚《补侍儿小名录》页四。“自恨寻芳到已迟”，则宣宗时为垂髫女而作《渔隐丛话》后集十五。此放肆也。下及懿宗之时，则刘允章见《唐书》一六〇怒皮日休，以为"'鹦鹉洲在此，即黄祖沉祢衡之所'，举座为之惧，日休零涕而已"。见《玉泉子》页七而郑綮相昭宗，"或问郑綮相国，近有诗否？答曰：'诗思在灞桥风雪中，驴子上，此处那得之？'綮虽有诗名，本无廊庙之望。及登庸，中外惊骇。太原兵至渭北，天子震恐，渴于攘却。綮请于文宣王字号中，加一哲字。"《北梦琐言》卷七——文人之无聊，与言论之不自由，于此可征。唐亡矣，韦庄著《秦妇吟》，其结句以"愿君举棹东复东，咏此长歌献相公"，推美润州帅周宝王国维《观堂集林》二十一《秦妇吟跋》，宝固善于屠城者也《新唐书》一八六《宝传》。——可知世道之穷，兆文人之穷；晚唐文人之所以不及中唐，而唐诗之所以陷于绝境，与义山秾艳之风，竟开北宋西昆之体者，——此与世道之穷，岂无些微之因缘哉？

《诗话总龟》后集卷十一云："咸平景德中，钱惟演刘筠，首变诗格，而杨文公与之鼎立，号江东三虎诗，诗格与钱刘，亦极相类。谓之西昆体。大致效李义山之为丰富藻丽，不作枯寂语。杨文公在至道中，得义山诗百余篇，至于爱慕而不能释手。"西昆与义山近，容为时世近故；然义山之诗，何以盛于唐宋之交，而竟轶李杜，则殆时世大乱，关心家国之诗，不容辄为；而秾艳风流，遂为世重欤。

四四　中古末之民生

且世道之衰，非徒郡县制坏，武人与外族之恣横而已，则皆有民生之困苦也，豪贵之兼并也。天宝以后，民因苦于军事，“读杜甫《无家》、《垂老》诸别，千古犹为陨涕”。《读通鉴论》二十《白氏长庆集》卷三述新丰折臂翁，记规脱军籍者“夜深不敢使人知，偷将大石搥折臂。张弓簸旗都不堪，从兹都免往云南”诸语，然民人所受经济之胁迫，固非起于天宝以后；而天宝以后特甚尔。

汉董仲舒、仲长统，已斥豪人豪殖，其在于晋，则张华《博物志》卷九亦言：“贫者不胜其忧，富者不胜其乐。”东晋之初，鲁褒著《钱神论》谓：“市谚曰：钱无耳，可使鬼。凡今之人，惟钱而已。”《晋书》九四《鲁褒传》然古惟用钱《汉书·食货志》，唐惟权万纪请凿山冶银，岁取数百万，而“太宗斥之”《唐书》一〇〇《万纪传》。《亭林文集》卷一《钱粮论》云：“《汉志》言秦币二等，而银锡之属，施于器饰，不为货。自梁时，始有交广以金银为货之说，宋仁宗景祐二年，始诏诸路岁输缗钱，福建二广，易以银，以坑冶多，而市舶利也。至金章宗始铸银，名之曰承安宝货。”言银之历史如此。

天宝以后，郡县制坏，而社会上处有两种势力，其一，则地主也。玄宗薄卢从愿之盛占良田，名之多田翁，不以为相《唐书》一二九《从愿传》。犹是薄之也。至宣宗之语韦宙，则竟以“足谷翁”誉之详本卷三十六节引《侯鲭录》卷六，则竟以兼并之徒为是也。德宗介乎玄宗、宣宗之间，而其时，则杨炎定两税，可以见田主之得志。陆贽斥兼并，可以见田主之横行。又知"多田"之诮，变为足谷之誉，非偶然已。贽在德宗时，言"今制度弛紊，疆理坏坠，恣人吞噬，无复畔限。富者兼地数万亩，贫者无容足之居。""今京畿之内，每田一亩，官税五升，而私家收租，殆有亩至一石者。夫以土地王者之有，耕稼农夫之所为，而兼并之徒，居然受利。""革弊化人，事当有渐。望令百官奏议，凡所占田，约为条限；截限租价，务利贫人。"见《宣公奏议》卷十五此即《元史·卢世荣传》减租《元史》二〇五，《日知录》卷十议减私租之先声，读史者可知私租之重，盖在唐季已然。杨炎在德宗即位之时七八〇，以大乱之后，法度玩敝，乃废租庸调之法，"户无主客，以见居为薄。人无丁中，以贫富为差。不居处而行商者，税三十之一，居人之税，夏秋两入之，俗有不便者，正之"《唐书》一四五《炎传》。盖昔者丁各有产，故租庸调之法，以人为本；后世丁或无田，故两税之法，以产为准。炎之创为两税也，后世因之；殆有不得不然者尔。

以两税为不得不然者，语详《通考》卷三盖租庸调皆丁而税，势须有详细之丁籍如前三五节所引团貌籍帐之法。考承平日久，户籍失修，如武后时十道使已括天下亡户详《新唐书》一二五《苏环传》；中宗时李峤亦言："破役隐身，规脱租赋。"《唐书》一二三《峤传》玄宗时则宇文融特括浮户闲田详《旧唐书》一〇五《融传》，徐度《却扫编》卷下页二十六以为此乃宪衔之始。可知调查丁口，势至繁重，况经天宝之乱，户品流散，而两税之兴，盖不得已。

其二，则商人也。按德宗时，王虔休称“海阳旧馆，前临广江，大舰飞轩，高明式叙，崇其栋宇，辨其名物，陆海珍藏，循公忘私”。《全唐文》五一五则蕃商之盛也。懿宗时陈磻石请造千斛大舟，自福建运米，以泛广州《通鉴》二五〇，僖宗时黄巢求为岭南节度使，于琮以为广州市舶宝货所聚，不可令贼得之《通鉴》二六三。则海上之盛也。孟麟《泉布统志》五下云：“唐宪宗令商贾委钱诸路奏进院，及诸军诸富家、以轻装趋四方，合券乃取之，号飞钱。”则汇兑之始也。《泉布统志》五上拓有高宗永徽间钞，又有敬宗宝历八二五钞十张。上书“大唐宝钞”，次书“十贯”，即画元宝一锭。二十贯，即画元宝二锭。其余照数加减，下书“礼部奉旨印造大唐宝钞，与钱并行”等文。两边篆书“通行天下，与钱并行”，周围云龙花栏，十纸皆同，上盖方印，曰“印造宝钞”。则纸币之盛也。商人及富人，盖已为社会上之常物，此可以觇世变已。

明闵元衢《欧余漫录》卷五云：“陶朱猗顿古，今称富者，必归焉。而万世之下，少克俪此二人者，何也？古者，利不得一人专，故二人稍稍出其罗利之术，居积之术，比之中人之产，似为高出万万。窃常思之，不过（今世）一县一邑中之多财者尔。后世既无常业，富者之多，不可胜道。正所谓越无镈，燕无函，非真无也，夫人而能为之也。”此语真能道出古今聚富之异。

何薳《春渚纪闻》云：“昔唐明皇顾视一龙，横亘南山，而首尾皆具。询之左右近臣，或有见，有否者。帝曰：‘朕闻至富，可敌至贵。’令召王元宝视之。元宝奏称，所见与帝一同。然则所谓富家大室者，所积之厚，其势可以比封君，而钱足以使鬼神也。”卷二“富室疏财”条富贵并等，可知天宝乱后，藩镇外族之外，固又有富豪之徒，在社会上饱占势力。习俗移人，拜金之风自烈。陈善谓：“韩退之嘲京师富儿，不解文字饮，惟能醉红裙。然予观退之，亦未能忘情者。退之自有两侍妾，曰绛桃、柳枝。又尝有诗云：‘银烛未烧窗送曙，金钗半醉坐添香。’此岂空饮文字者。”《扪虱新话》卷七页五可知社会上对于富人生活，盖自浸渍而渴慕之已。

此等商人以及地主，对生民自多胁逼，又岂亚于藩镇外族哉？观德宗时，陆贽谓“兼并之徒，居然受利”可见。重以庐井倾圮，兵燹凋零，故农村衰落，观元稹《同州奏均田状》云：“贞元四年至今，已是二十六年。其间人户逃移，田地荒废，……其间亦有豪富兼并，田连阡陌。十分田地，才税二三。致使穷独逋亡，赋税不办。……昨因农务稍暇，乃遂设法各令百姓自通手状。……然后取两税元额地数，通计七县肥瘠，一律作分数抽税，自此贫富强弱，一律均平。”元稹《长庆集》三十八按此状，上于宪宗元和九年八一四，兵燹及豪强之困苦佃农，既在眼底；而贤者立法，只知以均税为“均田”，唐亡而周继，周世宗之贤，至叹元稹均田，“较当时之利病，曲尽其情；俾一境之生灵，咸受其赐。”《困学纪闻》卷十六注足见唐季政府，不能御制武人，不能削夷外族，于豪强之兼并，兼亦不能釜底抽薪也。

《湘山野录》谓“潘祐事江南，……以（南唐李）后主好古重农，因请采井田之制，稍抑兼并”。马令《南唐书》卷十九亦谓：“祐既获用，请复井田法，深抑豪民有买贫户田者，请即还之。”此不足谓为南唐之泥古可哂，足以见社会之病态，饶有反应尔。

然则在中古史结束之时，帝皇则困于藩镇，郡县制已坏矣。藩镇则困于骄兵，逐帅杀帅之事常见矣。骄民则胁于外族，以朱全忠之兵，而莫能抗沙陀矣。上自显宦，下至细民，殆无不以泪洗面，于悲痛中讨生活，所幸免者，其惟豪民乎？《玉泉子》云："京辇自黄巢退后，修葺残毁，时定州有儿，俗号王酒胡，居于上都巨富。纳钱三十万贯，助修朱雀门。昭宗又诏重修安国寺毕，亲降车辇，以设大斋。乃扣新钟一撞，舍钱一万贯，命大臣请各如意而击。上曰：有能舍一千贯者，即打一槌。斋罢，王酒胡半醉入来，连打百下，便于西寺运钱十万贯入寺。"页三三，稗海本丁兹天地绝续之秋，豺虎横行之日，富人真天之骄子哉？